Sommaire

W9-CPX-451

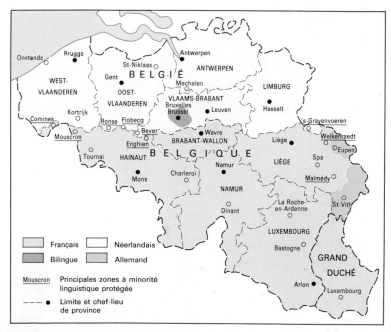

Français   Néerlandais

Bilingue   Allemand

Mouscron   Principales zones à minorité linguistique protégée

--- ●   Limite et chef-lieu de province

Principales curiosités

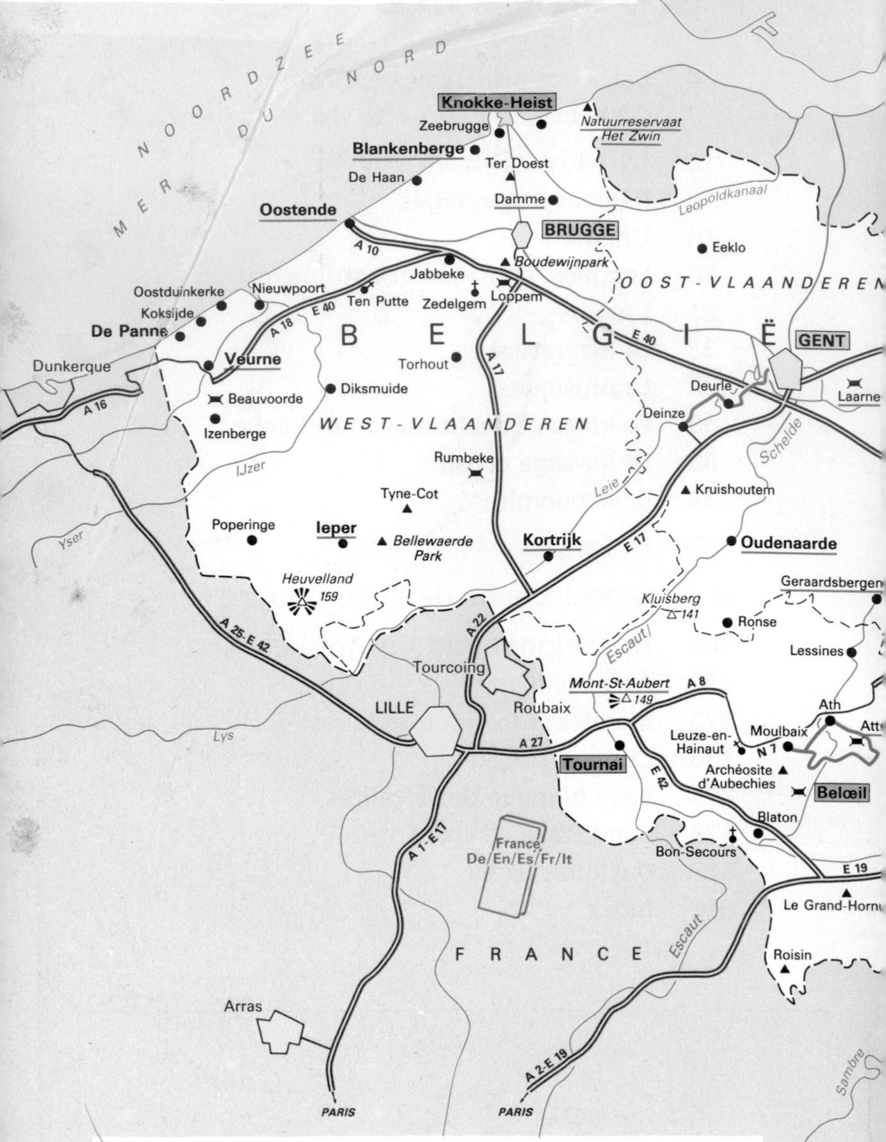

Noordzee / Mer du Nord

Natuurreservaat Het Zwin
Knokke-Heist
Zeebrugge
Blankenberge
Ter Doest
De Haan
Damme
Leopoldkanaal
Oostende
BRUGGE
Eeklo
A 10
Boudewijnpark
OOST-VLAANDEREN
Jabbeke
Oostduinkerke   Nieuwpoort
Koksijde   Ten Putte   Loppem
De Panne   A 18   E 40   Zedelgem
E 40   GENT
BELGIË
Dunkerque
Veurne   Torhout   Deurle   Laarne
A 16   Deinze
Beauvoorde   Diksmuide   A 17   Schelde
Izenberge   WEST-VLAANDEREN
IJzer   Rumbeke
Leie
Tyne-Cot   Kruishoutem
Poperinge   Ieper   Bellewaerde   Kortrijk   Oudenaarde
Park   E 17
Geraardsbergen
Heuvelland   Kluisberg   Ronse
159   141
A 25-E 42   Lessines
Yser   A 22
Tourcoing   Mont-St-Aubert   A 8   Ath
LILLE   149   Att
Roubaix   Moulbaix
A 27   Leuze-en-   N 7
Tournai   Hainaut
Lys   A 42   Archéosite   Beloeil
d'Aubechies
Blaton
France   Bon-Secours   E 19
De/En/Es/Fr/It
FRANCE   Escaut   Le Grand-Horn
Roisin
Arras
A 2-E 19   Sambre
PARIS   PARIS

LISTE BILINGUE DE LOCALITÉS ET PROVINCES

Sur cette carte, les localités ou provinces sont citées suivant leur appellation.
La liste ci-dessous donne la traduction française des noms néerlandais.

Aalst	Alost	**Nieuwpoort**	Nieuport
Antwerpen	Anvers	**Oostende**	Ostende
Baarle-Hertog	Baerle-Duc	**Oost-Vlaanderen**	Flandre-Orientale
Brugge	Bruges	**Oudenaarde**	Audenarde
Dendermonde	Termonde	**De Panne**	La Panne
Diksmuide	Dixmude	**Ronse**	Renaix
Gent	Gand	**Scherpenheuvel**	Montaigu
Geraardsbergen	Grammont	**Sint-Niklaas**	St-Nicolas
De Haan	Le Coq	**Sint-Truiden**	St-Trond
Halle	Hal	**Tienen**	Tirlemont
Ieper	Ypres	**Tongeren**	Tongres
Koksijde	Coxyde	**Veurne**	Furnes
Kortrijk	Courtrai	**Vlaams-Brabant**	Brabant flamand
Leuven	Louvain	**Vilvoorde**	Vilvorde
Lier	Lierre	**West-Vlaanderen**	Flandre-Occidentale
Mechelen	Malines	**Zoutleeuw**	Léau

Un lexique plus complet figure en fin de guide.
Sur la carte Michelin n° 409 vous trouverez un répertoire bilingue.

4

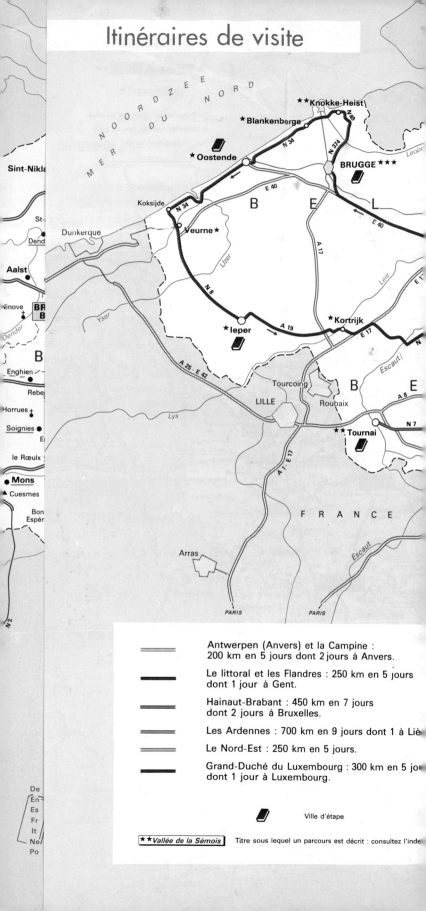

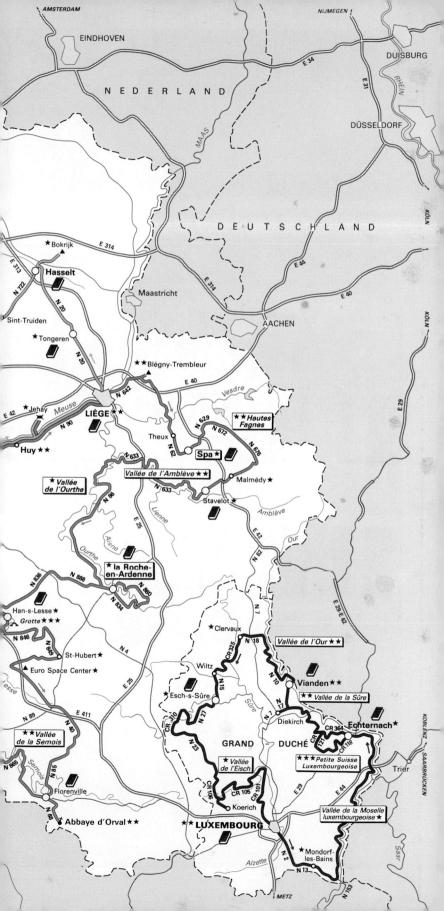

Paysage des Ardennes

Introduction
au voyage

Régions et paysages

Sur une surface relativement modeste – 30 513 km² – la Belgique comprend une population de 9 180 063 h. (janvier 1994). La densité est l'une des plus fortes d'Europe : 300 h. par km² (France : 102). Le Grand-Duché de Luxembourg compte 378 400 h. (janvier 1990) pour une superficie de 2 586 km² ; la densité y atteint 146 h. par km². La circulation des hommes et des marchandises bénéficie dans les deux États d'une infrastructure remarquable (nombreuses voies navigables – cours d'eau et canaux – réseau routier très dense) ; en Belgique cette infrastructure est telle qu'elle permet des mouvements de population quotidiens d'une ampleur sans égale dans le monde. L'industrie occupe à elle seule près de la moitié des « actifs » belges et luxembourgeois. Métallurgie, textile et chimie en Belgique, sidérurgie dans le Grand-Duché en sont les éléments dominants.

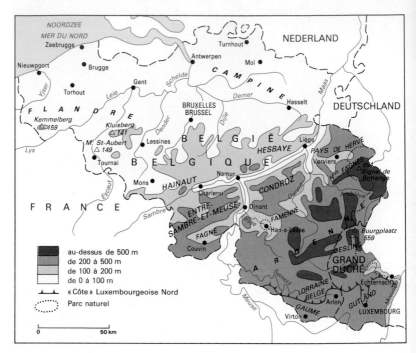

BELGIQUE

La Belgique, dont la distance maximale du Sud-Est au Nord-Ouest est de 329 km, a des paysages relativement diversifiés. Son territoire se répartit en trois groupes *(voir carte ci-dessus)*.

Basse Belgique (jusqu'à 100 m d'altitude)

Anvers
Principales villes : **Anvers**, Malines
Superficie : 2 867 km²
Population : 1 522 125 h.

Flandre occidentale
Principales villes : **Bruges**, Ostende, Courtrai
Superficie : 3 134 km²
Population : 1 101 236 h.

Limbourg
Principale ville : **Hasselt**
Superficie : 2 422 km²
Population : 698 349 h.

Flandre orientale
Principale ville : **Gand**
Superficie : 2 982 km²
Population : 1 306 377 h.

La côte – Seule ouverture de la Belgique sur la mer, elle s'allonge sur 70 km de front rectiligne. De belles plages de sable fin ont fait de cette côte un grand lieu de villégiature ; en contrepartie elles n'ont guère favorisé l'implantation des ports, astreints à de coûteux aménagements (canaux d'accès, avant-ports) en raison de leur éloignement du littoral. La côte ne possède qu'un lieu abrité, l'échancrure du débouché de l'Yser où s'est installé Nieuport. Zeebrugge est un port de pêche artificiel. Anvers, le grand port de commerce belge *(voir à ce nom)*, est situé à l'extrémité d'un très long estuaire qui traverse la Zélande, province des Pays-Bas.
Actuellement bordé, soit par des digues aménagées en promenoirs pour piétons et cyclistes, soit par un épais cordon de **dunes** couvertes d'oyats, le littoral a beaucoup évolué depuis le Moyen Âge. C'était jadis une terre amphibie parcourue d'innombrables

voies d'eau qui ont connu un envasement progressif comme celui de l'estuaire du Zwin, à l'origine de la ruine du commerce de Bruges. D'autre part, le travail de l'homme a complété les transformations naturelles en créant, au-delà des dunes, une région de polders.

Les polders – S'ils n'ont pas l'ampleur des polders des Pays-Bas, ils ont été aménagés de la même manière. Ce sont d'anciens marais asséchés et drainés que des écluses protègent des fortes marées. Il a suffi en 1914 d'ouvrir les écluses de Nieuport pour que tout l'arrière-pays se trouve inondé *(voir à ce nom)*. La terre des polders est très fertile.

La Campine – L'ancienne Taxandria s'étale sur plusieurs provinces et se prolonge aux Pays-Bas. Dans cette vaste plaine entre l'Escaut, la Meuse et le Demer, les sables et les cailloux charriés par les fleuves se sont accumulés. Terre pauvre, parsemée d'étangs, la Campine ne voit croître que la bruyère et les pins sylvestres.
Peu peuplée, elle était jadis le lieu de prédilection des monastères (Postel, Westmalle et Tongerlo) : quelques terres ont été défrichées au 19ᵉ s. ; d'autres étant vouées aux manœuvres militaires (Leopoldsburg, fondé en 1850). Plus récemment, la région a accueilli le Centre d'études nucléaires de Mol (1952) et quelques industries, favorisées par la présence du canal Albert, creusé en 1939. Sa seule richesse naturelle est la houille dont les gisements, découverts à la fin du 19ᵉ s., près de Genk, sont abandonnés car ils ne satisfont pas aux exigences actuelles de rentabilité.

Autre région sablonneuse – Vallonnée par endroits, elle s'étend dans les Flandres entre les polders et la côte, la Lys et l'Escaut. Plusieurs collines pointues sont un résidu de terrains plus résistants : **Kemmelberg, Kluisberg, mont St-Aubert.**
La terre y est l'objet d'une agriculture plus intensive que dans la Campine et la population beaucoup plus dense. Les champs cultivés sont bordés de rideaux de peupliers. Les fermes basses se disséminent dans le paysage. C'est à proximité de l'Escaut et dans les régions de Courtrai, de Tournai et de Gand que s'est implantée l'industrie textile. Quelques régions sont particulièrement boisées comme le **Houtland** près de Torhout.
Le sol ancien, facile à atteindre, permet l'exploitation de nombreuses carrières (porphyre de Lessines, Tournai). Les villes sont nombreuses, l'urbanisation remontant à la grande époque drapière au Moyen Âge. De grandes cités comme Gand, Anvers, Bruxelles se sont développées dans ces régions favorisées par la facilité des communications.

Moyenne Belgique (de 100 à 200 m d'altitude)

Brabant
Principale ville : **Bruxelles**
Superficie : 3 358 km²
Population : 1 908 828 h.

Hainaut
Principales villes : Tournai, **Mons**, Charleroi
Superficie : 3 785 km²
Population : 1 116 079 h.

Au cœur du pays, autour de la vallée de la Sambre et de la Meuse, s'étend un plateau crétacé dont l'altitude, modérée, s'élève graduellement vers le Sud, en direction du haut massif ardennais, jusqu'à près de 200 m d'altitude. Son sol relativement fertile, composé d'argile et de limons dans la plaine, de lœss sur les pentes, permet à la fois la culture et l'élevage. L'ancienne forêt charbonnière *(voir à Bruxelles, Forêt de Soignes)* qui couvrait une partie du pays du temps des Romains a pratiquement disparu : il n'en reste que la **forêt de Soignes**.
La **Hesbaye** à l'Est, le **Hainaut** à l'Ouest sont des plateaux couverts de lœss, particulièrement fertiles. C'est le domaine de l'agriculture. Les villages se dissimulent dans le fond des vallées. Les fermes sont grandes et isolées. Les bâtiments, en calcaire, grès ou brique (celle-ci souvent blanchie à la chaux), se répartissent autour d'une vaste cour centrale qui s'ouvre par un unique porche, parfois monumental. Au Sud de la Moyenne Belgique, à la jonction du massif ardennais, dans un long fossé que traversent la Sambre et la Meuse de Charleroi à Liège et que prolonge le Borinage (Mons), la cassure a laissé apparaître les couches carbonifères, constituant le **bassin houiller**. Sur ce « sillon Sambre-Meuse » (région liégeoise, Charleroi, La Louvière) se situent les plus fortes concentrations d'industrie métallurgique.

Ardennes

Namur
Principales villes : **Namur**, Dinant
Superficie : 3 666 km²
Population : 411 478 h.

Luxembourg
Principales villes : La Roche-en-Ardenne, **Arlon**
Superficie : 4 439 km²
Population : 227 462 h.

Liège
Principales villes : **Liège**, Spa
Superficie : 4 439 km²
Population : 888 129 h.

Vestige d'un massif montagneux primaire, usé, prolongeant l'Eifel allemand, c'est la Haute Belgique où se trouve le point culminant du pays, le **Signal de Botrange**, à l'altitude de 694 m. Ses plissements s'alignent d'Est en Ouest, rendant difficiles les communications en dehors de vallées qui coulent du Sud au Nord.
Dans cette région connue pour ses forêts du temps des Romains (du nom de la déesse Arduinna vient le mot Ardenne), on distingue la Basse et la Haute Ardenne.

Les Hautes Fagnes

Basse Ardenne – D'altitude moyenne (200 à 500 m), c'est un ensemble de plateaux situés au Sud de la Meuse : le **Condroz** (du nom de la tribu germanique des Condrusiens), est une région assez fertile, composée de calcaires et de schistes, ayant pour capitale Ciney ; l'**Entre-Sambre-et-Meuse** se trouve au Sud de Charleroi ; les dépressions de la **Famenne** (capitale : Marche-en-Famenne) et de la **Fagne** sont des régions de schistes et de grès, marécageuses et boisées. Entre ces plateaux s'inscrivent des vallées très encaissées – Lesse, Ourthe, Meuse – sur le parcours desquelles s'ouvrent des grottes *(voir ci-dessous)*.

Le **pays de Herve**, région humide vouée à l'élevage, et la région de Verviers se rattachent à la Basse Ardenne. Le **pays des Rièzes et des Sarts**, au Sud de Couvin *(voir à ce nom)*, à plus de 300 m d'altitude, est une émergence du socle ardennais.

Haute Ardenne – Ce sont, au-dessus de 500 m, des plateaux bombés. Les crêtes les plus dures forment la zone inhospitalière des Hautes Fagnes, avec le point culminant du pays. Sur son sol imperméable, très humide, se sont développées les tourbières.
Une partie de ces régions est reboisée en conifères (épicéas généralement).
Les vallées, sinueuses, comme l'Amblève, sont plus avenantes.
La ferme ardennaise est une grande bâtisse austère ; sorte de cube aux murs couverts d'un crépi fruste, elle réunit les pièces d'habitation et la grange sous un même toit à deux pentes. L'un de ces côtés est parfois construit en colombage.
Pauvre en ressources, défavorisée par des difficultés de communication et par un climat rigoureux, la Haute Ardenne, restée longtemps à l'écart du développement du pays, s'est ouverte de nos jours au tourisme.
La **Lorraine belge** (Arlon) et la **Gaume** (Virton) appartiennent géologiquement à la partie Sud du Luxembourg. Comme en France, le village lorrain présente des alignements de fermes serrées, de part et d'autre de rues très larges. En Gaume méridionale, les maisons sont couvertes de tuiles romaines, fait exceptionnel en Belgique.

GRAND-DUCHÉ DE LUXEMBOURG

Capitale : **Luxembourg**
Superficie : 2 586 km^2
Population : 384 062 h.

Le Luxembourg est constitué de deux régions géographiques très différentes.
Au Nord, l'**Oesling**, plateau qui fait la jonction entre l'Ardenne et l'Eifel, culmine à 559 m (Buurgplaatz). Son climat, rigoureux, est comparable à celui de l'Ardenne. L'Oesling est la région des forêts ; celles-ci occupent environ 1/3 du territoire du Grand-Duché.
Au Sud, le **Gutland** (ou Bon Pays), de climat plutôt doux, car moins élevé, s'incline légèrement vers la Lorraine française. Il est formé de couches superposées de grès et de calcaires, alternant avec des argiles et des marnes. Le vignoble luxembourgeois *(voir Vallée de la Moselle luxembourgeoise)* se situe dans le Sud-Est du Gutland, sur les coteaux regardant la Moselle.
Au contact entre les roches dures du massif ancien et les roches tendres, l'érosion a créé des **« côtes »**, longues corniches abruptes, orientées Est-Ouest, de tracé irrégulier et couvertes de forêts de hêtres. Celle du Nord, en grès de Luxembourg, traverse le pays d'Arlon à Echternach en longeant le Nord de la Petite Suisse luxembourgeoise. Celle du Sud s'étend le long de la frontière et se prolonge en Belgique jusqu'au Sud de Virton.
Le tiers des habitants du Luxembourg se regroupent dans la capitale. Si l'Oesling reste relativement peu peuplé et de vocation plutôt touristique, le Gutland, propice à l'agriculture, est aussi le domaine de l'industrie (bassin minier d'Esch-sur-Alzette, *voir à ce nom*).

LES GROTTES

Sur le moyen plateau ardennais, une véritable couronne de rivières circonscrit la région du Condroz. Ce sont la Meuse, l'Ourthe et la Lesse qui, sur le pourtour du plateau, ont creusé de profonds sillons à travers schistes et calcaires.

L'infiltration des eaux – Dans les zones calcaires, des phénomènes hydrographiques particuliers se sont manifestés. Le ruissellement des eaux à la surface du plateau a entraîné par érosion la formation de gouffres comme le **Fondry des Chiens** à Nismes ou les différents types d'abîmes nommés chantoirs (Vallon des Chantoirs à Sougné-Remouchamps), aiguigeois, adugeoirs, dont on retrouve la présence un peu partout dans la région.

La formation des grottes – L'eau pénétrant par ces gouffres dissout la couche calcaire dans sa progression. Il se forme ainsi des rivières souterraines dont certaines ne sont que le parcours souterrain d'une rivière de surface, telle la Lesse qui disparaît près de Han pour reparaître 10 km plus loin. Elle y traverse la **grotte de Han**, la plus fameuse de Belgique, qui possède une immense salle. La grande salle de la **grotte de Rochefort** ou salle du Sabbat est également très impressionnante.
Le plus souvent, la rivière souterraine a tendance à s'enfoncer. Ainsi le lit plus ancien, de niveau supérieur, n'est plus inondé qu'en période de forte crue, quand il n'est pas, le plus souvent, abandonné. On peut parfois circuler en bateau dans la galerie inférieure : à **Remouchamps**, le trajet atteint 1 km.
Certaines de ces cavernes ainsi creusées ont été habitées à l'époque préhistorique (Goyet, Furfooz, Han, etc.).

La formation des concrétions – Au cours de sa circulation souterraine, l'eau abandonne le calcaire dont elle s'est chargée en pénétrant dans le sol. Ainsi se créent des concrétions aux formes fantastiques dont les représentations les plus connues sont les **stalactites**, colonnes descendant de la voûte, et les **stalagmites**, colonnes partant du sol. Une juxtaposition de stalactites forme des draperies, une stalactite et une stalagmite réunies constituent un pilier.
Les excentriques sont de fines concrétions qui, produites par cristallisation, n'obéissent pas aux lois de la pesanteur et se développent souvent en diagonale. Généralement en calcite, de couleur blanche, les concrétions sont parfois teintées de minerais, l'oxyde de fer donnant une couleur rouge, le manganèse une couleur marron, etc.

Les résurgences – Les eaux s'écoulant dans les galeries souterraines finissent par aboutir au flanc d'un versant et réapparaître à l'air libre. A Han-sur-Lesse, on peut voir la résurgence de la rivière, près de la sortie des visiteurs.

LA FAUNE ET LA FLORE

Pour protéger la faune et la flore, l'aménagement de réserves et de parcs naturels est l'objet d'un soin particulier, tant dans les régions les plus peuplées qu'en Ardenne.

Réserves naturelles – Il s'agit de territoires strictement protégés par les régions ou gérés par des associations privées comme les RNOB (les réserves naturelles et ornithologiques de Belgique). Quelques-unes de ces réserves sont ouvertes au public, du moins en partie. Dans certaines la visite n'est possible que sous la conduite d'un guide. Dans les régions flamandes, on peut citer **De Kalmthoutse Heide**, **De Mechelse Heide**, où la couverture végétale prédominante est la bruyère, le **Zwin**, à vocation plutôt ornithologique ; en Ardenne, les **Hautes Fagnes**, avec leurs fameuses tourbières, et dans la province de Namur la **réserve naturelle de Lesse et Lomme** et celle de **Furfooz** (ces deux réserves sont appelées localement parcs naturels) ; dans la province du Hainaut, l'étang de **Virelles**, à Chimay.

Parcs naturels – Ces parcs englobent vallées, forêts, villages, etc., dont on veut assurer la protection. On distingue les parcs naturels nationaux, créés à l'initiative de l'État, et les parcs naturels régionaux dont la création relève d'un autre pouvoir public. La Belgique possède un grand parc naturel national : celui des **Hautes Fagnes-Eifel** *(voir à Hautes Fagnes)* qui se prolonge en Allemagne.
Comme la Belgique, le Luxembourg partage avec l'Allemagne un grand parc naturel ; le **Parc naturel germano-luxembourgeois.** Signalé par un panonceau où figure une branche de houx, il s'étend sur des régions particulièrement sauvages ou pittoresques : Petite Suisse luxembourgeoise, basse vallée de la Sûre, vallée de l'Our, et comprend aussi de grands centres touristiques comme Echternach, Vianden et Clervaux.

Parcs récréatifs – La nature y est aménagée au profit des visiteurs, sportifs ou promeneurs. Les terrains appartiennent à la province ou à l'État portent le nom de « domaine ». Certains englobent une réserve naturelle ornithologique ou un parc à gibier, d'autres un plan d'eau permettant la pratique de différents sports nautiques. Les parcs récréatifs sont très nombreux en Campine où ils sont généralement installés dans de vastes pinèdes.

L'histoire

Celtes et Romains

Avant J.-C.	Les Belges, d'origine celtique, résistent vainement à Jules César, qui les soumet en 57. 3 ans plus tard, une révolte des Éburons, conduits par Ambiorix, est réprimée.
Après J.-C. **1ᵉʳ au 3ᵉ s.**	**Paix romaine** : la Belgique actuelle est partagée en 3 provinces romaines : Belgique Première (capitale Trèves), Belgique Seconde (Reims), Germanie Seconde (Cologne). Tongres et Tournai sont des villes importantes.
4ᵉ s.-5ᵉ s.	Invasions barbares : des Francs s'installent en Taxandrie (Campine) et au Luxembourg. C'est la première évangélisation.

Des Mérovingiens à la féodalité

5ᵉ s.	Tournai passe sous la domination des Francs Saliens. Childéric, père de Clovis, donne naissance à la dynastie mérovingienne. Clovis après sa conversion fait de Tournai le siège d'un évêché.
6ᵉ s.	La Belgique est divisée en 2 parties : la Neustrie et l'Austrasie.
7ᵉ s.	Seconde évangélisation. Éclosion de grandes abbayes.
843	**Traité de Verdun** : partage de l'Empire carolingien entre la France à l'Ouest de l'Escaut, la Germanie et, entre les deux, un territoire étroit allant de la mer du Nord à la Méditerranée attibué à Lothaire Iᵉʳ. A la mort de ce dernier son territoire est partagé en trois : Italie, Bourgogne et **Lotharingie** dont les limites correspondent à peu près à la Belgique actuelle sans la Flandre (qui dépend de la couronne de France).
862	Baudouin Bras de Fer devient 1ᵉʳ comte de **Flandre** *(voir à Kortrijk, Rumbeke).*
962	La Lotharingie est rattachée au Saint-Empire romain germanique.
963	Un seigneur mosellan, Sigefroi, fonde le comté de Luxembourg *(voir à Luxembourg, Un peu d'histoire).*
980	**Notger**, prince-évêque de **Liège** *(voir à Liège)*, acquiert le pouvoir temporel sur son territoire.

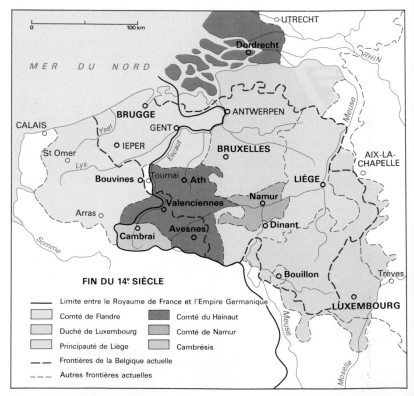

16

Début 11ᵉ s.	La Flandre s'agrandit aux dépens des territoires de l'Empire : c'est la Flandre impériale. Le comte de Flandre est à la fois vassal du roi de France et de l'empereur.
12ᵉ s.-13ᵉ s.	**Émancipation des villes flamandes** : du 12ᵉ au 14ᵉ s. le fait marquant est l'essor du commerce, notamment par le tissage de la laine. La richesse des cités donne naissance à une autonomie communale. C'est l'âge d'or de Bruges *(voir à ce nom)*. Bien que vassale du roi de France, la Flandre a partie liée dans son activité économique avec l'Angleterre et l'Empire germanique et il y a scission entre le peuple qui voit son intérêt économique, et les nobles soutenus par les Français. Le roi de France **Philippe Auguste** a de grandes prétentions sur les États du Nord et une coalition se forme contre lui : les Flamands sont soutenus par le roi anglais Jean sans Terre et l'empereur germanique Othon IV, mais en 1214 Philippe Auguste sort vainqueur de la **bataille de Bouvines** dont le grand perdant est le comte de Flandre Ferrand.
1300	**Philippe le Bel** annexe la Flandre *(voir p. 66)*, mais la population se révolte et le 11 juillet 1302 la **bataille des Éperons d'Or** se termine par la victoire du peuple flamand sur la chevalerie française de Philippe le Bel *(voir à Kortrijk)*.
1308	Henri VII de Luxembourg devient empereur germanique sous le nom de Henri IV *(voir à Luxembourg)*.
1337	La **guerre de Cent Ans** éclate entre la France et l'Angleterre. Révolte à Gand *(voir à ce nom)*.
1354	Le comté de Luxembourg est érigé en duché.
1369	Le duc de Bourgogne **Philippe le Hardi** épouse Marguerite de Male, fille du comte de Flandre Louis de Male.

TUTELLE ÉTRANGÈRE

Les ducs de Bourgogne

1384	A la mort de Louis de Male, Philippe le Hardi hérite de ses possessions et la Flandre devient alors partie du duché de Bourgogne.
1429-1477	Règne des ducs de Bourgogne **Philippe le Bon** et **Charles le Téméraire** : une grande période de prospérité. Au moment de son mariage avec Isabelle de Portugal, Philippe le Bon fonde l'**ordre de la Toison d'or**. Par l'acquisition du Luxembourg en 1441, il complète l'unification des « pays de par-deçà » (par opposition avec la Bourgogne, pays de par-delà). Les ducs de Bourgogne sont entourés d'une somptueuse cour, incomparable centre d'art. En 1468, Charles le Téméraire détruit Liège révoltée et annexe la principauté. A sa mort en 1477, sa fille **Marie de Bourgogne** hérite de ses possessions et se marie avec Maximilien d'Autriche. L'aigle bicéphale prend la place de l'écusson bourguignon.

Les Habsbourg

1482-1519	A la mort de Marie de Bourgogne, **Maximilien** devient régent des Pays-Bas (nom donné par opposition aux Pays-Haut, Haute Allemagne, son pays). En 1494, Maximilien abandonne les Pays-Bas à son fils **Philippe le Beau**. En 1496 celui-ci épouse Jeanne, fille des rois catholiques d'Espagne. En 1500 à Gand naît leur fils Charles, le futur **Charles Quint**. Celui-ci est élevé en Flandre en partie par sa tante, **Marguerite d'Autriche**, fille de Maximilien *(voir à Mechelen)*, qui gouverne après la mort de Philippe le Beau en 1506.
1519-1555	Le règne de **Charles Quint** : à la mort de Maximilien, Charles Iᵉʳ roi d'Espagne devient l'empereur Charles Quint. Son empire « où le soleil ne se couche jamais » comprend les possessions bourguignonnes, l'Empire autrichien et l'Espagne avec toutes ses colonies d'Amérique et d'Asie. Il agrandit le territoire des Pays-Bas vers le Nord et vers le Sud. En 1548 Charles Quint érige en « cercle de Bourgogne » avec Bruxelles pour capitale la Franche-Comté et les 17 provinces des Pays-Bas.

Le régime espagnol

1555-1598	**Règne de Philippe II d'Espagne :** en 1555 Charles Quint renonce aux Pays-Bas en faveur de son fils Philippe II. Autant Charles Quint était attaché à son pays d'origine et l'avait protégé, autant son fils est avant tout espagnol. Ce fervent catholique lutte contre les iconoclastes protestants qui ravagent les églises catholiques. Sous son règne explose le sentiment national des Pays-Bas, et la lutte pour les libertés politiques va de pair avec la lutte des calvinistes pour la tolérance religieuse. En 1567 le **duc d'Albe,** Espagnol qui avait été nommé gouverneur des Pays-Bas, est envoyé par Philippe II pour extirper l'hérésie calvinienne et lutter contre la révolte des Pays-Bas. C'est alors que se situe l'exécution des comtes d'Egmont et de Hornes à Bruxelles *(voir à ce nom).* En 1576 à Anvers se déchaîne la furie espagnole *(p. 48),* suivie par celle de Gand. Philippe II est alors obligé de concéder la **Pacification de Gand** libérant les 17 provinces des Pays-Bas des troupes espagnoles. En 1579, après que la **Confédération d'Arras** eut réuni les provinces catholiques qui ont choisi de demeurer dans l'obédience espagnole, les provinces protestantes forment l'**Union d'Utrecht** (province des actuels Pays-Bas), puis la république des Provinces-Unies.
1598-1621	Règne des **archiducs Albert** et **Isabelle,** fille de Philippe II.
1648	Par le **traité de Münster** Philippe IV d'Espagne reconnaît l'indépendance des Provinces-Unies et leur cède le Nord du Brabant, le Nord du Limbourg et la Flandre zélandaise. Le cadre territorial de la future Belgique se dessine.
1659-1678	Le **traité des Pyrénées** entre la France et l'Espagne fait passer l'Artois sous la souveraineté française et décide du mariage de Louis XIV et Marie-Thérèse d'Espagne. Celle-ci, d'après une coutume du Brabant, favorisant les enfants du premier lit, devrait hériter par sa mère de toute cette région. Louis XIV déclare en 1663 la **guerre de Dévolution** aux Pays-Bas espagnols pour récupérer l'héritage de sa femme. Il annexe alors le Sud de la Flandre (Lille). La Triple-Alliance arrête cette guerre qui se termine par le **traité d'Aix-la-Chapelle.** Mais Louis XIV en 1672 déclare la **guerre de Hollande,** qui s'achève par le **traité de Nimègue** en 1678 ; la Flandre et le Hainaut furent alors amputés.

Les Pays-Bas autrichiens

1701-1713	**Guerre de Succession d'Espagne.** Charles II d'Espagne est mort sans descendance et laisse comme héritier Philippe d'Anjou, petit-fils de sa sœur Marie-Thérèse et de Louis XIV. Mais l'Angleterre, la Hollande, le Danemark et les princes allemands appuient l'archiduc d'Autriche contre la France pour qu'il obtienne la succession.
1740-1748	Guerre de Succession d'Autriche : Louis XV envahit la Belgique et, par le traité d'Aix-la-Chapelle, la Belgique est rendue à l'Autriche.
1780-1789	Le despotisme éclairé de l'**empereur Joseph II** ne tient pas compte des particularismes locaux, ce qui suscite une révolte de la part des populations : le fait national belge devient une réalité. En 1789, la Révolution brabançonne chasse les Autrichiens et réunit à Bruxelles les états généraux. Les Autrichiens sont expulsés temporairement.

La domination française

1795	Après les victoires de Jemappes (1792) et de Fleurus (1794), la France républicaine annexe les Pays-Bas autrichiens et la principauté de Liège. Elle institue neuf départements qui deviendront les neuf provinces.

Le royaume des Pays-Bas

1814	**Chute de Napoléon.** La Belgique et la Hollande forment le royaume des Pays-Bas dont le souverain Guillaume Ier d'Orange devient en outre grand-duc du Luxembourg.
1815	**Bataille de Waterloo** suivie par le **Congrès de Vienne.** Eupen et Malmédy sont alors attribués à la Prusse.
1830	La Belgique va conquérir définitivement son indépendance aux dépens de la Hollande, maîtresse des Belges depuis le Congrès de Vienne à la suite de la révolution bruxelloise *(voir à Bruxelles).* La Belgique renonce à la Flandre zélandaise, au Brabant du Nord et à une partie du Limbourg. La partie germanophone du Luxembourg reste à Guillaume Ier.

De l'indépendance à nos jours

1831	La conférence de Londres reconnaît l'indépendance de la Belgique. La Constitution est promulguée et la couronne est remise à Léopold de Saxe-Cobourg-Gotha qui devient roi des Belges sous le nom de **Léopold Ier** (1831-1865). Guerre belgo-hollandaise.
1839	Guillaume Ier reconnaît l'indépendance belge. La Belgique surmonte de graves difficultés économiques (disette en Flandre 1845-1848) et s'engage dans la « révolution industrielle ». Le Luxembourg, uni économiquement à l'Allemagne depuis 1842, connaît un grand essor industriel.
1865-1909	Règne de **Léopold II.**
1890	**Indépendance du Luxembourg. Adolphe de Nassau** est grand-duc de 1890 à 1905. **Guillaume IV** lui succède (1905-1912).
1894	Le suffrage universel est établi en Belgique.
1908	Le **Congo,** propriété de Léopold II depuis 1855, devient colonie belge.
1909	**Albert Ier** devient roi des Belges.
1912	**Marie-Adélaïde** devient grande-duchesse de Luxembourg.
1914-1918	**Première Guerre mondiale.** L'Allemagne occupe le Luxembourg et presque toute la Belgique dont Albert Ier, le Roi-Soldat, dirige la résistance : prise de Liège *(voir à ce nom)*, de Namur *(voir à ce nom)*, de Bruxelles, d'Anvers *(voir à ce nom)*. L'armée belge se replie sur le littoral : bataille de l'Yser *(voir à Nieuwpoort)* à laquelle met un terme l'inondation des polders. Le front se reporte sur le saillant d'Ypres *(voir à Ieper)* puis les monts de Flandre *(voir à Ieper)*.
1919	Au traité de Versailles, la Belgique récupère Eupen, Malmédy, Moresnet, St-Vith. La **grande-duchesse Charlotte de Luxembourg** succède à sa sœur Marie-Adélaïde contrainte d'abdiquer.
1922	Union économique belgo-luxembourgeoise ou UEBL.
1934	Mort accidentelle d'Albert Ier *(voir Meuse namuroise)*. **Léopold III** lui succède (1934-1944). L'année suivante, en 1935, c'est la mort accidentelle de la reine Astrid, épouse de Léopold III.
1940-1944	**Deuxième Guerre mondiale.** L'Allemagne occupe la Belgique et le Luxembourg. Bataille des Ardennes *(voir à Bastogne)*.
1944-1951	Charles de Belgique est régent.
1948	Union douanière Benelux : **Be**lgique-**Ne**derland-**Lux**embourg.
1951	Léopold III abdique en faveur de son fils qui devient roi des Belges sous le nom de **Baudouin Ier.**
1957	La Belgique et le Luxembourg sont membres de la C.E.E. (Communauté économique européenne). Bruxelles est la capitale de la C.E.E.
1960	L'Union économique Benelux, instituée en 1958, entre en vigueur. Le gouvernement Eyskens accorde l'indépendance au Congo qui devient le Congo-Kinshasa puis le Zaïre. Mariage du roi Baudouin avec doña Fabiola de Mora y Aragón.
1964	**Jean de Nassau,** grand-duc du Luxembourg, succède à la grande-duchesse Charlotte.
1977	Accord prévoyant trois régions fédérées : Bruxelles, Flandre, Wallonie.
1980	Vote de la régionalisation : nouvelles institutions en Flandre et en Wallonie.
1993	Mort de Baudouin Ier. **Albert II** lui succède.
1994	La Belgique devient un État fédéral.

Pour organiser vous-même vos itinéraires :

Consultez tout d'abord la carte des itinéraires de visite. Elle indique les parcours décrits, les régions touristiques, les principales villes et curiosités.

Reportez-vous ensuite aux descriptions, dans la partie « Villes et Curiosités ». Au départ des principaux centres, des buts de promenades sont proposés sous les titres Excursions ou Environs.

*En outre, les **cartes Michelin** n°s 212, 213, 214, et 215 signalent les routes pittoresques, les sites et les monuments intéressants, les points de vue, les rivières, les forêts…*

Langues, politique et administration

BELGIQUE

Le multilinguisme de la Belgique a des conséquences importantes sur l'organisation politique et administrative du pays.

Un pays trilingue – Trois langues sont employées en Belgique : le néerlandais en Flandre (60 % de la population belge), le français en Wallonie (39 %) et l'allemand ou dialecte germanique dans la région d'Eupen (un peu moins de 1 %). La frontière linguistique correspond à peu près aux limites des provinces *(voir carte p. 3)*. Bruxelles, sorte d'enclave en pays flamand, est bilingue avec une majorité francophone.

La querelle linguistique – L'existence de la frontière linguistique remonte au 5e s., époque où Rome abandonne aux Germains la partie Nord du pays ; dans le Sud, plus fortement latinisé, le langage gallo-romain résiste à la germanisation malgré l'occupation par les Francs Saliens. Pour les Francs, « Walha » (d'où vient le mot « wallon ») signifiait étranger.

En Flandre, une littérature d'expression néerlandaise se développe dès le 12e s., mais connaît une éclipse quasi totale après la scission des Pays-Bas à la fin du 16e s. C'est seulement sous le gouvernement de Guillaume Ier de 1814 à 1830 qu'est favorisée une certaine renaissance du néerlandais. Par réaction, les constituants de 1831 imposent le français comme seule langue officielle. Depuis, l'antagonisme parfois violent qui oppose Flamands et francophones domine l'histoire intérieure du pays, et des mesures successives tendent à « réhabiliter » la langue néerlandaise :

– 1898 : la loi d'égalité prévoit que toutes les lois sont rédigées en néerlandais et en français. Le roi doit prêter serment dans les deux langues.

– 1930 : l'université de Gand est flamandisée.

– 1932 : l'unilinguisme régional est substitué au bilinguisme, sauf à Bruxelles.

– 1962-1963 : définition de la frontière linguistique ; division de la Belgique en 4 régions linguistiques : la Flandre, la Wallonie, les cantons de l'Est et Bruxelles ; création de l'arrondissement bilingue de Bruxelles-Capitale comprenant les 19 communes bruxelloises *(voir à Bruxelles)*.

– 1968 : scission de l'université de Louvain.

– 1970 : l'existence des 4 régions linguistiques est confirmée dans la Constitution.

Le cas de la banlieue bruxelloise demeure un sujet de polémique.

Organisation politique et administrative – La Belgique est une monarchie constitutionnelle, parlementaire et représentative. Sa Constitution date de 1831 et a connu plusieurs révisions dont la dernière date de 1993.

Le roi choisit le Premier ministre qui constitue son gouvernement. Le législatif est représenté par les 2 Chambres : le Sénat (71 sénateurs) et la Chambre des représentants (150). Tout acte royal doit être contresigné par un ministre. Les élections législatives se déroulent au suffrage universel direct.

Organisations politiques et administratives liées aux communautés linguistiques – D'une part, il existe 3 **communautés** : flamande, française et germanophone, qui ont en charge les affaires culturelles, la santé, les affaires sociales et l'enseignement (qui se fait dans chaque langue). D'autre part, le pays est partagé en 3 **régions** : bruxelloise, flamande et wallonne, qui sont responsables de tout ce qui est régionalisé : logement, emploi, environnement, développement économique. Depuis 1980 les régions de Flandre et de Wallonie se sont vues dotées de réelles assemblées législatives élues au suffrage universel et d'exécutifs désignés en leur sein.

Par la loi du 12 janvier 1989, Bruxelles-Capitale est devenue une vraie région politique, avec son Conseil, son exécutif et de larges compétences. Le 18 juin 1989 a eu lieu une grande première institutionnelle : les élections du Conseil de la région de Bruxelles-Capitale. Pour la première fois en Belgique, les habitants ont élu directement les mandataires chargés de les représenter au sein du conseil régional.

Divisions administratives – La Belgique est divisée en 10 provinces *(voir carte p. 3 et dans le texte sur les régions et paysages)*. Chaque province a un chef-lieu où est installé le gouvernement provincial.

LUXEMBOURG

Langues – Dans le Grand-Duché, 3 idiomes sont parlés. Le dialecte luxembourgeois, patois mosellan, est d'usage courant. L'allemand est utilisé comme langue de culture générale. Le français est la langue officielle et littéraire ; il est enseigné dans toutes les écoles et à tous les degrés ; dans le secondaire la plupart des cours se font en français.

Organisation politique – La Constitution date du 17 octobre 1868 et a été révisée à plusieurs reprises. Le pouvoir exécutif est détenu par le grand-duc qui choisit son gouvernement. Le pouvoir législatif appartient à la Chambre des députés dont les membres sont élus tous les 5 ans au suffrage universel direct.

L'art

Au cours des siècles, Belgique et Luxembourg ont vu confluer sur leurs territoires des peuples porteurs de grands courants artistiques : Romains, Français, Allemands, Bourguignons, Autrichiens, Espagnols, Hollandais. Chacun a laissé son empreinte. Cependant des styles bien spécifiques et originaux sont nés et se sont développés dans les villes belges : l'art mosan, dans la principauté de Liège, et l'art flamand, particulièrement florissant sous les ducs de Bourgogne, ont tous deux donné de véritables chefs-d'œuvre.

De la préhistoire à l'Empire carolingien

Quelques mégalithes (Wéris) subsistent de l'époque préhistorique. Les fouilles pratiquées dans les villes occupées par les Romains ont fourni une multitude d'objets attestant de l'habileté des artisans : poterie, verrerie, statuettes de bronze, de terre cuite, bijoux. Le **pays des Trévires** (Arlon et Luxembourg) a livré d'innombrables statues, des stèles votives, parmi lesquelles les fameuses pierres à quatre divinités, des monuments funéraires dont les bas-reliefs, conservés dans les musées, nous restituent des scènes de la vie courante *(illustration p. 62)*.

Du 5e au 9e s., dans les régions dominées par les Francs Saliens (Tournai) et les Francs Ripuaires (Arlon et Luxembourg), le mobilier funéraire comprenait des armes en fer damasquiné, des bijoux et des broches en bronze ou en or, sertis de verroterie.

Charlemagne installé à Aix-la-Chapelle introduit le christianisme dans son empire. Il est à la source d'un renouveau culturel qui se manifeste dans l'art de la miniature. Les églises carolingiennes de Lobbes, de Theux sont caractéristiques par leur avant-corps, leur plafond de bois, leurs piliers carrés, la tribune située à l'Ouest de la nef.

L'art roman (11e-12e s.)

Cette période voit le développement des villes et des abbayes. La Belgique est divisée en deux parties : à l'Ouest de l'Escaut, la Flandre appartient à la France, tandis que les régions situées à l'Est et traversées par la Meuse relèvent de l'Empire germanique. L'art roman se répand surtout le long des voies commerciales que constituent ces deux vallées. Deux courants se forment, l'art scaldien (de Scaldis : Escaut) et l'art mosan (de Meuse), qui ne manquent pas d'originalité, même si les églises présentent bien des points communs dans leur architecture : plan basilical, transept, chœur à abside, plafond plat en bois.

Art roman scaldien

Dans les régions scaldiennes dévastées par le passage des hordes normandes, l'architecture romane apparaît dans des édifices isolés, telle la collégiale de **Soignies**. Puis la construction de la **cathédrale de Tournai** entraîne au 12e s. celle de plusieurs églises s'inspirant du même style. La tour à la croisée du transept, les tourelles sur la façade Ouest et, à l'intérieur, des tribunes et des galeries de circulation d'influence normande caractérisent ces monuments.

Tournai - La cathédrale

Quelques édifices civils appartiennent aussi à l'art scaldien (Tournai, Gand, Alost) : au-dessus du rez-de-chaussée aux ouvertures en plein cintre, les fenêtres, partagées en deux par une colonnette, s'alignent entre deux cordons de pierre. Dans le château des comtes à Gand, on remarque des fenêtres à arcs romans, partagés par des colonnettes qui rappellent celles des maisons.

Dans la région, dès le 12e s., la sculpture, favorisée par la présence de la pierre tournaisienne *(voir à Tournai)*, est remarquable : portails et chapiteaux (cathédrale de Tournai), fonts baptismaux (Zedelgem, Termonde).

Art roman mosan

On appelle ainsi l'art qui, aux 11e et 12e s. surtout, s'est développé dans le diocèse de Liège, c'est-à-dire dans la vallée de la Meuse et son arrière-pays. Déjà important foyer artistique à l'époque gallo-romaine, la **principauté de Liège**, qui comprenait Aix-la-Chapelle, subit une influence de l'art carolingien. Plus tard, grâce à des relations particulièrement développées avec l'archevêché de Cologne (dont dépend le diocèse de Liège) et le Rhin, c'est l'influence du style roman rhénan qui se fait sentir.

Au 13e s., l'influence française prédomine : c'est la fin de l'art mosan en architecture.

Architecture – L'architecture romane de la région mosane conserve un certain nombre de composantes de l'art carolingien dont elle est en quelque sorte le prolongement. Tout d'abord, l'architecture ottonienne, qui se répand en Allemagne au 10e s. et au début du 11e s. sous l'empereur Otton Ier, influence une partie de la **collégiale de Nivelles**, consacrée en 1046. Nivelles appartenait alors à l'évêché de Liège, qui relevait du Saint-Empire.

Au 12e s., l'avant-corps devient plus imposant, il est flanqué de tourelles d'escalier (St-Denis et St-Jean à Liège), ou plus rarement de deux tours carrées (St-Barthélemy de Liège). L'église est décorée à l'extérieur d'arcatures lombardes. L'abside se double parfois d'une galerie extérieure (St-Pierre à St-Trond). L'église possède souvent une crypte, et parfois un beau cloître (Nivelles, Tongres).

Plusieurs de ces caractéristiques se retrouvent dans la partie la plus tardive de la collégiale de Nivelles et dans de nombreuses églises rurales (Hastières-par-delà, Celles, Xhignesse).

Dinanderie et orfèvrerie – La dinanderie, art de fondre et de battre le cuivre ou le laiton, pratiquée dans la vallée de la Meuse, d'abord à Huy puis à Dinant, est probablement à l'origine d'une importante tradition d'orfèvrerie liturgique qui se répand dans tout le pays mosan et produit des châsses, reliquaires, croix, reliures d'une grande richesse. L'orfèvre **Renier de Huy** exécute, de 1107 à 1118, en laiton, les fameux fonts baptismaux de St-Barthélemy à Liège, d'une perfection classique exceptionnelle à l'époque *(voir illustration ci-contre)*.

Par la suite, les œuvres deviennent plus complexes, plus chargées et les matériaux plus variés.

Godefroy de Huy emploie l'émail champlevé dans la plupart de ses réalisations, notamment le chef-reliquaire du pape saint Alexandre exposé aux Musées d'Art et d'Histoire à Bruxelles. Ce véritable chef d'œuvre fut réalisé pour l'abbaye de Stavelot, dirigée à l'époque par le célèbre moine bénédictin Wibald. Autre fleuron de l'art mosan est l'autel portatif de Stavelot (également exposé aux Musées d'Art et d'Histoire) illustrant des scènes extraites de l'Évangile et de la Bible.

Fonts baptismaux de Renier de Huy
Église St-Barthélemy, Liège

Nicolas de Verdun, qui marque la transition romano-gothique, exécute la châsse de Notre-Dame pour la cathédrale de Tournai en 1205.

Au début du 13e s., le frère **Hugo d'Oignies** cisèle des œuvres délicates et raffinées qui sont visibles à Namur, au couvent d'Oignies. Bien des œuvres anonymes, telles la châsse de Visé (12e s.) ou celle de Stavelot, du 13e s. *(illustration p. 218)*, appartiennent à l'art mosan.

Sculpture – L'art mosan fournit d'excellentes sculptures en bois : le Christ de Tongres, les célèbres Vierges en majesté nommées **Sedes Sapientiae** (Siège de la Sagesse) comme celles de Walcourt du musée d'Art religieux et d'Art mosan et de l'église St-Jean à Liège.

Les sculptures en pierre sont également intéressantes, en particulier les chapiteaux (Tongres), les bas-reliefs (*Vierge de Dom Rupert*, au musée Curtius à Liège). Beaucoup d'églises mosanes possèdent des fonts baptismaux dont la cuve est sculptée de quatre têtes d'angle (Waha) et le pourtour décoré de rinceaux, d'animaux (St-Séverin).

L'art gothique (13ᵉ - 15ᵉ s.)

Architecture religieuse – Dans les édifices religieux, l'art rhénan s'éclipse au bénéfice du gothique français importé par les communautés monastiques venues de France ou diffusé par l'intermédiaire de Tournai.

Cependant, l'art gothique apparaît plus tardivement en Belgique qu'en France. Sa première manifestation est la construction du **chœur de la cathédrale de Tournai** (1243) inspiré de celui de la cathédrale de Soissons. Il se répand lentement. Des variantes propres à la Belgique ou à certaines régions peuvent être observées. L'église gothique est plus large en Belgique qu'en France et souvent moins élevée. Par contre, la tour, servant de clocher, est très imposante (123 m de haut à Anvers), même si elle est inachevée comme celle de Malines.

Le gothique scaldien – Il perpétue les caractères apparus à l'époque romane, mais sa principale particularité est la présence de fenêtres à trois lancettes, ou **triplets** (Notre-Dame de Pamele à Audenarde, St-Nicolas à Gand).

Le gothique brabançon – L'architecture gothique ne fait son apparition dans le Brabant qu'au 14ᵉ s. Les architectes, sculpteurs et tailleurs s'inspirent des grandes cathédrales françaises (Sts-Michel et Gudule de Bruxelles), mais les modifications qu'ils apportent créent un style particulier qui se répand au-delà de la province (cathédrale d'Anvers).

D'autre part, cet art reste assez sobre et ne connaît pas les débordements du flamboyant.

L'église brabançonne, large édifice à trois nefs et déambulatoire à chapelles rayonnantes, se distingue par la présence d'une tour massive formant porche à l'Ouest (la plus belle se trouve à Malines), par ses chapelles latérales surmontées de pignons triangulaires dont l'alignement rappelle celui des maisons. Le transept fait souvent défaut (basilique de Hal) ainsi que les rosaces qui sont remplacées par de grandes baies.

L'intérieur est très caractéristique. La nef est portée par de robustes piliers cylindriques, dont les chapiteaux sont ornés, à l'origine, d'une double rangée de feuilles de choux frisés. A ces piliers s'adosseront par la suite de grandes statues d'apôtres. La voûte est d'un gothique encore peu évolué.

Les chapelles des collatéraux communiquent entre elles, formant ainsi de nouvelles nefs. Enfin, le triforium est parfois remplacé par une balustrade très ouvragée, sans galerie de circulation.

Le type de ces églises est la basilique de Hal.

Architecture civile – Dès la fin du 13ᵉ s., l'originalité des architectures se manifeste, surtout en Flandre, dans les **édifices communaux** : beffrois, halles ou hôtels de ville.

L'industrie drapière a favorisé la création et la croissance des villes. Pour défendre leur prospérité, les habitants ont obtenu des privilèges, des chartes urbaines garantissant l'exercice de leur commerce. Ils construisent pour leurs réunions, leurs affaires des monuments imposants, témoignant d'une autonomie locale jalousement défendue et d'une vie communale active. Ces édifices s'ordonnent autour de la Grand-Place.

Beffrois – Symbole de la puissance communale, le beffroi se dresse sur la Grand-Place, isolé comme à Tournai, Gand ou englobé dans un édifice communal, halles (Bruges, Ypres) ou hôtel de ville (Bruxelles).

Il est conçu comme un donjon avec échauguettes et mâchicoulis. Dans les fondations, on trouve la prison ; au-dessus deux salles superposées avec, en saillie, une bretèche ou balcon d'où se faisaient les proclamations. Au sommet, la salle des cloches composant le carillon *(voir Introduction, Le paysage urbain)* et la loge des guetteurs, porteurs de trompes. Enfin, couronnant l'ensemble, une girouette symbolisant la cité : dragon, lion des Flandres, guerrier, saint (Bruxelles), personnage local (Audenarde).

Halles – Le développement de la commune allait de pair avec celui de la draperie : au 15ᵉ s., il y avait à Gand 4 000 tisserands sur 50 000 habitants. Certaines halles avaient même le privilège de droit d'asile comme les églises ou les cimetières.

Les halles se composent d'un bâtiment rectangulaire scindé à l'intérieur en vaisseaux formant marché couvert ; à l'étage sont disposés des locaux de réunions ou des entrepôts. Les plus belles sont celles de Bruges, commencées à la fin du 13ᵉ s., et celles d'Ypres, construites à la même époque et réédifiées après la Première Guerre mondiale.

A Bruges comme à Ypres, les halles englobent le beffroi car, jusqu'à la fin du 14ᵉ s., elles servent généralement de maison communale.

Hôtels de ville – Les plus beaux hôtels de ville (Bruges, Louvain, Bruxelles, Audenarde) sont édifiés à partir de la fin du 14ᵉ s., alors que se fait déjà sentir le déclin du commerce du drap.

Bruges donne l'exemple avec son hôtel de ville construit en 1376. Il ressemble encore à une chapelle. Après celui-ci viendra l'hôtel de ville de Bruxelles. Les travaux débutent en 1401 sous Jacob van Thienen. Les hôtels de ville de Louvain et de Gand sont achevés sous la Renaissance, et celui d'Audenarde constitue une synthèse des précédents.

A l'extérieur, la façade est ornée de niches abritant les comtes et comtesses de Flandre et les saints patrons de la cité.

Au 1er étage, la grande salle échevinale très décorée (fresques, tapisseries ou tableaux et toujours une cheminée monumentale) sert de salle de réunion, présidée par le bourgmestre, et de salle des fêtes.

A Damme, le rez-de-chaussée est réservé aux halles.

Le style gothique se manifeste également dans les demeures flamandes, notamment à Bruges où se crée un style bien particulier, de tendance flamboyante, qui se perpétue au 16e s. : les fenêtres sont surmontées d'un tympan plus ou moins décoré, par la suite fenêtres et tympans sont réunis sous une accolade.

Sculpture – Pendant la seconde moitié du 15e s. et au début du 16e s. se développa en Brabant (Bruxelles, Louvain) et à Anvers et Malines une école de sculpture qui produisit d'innombrables retables en bois, remarquables pour leur finesse d'exécution et leur réa-

Bruxelles - Hôtel de ville

lisme empreint de pittoresque et d'une facture encore gothique. Parmi ces **retables brabançons**, outre celui d'Hakendover (1430), le plus ancien conservé en Belgique et aussi l'un des plus élégants, il faut signaler le magnifique retable de saint Georges (1493) par Jan Borreman exposé au musée du Cinquantenaire à Bruxelles.

La même veine pittoresque se manifeste dans la sculpture des **stalles** dont les accoudoirs et les miséricordes (supports de sièges) s'ornent dans les églises brabançonnes de figures satiriques pleines de fantaisie, illustration sans pitié des vices humains. Celles de Diest sont parmi les plus remarquables.

Arts décoratifs – La Belgique gothique fait surtout preuve d'originalité dans la décoration des intérieurs de monuments religieux ou civils.

Le travail du bois (retables, statues, stalles, poutres) est remarquable de même que celui de la pierre, ainsi qu'en témoignent les **jubés** flamboyants de Lierre, Walcourt et Tessenderlo.

L'orfèvrerie mosane ne survit pas après le 13e s. *(voir p. 22)* ; les dinandiers, par contre répandus dans tout le pays, exécutent de magnifiques chandeliers, fonts baptismaux, lutrins en forme d'aigles, de pélicans ou de griffons.

La peinture *(voir p. 27)* et la tapisserie *(voir p. 29)* produisent des œuvres exceptionnelles.

La Renaissance (16e s.)

L'influence italienne n'est que superficiellement ressentie en Belgique et seulement à partir de 1530 environ.

Architecture – Alors que les édifices religieux conservent le style gothique, la Renaissance italienne apparaît dans les édifices civils.

Si l'hôtel de ville d'Audenarde, construit dans les années 1526-1530, reste en partie fidèle à l'esprit gothique, celui d'Anvers (1564) par **Corneille Floris de Vriendt** (1514-1575), la cour du palais des Princes-Évêques à Liège (1526), les maisons de corporations de la Grand-Place d'Anvers qui datent de la fin du 16e s., traduisent un goût nouveau.

Celui-ci touche surtout les façades où apparaissent des colonnes engagées, des pilastres, des statues (hôtel de ville d'Anvers), des frises (ancien greffe à Bruges), des pignons soulignés de volutes et couronnés de statues (hôtel de ville de Furnes). Les fenêtres sont souvent surmontées de tympans moulurés, apport régionaliste hérité du gothique.

En fait, l'ampleur et l'exubérance de la décoration ont permis de qualifier de **« pré-baroque »** le style Renaissance dans les Flandres.

24

Dans la deuxième partie du 16ᵉ s., sous la domination espagnole, un style nommé **hispano-flamand** se développe dans les châteaux. Il se caractérise par la présence de bulbes, comme à Ooidonk, de tourelles, comme à Rumbeke, ou de pignons à redans, comme à Beersel *(illustration p. 109)*. Ces éléments décoratifs donnent aux édifices une silhouette pittoresque et caractéristique, de même que les bulbes qui apparaissent au sommet des clochers d'église.

Sculpture – La sculpture Renaissance en Belgique s'exprime dans les œuvres un peu recherchées du Montois **Jacques Du Brœucq** (vers 1500-1584), dont la plupart sont conservées dans la collégiale Ste-Waudru à Mons (statues des Vertus) *(voir à Mons)*. Il conçut également les plans des châteaux de Binche et de Mariemont aujourd'hui disparus.
Corneille Floris de Vriendt, architecte de l'hôtel de ville d'Anvers, est aussi le réalisateur du magnifique tabernacle de Léau.
Les œuvres de **Jérôme Duquesnoy l'Ancien** (vers 1570-1641), connu pour son *Manneken Pis (voir à Bruxelles)*, rappellent celles de Corneille Floris, notamment dans le tabernacle d'Alost.
Sculpteur de Charles Quint, **Jean Mone** (mort vers 1548), originaire de Metz, est l'auteur de monuments funéraires (Enghien, Hoogstraten), de retables (Hal) dans la plus pure ligne italienne.

L'art baroque (17ᵉ s.)

Le début du 17ᵉ s. correspond à une ère de tranquillité après les guerres de Religion et d'Indépendance.
L'Espagne est représentée alors par les archiducs Albert et Isabelle, tenant une cour fastueuse à Bruxelles. Ces souverains catholiques font construire de nombreux édifices religieux.
Cependant, jusqu'au milieu du siècle, le grand centre artistique est encore Anvers *(voir à ce nom)* où Rubens meurt en 1640.

Architecture religieuse – Au début du siècle, la basilique de Montaigu, surmontée d'un dôme, et réalisée par **Cobergher** *(voir à Ath)* à la demande des archiducs, marque l'apparition du style baroque en Belgique.
Puis de nombreux édifices religieux de la Compagnie de Jésus, tels St-Charles-Borromée à Anvers, St-Loup à Namur, St-Michel à Louvain, s'inspirent de l'église de Gesù édifiée à Rome au siècle précédent.
A la fin du siècle, plusieurs abbatiales de prémontrés adoptent le style baroque : Grimbergen, Averbode, Ninove. Ce sont des édifices grandioses, dont le plan en forme de croix tréflée est prolongé par un chœur particulièrement long ; celui-ci est réservé aux moines. Ces églises sont parfois surmontées d'une coupole comme à Grimbergen.

Architecture civile – Quelques édifices civils sont à signaler tel le beffroi de Mons.
Le plus bel ensemble urbain relevant du style baroque est la **Grand-Place de Bruxelles**. Réédifiée après le bombardement de 1695, elle témoigne d'une verve décorative débridée tout en restant tributaire d'un certain esprit Renaissance encore visible dans l'ordonnance des ordres dorique, ionique et corinthien, qui rythme les façades, dans les balustrades de certains frontons.

En pays mosan, les maisons du 17ᵉ s., très caractéristiques, n'affichent aucune fantaisie, avec leurs murs de brique entrecoupés de rangées de pierre entre lesquelles s'ouvrent de hautes fenêtres à meneaux, comme le musée Curtius à Liège.

Sculpture – Nombre d'églises de l'époque sont ornées à l'intérieur de sculptures de l'Anversois **Artus Quellin le Vieux** (1609-1668) très influencé par Rubens, ou de son cousin **Artus Quellin le Jeune** (1625-1697).
Au Malinois **Luc Fayd'herbe** (1617-1697), élève de Rubens, on doit de colossales statues adossées aux colonnes de la nef et des retables.
François Duquesnoy (1597-1643), fils de Jérôme *(voir ci-dessus)*, travaille surtout à Rome. Il est connu pour ses angelots ou « putti », gracieuses figurines de marbre, terre cuite ou ivoire. Il serait l'auteur, ainsi que son frère **Jérôme Duquesnoy le Jeune** (1602-1654), d'innombrables crucifix d'ivoire tous semblables par leur finesse et leur élégance (château de Spontin).

Mons - Le beffroi

A Liège, **Jean Delcour** (1627-1707), qui fut collaborateur du Bernin à Rome, sculpte d'élégantes effigies de madones et de saints *(voir à Liège)*.

Enfin l'Anversois **Henri-François Verbruggen** (1655-1724) s'illustre dans le travail du bois : ses confessionnaux de Grimbergen, précédés de personnages grandeur nature, montrent un mouvement et une vigueur remarquables. Ils furent très imités par la suite.

Verbruggen crée aussi à Saint-Michel de Bruxelles le prototype de ces chaires à prêcher nommées en Belgique **chaires de vérité**, dont les sculptures et les personnages immenses illustrent des vérités de l'Évangile.

Enfin, les stalles d'Averbode, de Floreffe, de Vilvorde, ornées de personnages, sont aussi remarquables.

Le 18ᵉ s.

Le baroque subsiste dans les édifices religieux, mais à la fin du siècle, sous la domination de Charles de Lorraine (1744-1780), se répand le style néo-classique. La **Place Royale de Bruxelles** est aménagée dans ce style par les Français Guimard et Barré.

Laurent Dewez (1731-1812), architecte de ce gouverneur, construit dans le même style l'abbatiale d'Orval (1760), aujourd'hui détruite, puis celle de Gembloux (1762-1779) et enfin celle de Bonne-Espérance (1770-1776).

La sculpture baroque prolifère encore dans les églises. Les chaires deviennent rococo comme l'élégant ensemble réalisé en chêne et marbre à St-Bavon de Gand, par **Laurent Delvaux** (1696-1778) qui adoptera par la suite le style néo-classique.

Théodore Verhaegen (1700-1759), outre plusieurs chaires, exécute à Ninove un exubérant confessionnal aux figures majestueusement sculptées dans le bois.

Michel Vervoort le Vieux (1667-1737) est l'auteur de chaires, de confessionnaux garnis de statues comme ceux de l'église St-Charles à Anvers.

Les arts décoratifs sont à l'honneur au 18ᵉ s. : tapisserie *(voir p. 27)*, dentelle *(voir p. 31)*, céramique de Tournai *(voir à ce nom)*, ébénisterie de Liège *(voir à ce nom)* dont les meubles, inspirés du style français, garnissent de riches intérieurs tendus de cuirs peints, de tapisseries (musée d'Ansembourg, Liège). Dans la province de Liège, la richesse de l'aménagement intérieur des châteaux contraste avec la sobriété de l'architecture liégeoise (Aigremont).

Les 19ᵉ et 20ᵉ s.

Architecture – Au début du 19ᵉ s., le style néo-classique triomphe à Bruxelles (galeries St-Hubert, colonne du Congrès, Théâtre royal de la Monnaie) et à Gand (Grand Théâtre et Palais de justice). La fin du siècle voit le goût pour les pastiches de styles anciens dont le plus bel exemple est le Palais de justice de Bruxelles de style gréco-romain conçu par **Poelaert** (1817-1879).

Cependant, à partir de 1890, quelques architectes en révolte contre le plagiat du passé cherchent à renouveler formes et matériaux. La Belgique est un des premiers pays à participer au mouvement de l'Art nouveau avec des architectes comme **Paul Hankar** (1859-1901) appartenant à la tendance géométrique du mouvement, **Henry Van de Velde** (1863-1957) fondateur de la Kunstgewerbeschule à Weimar, précurseur du fameux Bauhaus et surtout **Victor Horta** (1861-1947). Des matériaux traditionnels (pierre, verre, bois) ou nouveaux (acier, béton) sont mis au service de compositions rationnellement étudiées dont la structure se lie harmonieusement au décor jusqu'à devenir un élément décoratif. Les intérieurs de la maison de Horta (musée Horta à St-Gilles), des magasins Waucquez abritant le Centre de la Bande Dessinée à Bruxelles et du musée des Beaux-Arts à Tournai font apparaître le goût du détail, des formes et l'originalité dont fit preuve ce fécond novateur.

A la suite de Horta, plusieurs architectes belges se lancèrent dans le modernisme et s'essayèrent à résoudre le problème de l'habitation collective. Ce fut l'éclosion des cités-jardins dans les années 20 réalisées par les architectes **Eggerickx** et **Van der Swaelmen** (cités-jardins « Floréal » et « Le Logis » à Boitsfort, *voir à Bruxelles*), Victor Bourgeois, **Huib Hoste** et **Adolphe Puissant**. A la même époque, **Louis-Herman De Koninck** réalise plusieurs maisons aux formes géométriques ; il innove l'habitat privé par l'introduction des voiles de béton armé ; c'est également l'apogée de l'**Art Déco**.

Parmi les réalisations plus modernes, citons celles d'**André Jacqmain** à Louvain-la-Neuve, de **Claude Strebelle** au Sart Tilman, de **Lucien Kroll** à Woluwe-St-Pierre et de **Roger Bastin** à Bruxelles (musée d'Art moderne).

Sculpture – **Guillaume Geefs** (1805-1883), représentant du style néo-classique, est l'auteur de la statue de Léopold Iᵉʳ au sommet de la colonne du Congrès à Bruxelles.

A partir de 1830, le romantisme et le goût pour le quattrocento touchent les sculptures de **Charles Fraikin** (1817-1893) et de **Julien Dillens** (1849-1904) qui participe avec Rodin, exilé, à la décoration de la Bourse de Bruxelles.

Thomas Vinçotte (1850-1925) compose le groupe de chevaux impétueux de l'arc de triomphe du Cinquantenaire.

Jef Lambeaux (1852-1908) séduit par sa fougue et son élan rappelant Jordaens (fontaine Brabo à Anvers).

Constantin Meunier (1831-1905), d'abord peintre, se tourne vers la sculpture en 1885 ; il s'accorde à l'ère industrielle nouvelle et s'attache à représenter l'homme au travail, le mineur en plein effort.

La période impressionniste est surtout illustrée par Rik Wouters (1882-1916) qui laisse éclater sa spontanéité dans des réalisations très enlevées comme la *Vierge folle*.

Georges Minne (1866-1941) crée l'expressionnisme qui a comme principaux représentants Oscar Jespers (1887-1970) et Joseph Cantré. Un retour aux sources se manifeste dans les œuvres de Georges Grard (1901-1984) qui célèbre l'image épanouie du corps féminin. Dans les années 20 l'art non figuratif fait déjà une apparition dans les œuvres de Servrankx, qui est aussi peintre.

Parmi les pionniers de l'après-guerre, citons Maurice Carlier et Félix Roulin (né en 1931) qui martèle le cuivre un monde très personnel en insérant des fragments de corps humain (mains, bouches, jambes, etc.) dans des reliefs. Jacques Moeschal (né en 1913), architecte et sculpteur, jalonne les autoroutes et les espaces urbains de ses œuvres d'acier ou de béton. Pol Bury (né en 1922), héritier des surréalistes et proche du groupe COBRA *(voir ci-dessous),* s'est attaché depuis les années 50 à concevoir des sculptures où le mouvement est toujours présent (sculptures avec moteurs, avec boules, hydrauliques, etc.).

LA PEINTURE

C'est surtout dans la peinture que les peuples de Belgique, amoureux de la couleur et sensibles au monde extérieur, ont trouvé leur expression la plus caractéristique.

Les Primitifs – Le 15e s. est l'âge d'or de la peinture flamande. Un courant naturaliste est déjà apparu dès la fin du 14e s. avec Hennequin (ou Jean) de Bruges, dessinateur des cartons de *L'Apocalypse* d'Angers, et Melchior Broederlam, peintre des retables de la chartreuse de Champmol, en Bourgogne.

Leur art reste cependant très proche de la **miniature** où les Flamands d'ailleurs excellent, sous l'égide des ducs de Bourgogne. Au début du 15e s., les frères Pol, Jean et Herman de Limbourg, miniaturistes des *Très Riches Heures du duc de Berry* (château de Chantilly, France), montrent un réalisme descriptif étonnant.

Le plus grand peintre est **Jean Van Eyck** (mort en 1441) dont le retable de *L'Agneau mystique (p. 42, 77 et 131),* par son utilisation de la perspective, du détail réaliste, de couleurs vives adoucies par la lumière, reste une des merveilles de la peinture universelle. On attribue en outre à Van Eyck l'invention de la peinture à l'huile.

A la même époque travaille à Tournai **Robert Campin** que certains identifient avec le maître de Flémalle. Il a pour élève Roger de la Pasture connu sous le nom de **Van der Weyden** *(voir à Tournai),* peintre officiel de la ville de Bruxelles. Son influence a été ressentie par **Thierry Bouts** qui a fourni une peinture davantage nordique, mais d'une belle luminosité *(voir à Leuven).*

L'école de Bruges *(p. 77)* comprend après Van Eyck, **Petrus Christus,** bon portraitiste, **Memling** qui offre dans ses tableaux une séduisante synthèse des caractères picturaux de l'époque, tant dans ses compositions religieuses suaves et recueillies que dans ses admirables portraits d'une maîtrise exceptionnelle. **Gérard David** en est le continuateur.

A Gand, **Van der Goes** *(voir à Bruges)* peint des panneaux d'une composition originale.

La Vierge et l'Enfant, Hugo van der Goes
Bruxelles, Musée d'Art ancien

Musée d'Art ancien, Bruxelles/ARTEPHOT-COLORTHÈQUE, Paris

La Renaissance – 16e s. Le premier peintre qui s'inspire de la Renaissance est **Quentin Metsys** (1466-1530), délicat et raffiné. **Patinir** *(voir à Dinant)* et **Henri Blès** *(p. 122)* se consacrent aux paysages. **Pierre Bruegel l'Ancien** (vers 1525-1569), émule de Jérôme Bosch, nous donne des tableaux enjoués à l'observation pleine de pittoresque. Son fils, Pierre Bruegel, dit **Bruegel d'Enfer,** l'imite avec talent.

17ᵉ s. – C'est, comme le 15ᵉ s., un âge d'or de la peinture.

Rubens *(voir à Anvers)*, artiste universel sensible à toutes les suggestions de la chair et de l'esprit, réalise l'accord entre la vérité flamande et l'harmonie italienne.

Van Dyck (1599-1641), qui vécut en Angleterre à partir de 1632, fut l'élève de Rubens. C'est un technicien extraordinaire, aux œuvres souvent sombres et mélancoliques, auteur de scènes religieuses et d'élégants portraits mondains.

Parmi les collaborateurs de Rubens, **Jordaens** (1593-1678) est un coloriste au modelé vigoureux, amateur de scènes truculentes ; l'animalier **Snyders** (1579-1657) a pour élève **Paul De Vos** dont le frère **Corneille De Vos** est plutôt spécialisé dans le portrait ; Jan Bruegel, nommé **Bruegel de Velours**, est fameux pour ses peintures de fleurs et de paysages. Son gendre, **David Teniers le Jeune** (1610-1690), met à la mode le genre rustique. Le 17ᵉ s. s'attarde un peu dans les peintures religieuses de Pierre-Joseph **Verhagen** (1728-1811) *(voir à Aarschot)*, continuateur de Rubens.

19ᵉ-20ᵉ s. – Le néo-classicisme marque le style de François-Joseph **Navez** (1787-1869), bon portraitiste, élève du Français Jacques-Louis David, en exil à Bruxelles. Antoine **Wiertz** (1806-1865) est plus romantique.

En 1868 la Société libre des Beaux-Arts à Bruxelles réunit les peintres réalistes **Félicien Rops** (1833-1898) *(voir à Namur)*, **Charles De Groux** (1867-1930), **Alfred Stevens** (1823-1906) et **Constantin Meunier**.

En dehors de **Théo van Rysselberghe** (1862-1926) qui adopte la technique pointilliste de Seurat, les peintres de la fin du 19ᵉ s. ignorent les courants nouveaux et notamment l'impressionnisme. **Émile Claus** (1849-1924) dépeint la vie tranquille de la campagne. **Henri Evenepoel** (1872-1899) retrace l'existence quotidienne, tandis que **Henri De Braekeleer** (1840-1888) donne une poésie lumineuse aux scènes de la vie bourgeoise.

Jakob Smits *(p. 146)* est le peintre de la Campine.

Degouve de Nuncques (1867-1935), Xavier Mellery (1845-1921) et **Fernand Khnopff** (1858-1921), peintre d'étranges femmes sphinx, se rattachent au **symbolisme**.

Le groupe des XX, fondé en 1893 à Bruxelles, organise plusieurs expositions où sont invités des artistes français (Rodin, Seurat, Gauguin) et hollandais (Van Gogh, Toorop). A l'écart de tous les courants artistiques, **James Ensor** *(voir à Oostende)* fait preuve d'originalité et d'un talent sans égal.

La peinture belge reprend son essor également avec le **groupe de Laethem St-Martin** *(p. 138)*. **Valérius de Saedeleer** peint des paysages à la Bruegel, **Gustave van de Woestijne** des personnages tout simples. La deuxième vague de Laethem est expressionniste, avec **Albert Servaes** qui verse dans le

Le portrait de Marguerite, Fernand Khnopff

mysticisme, **Gust** (Gustave) **De Smet** et **Frits van den Berghe**, plutôt surréaliste. **Permeke** *(voir p. 195)* en est le chef. Ses paysages, ses personnages, dotés d'une force tranquille, expriment de même que ses sculptures un lyrisme un peu primitif.

Le fauvisme a été dans le Brabant un mouvement aussi important que l'expressionnisme en Flandre. Le chef de file est **Rik Wouters** (1882-1916) dont les tableaux sont teintés de constructivisme (influence de Cézanne). De la même école, **Jean Brusselmans** (1884-1953) puise ses sources d'inspiration dans ce qui l'entoure : femmes du peuple, ouvriers, paysages, intérieurs pauvres.

Le surréalisme s'affirme avec **René Magritte** (1898-1967) et ses univers fantastiques où la technique précise est mise au service de l'imaginaire. **Paul Delvaux** *(voir à Koksijde)* peint des personnages errant dans des décors de théâtre.

L'abstraction connut en Belgique ses précurseurs et théoriciens avec **Joseph Peeters** (1895-1960) et **Victor Servranckx** (1897-1965) dont l'abstraction géométrique rappelle Fernand Léger.

Au lendemain de la Seconde Guerre mondiale, en juillet 1945, se crée l'association la Jeune Peinture belge qui réunit Gaston Bertrand, Louis van Lint, **Anne Bonnet**, Antoine Mortier et **Marc Mendelson**. C'est la nouvelle vague abstraite.

En 1948 le groupe **COBRA** (**Co**penhague, **Br**uxelles, **A**msterdam) est créé par le Belge Christian Dotremont : les chefs de file seront le Danois Asger Jorn, le Néerlandais Karel Appel et le Belge **Pierre Alechinsky**. COBRA se veut une manière d'être, un art libre ouvert à toutes les expériences.

Il faut également citer **Marcel Broodthaers** (1924-1976), d'abord connu comme poète avant de concevoir un art conccp tuel critiquant les mécanismes qui gravitent autour des chefs-d'œuvre. Depuis 1960 les peintres belges ont suivi les grands courants internationaux.

Musées Royaux des Beaux-Arts de Belgique

Le flûtiste, Rik Wouters

LA TAPISSERIE

Destinée à l'ornementation des murs des châteaux ou des églises, la tapisserie serait apparue en Europe à la fin du 8ᵉ s. Elle s'y développa surtout à partir du 14ᵉ s. et prit en Belgique une importance considérable.

Au début du 16ᵉ s., Bruxelles possède plus de 1 500 ouvriers tapissiers. Les tapisseries tissées en Belgique sont commandées par les plus grands princes de l'Europe, par les rois d'Espagne et par le pape.

Les premières tapisseries furent surtout des compositions religieuses. Plus tard apparurent les tableaux historiques, les scènes de chasse, les allégories, les scènes mythologiques. Plusieurs tapisseries illustrant le même thème forment une tenture ou une suite. La composition se déroule sur un décor de prairies fleuries.

La technique – La tapisserie est réalisée sur un métier où des fils de trame colorés et des fils de chaîne de couleur neutre s'entrecroisent pour former des motifs. Ces derniers s'inspirent d'un modèle peint ou « carton ». Si la chaîne est horizontale, le métier est dit de basse lice ; si elle est verticale, il s'agit d'un métier de haute lice (le premier est le cas le plus courant en Belgique). La trame est constituée de fils de laine souvent mêlée de soie, d'or ou d'argent.

Tournai – Le principal centre de production est d'abord Arras, sous la domination des ducs de Bourgogne. Avec la prise de la ville par Louis XI, en 1477, commence son déclin. Tournai, déjà entrée en concurrence avec Arras, va complètement la supplanter.

Les compositions tournaisiennes sont sans bordure ; l'histoire y est représentée en plusieurs épisodes étroitement juxtaposés. On n'y observe pas d'espace vide : entre les personnages aux vêtements somptueux s'inscrivent des végétaux.

L'ensemble est d'ailleurs très stylisé, même lorsque le sujet s'inspire d'un tableau comme la **Justice de Trajan et d'Herkenbald** (musée d'Histoire de Berne), réalisée d'après des œuvres de Van der Weyden aujourd'hui détruites.

On peut citer en outre parmi les plus fameuses réalisations tournaisiennes : *La Tonte des moutons*, *L'histoire de Gédéon* (disparue) (1449-1453) et *L'histoire d'Alexandre* (1459), tissées pour Philippe le Bon, *La Bataille de Roncevaux* (deuxième moitié du 15ᵉ s.).

Bruxelles – Dès le 14ᵉ s., la tapisserie est en honneur à Bruxelles. Cependant, les plus anciennes tapisseries bruxelloises connues remontent à la seconde moitié du 15ᵉ s. : en 1466, les ducs de Bourgogne passent leur première commande.

De technique très raffinée, les compositions sont d'esprit encore gothique : **David et Bethsabée** (début du 16ᵉ s.).

C'est bientôt l'apogée de la tapisserie bruxelloise. Un nouveau style se crée sous l'impulsion de **Van Orley** (vers 1488-1541) : la composition devient monumentale, les scènes sont désormais présentées avec une grande recherche et ne traitent qu'un seul sujet, bien mis en valeur : personnages vêtus de somptueux costumes, paysages enrichis d'édifices Renaissance, plantes minutieusement reproduites, bordures chargées de fleurs, de fruits et de grotesques, animaux ou arabesques.

A partir de 1525, on peut distinguer dans l'encadrement les initiales BB (Bruxelles Brabant). A Van Orley on doit la série des **Honneurs,** exécutée pour Charles Quint (vers 1520), la **Légende de Notre-Dame-du-Sablon** (1515-1518) et les **Chasses de Maximilien,** que réalisa Guillaume de Pannemaker, membre d'une talentueuse famille de tapissiers. Dans ces dernières, la nature est dépeinte d'une façon remarquable.

Raphaël exécute les cartons des **Actes des Apôtres** (1515-1519) commandés par le pape Léon X.

Le peintre **Pieter Coecke** est l'auteur des cartons des *Péchés capitaux* et de *L'Histoire de saint Paul.*

La *Légende d'Herkenbald* (1513) et la série des **Vertus et des Vices**, sont également admirables.

Au début du 17e s., Bruxelles perd sa suprématie mais les commandes continuent à affluer. De nombreuses tapisseries comme *Les Triomphes du St-Sacrement* sont effec-

La légende de Notre-Dame-du-Sablon
Bruxelles, Musées Royaux d'Art et d'Histoire

Musées Royaux d'Art et d'Histoire

tuées d'après des cartons de **Rubens.** Elles se distinguent par leur sens dramatique, leur effet de perspective et l'importance de leur encadrement. Jordaens compose lui-même plusieurs cartons : *Proverbes, Vie à la campagne.*

A la même époque, **Anvers, Bruges, Enghien, Grammont** tissent également des tapisseries. A la fin du 17e s. et au 18e s., les cartons de Rubens sont encore utilisés, mais la mode est aux sujets rustiques et les tableaux de **David Teniers le Jeune** *(voir p. 28)* sont fréquemment reproduits.

Audenarde – A Audenarde, où la tapisserie brille depuis le 16e s., les sujets ont toujours été d'un genre plus modeste qu'à Bruxelles. Le 18e s. voit le triomphe de ces paysages nommés **verdures** *(voir à Oudenaarde)* que confectionnent également, depuis le 16e s., d'autres centres comme Enghien, Grammont. Audenarde imite aussi, tout comme Bruxelles, les tableaux rustiques de David Teniers le Jeune.

La tapisserie aujourd'hui – De nos jours, l'art de la tapisserie, qui avait décliné à la fin du 18e s., a été remis en vigueur à Malines avec la manufacture royale de Tapisseries Gaspard de Wit *(voir à Malines),* à Audenarde *(voir à Oudenaarde)* et à Tournai *(voir à ce nom)* où en 1945 s'est créé le groupe Force Murale animé par Roger Somville et Edmond Dubrunfaut.

ARTS DIVERS

Mobilier – Les meubles gothiques taillés dans le chêne se limitent à des tables, des bancs et des coffres où se retrouve le motif du parchemin. A la Renaissance, tables et chaises à très haut dossier s'ornent de lourds pieds tournés. Fabriqués à **Anvers,** les massifs bahuts à deux corps présentent des entablements soutenus par des cariatides, des montants à têtes de lions (le lion des Flandres) tenant des anneaux dans leur gueule, des frises et des panneaux moulurés ou sculptés de scènes religieuses, historiques ou mythologiques. Les sièges et les murs sont recouverts à la manière espagnole de cuir repoussé et peint dont **Malines** assure la fabrication à partir du début du 16e s., en remplacement de Cordoue. A la même époque, on sculpte les semelles et corbeaux de poutres dans la plupart des bâtiments publics, on enjolive les cheminées de motifs Renaissance.

Dès la fin du 16e s. on utilise le bois exotique. Les armoires, qui prennent des proportions gigantesques, sont souvent plaquées d'ébène. **Anvers** fabrique les fameux cabinets d'ébène ou de palissandre richement incrustés d'ivoire, de nacre ou d'écaille ; certains s'ornent de panneaux peints provenant de l'atelier de Rubens.

Au 18e s., le goût français pour les formes souples s'impose : à **Liège** et à **Namur** sont fabriquées d'élégantes armoires de chêne.

En 1900, l'Art nouveau, sous la férule de Henry van de Velde et de Victor Horta, fut très suivi, en particulier dans les ouvrages de Serrurier-Bovy.

La production de meubles reste florissante à Malines et à Liège.

Céramique – Au Moyen Âge, la décoration des maisons entraîne une fabrication très importante de **carreaux de faïence**, pour les murs ou le pavement. La vaisselle, en **grès** vernissé, provient de la région du Rhin, mais aussi de **Raeren** et, à partir du 16e s., de **Bouffioulx** (près de Charleroi). De nos jours, les grès bleus de **La Roche-en-Ardenne** sont appréciés. Les premières fabriques de **faïence**, de technique italienne, fonctionnent à Anvers au 16e s. Outre les traditionnels carreaux, on y produit des plats, des pots de pharmacie. Aux 18e et 19e s., des fabriques de céramique sont installées à Nimy (près de Mons), Liège, Namur, Bruxelles ainsi qu'à Tournai et Andenne (le centre de faïence fine le plus important).

A l'heure actuelle, la céramique de table est une importante activité dans le pays (La Louvière) de même qu'au Grand-Duché, à Luxembourg.

Pour la **porcelaine**, outre Andenne, le principal centre fut **Tournai** dont la manufacture fut fondée au milieu du 18e s. La porcelaine de **Bruxelles** est encore réputée.

Verrerie – Installé dans le Hainaut au 2e s., cet art se perfectionne à la fin du 15e s., sous l'influence de Venise, puis au 17e s., avec des apports de Bohême et d'Angleterre, tandis que l'utilisation de la houille comme combustible à la fin du 17e s. favorise la concentration du verre à vitre dans le bassin de Charleroi.

A la cristallerie de **Vonêche** qui, fondée en 1802 près de Beauraing, fut jusqu'en 1815 la plus importante de l'Empire français, succéda à partir de 1826 celle de **Val-St-Lambert** (Ouest de Liège). Actuellement, la verrerie de Manage (près de Charleroi) est connue pour la fabrication de flacons de parfum.

Dentelle – C'est probablement un art d'origine vénitienne, cependant la Flandre revendique la paternité de la dentelle au fuseau. Cette dernière est exécutée sur un coussin ou carreau ; les fils tendus par les bobines ou fuseaux sont manipulés de façon à former soit un réseau, soit un motif, l'ouvrage étant fixé par des épingles.

La dentelle apparaît à la Renaissance : elle est destinée à embellir le vêtement. Les peintures flamandes nous montrent des personnages, des enfants, dont les costumes s'ornent de dentelles au col et sur les manches. Enseigné aux jeunes filles dans les écoles, cet art devient bientôt populaire. Une fois passée la période de troubles, il retrouve sa prospérité : la dentelle de Flandre obtient au 17e s. une réputation sans égale. Parmi les principaux centres de l'époque figurent **Bruxelles**, où se pratique surtout la dentelle à l'aiguille, **Bruges, Malines, Anvers.**

Le 18e s. voit l'apogée de la dentelle dont les motifs font une large place au style rococo et s'enrichissent surtout de fleurs. Malheureusement, l'invention du tulle mécanique, puis du métier Jacquard portent atteinte à la dentelle à l'aiguille.

On a cependant réussi à sauvegarder l'art de la dentelle, qui est encore pratiqué à Bruges et à St-Trond, où l'enseignement de la dentelle au fuseau a été repris, et dans plusieurs nouveaux centres, Lier, Mechelen, Poperinge, en particulier ; Zele perpétue la dentelle à l'aiguille. Bruxelles dispose d'un centre pour la dentelle contemporaine.

TERMES D'ART EMPLOYÉS DANS CE GUIDE

Abside : extrémité d'une église, derrière l'autel. Sa partie extérieure s'appelle le chevet.

Arcature : suite de petits arcs accolés.

Avant-corps : partie d'une église qui est en saillie sur l'alignement de la façade.

Bow-window : construction en saillie sur un mur de façade souvent en encorbellement ; fréquemment utilisé à la fin du 19e s.

Bretèche : loge rectangulaire appliquée en encorbellement sur un mur et percée, en bas, de mâchicoulis. Illustration III

Chapelle axiale : chapelle qui se trouve dans l'axe de l'église.

Chapelles rayonnantes : Illustration I

Chapiteau : partie élargie qui couvre le fût d'une colonne.

Chevet : côté extérieur de l'abside. Illustration I

Chœur à abside : partie de l'église réservée au clergé et aux chantres, où se trouve le maître-autel. Illustration I

Collatéral : se dit des côtés de la nef quand ils sont de la même hauteur que celle-ci. Illustration I

Croisillon : Illustration I

Courtine : pan de mur compris entre deux tours ou bastions. Illustration III

Déambulatoire : Illustration I

Douve : fossé, généralement rempli d'eau, protégeant un château fort.

Échauguette : Illustration II

Émail champlevé : est exécuté sur une plaque de cuivre où des compartiments sont creusés au burin ; l'émail est déposé en poudre dans les parties ainsi évidées, puis il est cuit et poli.

Encorbellement : construction en porte à faux.

Plan-type d'une église : il est en forme de croix latine, les deux bras de la croix formant le transept.

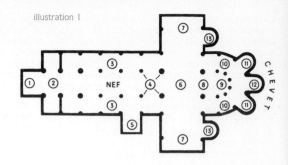

illustration I

① Porche – ② Narthex – ③ Collatéraux ou bas-côtés (parfois doubles) – ④ Travée (division transversale de la nef comprise entre deux piliers) – ⑤ Chapelle latérale (souvent postérieure à l'ensemble de l'édifice) – ⑥ Croisée du transept – ⑦ Croisillons ou bras du transept, saillants ou non, comportant souvent un portail latéral – ⑧ Chœur, presque toujours « orienté », c'est-à-dire tourné vers l'Est ; très vaste et réservé aux moines dans les églises abbatiales – ⑨ Rond-point du chœur – ⑩ Déambulatoire : prolongement des bas-côtés autour du chœur permettant de défiler devant les reliques dans les églises de pèlerinage – ⑪ Chapelles rayonnantes ou absidioles – ⑫ Chapelle absidale ou axiale. Dans les églises non dédiées à la Vierge, cette chapelle, dans l'axe du monument, lui est souvent consacrée – ⑬ Chapelle orientée.

Haut-relief : sculpture au relief très saillant, sans toutefois se détacher du fond (intermédiaire entre le bas-relief et la ronde-bosse).

Jubé : tribune transversale en forme de galerie élevée entre la nef et le chœur.

Lancettes : arc en tiers-point ressemblant à un fer de lance.

Lanterne : dôme vitré éclairant un édifice.

Mâchicoulis : créneau en encorbellement. Illustrations II et III

Meneau : croisillon de pierre divisant une baie.

Merlon : partie pleine d'un parapet entre deux créneaux.

Pignon à redans : partie supérieure du mur qui soutient les deux pentes du toit et dont les bords forment des ressauts.

Pilastre : pilier plat engagé dans un mur.

Pinacle : faîte d'un édifice.

Plein cintre : en demi-circonférence, en demi-cercle.

Polyptyque : ouvrage de peinture ou de sculpture composé de plusieurs panneaux articulés.

Rinceau : ornement sculpté à motif principal de tiges stylisées.

Salle capitulaire : salle d'un monastère où se réunit le chapitre de chanoines ou de religieux.

Sgraffito : procédé de décoration murale par grattage d'un enduit clair sur un fond de stuc sombre.

Stalles : Illustration IV

Stuc : mélange de poussière de marbre et de plâtre lié avec de la colle forte.

Transept : Illustration I

Tribune : étage situé au-dessus des bas-côtés.

Triforium : petite galerie aménagée au-dessus des bas-côtés d'une église.

Triptyque : ouvrage de peinture ou de sculpture composé de trois panneaux articulés, pouvant se refermer.

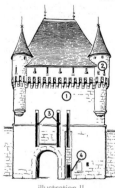

illustration II

Porte fortifiée : ① Mâchicoulis – ② Échauguette (pour le guet) – ③ Logement des bras du pont-levis – ④ Poterne : petite porte dérobée, facile à défendre en cas de siège.

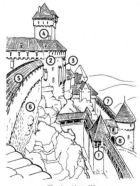

illustration III

Enceinte fortifiée : ① Hourd (galerie en bois) – ② Mâchicoulis (créneaux en encorbellement) – ③ Bretèche – ④ Donjon – ⑤ Chemin de ronde couvert – ⑥ Courtine – ⑦ Enceinte extérieure – ⑧ Poterne.

illustration IV

Stalles : ① Dossier haut – ② Pare-close – ③ Jouée – ④ Miséricorde.

La littérature

Peu connues hors des frontières, les lettres belges sont prolifiques, marquées par le terroir, surtout chez les Flamands, et d'une incontestable originalité.

Belgique d'expression française – Dans les siècles passés, le pays eut des chroniqueurs célèbres : au 14ᵉ s., Froissart, né à Valenciennes et mort à Chimay *(voir à ce nom)*, Philippe de Commines, au 15ᵉ s., Jean Lemaire de Belges, né à Bavay au 16ᵉ s.

Au 18ᵉ s., un mémorialiste, le prince de Ligne *(voir à Belœil)*, se distingua par son cosmopolitisme.

Depuis 100 ans s'est développé en Belgique un mouvement littéraire original et vivant. Après le grand précurseur **Charles de Coster**, auteur du célèbre *Ulenspiegel* (1867) *(voir p. 34 et voir à Damme)*, l'époque du groupe « La Jeune Belgique » (1881) vit surgir des romanciers comme l'Anversois Georges Eekhoud (1854-1927), Camille Lemonnier (1844-1913) *(Un Mâle, 1881)*, des poètes comme le Gantois Van Lerberghe (1861-1907), qui écrivit en 1904 l'exquise *Chanson d'Ève*, Max Elskamp (1862-1931), **Georges Rodenbach** (1955-1898) connu pour son recueil des *Vies encloses* et son roman *Bruges la Morte* (1892). Certains ont acquis la gloire universelle, tels le grand poète **Émile Verhaeren** *(voir p. 185 et p. 211)* et le Gantois **Maurice Maeterlinck** (1862-1949), dramaturge mystérieux et triste de *Pelléas et Mélisande*, mais aussi essayiste de *La Vie des abeilles* et prix Nobel en 1911.

Parmi les générations qui ont suivi, citons les poètes Maurice Carême (1899-1978), Robert Goffin (né en 1898), Jean de Boschère (1878-1953), **Marcel Thiry** (1897-1977), auteur de *Toi qui pâlis au nom de Vancouver*, Marie Gevers (1883-1975) qu'on a comparée à Colette, le Bruxellois Franz Hellens (1881-1972), également romancier, tourné vers le fantastique, Pierre Nothomb (1887-1967) *(La Vie d'Adam)*, à qui l'on doit aussi quelques romans.

Le Montois **Charles Plisnier** (1896-1952) est un romancier célèbre (prix Goncourt pour *Mariages et Faux Passeports*). **Fernand Crommelynck** (1886-1970) est connu pour sa pièce pleine de truculence, *Le Cocu magnifique* (1921). **Michel De Ghelderode** (1898-1962) est un dramaturge fécond et audacieux.

Il faut rendre hommage à Maurice Grevisse (1895-1980), auteur du *Bon Usage* (1936), et à M. Joseph Hanse (1902-1992), auteur du *Nouveau Dictionnaire des difficultés du français moderne*, ouvrages de référence grammaticale et linguistique.

Ont acquis une renommée internationale : le Namurois **Henri Michaux** (1899-1984) qui a adopté la nationalité française, le Liégeois

Tintin, par Hergé

Georges Simenon (1903-1989), père du fameux inspecteur Maigret, lancé en 1930, et auteur de nombreux romans d'analyse, l'essayiste **Suzanne Lilar** (1901-1992) à qui l'on doit des œuvres comme *Le Journal de l'Analogiste*, *Le Couple* et *Une enfance gantoise*, l'historien **Carlo Bronne** (1901-1987), ou la romancière **Françoise Mallet-Joris** (née en 1930), pseudonyme de Françoise Lilar, auteur de romans et d'essais. Dans le domaine de la bande dessinée, **Hergé** (1907-1983), créateur de Tintin en 1929 *(Tintin au pays des Soviets)*, a vu ses albums traduits dans le monde entier. D'autre part, le petit personnage coiffé d'un chapeau, qu'a imaginé le dessinateur **Folon**, a passé toutes les frontières, popularisé par les affiches.

L'auteur-compositeur de chansons *(Le Plat Pays, Ne me quitte pas, Quand on n'a que l'amour)*, **Jacques Brel** (1929-1978) peut prendre rang parmi les poètes de Belgique.

Il faut également citer l'auteur bruxellois **Pierre Mertens** (Prix Médicis, 1987), auteur des *Éblouissements*. Plusieurs institutions défendent la littérature d'expression française : l'Académie royale de langue et de littérature françaises (1921), l'Association des Écrivains belges et le Journal des Poètes que dirige Arthur Haulot.

Belgique flamande – Née au 12ᵉ s., la littérature flamande s'affirme au 13ᵉ s. avec la poétesse Hadewijch et **Jacob van Maerlant** *(voir à Damme)*, poète et moraliste, et, au 14ᵉ s., avec le mystique **Ruusbroec l'Admirable** *(voir à Bruxelles, Forêt de Soignes)*, considéré comme le père de la prose néerlandaise.

Au 19ᵉ s. se signalent l'Anversois **Henri Conscience** *(voir à Antwerpen)*, auteur romantique de romans et de nouvelles, et le grand poète catholique **Guido Gezelle** *(voir à Brugge)*.

Au 20ᵉ s. apparaissent de nombreux poètes parmi lesquels **Karel van de Woestijne** (1878-1929), sensuel et mystique, le moderniste expressionniste **Paul van Ostaijen** (1896-1928). Au nombre des romanciers figurent Cyriel Buysse (1859-1932), **Stijn Streuvels** (1871-1969) qui puise son inspiration dans le plat pays du Sud-Ouest *(Le Champ de lin)*, Herman Teirlinck (1879-1967), fécond romancier et aussi dramaturge, Willem Elsschot (1882-1960), **Ernest Claes** *(voir à Averbode)*, aux récits malicieux, **Félix Timmermans** *(voir à Lier)*, Gérard Walschap (1898-1989).

Après 1930 la poésie est dominée par **Jan van Nijlen** (1884-1965), **Richard Minne** (1891-1965), **Karel Jonckheere** (1906-1993), **Anton van Wilderode** (né en 1918) et **Christine D'Haen** (née en 1923).

Vers 1948 apparaît une seconde vague moderniste où se distinguent le Brugeois **Hugo Claus** (né en 1929), également dramaturge *(Andréa ou la Fiancée du matin*, 1955 ; *Vendredi*, 1970), romancier *(La Canicule*, 1952 ; *L'Étonnement*, 1962 ; *Le Chagrin des Belges*, 1983) et poète, Paul Snoek (1933-1983) et Hugues Pernath (1931-1976).

Le roman flamand compte **Marnix Gijsen** (1899-1984) révélé par un conte philosophique *(Joachim van Babylon*, 1948) ; Louis Paul Boon (1912-1979), prosateur réaliste passionné *(Route de la Chapelle*, 1953 ; *Menuet*, 1955) et peintre de surcroît ; **Johan Daisne** (1912-1978), auteur de *L'Homme au crâne rasé* (1947) et de *Un soir un train* (1950) dont André Delvaux a tiré des films (1965 et 1968) ; **André Demedts** (1906-1992) ; **Hubert Lampo** (né en 1920) ; Ward Ruyslinck (né en 1929) ; Jef Geeraerts, né en 1930, qui s'intéresse au problème congolais *(Je ne suis qu'un nègre*, 1961 ; *Gangrène I-IV*, 1968-1977) ; **Ivo Michiels** (né en 1923), dont les recherches formelles s'inscrivent dans le contexte de l'avant-garde européenne *(Le Livre Alpha*, 1963).

Jean Ray (1887-1964), né à Gand, publia sous le nom de John Flanders des contes noirs en néerlandais et, en français, des romans fantastiques parmi lesquels *Malpertuis* (1943) adapté au cinéma en 1972.

Luxembourg – Le Luxembourg a quelques écrivains de langue française tel Marcel Noppeney (1877-1966).

Un poète d'expression luxembourgeoise, **Michel Rodange** (1827-1876), a écrit une version du *Roman de Renart*.

La Légende d'Ulenspiegel, par Charles De Coster :

« *A Damme, en Flandre, quand mai ouvrait leurs fleurs aux aubépines, naquit Ulenspiegel, fils de Claes.*

Une commère sage-femme et nommée Katheline l'enveloppa de langes chauds et, lui ayant regardé la tête, y montra une peau.

– Coiffé, né sous une bonne étoile ! dit-elle joyeusement.

Mais bientôt se lamentant et désignant un petit point noir sur l'épaule de l'enfant :

– Hélas ! pleura-t-elle, c'est la noire marque du doigt du diable.

– Monsieur Satan, reprit Claes, s'est donc levé de bonne heure, qu'il a déjà eu le temps de marquer mon fils ?

– Il n'était pas couché, dit Katheline, car voici seulement Chanteclair qui éveille les poules.

Et elle sortit, mettant l'enfant aux mains de Claes.

Puis l'aube creva les nuages nocturnes, les hirondelles rasèrent en criant les prairies, et le soleil montra pourpre à l'horizon sa face éblouissante.

Claes ouvrit la fenêtre, et parlant à Ulenspiegel :

– Fils coiffé, dit-il, voici Monseigneur du Soleil qui vient saluer la terre de Flandre. Regarde-le quand tu le pourras, et, quand plus tard tu seras empêtré en quelque doute, ne sachant ce qu'il faut faire pour agir bien, demande-lui conseil ; il est clair et chaud : sois sincère comme il est clair, et bon comme il est chaud.

– Claes, mon homme, dit Soetkin, tu prêches un sourd ; viens boire, mon fils.

Et la mère offrit au nouveau-né ses beaux flacons de nature. »

La musique

Wallonne ou flamande, la Belgique fut de tout temps féconde en musiciens. Aux 15e et 16e s., ses compositeurs, tel le Montois Roland de Lassus *(voir à Mons)*, détinrent la suprématie musicale en Europe.

En revanche, aux 17e et 18e s., les musiciens de premier plan furent peu nombreux ; le Liégeois **Grétry** *(voir à Liège)* écrivit de nombreux opéras-comiques et des Mémoires ou Essais sur la Musique, pleins d'idées originales.

A partir de 1830, la création des Conservatoires royaux favorise le redressement. **Fétis**, premier directeur du conservatoire de Bruxelles, acquit une réputation mondiale par ses travaux théoriques et musicologiques, de même que Gevaert qui lui succéda en 1871. Parmi les élèves de Fétis, Edgar Tinel peut être considéré comme le plus grand maître de la musique religieuse en Belgique au tournant des 19e et 20e s.

Après une vie nomade de jeune virtuose, **Henri Vieuxtemps**, né à Verviers *(voir à ce nom)*, devint professeur de violon au conservatoire de Bruxelles en 1871 ; il fut avec son maître Bériot le fondateur de l'école franco-belge de violon.

Élève de Gevaert, le grand symphoniste **Paul Gilson** (1865-1942) est l'une des figures les plus marquantes de la musique belge contemporaine. Compositeur fécond, dans tous les genres, il eut de nombreux disciples, dont Jean Absil (1893-1974). Suivant l'exemple du Groupe des Six, qui vit le jour à Paris en 1918 et dont le chef de file fut Erik Satie, plusieurs élèves de Gilson forment le Groupe des Synthétistes, dont l'objectif fut d'intégrer les apports de la musique moderne aux formes classiques.

D'Anvers partit en 1867 un mouvement en faveur d'une musique à caractère flamand dont **Peter Benoit** (1834-1901) prit la tête. Il créa alors à Anvers la première École flamande de musique qui devint Conservatoire en 1898. Compositeur d'oratorios en langue flamande, illustrant des thèmes propres à la Flandre, il eut de nombreux émules.

La Wallonie ne fut pas moins féconde. **César Franck** (1822-1890), né à Liège et naturalisé français, fut un grand innovateur, mais n'acquit qu'une célébrité posthume. Quant à son élève Guillaume Lekeu, il disparut en 1894 sans avoir pu donner sa mesure. Eugène Isaye (1858-1931), grand violoniste liégeois, Joseph Jongen sont à citer.

Henry Pousseur (né en 1929) et **Karel Goeyvaerts** (1923-1993) sont les chefs de file de la musique sérielle.

La Chapelle musicale Reine-Élisabeth, fondée en 1939, offre à des artistes belges et à quelques artistes étrangers une formation de perfectionnement à leur sortie des conservatoires.

Folklore et traditions en Belgique

Voir tableau des Principales manifestations en fin de volume.

Le folklore est extrêmement important et vivace en Belgique. Il reflète l'expression d'un peuple gai, sociable, fidèle au passé et à ses coutumes. Chaque grande ville a son musée où sont évoquées les traditions qui se sont préservées au fil du temps : traditions rurales mais aussi citadines, surtout dans les villes flamandes où les corporations jouaient un grand rôle, traditions des pays du Nord, de la Flandre mais aussi traditions wallonnes, plutôt influencées par la Picardie.

L'histoire qui a mêlé des peuples d'origines diverses n'a fait qu'enrichir ce patrimoine et cela se manifeste tout particulièrement dans les fêtes. Tout au long de l'année se succèdent en effet des manifestations dont l'origine religieuse ou profane remonte souvent loin dans le passé et évoquent des légendes ou des mystères anciens. De la procession la plus fervente (Pénitents de Furnes) aux festivités les plus rabelaisiennes, les fêtes se multiplient ou renaissent au fil des ans. Le moindre prétexte est l'occasion d'une réunion publique, d'un défilé.

Tout est organisé longtemps à l'avance par les membres des différentes « sociétés » ou confréries, et la préparation de la fête mobilise les énergies des mois durant. Le jour dit, on se déguise, on se retrouve, on se restaure, et la bière coule à flots. Bien souvent la fête, kermesse ou ducasse, est un mélange de cérémonies religieuses. Ces fêtes qui représentent l'âme belge ont été immortalisées par Bruegel et plus récemment par James Ensor.

Carnaval – Le carnaval est fêté un peu partout en Belgique. Probablement de source païenne, cette manifestation qui se déroule au moment du Mardi gras a été présentée par le christianisme comme symbole des réjouissances précédant le Carême 20 jours plus tard, la Mi-Carême représente une rupture de l'austérité.

Les trois plus célèbres carnavals de Belgique se déroulent à Binche, Eupen et Malmédy. A Binche, les **Gilles** *(voir à Binche)* qui n'apparaissent que le jour du Mardi gras ont fait la célébrité de Binche, mais dans cette ville les festivités durent 4 jours et avant défilent les Trouilles de nouilles et les mam'zelles. Eupen est connu pour son carnaval de type rhénan qui a lieu le Lundi gras.

Quant à Malmédy, son **« Cwarmê »** *(voir à Malmédy)* a l'originalité de comporter des revues satiriques et, parmi les personnages costumés, les fameuses haguètes. Parmi les autres carnavals, citons aussi celui d'Alost, son cortège de géants avec le cheval Bayard, et celui de Blankenberge.

Pendant le Carême – Quelques usages sont attachés à cette période comme la décapitation de l'oie ou du coq par des cavaliers de la région d'Anvers. La Mi-Carême est particulièrement fêtée à Stavelot avec les **Blancs-Moussis**, amusants personnages au nez rouge dans leur grand habit blanc à capuchon qui évoquent l'époque où les moines de l'abbaye de Stavelot participaient au carnaval. A Fosses-la-Ville les Chinels, irrésistibles polichinelles *(p. 190)*, défilent. Cette fête est aussi très animée à Maaseik.

A Ligny se déroule le jeu de la Passion, série de tableaux évangéliques faisant allusion au monde moderne. Les Espagnols ont laissé en héritage les pénitents de la Semaine sainte, tradition particulièrement maintenue le Vendredi saint à Furnes où a lieu le célèbre Chemin de Croix auquel participent des pénitents en cagoule portant chacun une croix. Il en est de même à Lessines *(voir à ce nom)*.

Les géants – En Belgique, beaucoup de défilés comportent des géants. Si les géants se sont multipliés depuis le début du siècle, il s'agit pourtant d'une coutume qui semble remonter au 15e s. Née en Belgique, elle a été transmise à l'Espagne par le biais de l'occupation espagnole. Le premier personnage gigantesque est probablement apparu lors d'une procession religieuse ou d'un « Ommegang » où il symbolisait Goliath ou saint Christophe. Goliath est d'ailleurs toujours présent à la ducasse d'Ath où il est surnommé M. Gouyasse. Il est confronté à David dans une reconstitution symbolique appelée « le jeu parti ».

Peu à peu interviennent des personnages profanes et même le cheval Bayard, chevauché par les quatre fils Aymon (à Alost, à Termonde). Les géants sortent aussi à Nivelles (Argayon, Argayonne, leurs fils Lolo et le cheval Godet), à Grammont, à Lierre et à Arlon.

Parmi les géants les plus connus citons : à Alost Polydor, Polydra et le petit Polysorke, à Beloeil Cagène et sa compagne Florentine, à Tervuren Pie et Wanne et leur fils Jommeke, à Braine-le-Comte Baudouin IV le bâtisseur et Alix de Namur. Un défilé à Heist réunit 120 géants de toute la Flandre.

Les grands feux – Ce sont les feux de Carême où l'on brûle parfois un mannequin. Le plus célèbre est celui de Grammont, le tonnekensbrand, où l'on met le feu à un tonneau après le jet de craquelins *(voir à Geraardsbergen)*.

Processions – Les fêtes religieuses, alliant une profonde piété populaire à des traditions séculaires, se manifestent par des processions qu'accompagnent souvent des cortèges historiques, voire des défilés hauts en couleur. L'homme du Moyen Âge savait rarement lire et la procession devint au fil du temps une sorte d'instrument didactique sur le thème de la Bible. En plus des personnages habituels qui évoquaient les apôtres, les prophètes ou les anges, on vit apparaître des chars sur lesquels étaient installés des tableaux vivants illustrant des épisodes de l'histoire religieuse.

Certaines, comme celle du **Saint-Sang** à Bruges *(voir à ce nom)*, sont particulièrement impressionnantes. D'autres présentent un caractère champêtre. Les fidèles derrière la statue ou la châsse du saint parcourent plusieurs kilomètres à travers champs – plus de 30 à Renaix *(voir à Ronse)* – en priant et en chantant.

Jeux et drames – Un peu comme à l'image des mystères, les jeux d'origine religieuse et médiévale sont la reconstitution d'événements légendaires. L'un des plus connus est celui de Rutten (Russon) qui commémore le meurtre de saint d'Évermeire au 8e s. A Mons la procession du **Car d'Or**, composée des confréries de métiers avec leur patron et la statue de la Vierge, procession que clôture le car d'or, et le combat dit « Lumeçon », remémore un jeu processionnel du Moyen Âge.

A Ellezelles ce sont les sorcières et leurs sabbats qui sont évoqués. Ici on commémore l'exécution de 5 sorcières en 1610. A Vielsalm, les « macrâlles », sorcières jeteuses de sort, sont les vedettes d'une réjouissance comique.

A Wingene, les fêtes brueghéliennes illustrent des tableaux de l'illustre peintre.

Ducasse et kermesse – Le mot de ducasse vient du mot dédicace (l'une des plus connues est celle d'Ath), le mot kermesse signifie foire de l'église en flamand. Toutes deux désignent la fête patronale de la ville ou du village. Cette fête a conservé quelques aspects de son origine religieuse : messe, processions, mais s'y ajoutent aussi des jeux traditionnels, des concours, parfois une braderie et les stands forains.

La Procession du Saint-Sang à Bruges

Marches militaires – Fin mai commencent les premières marches militaires de l'Entre Sambre-et-Meuse *(voir à Charleroi)* qui donnent l'occasion d'admirer le costume rutilant des troupes défilant ou se déployant selon un cérémonial strict et très martial. Un des aspects les plus étonnants de ces marches est l'utilisation d'uniformes napoléoniens : zouaves, grenadiers de la garde, dragons, mamelouks et les sapeurs accompagnés d'une cantinière.

L'arbre de mai – Le 30 avril, le 1er mai ou dans le courant du mois, certaines villes plantent avec solennité un arbre de mai, symbole du renouveau : ainsi font Hasselt, Genk, Tongres, dans la province du Limbourg. A Bruxelles cet arbre s'appelle le Meyboom ou Arbre de Joie (plantation en août).

Défilés historiques – Merveilleusement reconstitués, les fastueux défilés d'antan font revivre les grandes heures du passé ; ainsi à Bruxelles, l'**Ommegang**, présidé par Charles Quint et sa cour, ou, à Bruges, le cortège de l'Arbre d'Or *(voir à Brugge),* évoquant le temps des souverains bourguignons.

Marionnettes – Le théâtre de marionnettes apparaît à Liège au 19e s. et connaît un grand succès avec son fameux Tchantchès *(voir à Liège).* La marionnette liégeoise est mue par une tringle fixée au sommet de la tête ; elle est sculptée en bois, peinte et couverte d'étoffes. Le répertoire fait appel aussi bien à l'histoire qu'à la légende ou à la vie moderne ; il est plutôt destiné aux adultes. De la même époque date le théâtre fondé par Toone à Bruxelles *(voir à ce nom).*
De nos jours, le héros est en Woltje, qui parle un savoureux patois bruxellois. Le répertoire conserve ses classiques (les quatre fils Aymon, Thyl Ulenspiegel) tout en s'enrichissant de pièces nouvelles.
D'autres théâtres fonctionnent en flamand à Anvers, Gand et Malines.

Musées du Folklore et musées de plein air – La Belgique est riche en musées du Folklore toujours présentés dans des bâtiments anciens (hôpital, maisons-Dieu, ancien couvent...) et évoquant les traditions qui varient d'une région à l'autre. Citons : **Anvers :** musée du Folklore★, **Binche :** musée du Carnaval et du Masque★, **Bruges :** musée du Folklore★, **Gand :** musée du Folklore★, **Liège :** musée de la Vie wallonne★★, **Mons :** musée de la Vie montoise★, **Tournai :** musée du Folklore.
Deux grands musées de plein air exposent les architectures traditionnelles régionales. Dans les Ardennes il s'agit du musée de la Vie rurale en Wallonie au Fourneau St-Michel★★ *(voir à ce nom)* et en Flandre du musée de plein air de Bokrijk★★ *(voir à ce nom).*

La légende en p. 2 donne la signification
des signes conventionnels employés dans ce guide.

Le paysage urbain

Une caractéristique des villes belges, plus particulièrement des villes flamandes, est leur structure liée à l'autonomie communale qui existe depuis le 13ᵉ s. *(voir p. 17)*. Celle-ci est symbolisée par des monuments municipaux imposants *(décrits p. 24)* : le beffroi, l'hôtel de ville et les halles. Mais ces villes frappent surtout par une atmosphère de charme qui est liée à la présence des canaux, à la musique allègre des carillons, à la tranquillité des béguinages, à l'ambiance chaleureuse des cafés et estaminets.

Grand-Places – Elles sont encadrées par les principaux monuments de la cité, dont l'hôtel de ville, les halles et le beffroi, et par les maisons de corporations aux façades richement sculptées et ornées de statues du saint protecteur ou d'un animal symbolique. Sur la place avaient lieu les mises au pilori, les exécutions, les marchés ainsi que les principales réjouissances, représentations théâtrales, cortèges, calvacades qui y déroulaient leurs fastes. Les Grand-Places les plus célèbres sont celles de Bruxelles, de Bruges, d'Anvers et de Malines.

Carillons – Ils rythment la vie de la cité égrenant leurs notes mélodieuses. Le carillon n'est pas toujours installé dans le beffroi mais quelquefois dans la cathédrale comme à Malines et à Anvers.

Le mot de carillon vient de « carignon » qui désignait un ensemble de quatre cloches. Les carillons étaient reliés à une horloge (la première horloge publique apparaît en 1370) et on faisait jouer ces cloches au ton différent avant la sonnerie de l'heure. Longtemps elles furent frappées à la main au moyen d'un marteau, mais à la fin du 15ᵉ s. fut créé le premier carillon mécanique qui était entraîné par le mécanisme de l'horloge. La découverte du clavier manuel, utilisé pour la première fois en 1510 à Audenarde, permit la multiplication des cloches, tandis que l'invention du pédalier, en 1583 à Malines, autorisa l'emploi de gros bourdons. L'art de fondre les cloches s'étant remarquablement perfectionné, de nos jours la plupart des carillons importants comptent au moins 47 cloches. Les plus célèbres en Belgique se trouvent à Malines, Bruges, Nieuport, Anvers, Gand, Louvain, Florenville. Malines possède une école de carillonneurs.

Jacquemarts – A partir du 14ᵉ s., le beffroi s'orne d'une horloge animée par des jacquemarts. Ces personnages en métal frappant les heures avec un marteau sur une petite cloche sont une autre curiosité que l'on trouve à Courtrai, Nivelles, Bruxelles (Mont des Arts), Virton, Lierre et St-Trond.

Béguinages – Situés souvent un peu à l'écart, clos de murs, les béguinages forment une pittoresque petite ville dans la grande. Ils groupent des maisonnettes où vivent des béguines. Ces pieuses personnes tenues à certaines observances, comme le port du costume et l'assistance aux offices, ne sont pas liées par des vœux et peuvent jouir de leur fortune personnelle ; elles sont libres de vaquer à leurs occupations pendant la journée mais les portes de l'enclos se ferment à la nuit tombante. Une « Grande Demoiselle » est à leur tête.

On ne connaît pas l'origine des béguinages. La première institution de ce genre aurait été créée à la fin du 12ᵉ s. par Lambert le Bègue à Liège. Cependant la tradition attribue la fondation des béguinages à sainte Begge qui fut la supérieure d'un couvent à Andenne où elle mourut en 694. Au 13ᵉ s. les béguinages avaient pris leur forme définitive d'enclos indépendants possédant leur propre église. Beaucoup de béguinages ont été détruits par les iconoclastes en 1566 et reconstruits à la fin du 16ᵉ et du 17ᵉ s. C'était dans les béguinages paisibles et silencieux que battait le plus le cœur mystique de la Belgique. Une vingtaine de béguinages subsistent dans le Nord du pays et certains sont encore habités par quelques béguines (au Mont-St-Amand à Gand) ou occupés par des congrégations religieuses (les bénédictines à Bruges). Le plus souvent, les municipalités louent les maisons inoccupées à des personnes âgées, parfois à des étudiants comme à Louvain.

Les maisons-Dieu – C'étaient des sortes d'asiles pour vieillards ou miséreux financés par des corporations. Ils formaient des rangées de maisonnettes basses en brique, blanchies à la chaux.

Estaminets – Ce mot désigne le café en wallon. Lieu de réunion, de rencontre, c'est ici que l'on se retrouve pour boire un chope de bière, jouer, discuter, se rassembler entre « coulonneux » (les amateurs de pigeons voyageurs) ou tout simplement boire un café accompagné d'un spéculoos ou d'un chocolat.

En fin de volume figurent d'indispensables renseignements pratiques :
- *Organismes habilités à fournir toutes informations ;*
- *Manifestations touristiques ;*
- *Conditions de visite des sites et des monuments...*

Gastronomie

Belgique

Bon vivant, le Belge sait apprécier les mérites d'une table bien garnie. Si de nombreux plats sont accommodés à la française, les préparations du terroir ont victorieusement résisté et les provinces wallonnes et flamandes sont fières de leurs spécialités.

Les potages aux légumes, les bouillons de viande ou de volailles sont couramment servis au début des repas.

Du jambon ou du saucisson d'Ardenne, un poisson froid, des crustacés à la mayonnaise, des croquettes de crevettes, des anguilles au vert peuvent venir compléter l'entrée.

Comme plat de résistance, il existe de nombreuses spécialités régionales : lapin aux pruneaux, carbonades flamandes, oie à l'instar de Visé ou, si la chasse est ouverte, une pièce de gibier dont l'Ardenne abonde (lièvre, chevreuil, marcassin, canard colvert, faisan).

Parmi les légumes, il faut signaler les jets de houblon (en mars) à la sauce mousseline, les chicorées (endives) de Bruxelles, au jambon, gratinées, les choux de Bruxelles, l'asperge de Malines. Il existe de savoureuses qualités de fromages : ceux de Herve dont le Remoudou est une variété piquante, le Maredsous, équivalent du St-Paulin, le fromage de Bruxelles, le Présent en Flandre.

Dans l'Ardenne, les tartes aux fruits, à la rhubarbe ou au sucre sont excellentes. Overijse et ses environs fournissent du raisin de serre, le Limbourg des prunes conservées dans un sirop de vinaigre.

Les glaces sont délicieuses. La réputation des chocolats et notamment des « pralines » (chocolats fourrés) n'est plus à faire.

Boissons – La bière est la boisson la plus répandue. Les vins de France sont de qualité dans les bonnes maisons. La Belgique produit des alcools et des liqueurs : liqueur de mandarine, élixir de Spa (genre de Chartreuse), genièvre de Hasselt, de Deinze ou celui de Liège appelé péquet.

Luxembourg

Quelques spécialités sont à signaler : le cochon de lait en gelée, le jambon d'Ardenne, fumé ou cru, les viandes fumées, notamment le collet de porc fumé aux fèves des marais (judd mat gaardebounen). En saison, on peut manger du gibier. Le Kachkéis est un fromage paysan au sel. En septembre, on déguste la tarte aux quetsches.

Tout ceci s'arrose de vin de Moselle *(voir p. 258)* ou de bière qui est de consommation très courante. Les liqueurs (mirabelle, quetsche, cassis) sont renommées.

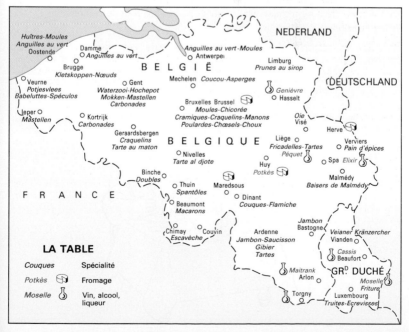

Quelques définitions

Anguilles au vert (Paling in 't groen) : revenues au beurre avec sauce aux persil, cerfeuil, oseille, sauge, citronnelle, oignon, finement hachés.

Babeluttes : caramels durs au beurre.

Baisers de Malmédy : meringues fourrées à la crème chantilly.

Carbonades : bœuf braisé avec oignons, épices, vinaigre et sucre mouillés de bière ou d'eau.

Chicorée ou chicon (witloof) : endive.

Choesels : abats avec sauce au madère et aux champignons.

Coucou de Malines : variété de poulet.

Couques : pains sucrés et aromatisés à Bruxelles, pain d'épice dur et au miel à Dinant.

Cramiques : pains briochés aux raisins secs.

Craquelins : brioches fourrées de sucre.

Doubles : deux crêpes fourrées avec du fromage de Herve ou de Maredsous.

Escavèche : poisson frit conservé dans une marinade aux aromates.

Filet américain : sorte de steak tartare.

Filet d'Anvers : pièce de bœuf ou de cheval fumé.

Flamiche : tarte au Romedenne, fromage local, servie chaude.

Friture de la Moselle : poissons blancs frits.

Herve : fromage à pâte molle.

Hochepot : pot-au-feu d'abats de porc, bœuf et mouton.

Kletskoppen : galettes fines au beurre, amandes et noisettes.

Lierse Vlaaikens : tartelettes aux prunes.

Maitrank : apéritif arlonais *(p. 62)*.

Manons : chocolats fourrés à la crème fraîche.

Mastellen : pains biscottés à l'anis.

Mokken : sorte de macarons à la cannelle ou à l'anis.

Nœuds : biscuits au beurre et cassonade.

Péquet : genre de genièvre au goût prononcé.

Pistolet : petit pain rond.

Potjesvlees : genre de hure de veau, lapin, poulet.

Potkès ou Boulette de Huy : fromage blanc salé.

Remoudou : fromage du pays de Herve, très piquant.

Spantôles : biscuits de dessert, dont le nom est celui d'un canon célèbre.

Spéculos (speculaas) : petit biscuit sec à la cassonade aromatisé à la cannelle.

Tarte al djote : tarte au fromage, aux œufs, aux cardons et à la crème, servie chaude.

Tarte au maton : tarte au fromage blanc, lait battu et aux amandes.

Tarte au stofé : tarte au fromage blanc, œufs, amandes et pâte de pommes.

Veianer Kränzercher : petites couronnes de pâte à choux.

Waterzooi : sorte de bouillon de poisson ou poulet.

LA BIÈRE

La bière est la boisson nationale belge. Le Belge en consomme 118 l par an en moyenne. Il existe près de 100 brasseries dans le pays et une infinité de variétés de bière. Blonde ou brune, douce ou amère, légère ou corsée, la bière belge peut satisfaire les goûts les plus divers.

La bière est connue dans l'Antiquité puis chez les Gaulois qui la nommaient **cervoise**. Au Moyen Âge, cette activité est le privilège des monastères. Elle se répand beaucoup dans les Flandres : le mot bière dérive du flamand « bier ».

Les principales régions productrices de houblon en Belgique sont Alost et Poperinge. La cueillette a lieu en septembre. Deux itinéraires touristiques balisés permettent de découvrir ces régions : l'un autour de Kobbegem (Hopperoute : la route du houblon) et l'autre autour de Poperinge (Hoppeland-route : la route du pays du houblon).

Fabrication – Les grains d'orge sont trempés dans l'eau, ce qui provoque leur germination. L'orge germée est séchée, touraillée puis réduite en farine : c'est le **maltage**. Le **brassage** consiste à transformer le malt, finement moulu, en

Fromage à la bière et grande réserve de Chimay

J. D. Sudres/SCOPE

jus sucré : le **moût**. C'est la partie la plus importante et la plus caractéristique de la fabrication de la bière. Le but de cette opération est double : transformer l'amidon du grain d'orge en sucre maltose et entraîner les substances solubles du malt.

C'est pendant l'ébullition du moût qu'on ajoute le houblon, en le dosant suivant l'amertume et l'arôme désirés.

La dernière opération est la **fermentation** qui transforme le moût en bière : elle consiste à placer dans de grandes cuves pendant plusieurs jours le moût dont le sucre maltose sous l'action de la levure se change en alcool éthylique et en gaz carbonique.

Variétés – Il y a 3 types de bières qui sont déterminés par le procédé de fermentation :

– Les bières de **basse fermentation** comme la bière blonde du type « pilsen ». La fermentation et surtout la garde ou maturation se font à basse température. Les brasseries les plus connues se trouvent à Louvain (brasseries Interbrew) et Waarloos au Sud d'Anvers (brasseries Alken-Maes).

– Les bières de **fermentation haute**. Leur fermentation s'opère à la température « haute » de 15 à 20°. La plupart des bières appelées « spéciales » en font partie. Entrent dans cette catégorie les fameuses « trappistes », toujours brassées dans les grandes abbayes cisterciennes. Ce sont les bières d'Orval, de Chimay *(voir à ce nom)*, de Rochefort *(voir à ce nom)*, de Westmalle et de St-Sixte (à Westvleteren).

– Les bières de **fermentation spontanée** qui comptent les bières typiquement belges comme les gueuzes, krieks et lambics. Leur méthode de fabrication consiste à laisser la fermentation se développer spontanément, sans ensemencement de levure, dans de grands fûts appelés foudres. Après un temps de conservation assez long, de 1 à 2 ans, la bière porte le nom de « **lambic** ». La bière est ensuite soutirée en bouteilles où se produit une deuxième fermentation. Elle devient ce qu'on appelle la **gueuze**. La **kriek** se caractérise par sa couleur rouge et sa saveur fruitée due à l'apport de cerise qu'on a fait macérer dans le lambic.

Van Eyck - Adoration de l'Agneau mystique (détail). Gand, cathédrale St-Bavon

42

Belgique

GIRAUDON

AALST

ALOST – Oost-Vlaanderen

74 857 habitants

Cartes Michelin nᵒˢ 409 F 3 et 213 pli 5 – Plan dans le guide Michelin Benelux.

Au bord de la Dendre, Alost, autrefois ville marchande, possède aujourd'hui des industries actives groupées en un parc industriel ; le houblon de la région a donné naissance à des brasseries importantes ; c'est aussi un grand centre de commerce de fleurs coupées.

Carnaval – Les festivités *(voir le chapitre des Renseignements pratiques en fin de volume)* commencent le dimanche avant le Mardi gras par le grand cortège de géants comme le cheval Bayard *(p. 178)* et de chars, immenses constructions de carton-pâte à caractère politique et satirique. Le lundi, second défilé et jet d'oignons (ajuinworp), du haut des édifices de la Grand-Place. Le mardi, la fête atteint son paroxysme avec les Vuil Jeannetten (travestis burlesques).

Carnaval - Le cheval Bayard

CURIOSITÉS

Grote Markt (Grand-Place) – Au centre de cette place irrégulière se dresse la statue de **Thierry Martens**, natif d'Alost, introducteur de l'imprimerie en Flandre (1473).

Schepenhuis (Ancien hôtel de ville) – Cet élégant bâtiment du 15ᵉ s., très restauré au siècle dernier, conserve du 13ᵉ s. le côté droit et la façade postérieure à pignon à redans et fenêtres surmontées d'arcatures trilobées.

Une charmante brèche bretèche flamboyante (16ᵉ s.) égaye, à droite, la façade principale. Le beffroi, élancé mais un peu grêle, date du 15ᵉ s. ; il porte la devise communale « Nec spe nec metu » (ni par l'espoir ni par la crainte) au-dessous de deux niches abritant deux guerriers, symbolisant le comte de Flandre et celui d'Alost ; son carillon se compose de 52 cloches.

Beurs van Amsterdam (Bourse d'Amsterdam) – Maison à arcades des 17ᵉ et 18ᵉ s., montrant une jolie façade de brique et pierre, quatre frontons à volutes et un campanile à bulbe.

C'était jadis la maison des Barbaristes, membres de la **chambre de rhétorique**, société littéraire au sein de laquelle ils composaient des chansons et des œuvres théâtrales qu'ils représentaient eux-mêmes.

Stadhuis (Hôtel de ville) – L'actuel édifice à colonnade (19ᵉ s.) présente au fond de la cour une élégante façade rocaille (18ᵉ s.).

St.-Martinuskerk (Collégiale St-Martin) – Cet édifice en grès, gothique flamboyant, a été construit en style brabançon par Herman de Waghemakere et un membre de la famille Keldermans.

La nef est restée inachevée mais l'**ensemble★** formé par le transept et le chevet à déambulatoire et chapelles rayonnantes a grande allure.

Intérieur – Il est d'une noble simplicité (piliers ronds et chapiteaux feuillus à la manière brabançonne). Remarquer le collatéral du transept et le triforium, balustrade ajourée. Dans le bras droit du transept, formant retable : grande composition de Rubens, *Saint Roch, patron des pestiférés*, dont le cadre aurait été exécuté d'après un projet du maître. A gauche, des traits rubéniens apparaissent dans la peinture de Gaspar de Crayer.

Dans le chœur, à gauche, splendide **tabernacle★** de marbre noir et blanc sculpté en 1604 par Jérôme Duquesnoy l'Ancien ; les trois tourelles juxtaposées sont ornées de charmantes statuettes (Vertus, Évangélistes, Pères de l'Église, anges porteurs des instruments de la Passion).

La première chapelle du déambulatoire à droite renferme une *Adoration des Bergers*, attribuée à Ambroise Francken, qui y manifeste des influences nettement italiennes (visage très doux et très pur de la Vierge, attitudes maniérées des personnages).

On remarque, dans la 4ᵉ chapelle, la dalle funéraire de Thierry Martens et, dans la chapelle axiale, des vestiges de fresques de la fin du 15ᵉ s., d'un dessin fin et délié.

Oud-Hospitaal (Ancien Hôpital) ⊙ – *Dans la rue qui part du chevet de la collégiale St-Martin.*

La Dendre qui jadis passait derrière l'édifice en permettait le ravitaillement par bateau. Les bâtiments restaurés, qui s'ordonnent autour d'un cloître et d'une chapelle, ont été transformés en **musée** ; celui-ci est consacré à l'archéologie et aux arts décoratifs de la région.

AARSCHOT

Vlaams-Brabant
26 622 habitants
Cartes Michelin n°s 409 H 3 et 213 pli 8.

Dans la région du **Hageland**, la petite ville industrielle d'Aarschot (prononcer « ars-kot »), bâtie sur les rives du Demer, est dominée par la haute tour de sa collégiale. Autrichiens et Bourguignons au 15e s., Espagnols au 16e s., se livrèrent au pillage de la ville. En 1782, l'empereur d'Autriche Joseph II en fit raser les fortifications. Les deux guerres mondiales n'ont pas épargné Aarschot qui a depuis relevé ses ruines.

Est né à Aarschot **Pierre-Joseph Verhagen** (1782-1811), continuateur des maîtres du 17e s., dont les toiles ornent nombre d'églises, en particulier à Louvain où il finit ses jours. Le surnom moqueur de « batteurs de pavés » que portent les habitants d'Aarschot leur vient de l'époque où les gardes au cours de leur ronde battaient les pieds sur les pavés pour rassurer la population. Près de la Grand-Place une sculpture amusante de « Kasseistamper », surmontant une fontaine, illustre cette appellation.

CURIOSITÉS

O.-L.-Vrouwkerk (Collégiale Notre-Dame) ⊙ – Le chœur de ce bel édifice en grès ferrugineux local date du 14e s., la nef du début du 15e s. Formant façade, la tour culmine à 85 m de hauteur (Malines : 98 m). Sa partie inférieure est égayée par l'alternance de calcaire et de grès.

En entrant, belle perspective sur la nef aux lignes élancées soulignées par les cannelures des arcs doubleaux. Le chœur où se retrouvent les coloris de la tour est masqué par un jubé flamboyant. Surmonté d'une croix triomphale du 15e s., celui-ci est décoré de scènes de la Passion et de la Résurrection.

La chaire et les confessionnaux sont de style baroque flamand (17e s.).

Dans le chœur, stalles (1515) aux sculptures satiriques (vielleur, lai d'Aristote, loup et cigogne, métiers) et lustre en fer forgé, de 1500, attribué à Quentin Metsys. Une chapelle à droite du déambulatoire abrite une toile de P.-J. Verhagen : *Les Disciples d'Emmaüs*. Dans une chapelle à gauche, remarquable peinture sur bois, anonyme, de l'école flamande (16e s.) : **le Pressoir mystique** ; à la prédelle, les sept Sacrements. La statue miraculeuse de N.-D. d'Aarschot (1596) trône dans le bras gauche du transept.

Begijnhof (Ancien béguinage) – Près de la tour de l'église se dresse une maison Renaissance. Un peu plus loin s'alignent les quelques demeures (17e s.) subsistant du béguinage fondé en 1259. On aperçoit à droite les **moulins des ducs** (16e s.), sur le Demer, et, à gauche, un enclos, charmante reconstitution du béguinage, appartenant à un hospice.

St.-Rochustoren (Tour St-Roch) – *Sur la Grand-Place.*
Au Moyen Âge, cet édifice du 14e s. en grès brun faisait office de tribunal. Actuellement la tour abrite l'office de tourisme.

Point de vue – On a une bonne vue d'ensemble de l'agglomération depuis la **tour d'Aurélien** (Aurelianustoren) ou d'Orléans, vestige des anciens remparts.

Sur la Grand-Place, prendre la direction de Louvain (Leuven).

ENVIRONS

St.-Pieters-Rode (Rhode-St-Pierre) – *8 km au Sud. Sortir route de Louvain (Leuven), prendre bientôt à gauche en direction de St-Joris-Winge, puis à droite.*
Jolie construction polygonale entourée d'eau, le **château de Horst** est flanqué d'un donjon du 14e s. qui est, avec le porche d'entrée, le seul vestige de l'édifice détruit en 1489 par les troupes de l'empereur Maximilien. Le reste de la demeure, en brique à cordons de pierre, date du 16e s. Les abords du château ainsi que l'étang voisin ont été transformés en centre récréatif *(pêche, canotage en saison).*

Participez à notre effort permanent de mise à jour.
Adressez-nous vos remarques et vos suggestions :
PNEU MICHELIN BAND
33, Quai de Willebroek - Willebroekkaai 33
1000 Bruxelles - 1000 Brussel
Tél (02) 203 61 00

Vallée de l'AISNE

Luxembourg

Cartes Michelin n°s 409 J4-5 et 214 pli 7 – Schéma p. 199.

Jusqu'à son confluent avec l'Ourthe, la petite rivière serpente entre des versants boisés.

DU PONT D'EREZÉE A BOMAL *16 km – environ 2 h*

Du pont d'Erezée, le pittoresque **Tramway Touristique de l'Aisne** 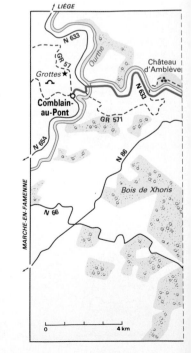 remonte le cours de l'Aisne en suivant le Val sauvage jusqu'au village de Forge.

Wéris – *6 km au Nord du pont d'Erezée*. A Wéris, la charmante **église Ste-Walburge**, fondée au 11e s., repose sur des piliers d'ardoise ; à droite du maître-autel, tabernacle sculpté du 16e s., nommé « théothèque ». Wéris conserve plusieurs mégalithes, en particulier un **dolmen**, dont les blocs sont taillés dans le poudingue local *(au Nord-Ouest, allant vers Barvaux, non loin de la route à gauche).*

La route emprunte la vallée de l'Aisne.

On remarque, à droite, la gigantesque muraille de grès de **la Roche à Frêne**. On traverse ensuite **Aisne** : ce village qui a donné son nom à la rivière possède des sources thermales. Bomal est situé au confluent de l'Aisne et de l'Ourthe.

ALOST

Voir AALST

Vallée de l'AMBLÈVE★★

Liège

Cartes Michelin n°s 409 J4-K4 et 213 plis 22, 23 et 214 plis 7, 8.

L'Amblève prend sa source aux confins du parc naturel Hautes Fagnes-Eifel *(voir à Hautes-Fagnes)*. Capricieuse et champêtre à ses débuts, elle se creuse ensuite dans son cours inférieur une large vallée en V : elle y forme d'amples méandres entre des versants couverts d'un épais tapis de verdure.

DE STAVELOT A COMBLAIN-AU-PONT

46 km – environ 2 h – schémas ci-dessus, p. 170 et p. 186–187.

Stavelot – *Voir à ce nom.*

Quitter Stavelot en direction de Trois-Ponts.

A la hauteur du confluent avec la Salm on passe à proximité de **Trois-Ponts** *(voir à ce nom)*, avant d'atteindre **Coo** *(voir à ce nom)*.

Peu après **Stoumont**, village perché au-dessus de l'Amblève, se trouve à gauche le belvédère Le Congo, offrant un remarquable **point de vue★** sur la vallée, si inhabitée et boisée en ces lieux, l'été, qu'elle a été comparée à la forêt équatoriale.

A partir de Targnon, la route accompagne la rivière jusqu'à son confluent avec l'Ourthe.

Juste après le village de Targnon, à gauche, la N 645 remonte la riante **vallée de la Lienne**.

★ **Fonds de Quareux** – Un petit pont passant sous le chemin de fer permet d'atteindre *(à pied)* la rive de l'Amblève. La rivière dévale ici en bouillonnant sur un lit encombré de gros blocs de quartzite résistant, détachés du massif rocheux environnant.

Nonceveux – Localité établie sur la rive gauche, dans un méandre. La rive droite est devenue centre de villégiature.

En suivant à pied le torrent du **Ninglinspo** *(départ du grand parking à droite, à l'entrée de l'agglomération)*, on atteint (1/4 h) la Chaudière, cuvette de pierre rougeâtre où se déversent deux petites cascades.

Avant de s'engager sous le viaduc de Remouchamps, on aperçoit à gauche le château de Montjardin, perché dans la verdure et dominant la rivière.

Sougné-Remouchamps – *Voir à ce nom.*

Sur une hauteur en aval d'**Aywaille** se dressait jadis le château d'Amblève où, selon la légende, auraient séjourné les quatre fils Aymon *(p. 178)*.

On atteint bientôt Comblain-au-Pont et le confluent avec l'Ourthe.

Comblain-au-Pont – *Page 200.*

Domaine d'ANNEVOIE-ROUILLON★

Namur

Cartes Michelin n⁰ˢ 409 H4 et 214 pli 5 – Schéma p. 179.

Le château et le parc du domaine d'Annevoie constituent un bel exemple du 18ᵉ siècle. Au printemps une exposition florale permet d'admirer tulipes et jacinthes ; en été les roses et les bégonias sont à l'honneur.

★★ **Parc** ⊙ – Le domaine appartient depuis 1675 aux Montpellier. L'un des membres de cette famille imagina à la fin du 18ᵉ s. ce parc aux eaux vives, compromis entre les jardins à la française et les jardins romantiques italiens, qui séduit par la multiplicité et la fantaisie de ses bosquets et de ses jeux d'eau. Parmi les frondaisons séculaires, le Buffet d'Eau (face au château), le Petit Canal et enfin, sur la hauteur, le Grand Canal, bordé de tilleuls, sont les principales étapes d'une agréable promenade au cours de laquelle on observera l'originalité de quelques bancs baroques.

Château ⊙ – A droite, la partie ancienne (1627) se signale par le motif de briques roses qui court sous le rebord du toit. Le château a été agrandi en 1775, à l'époque de la création du parc, auquel il s'intègre parfaitement.

L'intérieur★ comprend une enfilade de salles ornées de boiseries et meubles du 18ᵉ s., de portraits de famille, de bouquets qui contribuent à lui donner une ambiance raffinée.

La salle de musique, en angle, est particulièrement réussie avec son décor de stucs délicats des frères italiens Moretti ; elle offre de belles perspectives sur les jardins.

*Avec ce guide, voici les **cartes Michelin** qu'il vous faut :*
n⁰ˢ 212, 213, 214, et 215.

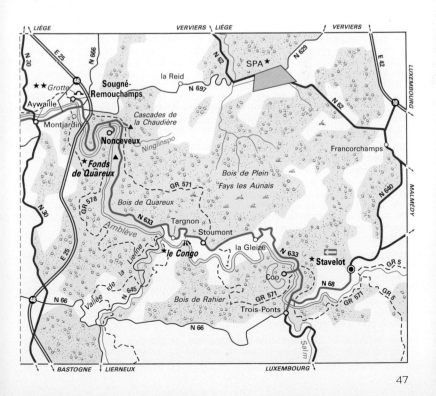

ANTWERPEN★★★

ANVERS – Anvers **P**

473 082 habitants

Cartes Michelin nᵒˢ 409 et plis 8 et 9 pour l'agrandissement et 213 plis 6 et 7.

Seconde ville de Belgique et l'un des plus grands ports du monde, Anvers s'étend sur la rive droite de l'Escaut qui débouche sur la mer du Nord à 88 km au Nord-Ouest (la ville est reliée à la rive gauche par trois tunnels routiers et un pour cyclistes et piétons).

Contrastant avec son rôle de métropole économique particulièrement visible dans le quartier trépidant des diamantaires, autour de la gare centrale, la vieille ville dominée par l'élégante tour de sa cathédrale a su garder tout le charme des cités flamandes. C'est un véritable plaisir de flâner dans ses rues étroites ou sur ses vastes places bordées de maisons à pignons à redents et volutes ou à hautes façades vitrées. A la visite des musées, riches en œuvres d'art, des maisons historiques, dont les intérieurs ont servi de modèles aux peintres flamands, s'ajoute la découverte des théâtres, des magasins (sur le Meir et de Keyserlei), des boutiques cossues (sur les rues piétonnes autour du Schoenmarkt, Komedieplaats, Leopoldstraat), des restaurants, des marchés, des antiquaires et des galeries d'art.

Anvers a vu naître nombre de célébrités parmi lesquelles l'écrivain **Henri Conscience** (1812-1883), auteur du roman historique *Le Lion des Flandres* (1838), et le peintre **Constant Permeke** *(p. 195)*, mais les personnages les plus marquants restent l'imprimeur **Plantin** *(p. 54)* et le peintre **Rubens** *(p. 55)* que l'on peut tous deux évoquer en visitant leurs demeures.

UN PEU D'HISTOIRE

Anvers « doit l'Escaut à Dieu, tout le reste à l'Escaut » (Edmond de Bruyn, 1914).

Des origines mystérieuses – La première occupation du site remonterait au 3ᵉ s. : le nom de la ville semble dériver du mot « aanwerpen » signifiant « les alluvions ». Cependant une légende née au 16ᵉ s. l'attribue à l'exploit du guerrier romain Silvius Brabo. D'après celle-ci, Brabo avait provoqué le géant Druon Antigon, pilleur des bateaux transitant sur l'Escaut, lui avait coupé la main et l'avait jetée dans le fleuve. Ainsi s'expliquerait la présence sur les armes d'Anvers, à côté d'un château (le Steen), de deux mains coupées (handwerpen : jeter la main).

L'âge d'or (15ᵉ et 16ᵉ s.) – Au 11ᵉ s., la ville s'entoure de ses premiers remparts et au 13ᵉ s. débute son essor commercial. Anvers est alors spécialisée dans le commerce du poisson, du sel, des grains, et importe de la laine anglaise. Au 15ᵉ s., la ligue hanséatique y fonde un établissement. Anvers concurrence déjà Bruges dont le port commence à s'ensabler.

Le 16ᵉ s. décide de la fortune de la ville. Les Portugais, ayant découvert la route des Indes, fondent à Anvers, au début du siècle, un comptoir chargé de distribuer en Europe les épices et objets précieux rapportés des pays lointains. En 1515 y est construite la première bourse du commerce ; la ville est alors protégée par Charles Quint et compte plus de 100 000 habitants. Une nouvelle bourse des valeurs, mise en place en 1531, ainsi que l'utilisation de techniques bancaires modernes (lettres de change et de crédit) font d'Anvers un marché mondial où vivent plus de 1 000 représentants de maisons de commerce étrangères. Au milieu du siècle, l'imprimerie s'y développe : Christophe Plantin en est le principal animateur. Vers 1560, Anvers est la deuxième ville d'Europe après Paris. C'est aussi l'âge d'or sur le plan architectural avec la construction de la cathédrale, de la maison des Bouchers, de celle des Brasseurs, de l'hôtel de ville, ainsi que sur le plan artistique, avec l'école anversoise représentée par Quentin Metsys, Joachim Patinir, Gossaert et Brueghel.

La décadence – Sous Philippe II, catholique intransigeant, l'inquisition entraîne des guerres de Religion qui mettent un terme à cette prospérité : en 1566, la cathédrale est ravagée et profanée par des calvinistes iconoclastes ; une répression très dure, menée par le duc d'Albe, s'ensuit, et en 1576, la garnison espagnole met la ville à feu et à sang : c'est la « furie espagnole ».

Les calvinistes anversois ayant pris part à la révolte contre les Espagnols, il faut un an de siège à Alexandre Farnèse (arrière-petit-fils du pape du même nom), gouverneur des Pays-Bas, pour reprendre la ville en 1585. En 1648, le traité de Münster décrète la fermeture de l'Escaut. La navigation n'y sera rétablie qu'en 1795.

Une place convoitée – La ville reste aux Français en 1794. Napoléon venu en 1803 reconnaît la position privilégiée d'Anvers, « pistolet braqué sur l'Angleterre ». Il développe le port dont il fait creuser le premier bassin : c'est le bassin Bonaparte ou Bonapartedosk (**DT**). En 1914, Anvers résiste à l'armée allemande du 28 septembre au 9 octobre, ce qui permet aux troupes belges de se replier sur l'Yser à Nieuport. Peu après sa libération, en septembre 1944, et malgré les bombardements de V1 et V2, le port d'Anvers fonctionne à plein.

Une industrie et un commerce traditionnels : le diamant – En 1476 le Brugeois Louis de Berken perfectionne la taille du diamant qui devient une industrie anversoise. Au 16ᵉ s. l'arrivée de plusieurs familles juives portugaises donne un nouvel élan.

Le commerce des diamants, qui alors provenaient surtout des Indes, était quasiment un monopole portugais à la suite de la découverte de la route maritime des Indes par Vasco de Gama. Les artisans d'Anvers sont vite renommés. En 1869 commence le rush diamantaire sud-africain. A la même époque arrive une forte émigration des juifs de l'Est. Aujourd'hui le commerce se partage entre les familles juives installées depuis des siècles, les Indiens, les Zaïrois et les Libanais tandis que la taille reste le domaine des Anversois.

Un nouvel essor lié au port – De nos jours Anvers est le principal débouché de la Belgique, sa métropole commerciale et un important centre industriel. Le port est en pleine expansion *(voir l'agrandissement sur la carte 409 plis 8 et 9)* et son centre de gravité s'est déplacé vers le Nord jusqu'à la frontière néerlandaise. Il s'étend sur 13 780 ha, comprend 127 km de rives, 949 km de voies ferrées, 1 400 ha de bassins, un important matériel de manutention et d'énormes entrepôts. La création au Nord de Kanaaldok d'un important bassin a permis d'augmenter considérablement les possibilités d'amarrage. Sept écluses (sluis) font communiquer l'Escaut avec les bassins. Celle de Berendrecht, inaugurée en 1988, la plus grande du monde avec ses 763 000 m^3, mesure 500 m de long sur 68 m de large ; celle de Zandvliet a une capacité de 613 000 m^3.

Le trafic du port d'Anvers, qui est tributaire de l'économie de la Belgique, dépend aussi de sa fonction de transit vers l'Allemagne, la France, les Pays-Bas, la Suisse et l'Italie. A l'importation, il porte sur les produits pétroliers, les minerais, les charbons, les produits forestiers, les grains, les matières premières chimiques et, à l'exportation, sur les engrais, les ciments, les produits sidérurgiques et chimiques. Pour entreposer les marchandises, Anvers s'est doté d'excellentes installations lui permettant de jouer un rôle essentiel dans le domaine de la distribution. Liées à la présence du port s'exercent d'importantes activités industrielles, développées surtout dans la zone portuaire : raffineries de pétrole, montage automobile, industries alimentaires, construction et réparation navales.

***AUTOUR DE LA GRAND-PLACE
ET DE LA CATHÉDRALE *visite : 1/2 journée*

Dédale de places, de rues étroites et de passages, ce quartier frappe par la multitude de niches abritant des madones, on en a dénombré plus de 300. Elles étaient souvent le chef-d'œuvre de sculpteurs candidats à la guilde de St-Luc.

* **Grote Markt (Grand-Place) (FY)** – Dominée par la flèche élancée de la cathédrale, cette place irrégulière est encadrée par les **maisons des corporations** (16e et 17e s.) qui montrent une façade très haute, presque entièrement vitrée, surmontée d'un pignon à redents ou à volutes, hérissé souvent de fins pinacles.
  En regardant l'hôtel de ville, on admire à droite cinq belles maisons pour la plupart de style Renaissance, fin du 16e s. : l'Ange Blanc, surmonté d'un ange, la maison des Tonneliers (statue de saint Matthieu), celle de la **Vieille Arbalète**, très haute, surmontée de la statue équestre de saint Georges, celle des jeunes Arbalétriers, de 1500, et la maison des Merciers (aigle).

La Fontaine Brabo et les maisons des corporations de la Grand-Place

Stadhuis (Hôtel de ville) **(FY H)** ⊘ – Construit en 1564 par Corneille Floris, sa façade longue de 76 m mêle avec bonheur les éléments flamands (lucarnes, pignons) à ceux de la Renaissance italienne (loggia sous le toit, pilastres entre les fenêtres, niches). L'ordonnance austère des hautes fenêtres à meneaux est égayée par le riche décor de la partie centrale. L'intérieur a été complètement remanié au 19e s.

Fontaine Brabo – Œuvre fougueuse de Jef Lambeaux (1887), elle rappelle le geste légendaire de Silvius Brabo brandissant la main du géant Druon *(p. 48)*. L'eau s'écoule directement sur les pavés de la place.

★ **Vlaaikensgang** **(FYZ)** – Un porche au n° 16 du **Oude Koornmarkt** donne accès à cette pittoresque ruelle du vieil Anvers, qui a conservé un aspect villageois.

Retourner vers le Oude Koornmarkt.

Handschoenmarkt **(FY 82)** – Devant la façade de la cathédrale, cette place triangulaire, où se tenait le marché aux gants, est cernée de vieilles demeures. Un puits attribué à Quentin Metsys, ferronnier devenu peintre par amour, dit la légende, dresse son gracieux couronnement de fer forgé dominé par Brabo brandissant la main du géant. Il se trouvait jusqu'en 1565 devant l'hôtel de ville.

★★★ **Cathédrale** **(FY)** ⊘ – Le monument le plus admirable de la ville d'Anvers, le plus vaste de Belgique, d'une superficie de près d'un hectare, a été entrepris vers 1352, en commençant par le chevet, et terminé seulement en 1521, l'ensemble restant cependant très homogène. Plusieurs bâtisseurs se succédèrent : Jacques Van Thienen, Jean Appelmans et son fils Pierre, Jean Tac, Everaert Spoorwater, Herman et Dominique Waghemakere et Rombout Keldermans.

La cathédrale abritait à l'origine *N.-D.-à-l'Arbre* trouvée sur une branche après une invasion normande. Cette statue fut détruite en 1580 ; une copie se trouve à N.-D.-du-Sablon, à Bruxelles *(voir à ce nom).*

★★★ **La tour** – Comme à Malines et à Gand, la merveille de la cathédrale est sa tour. Elle s'élève à 123 m de hauteur, miracle de richesse et de légèreté. Le magnifique clocher, « droit comme un cri, beau comme un mât, clair comme un cierge » écrit Verhaeren, a été construit en un siècle par Pierre Appelmans, Herman et Dominique de Waghemakere. Il contient un carillon de 47 cloches.

La deuxième tour est restée inachevée au 16e s. : au pied de celle-ci quatre personnages semblent construire avec ardeur ; cet hommage à l'architecte Pierre Appelmans est dû au ciseau de Jef Lambeaux (1906).

Depuis le 16e s., une étrange coupole à bulbe coiffe la croisée du transept.

Intérieur – *Un dépliant est distribué à l'entrée pour signaler la localisation des œuvres.*

L'intérieur est d'une ampleur exceptionnelle avec ses 7 vaisseaux, ses 125 piliers sans chapiteaux, ses 117 m de longueur pour 65 m de largeur au transept. De nombreuses **œuvres d'art**, remarquables, relèvent la froideur majestueuse du lieu.

Dans la nef centrale, la **chaire**, sculptée par Michel van der Voort, en 1713, surprend avec ses escaliers aux rampes couronnées d'oiseaux, sa ronde d'angelots turbulents qui planent sous une Renommée tombant du ciel. La cuve repose sur 4 figures féminines représentant les 4 continents (l'Europe, l'Afrique, l'Asie et l'Amérique).

Les toiles de **Rubens** sont nombreuses : au-dessus du maître-autel, une **Assomption** (1626), une de ses meilleures versions, séduit par son coloris fragmenté de touches lumineuses ; dans le bras gauche du transept, l'**Érection de la Croix** (1610) destinée à l'église Ste-Walburge, composition en diagonale, violente, montre une tête de Christ d'une admirable noblesse, des soldats vigoureux farouchement arc-boutés faisant saillir leurs muscles ; dans le bras droit du transept, la **Descente de Croix** (1612) est d'une facture plus classique : le corps du Christ, exsangue, et son linceul blanc s'y détachent sur un fond sombre et sur le rouge du vêtement de saint Jean, tandis que resplendit la blondeur de Marie-Madeleine et que le divin supplicié semble glisser, à peine retenu, vers les bras de Marie d'une pâleur livide. Commandé par la corporation des arquebusiers dont le patron était saint Christophe, tous les thèmes illustrés ce retable représentent des « porteurs de Christ » : saint Christophe, Marie portant le Christ en son sein pendant la Visitation, Jésus porté par Siméon pendant la présentation au temple, et le corps du Christ porté pendant sa descente de croix. A droite, dans la deuxième chapelle du déambulatoire se trouve la **Résurrection** de Rubens (1612). Le **Jugement dernier**, peint par De Backer, reproduisant sur ses volets la famille Plantin, se trouve dans la 4e chapelle du déambulatoire. Parmi les autres œuvres d'art on remarquera le sarcophage baroque de l'évêque Capelle (1676), par Quellin le Jeune, un triptyque de *Jésus parmi les Docteurs*, par Frans Francken le Vieux (1586), un *Saint François* par Murillo, *La Cène* par Otto Venius et *Les Noces de Cana* par Martin de Vos.

Revenir à la Grand-Place et prendre la rue Wisselstraat.

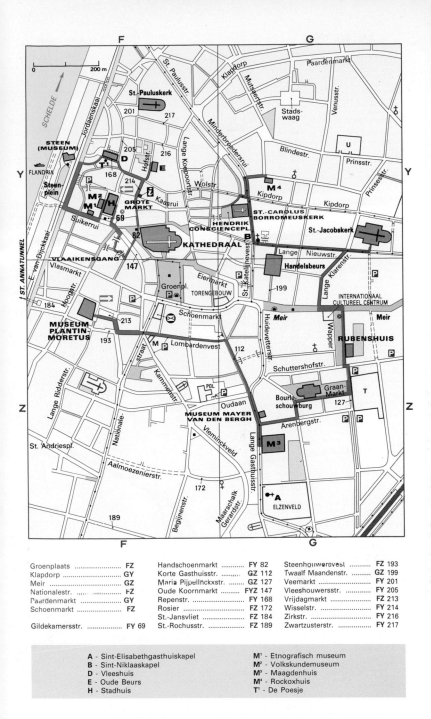

Groenplaats	FZ	Handschoenmarkt	FY 82	Steenhouwervest	FZ 193
Klapdorp	GY	Korte Gasthuisstr.	GZ 112	Twaalf Maandenstr.	GZ 199
Meir	GZ	Maria Pijpellnckxstr.	GZ 127	Veemarkt	FY 201
Nationalestr.	FZ	Oude Koornmarkt	FYZ 147	Vleeshouwersstr.	FY 205
Paardenmarkt	GY	Repenstr.	FY 168	Vrijdagmarkt	FZ 213
Schoenmarkt	FZ	Rosier	FZ 172	Wisselstr.	FY 214
		St.-Jansvliet	FZ 184	Zirkstr.	FY 216
Gildekamersstr.	FY 69	St.-Rochusstr.	FZ 189	Zwartzusterstr.	FY 217

A -	Sint-Elisabethgasthuiskapel	M¹ -	Etnografisch museum
B -	Sint-Niklaaskapel	M² -	Volkskundemuseum
D -	Vleeshuis	M³ -	Maagdenhuis
E -	Oude Beurs	M⁴ -	Rockoxhuis
H -	Stadhuis	T¹ -	De Poesje

Oude Beurs (Ancienne bourse du commerce) (FY E) ⊘ – Elle date de 1515. Le bâtiment est occupé de nos jours par des services publics. Derrière sa façade classique on découvre une charmante cour pavée, entourée de portiques et dominée par une tour de guet.

★ **Vleeshuis (Maison des Bouchers) (FY D)** ⊘ – Dans l'ancien quartier du port se dresse cet imposant édifice gothique à haute toiture percée de lucarnes ; les murs de briques, rayés de grès blanc, sont flanqués de fines tourelles. Construit pour la corporation des bouchers, de 1501 à 1504, par un des architectes de la cathédrale, il abrite un musée d'arts décoratifs anversois, d'archéologie et de numismatique.
Sous les belles voûtes gothiques de la vaste halle du rez-de-chaussée et à l'étage sont exposées des œuvres diverses : argenterie, faïence, ferronnerie, statues du 15ᵉ s., retable d'Averbode de 1514, panneaux de carreaux de faïence anversoise (16ᵉ s.) représentant la conversion de saint Paul, meubles anciens.

ANTWERPEN

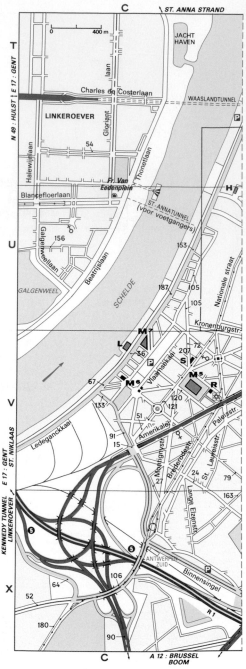

H -	Stadhuis
K -	Brouwershuis
L -	Mini-Antwerpen
M⁵ -	Koninklijk Museum voor Schone Kunsten
M⁶ -	Museum voor Fotografie

La collection d'**instruments de musique★**, et notamment de clavecins dont Anvers fut un centre de fabrication réputé au 17ᵉ s. (famille Ruckers), est particulièrement riche. *Emprunter la Repenstraat.*

Dans une cave à côté est installé un célèbre théâtre de marionnettes anversoises, le « **Poesje** » (**FY T¹**).

★ **Nationaal Scheepvaartmuseum** (Musée de la Marine Het Steen) (**FY**) ⊘ – Il est situé dans la forteresse du Steen construite après 843 sur l'Escaut, pour défendre la nouvelle frontière du traité de Verdun *(voir Introduction, L'Histoire)*. Prison dès le début du 14ᵉ s., le bâtiment fut agrandi vers 1520, sous Charles Quint, et restauré aux 19ᵉ et 20ᵉ s.

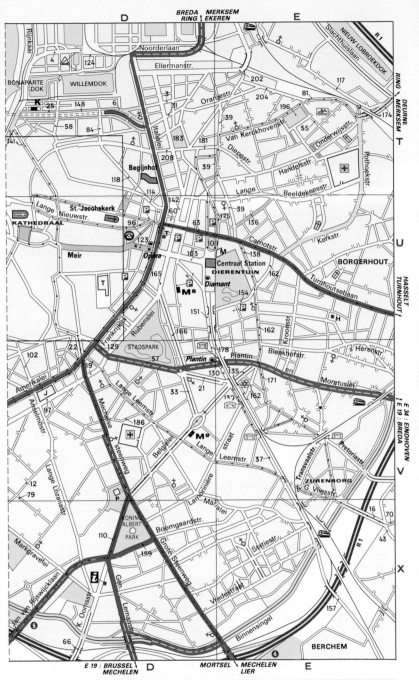

M⁷ - Museum van Hedendaagse Kunst Antwerpen	**M⁹** - Museum Smidt van Gelder
M⁸ - Provinciaal Diamantmuseum	**R** - Woonhuizen
	S - Volkshuis

Une intéressante exposition retrace, à l'aide de nombreux tableaux, maquettes, instruments, sculptures et documents la vie maritime et fluviale, surtout en Belgique, des origines à nos jours. On peut également visiter le département d'archéologie industrielle (maritiem park) ou l'on peut voir la collection de bateaux (le navire fluvial *Lauranda* : expositions temporaires). Devant le Steen se dresse la statue du lutin anversois légendaire **Lange Wapper.**

Des terrasses promenoirs du **Steenplein,** on a un aperçu de l'animation de l'estuaire, qui atteint à cet endroit une largeur de 500 m. C'est de cet endroit que partent les bateaux d'excursion pour la visite du port *(voir ci-dessus).*

Le long des quais des maisons modernes (la maison Van Roosmalen, coin Goede Hoopstraat-St-Michielskaai) alternent avec de beaux bâtiments anciens.

★ **Etnografisch museum** (Musée d'Ethnographie) **(FY M¹)** ⊙ – Sur le Suikerrui, plusieurs maisons des 16ᵉ et 19ᵉ s. communiquant entre elles abritent les collections d'ethnographie de la ville d'Anvers. On y est accueilli par la célèbre statue d'ancêtre des Luba-Hemba (Zaïre) qu'André Malraux évoquait dans son « musée imaginaire ». Elle introduit au département Afrique présenté par thèmes : objets précieux, usuels, ou ayant trait à la magie (masques, statues d'envoûtement). La section Océanie met l'accent sur les sociétés mélanésiennes déterminées par le rang social et le culte des ancêtres : ainsi le tambour à fente verticale des Nouvelles-Hébrides symbolise un rang élevé, les sculptures taillées dans les fougères arborescentes servent à des rites funéraires tout comme le magnifique poteau d'ancêtre, appelé « bis », des Asmats de Nouvelle-Guinée. Au 1ᵉʳ étage, dans le département Amérique, on retrouve cette notion de poteau funéraire avec le totem des Indiens Haida (Canada). A côté un kayak d'enfant évoque la société esquimau, tandis que de nombreuses poteries précolombiennes représentent les civilisations d'Amérique du Sud et du Centre et des masques de plumes aux couleurs éclatantes les sociétés amazoniennes. Au 2ᵉ étage les collections concernent le bouddhisme et l'hindouisme. Le Japon est évoqué par la statue de Kannon Bosatsu (16ᵉ s.), en bois laqué d'or, et les peintures sur le thème « les neuf méditations sur l'impureté du corps ». Parmi les objets lamaïstes se trouvent un remarquable plan de Lhassa dessiné au 19ᵉ s. ainsi que l'unique série de miniatures (54) représentant une méditation mandala. Au 3ᵉ étage, arts et artisanats de Chine (porcelaine céladon), du Japon, d'Afghanistan et de Turquie.

Gildekamersstraat (FY 69) – Cette rue étroite derrière l'hôtel de ville, dont le nom signifie rue des Maisons-des-Guildes, est bordée d'une belle rangée de maisons anciennes dont l'une abrite le musée du folklore.

Volkskundemuseum (Musée du Folklore) **(FY M²)** ⊙ – Les collections riches et variées sont consacrées à l'art populaire flamand. Le rez-de-chaussée est orienté sur la vie extérieure : scènes de rue, façades, jeux, enseignes, kermesse représentée par un remarquable orgue de barbarie Mortier. L'esprit de la fête se poursuit dans l'escalier avec les têtes des géants Druon et Pallas. Le premier étage traite du cours de la vie : collection de jouets, reconstitution d'une pharmacie-droguerie, vitrines consacrées à la magie et aux croyances populaires. Le 2ᵉ étage illustre la vie du foyer et la vie associative si importante en Belgique (théâtre de marionnettes De Poesje).

★★ DU MUSÉE PLANTIN-MORETUS
A LA MAISON ROCKOX *visite : 1 journée*

★★★ **Museum Plantin-Moretus (FZ)** ⊙ – Ce musée occupe 34 pièces de la maison et de l'imprimerie construite par le célèbre imprimeur Plantin et agrandie aux 17ᵉ et 18ᵉ s. par ses descendants les Moretus. Par sa décoration comprenant un beau mobilier ancien, des tapisseries, des cuirs dorés, des tableaux, par ses riches bibliothèques, sa collection typographique et ses collections de dessins, de gravures, de manuscrits anciens et d'éditions précieuses, ce musée fournit une évocation saisissante de l'histoire de l'humanisme et du livre ancien dans les Pays-Bas aux 16ᵉ et 17ᵉ s.

Le « Prince des imprimeurs » – Tourangeau venu à Anvers en 1549, Christophe Plantin y devient en 1555 imprimeur à l'enseigne du Compas d'Or : ce compas illustre sa devise « Labore et Constantia », la pointe mobile représentant le travail et la pointe fixe la constance.
La perfection des ouvrages sortis de ses seize presses (les Estienne, en France, n'en possédaient que quatre), sa réputation de culture et d'érudition lui valurent l'estime des plus grands hommes de son temps dont le roi Philippe II qui fait de lui son imprimeur officiel et lui accorde le monopole de la vente des ouvrages liturgiques en Espagne et dans les colonies espagnoles. Tout en collaborant avec son ami le gouverneur et marchand Jérôme Cook, il a donné naissance à la fameuse école de gravure anversoise dont Rubens sera plus tard le chef. La plus belle réussite typographique de Plantin est sa **Biblia Regia**, imprimée en 5 langues (hébreu, syriaque, grec, latin et araméen). Il meurt en 1589.

Visite du musée – *Suivre la numérotation des salles.* Autour de la cour calme et recueillie avec ses fenêtres en vitraux sertis de plomb encadrées de vigne vierge, on parcourt le grand salon décoré de portraits par Rubens, la boutique, la chambre des correcteurs, le bureau de Plantin et celui de Juste Lipse, érudit ami de Plantin. Dans l'imprimerie, on découvre des presses des 16ᵉ, 17ᵉ et 18ᵉ s. sur lesquelles on imprime encore aujourd'hui *le Bonheur de ce monde*, sonnet composé par Plantin. Au 1ᵉʳ étage sont exposées la fameuse *Biblia Regia* ainsi que la bible de Gutenberg dont il ne reste que treize exemplaires. On admirera les bibliothèques comprenant plus de 25 000 ouvrages anciens et la salle Max Horn qui possède presque toute la littérature française des 16ᵉ, 17ᵉ et 18ᵉ s. dans des éditions originales magnifiquement reliées. Le 2ᵉ étage abrite la fonderie.

Margot l'enragée (détail), Bruegel l'Ancien

★★ Museum Mayer van den Bergh (**GZ**) ⊘ – Installé dans une maison de style néo-gothique du début du siècle, agrandie en 1974, ce musée possède un remarquable ensemble d'œuvres d'art réuni en moins de 10 ans par le collectionneur Fritz Mayer van den Bergh (1858-1901), qui montra un véritable génie dans ses achats de sculptures médiévales, d'enluminures, d'ivoires, de tapisseries et de peintures.

Au rez-de-chaussée, dans la salle 3 on remarquera les deux statues-colonnes provenant du cloître de N.-D.-en-Vaux à Châlons-sur-Marne (12e s.) et le retable peint sur bois de Simeon et Machilos de Spoleto (13e s.) ; dans la salle 4 le triptyque du *Christ en Croix* de Quentin Metsys (15e s.) montre le talent de ce peintre (remarquer la beauté et la sérénité du paysage contrastant avec l'air douloureux des personnages).

Au 1er étage, salle 6 sont réunis de très jolis ivoires byzantins et gothiques mais l'attention se portera sur le groupe sculpté *Jésus et saint Jean* par le maître Heinrich von Kontanz (environ 1300) et sur un diptyque néerlandais (1400) de petit format représentant la *Nativité et saint Christophe* (au revers *Résurrection du Christ*).

Salle 9 se trouve la pièce maîtresse du musée : le tableau de Bruegel l'Ancien **Margot l'enragée★★** *(De Dulle Griet),* vision apocalyptique de la guerre dans des coloris « incendiaires » remarquables. A côté *Les 12 proverbes flamands (illustration p. 281)* montrent une autre facette du remarquable talent de Bruegel. De ses fils le *Dénombrement de Bethléem* et *Paysage d'hiver.*

Maagdenhuis (**GZ M³**) ⊘ – Une partie de cet ancien orphelinat a été transformée en musée. On peut y voir de nombreuses peintures (Rubens, *Saint Jérôme* par Van Dyck), des sculptures et une collection de bols de céramique anversoise du 16e s.

Entre le Maagdenhuis et la maison de Rubens on traverse un agréable quartier de places paisibles où se trouvent plusieurs théâtres et restaurants.

Bourlaschouwburg (Théâtre Bourla) (**GZ**) – Situé à la Komedieplaats, ce bâtiment néo-classique de forme remarquable fut l'œuvre de l'architecte Pierre Bruno Bourla. Les colonnes engagées de la façade encadrent des bustes d'auteurs et de compositeurs célèbres. Au-dessus de l'attique, les muses accompagnées d'Apollon nous saluent. Dans le premier hall, le plafond fut décoré par l'artiste anversois Jan Vanriet. Le foyer à la coupole impressionnante invite à faire une halte. La récente restauration a permis d'adapter le théâtre aux exigences techniques actuelles.

★★ Rubenshuis (Maison de Rubens) (**GZ**) ⊘ – Dans les musées et églises d'Anvers, Rubens est partout présent, mais c'est dans cette maison bourgeoise, achetée en 1610, un an après son mariage avec Isabelle Brant, qu'on évoque le mieux son ombre.

Après de nombreux travaux d'agrandissement et la construction d'un immense atelier, Rubens fait de sa demeure un somptueux palais. Sa femme dont il a eu trois enfants étant morte, il se remarie quatre ans plus tard avec la très jeune Hélène Fourment ; cinq enfants naîtront de cette union et seront élevés sous ce toit.

Rubens : peintre anversois – Né en exil le 28 juin 1577 près de Cologne où son père, échevin d'Anvers, soupçonné d'hérésie, s'était réfugié, Rubens pénètre pour la première fois dans un Anvers dévasté à l'âge de 12 ans, après la mort de son père.

Il est d'abord élève de Verhaecht et de Van Noort, puis de 1594 à 1598, il travaille dans l'atelier du peintre Otto Venius et passe maître de la guilde de St-Luc. Après un séjour en Italie, il revient en 1608 à Anvers qui connaît une période de paix sous l'infante Isabelle. C'est alors l'apothéose de Rubens et de son école. Flamand et cosmopolite, catholique et incroyant, magistral et fécond, Rubens incarne le génie de la ville. Ambassadeur officieux des souverains, il unit en peinture les acquisitions de l'italianisme à la tradition flamande.

Ses élèves ou collaborateurs portent des noms prestigieux : Jan Bruegel dit Bruegel de Velours et les trois Anversois Jordaens, Van Dyck et Snyders. Son influence s'étend à la sculpture représentée par les Quellin et Verbruggen et à l'architecture baroque.

Il meurt à Anvers en 1640 ; son corps repose dans l'église St-Jacques.

Visite — Cet ensemble a été reconstitué en 1946. Dans l'aile gauche, les pièces d'habitation de style flamand sont ornées de carreaux anciens, de cuirs dorés, de meubles du 17ᵉ s. et de nombreux tableaux (on remarque dans la salle à manger un autoportrait de Rubens). Dans l'aile droite, l'atelier est surmonté d'une tribune d'où les amateurs contemplaient ses tableaux.

Dans la cour on admire la façade baroque de l'atelier avec ses bustes de philosophes et ses évocations mythologiques. Un portique relie les deux pavillons et s'ouvre sur un jardin par trois arches que Rubens a reproduites sur certaines toiles.

Le jardin du 17ᵉ siècle a été redessiné d'après les tableaux et gravures de l'époque.

Meir (**GZ**) — C'est l'artère prestigieuse de la ville. A l'angle du Wapper, au n° 50 du Meir, s'élève l'ancien palais royal, bel édifice rococo (18ᵉ s.) où résidèrent de nombreux souverains. C'est actuellement le Centre Culturel International (expositions, films).

St.-Jacobskerk (**Église St-Jacques**) (**GY**) ⊘ — L'**intérieur**★ de cette église flamboyante est richement orné dans le goût baroque. Parmi les tableaux, on peut voir, dans le bas-côté droit, une *Vierge* d'Otto Venius ; dans le déambulatoire, à droite, *La Vocation de saint Pierre* par Jordaens.

Derrière le chœur, dans la chapelle funéraire de Rubens, on admire une de ses dernières toiles, *La Vierge et les saints* (1634) ; il s'y serait, paraît-il, représenté sous l'armure de saint Georges, la Vierge étant Isabelle Brant et Marie-Madeleine, Hélène Fourment. La chapelle voisine renferme un tableau de Jordaens, *Saint Charles guérissant les pestiférés de Milan*.

Dans une salle à l'arrière de l'église est exposée l'horloge gothique restaurée dont l'origine se situerait dans la seconde moitié du 15ᵉ s.

Handelsbeurs (**Bourse du Commerce**) (**GZ**) ⊘ — Enclavée dans un pâté de maisons qu'elle domine de son dôme vitré, elle s'ouvre sur quatre rues en croix.

La première bourse, construite par Dominique de Waghemakere, étant devenue trop étroite *(p. 51)*, une nouvelle, réalisée par le même architecte, fut inaugurée en 1531. Elle fut très animée au 16ᵉ s. Détruite en 1858 par un incendie, elle a été reconstruite en 1872, par l'architecte Schadde, dans le même style, et présente une halle intérieure à galeries superposées coiffée d'une superbe verrière.

St.-Niklaaskapel (**Chapelle St-Nicolas**) (**GY B**) — Derrière cette chapelle du 15ᵉ s. qui héberge un théâtre de marionnettes (Poppenschouwburg) se dissimule une charmante petite cour bordée de bâtiments anciens.

★ **Hendrik Conscienceplein** — Cette place tranquille, pavée à l'ancienne, forme un ensemble très homogène avec ses bâtiments du 17ᵉ s. et du 19ᵉ s. et la façade de l'église St-Charles-Borromée.

★ **St.-Carolus Borromeuskerk** (**Église St-Charles-Borromée**) (**GY**) ⊘ — Sa belle **façade baroque** s'épanouit largement en trois registres classiques avec un médaillon central exécuté d'après un dessin de Rubens et deux lanternons en retrait. A l'arrière, accolé à l'abside, un élégant clocher baroque où se superposent les thèmes de la Renaissance est l'œuvre de Pierre Huyssens.

Construite par les jésuites de 1615 à 1621, sous le vocable de St-Ignace, l'église prit par la suite le nom de St-Charles-Borromée.

Malgré l'incendie de 1718 qui détruisit les plafonds peints par Pierre-Paul Rubens et Antoine Van Dyck dans les bas-côtés, l'intérieur reste remarquable. L'édifice, voûté en berceau, possède des tribunes donnant sur la nef par de hautes galeries très lumineuses. Le chœur a conservé sa parure de marbre ainsi que la chapelle de la Vierge.

L'*Assomption* de Rubens et d'autres retables commandés, en 1620, à l'artiste pour orner cette église se trouvent au musée des Beaux-Arts de Vienne en Autriche.

Sous les arcades court une boiserie du 18ᵉ s. : entre chaque confessionnal gardé par quatre anges des médaillons retracent les vies de saint Ignace (au Sud) et de saint François-Xavier (au Nord).

Musée ⊘ — On visite la galerie, la crypte funéraire, la sacristie ainsi que cinq pièces du musée contenant des collections de dentelles anciennes.

★ **Rockoxhuis** (Maison Rockox) (**GY M⁴**) ⊙ – Ami de Rubens, Nicolas Rockox (1560-1640), bourgmestre d'Anvers et humaniste, était un fervent collectionneur d'objets d'art. Sa demeure patricienne du 17ᵉ s., restaurée, a été transformée en musée. (Une projection audiovisuelle en français, néerlandais et anglais retrace l'histoire culturelle d'Anvers entre 1560 et 1640.) On y admire un magnifique mobilier (bahuts dits « ribbanken », cabinets d'ébène finement décorés), de belles pièces de céramique, une riche collection de peinture où figurent en particulier Patinir (salle 1), Van Dyck (deux études d'une tête d'homme), Jordaens, Teniers le Jeune, Rubens (2), Momper (3), Snyders (*Marché aux poissons à Anvers*, 5), Pierre Bruegel le Jeune (copie des *Proverbes* de Bruegel l'Ancien, 6).

AUTRES CURIOSITÉS
Dans le Centre

St.-Pauluskerk (Église St-Paul) (**FY**) ⊙ – *Entrée par St.-Paulusstraat.*
Commencée en 1517, achevée en 1639, cette église de style gothique flamboyant est surmontée d'un clocher baroque (1680).
L'**intérieur**★ majestueux est richement décoré d'un mobilier baroque et de belles boiseries du 17ᵉ s. aux confessionnaux encadrés de grands personnages expressifs. Le chœur entouré de statues, plus étroit que la nef, donne une impression de profondeur accentuée par la surélévation du monumental retable de marbre. Dans le bas-côté gauche, des tableaux de l'école de Rubens ont pour thème les mystères du Rosaire. Parmi cette suite de toiles se trouve la *Flagellation* par Rubens, œuvre forte aux tons assourdis. Dans le transept, on peut voir deux œuvres de Rubens (vers 1609) : *Adoration des Bergers* (croisillon gauche) et *Dispute au sujet du Saint-Sacrement* (croisillon droit).

Sint-Elisabethgasthuiskapel (Chapelle Sainte-Élisabeth) (**GZ A**) ⊙ – Cette chapelle fait partie de l'ancien hôpital Ste-Élisabeth (13ᵉ s.) désaffecté en 1986 et restauré pour devenir un centre culturel (Elzenveld). La nef de style gothique brabançon aux chapiteaux ornés de feuilles de choux frisés date du début du 15ᵉ s. ; le chœur de la même longueur a été ajouté entre 1442 et 1460. La décoration baroque est dominée par le maître-autel en marbre noir et blanc d'Artus Quellin le Jeune surmonté d'une statue de la Vierge. Parmi les œuvres d'art on remarquera les tableaux de Godfried Maes et de Frans Francken le Jeune.

Hors du Centre

★★★ **Koninklijk Museum voor Schone Kunsten** (Musée royal des Beaux-Arts) (**CV M⁵**) ⊙ – Cet édifice du 19ᵉ s., dont l'imposante façade à colonnade corinthienne est surmontée de chars en bronze de Vinçotte, contient une exceptionnelle collection de peintures, en particulier d'œuvres de primitifs flamands et de Rubens. L'essentiel de l'art ancien fut réuni à partir de 1442 par la guilde de Saint-Luc. Une importante collection d'art moderne occupe le rez-de-chaussée.

Étage supérieur (peinture ancienne) – Il est intéressant de commencer par la salle **N**, où sont réunis les peintres étrangers, avant de suivre l'évolution de la peinture flamande. Dans cette salle on peut admirer de véritables trésors : quatre petits panneaux de **Simone Martini** (14ᵉ s.), dont un représentant *L'Annonciation* d'une délicatesse évoquant les miniatures ; la célèbre *Vierge entourée d'anges rouges et bleus* que **Fouquet** a peinte sous les traits gracieux d'Agnès Sorel, le *Calvaire* d'**Antello de Messine** à l'élégance sereine, les ravissants portraits de **Jean Clouet** et, plus particulièrement, celui du *Dauphin de France*, fils de François 1ᵉʳ, et enfin quelques **Lucas Cranach** dont une *Charité* et une *Ève* qu'il a marquées de son symbole (un petit serpent tenant dans sa gueule un anneau).
La salle **Q** est consacrée aux primitifs flamands du 15ᵉ s. Elle rassemble de véritables chefs-d'œuvre des plus grands peintres de l'époque : de **Van Eyck** : *La Sainte Barbe*, devant une tour gothique en construction, au dessin minutieux, et *La Vierge à la fontaine* aux coloris délicats ; de **Van der Weyden** :

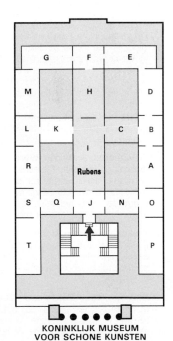

KONINKLIJK MUSEUM VOOR SCHONE KUNSTEN
(étage supérieur)

Rubens et son époque

Primitifs et Renaissance

le *Triptyque des sept sacrements* qui a pour cadre l'intérieur d'une vaste église gothique où chaque sacrement est personnifié par un ange tenant une banderole, ainsi que le *Portrait de Philippe de Croÿ* ; du **maître de Francfort**, le portrait de l'artiste et de sa femme, qui est la plus ancienne œuvre connue de l'école anversoise (1496). De **Memling** on admirera le *Portrait d'homme* et dans la salle voisine (**S**) trois tableaux représentant *Le Christ entouré d'anges musiciens*.

Les salles **R** et **L** regroupent des tableaux du 16e s. La peinture de cette époque conserve les grands traits des primitifs flamands mais teintés par l'influence italienne comme on peut le voir dans la *Marie Madeleine* de **Quentin Metsys** ainsi que dans son fameux *Triptyque de l'ensevelissement du Christ*. Salle **L** le tableau de **Joachim Patinir** représentant la *Fuite en Égypte* montre un pas important dans l'évolution de la peinture paysagiste. Dans la même salle se trouvent le *Portrait de Judith* par **Jan Massys** et toute une série de portraits par **Pourbus**, par Jan Gossaert dit **Mabuse** et par le maître d'Anvers. Dans la salle **M** les **Bruegel** sont à l'honneur, surtout des copies ou des imitations plus ou moins fidèles des œuvres de Bruegel de Velours, exécutées par ses descendants, dont la *Danse de la Mariée*. Dans les salles **G**, **F**, **E**, on peut voir des tableaux de Jan Fyt, de Martin de Vos.

Par la salle **C** où sont exposées des esquisses de tableaux de Rubens, on accède à la salle **I** qui lui est consacrée : de nombreuses compositions du maître montrent l'évolution de son style : *Le Baptême du Christ*, peint en Italie, *La Vénus refroidie* (ou Venus frigida), inspirée de la Vénus accroupie, marbre du Vatican, sont des tableaux encore classiques de même que le *Triptyque de l'Incrédulité de saint Thomas* ; puis le réalisme s'impose dans *Le Christ à la paille*, tout ensanglanté, le pathétique apparaît dans *La dernière communion de saint François*, dans *Le Coup de lance*, dans *La Trinité* au raccourci saisissant ; enfin *L'Adoration des Mages* (1624) aux coloris éclatants, aux personnages expressifs, est un des sommets de la peinture flamande au 17e s. La salle **H** évoque les collaborateurs de Rubens : de **Van Dyck**, des portraits distingués, des Pietà ou un grand *Calvaire* aux tons nuancés ; de **Jordaens**, des scènes étonnantes de vie comme *Le Concert de Famille*.

Salle A sont rassemblées des natures mortes et des œuvres de peintres animaliers dont Snyders : ses tableaux débordent de victuailles, ruissellent de poissons.

Les peintres hollandais du 17e s. sont présentés dans la salle **T**. On y remarquera le *Portrait d'un prédicateur* par **Rembrandt**.

Rez-de-chaussée (peinture moderne) – Il présente un aperçu très complet de l'école belge depuis 1830. A noter *L'Homme à la chaise*, peint dans la maison des Brasseurs, par **Henri de Braekeleer**, une importante collection de toiles de **James Ensor** montrant son évolution depuis ses premières œuvres quasi impressionnistes, représentant des intérieurs et son entourage immédiat, jusqu'à ses tableaux, peuplés de masques étranges et de squelettes, comme *L'Intrigue* (1890) et *Les Squelettes se disputant un pendu* (1891). Dans la lignée du fauvisme citons **Rik Wouters** et ses toiles lumineuses dont *La Repasseuse*. Le groupe de **Laethem-St-Martin** est bien représenté avec l'expressionniste **Permeke** au style brutal *(Femme de pêcheur, Neige, Marine, Nuages blonds)*, les frères **De Smet**, **Van den Berghe**, **Servaes** (série de *La Vie des paysans*) et **Van de Woestijne**. Le surréalisme est mis en vedette par **Magritte** *(Seize septembre)* et **Delvaux**. Parmi les œuvres contemporaines, citons la grande toile de Pierre Alechinsky, *Le Dernier jour* (1964), montrant l'évolution de son aventure parmi les membres du groupe Cobra qui réagissait à la désolation du monde de l'après-guerre.

Entre le musée des Beaux-Arts et les quais, d'anciens entrepôts ont été aménagés en galeries d'art ou en musées (musée de la Photographie, musée d'Art contemporain).

Woonhuizen « De Vijf Werelddelen » (**CV R**) – A deux pas du musée des Beaux-Arts, au coin de la Plaatsnijderstraat et de la Schilderstraat se trouve l'étonnant immeuble « Les Cinq Continents » datant de 1901. De style Art Nouveau, ce bâtiment de l'architecte Frans Smet-Verhas fut construit pour un armateur, d'où la proue de navire en bois. Au-dessus une belle loggia dont les vitraux portent les noms des cinq parties du monde.

Volkshuis « Help U zelve » (**CV S**) – Qualifié de « Horta anversois », l'architecte Emiel van Averbeke réalise en 1898 avec Jan van Asperen la Maison du Peuple libérale « Help U zelve ». Restaurée depuis peu, la magnifique façade partiellement décorée de mosaïques présente deux pignons couronnés de sculptures.

★ **Museum voor Fotografie (Musée de la Photographie)** (**CV M6**) ⊘ – Au premier étage toutes les étapes de la photographie depuis la « camera obscura » sont retracées à travers une remarquable collection d'appareils : daguerréotypes, chambres noires, appareils détectives, appareils espions qui se camouflaient dans une canne, une cravate, appareils pliants et appareils plus modernes. Des tirages des grands de la photo : Atget, Man Ray, Kertesz, Sanders, Cartier-Bresson, Brassaï, Capa, Avedon, Irving Penn, Ansel Adams, etc., évoquent l'évolution de l'art photographique.

Le 2e étage est consacré à la photographie stéréoscopique, illustrée par le « Panorama Kaiser », et au cinéma.

Deux galeries au rez-de-chaussée, dont l'une porte le nom de Lieven Gevaert, né à Anvers en 1868, accueillent des expositions temporaires.

Museum van Hedendaagse Kunst Antwerpen-MUHKA (Musée d'Art contemporain) (**CUV M⁷**) ⊘ – Le musée occupe un ancien silo à céréales (1926), récemment agrandi. Il est situé près des quais de l'Escaut et présente une collection intéressante d'art contemporain depuis les années 70. Des artistes étrangers (T. Cragg, B. Nauman, A. Charlton, Boltanski, D. Flavin) et belges (J. Fabre, Van Snick, Lohaus, Deleu, etc.) de grand renom y exposent leurs œuvres. Prendre l'ascenseur qui amène en haut de l'édifice, ce qui permettra d'admirer le *Growing Ladder* de H. Duchateau.

La présence du musée a permis au quartier de trouver un nouvel élan : nombreux sont les galeries d'art contemporain, restaurants et cafés qui s'y sont installés.

Mini-Antwerpen (Mini-Anvers) (**CV L**) ⊘ – Installée dans un ancien hangar sur les quais de l'Escaut, la reconstitution miniature de la ville d'Anvers (en cours de réalisation) s'anime pendant un son et lumière. On remarquera au passage les ateliers où les nouveaux éléments de la maquette voient le jour.

★★ **Dierentuin** (Jardin zoologique) (**DEU**) ⊘ – Ce parc de 10 ha s'ouvre entre la Gare centrale et le musée d'Histoire naturelle, construit en 1885, surmonté de la statue de son fondateur chevauchant un chameau. Parmi ses 5 000 animaux, le zoo compte des spécimens rares comme les rhinocéros blancs et les okapis (bâtiment maure). Le temple égyptien (1856) aux couleurs vives abrite les éléphants, girafes, autruches et oryx arabes. Le sculpteur Rembrandt Bugatti y trouva souvent l'inspiration. Dans le bâtiment des oiseaux rien ne sépare les oiseaux exotiques en pleine lumière du public circulant dans l'obscurité. Le nocturama abrite dans la pénombre les animaux nocturnes dont les terriers sont visibles derrière une vitre. Enfin le planétarium, l'aquarium, le Musée d'histoire naturelle et le delphinarium offrent des spectacles supplémentaires.

Centraal Station (**DEU**) – A côté du Jardin zoologique, la Gare centrale (1900-1905) a été construite par L. De La Censerie. Les deux façades monumentales de style néo-baroque sont coiffées d'une énorme coupole de 60 m de haut.

★ **Openluchtmuseum voor Beeldhouwkunst Middelheim** (Musée de Sculpture en plein air) ⊘ – *Sortir par la Karel Oomsstraat* (**DX**).

Dans le parc Middelheim, de vastes pelouses (12 ha) ombragées de grands arbres servent d'écrin à plus de 400 sculptures, de Rodin à nos jours. La partie « Middelheim-Hoog » est consacrée à la sculpture moderne tant étrangère que belge (Maillol, Bourdelle, Moore, Giacometti, Richier, Calder, Nevelson, Jespers, Gentils, etc.). Remarquer la belle envolée du *Roi et Reine* de Henry Moore ainsi que la très dynamique *Vierge Folle* par Rik Wouters. S'inspirant de la nature, le pavillon blanc de René Braem abrite les sculptures petites ou fragiles en bois, terre cuite, métal et plâtre. « Middelheim-Laag » présente des sculptures contemporaines. A noter les 2 figures émouvantes de Juan Muñoz, l'œuvre énigmatique de Richard Deacon et le *Poulet préhistorique* de Panamarenko.

Musée de Sculpture en plein air Middelheim

Provinciaal Diamantmuseum (Musée provincial du Diamant) (**DU M⁸**) ⊙ – Il est situé dans le cœur du quartier des diamantaires près de la gare. Au 3ᵉ étage sont expliquées les propriétés et l'origine de ce cristal formé entre 150 et 200 km de profondeur à une température de 2 000°. Le diamant, matière la plus dure, dont on calcule le poids en carat, provenait jusqu'au 18ᵉ s. d'Inde. Aujourd'hui les principaux gisements se trouvent en Afrique du Sud, Afrique de l'Ouest et en Australie.

Le 2ᵉ étage est consacré à l'utilisation du diamant dans l'industrie et à la transformation de la pierre brute en bijoux. Un atelier de diamantaire du 19ᵉ s. a été reconstitué.

Au 1ᵉʳ étage est évoquée l'histoire du diamant à Anvers *(voir p. 48)*.

La salle des trésors abrite de précieux bijoux.

Begijnhof (Béguinage) (**DT**) ⊙ – Les maisons se serrent à l'abri de leur clôture de briques. La rue, grossièrement pavée, encadre un verger ceinturé de haies. Une église, reconstruite au 19ᵉ s., est ornée de tableaux de Jordaens et de Van Noort. Un oratoire abrite un *Christ aux liens*.

Brouwershuis (Maison des Brasseurs) (**DT K**) ⊙ – Gilbert van Schoonbeke fit élever vers 1553 cet édifice destiné à ravitailler en eau les nombreuses brasseries qu'il avait créées dans le quartier. La maison hydraulique devint en 1581 le siège de la corporation des Brasseurs. On peut voir l'écurie reconstituée, le manège et le système d'élévation d'eau, puis les réservoirs reliés jadis aux canaux ; à l'étage se trouvent l'atelier et surtout la belle salle du Conseil, souvent reproduite sur des tableaux de Henri de Braekeleer *(p. 28)*, meublée à l'ancienne, tendue au 17ᵉ s. de cuir doré de Malines et ornée d'une cheminée à colonnes torses.

Museum Smidt van Gelder (**DV M⁹**) ⊙ – Ce musée est installé dans un intérieur raffiné du 18ᵉ s. orné d'un beau mobilier et de collections de valeur (peinture hollandaise, porcelaine de Chine).

Provinciaal Museum Sterckshof (Zilvercentrum) ⊙ – *Sortir par Turnhoutsebaan* (**EU**).

Dans le parc Rivierenhof, à Deurne, ce joli château de style Renaissance flamande, reconstruit en 1938, entouré de douves, contient une belle collection d'argenterie.

★ **Wijk Zurenborg** (**EV**) – Ce magnifique quartier remarquablement préservé comprend plusieurs rues autour de la Cogels-Osylei. Il tire son nom d'un jardin de plaisance du 16ᵉ s. Cette véritable merveille datant de la fin du siècle dernier présente des hôtels particuliers de style néo, éclectique et Art Nouveau. On fit appel à plusieurs architectes illustres dont Jos Bascourt, Emiel Dieltiens, Frans Smet-Verhas, Jules Hofman, etc. Quelques ensembles prennent l'allure d'un véritable palais : les constructions (1897-1899) aux nᵒˢ 32-36 de la Cogels-Osylei de l'architecte Dieltiens ainsi que les trois maisons de plaisance de style néo-Renaissance flamande aux nᵒˢ 25-29 de la même avenue, réalisées d'après les plans de J. Bascourt. Toujours dans la même avenue la maison « Le Tournesol » (Huize « Zonnebloem ») de Jules Hofman étonne par ses lignes sinueuses. La maison particulière au n° 80 est presque une copie de la maison du peintre de St-Cyr à Bruxelles *(voir à ce nom)*. Dans un style beaucoup plus sobre, les quatre maisons d'angle (Generaal Van Merlenstraat et Waterloostraat) illustrent les quatre saisons. Au n° 11 de la Waterloostraat se trouve la demeure « La Bataille de Waterloo » de F. Smet-Verhas. Remarquer les portraits de Napoléon et de Wellington, le grand bow-window ainsi que la petite tourelle d'angle.

LE PORT *(Voir p. 48)*

Scheldetocht (Promenade en bateau sur l'Escaut) ⊙ – Cette excursion qui fait descendre l'Escaut jusqu'à Kallo donne un aperçu intéressant du développement industriel d'Anvers, mais ne fait pas pénétrer dans les bassins portuaires.

Le bateau fait demi-tour devant l'écluse (sluis) de Kallo qui peut accueillir des bateaux de 125 000 t et desservira sous peu un canal (Baalhoekkanaal) reliant aux Pays-Bas l'Escaut occidental. Ce canal formera l'épine dorsale d'un nouveau complexe de bassins dont 4 sont achevés, sur la rive gauche. Dans la première zone d'extension du port (6 000 ha) se sont déjà implantées diverses industries dont une centrale thermique.

A contre-courant le bateau longe la rive gauche dotée d'importantes industries chimiques, puis la petite plage Ste-Anne, le moulin et le port de plaisance.

Havenrondvaart (Visite en bateau des bassins portuaires) ⊙ – Cette excursion permet la visite des bassins portuaires où accostent cargos et pétroliers. Les complexes industriels, raffineries de pétrole, élévateurs de grains, ponts transbordeurs, cales sèches, chantiers navals, réservoirs multiples forment un ensemble impressionnant. En semaine, l'animation est surprenante.

Lillo-Fort (Fort de Lillo) – *15 km environ en suivant la rive droite de l'Escaut.*
L'ancien fort de Lillo, entouré d'eau, dissimule derrière ses retranchements boisés un village paisible, dont l'église préside une charmante place centrale, et un petit port. C'est un des trois derniers villages de cette ancienne zone de polders évoquée par le **musée des Polders** (Polder en zeemuseum).
De la digue bordant l'Escaut on aperçoit Doel *(voir ci-dessus)*.

EXCURSIONS

Circuit de 30 km à l'Est d'Anvers – *Sortir d'Anvers par Schijnpoortweg (* **ET** *156) du plan.*

Braschaat – Cette ville possède un important centre récréatif dans un grand parc comprenant piscines et jardin zoologique.

De Braschaat une agréable **route** mène à Schilde. Elle est bordée en de nombreux endroits de massifs de rhododendrons dont la floraison en mai-juin offre un merveilleux spectacle, en particulier le long du domaine de Botermelk, à la sortie du pont mobile franchissant le canal d'Anvers à Turnhout. Les environs boisés et fleuris de 's Gravenwezel abritent des demeures cossues.

Domaine provincial Vrieselhof – Situé entre Schilde et **Oelegem**, ce domaine offre d'agréables promenades à pied dans un beau parc fleuri *(circuits fléchés)*. Au centre, le château, reconstruit après sa destruction en 1914, abrite un musée du textile (Textielmuseum) où sont expliquées les techniques de filature, de tissage, d'impression et exposées des collections de dentelle, de costumes et d'art textile contemporain.

Rive gauche de l'Escaut jusqu'à Doel – *25 km. Dans l'Amerikalei, emprunter le tunnel Kennedy en direction de Hulst puis de Antwerpen-Linkeroever (rive gauche).* Près du tunnel pour piétons et cyclistes, un petit jardin jonché d'hélices, d'ancres et de bouées de navires offre une **vue** intéressante sur le centre d'Anvers, dominé par sa cathédrale et son gratte-ciel. Plus au Nord se dissimulent le port de plaisance, un petit moulin et la plage Ste-Anne, tandis qu'au Sud a été aménagé un lac de plaisance (Galgenweel).
Reprendre la route vers Hulst puis vers Doel.
On traverse une zone curieuse où les polders traditionnellement consacrés à l'élevage voisinent avec les grands complexes industriels de Kallo *(voir ci-dessus)* dont l'implantation a exigé le pompage préalable du sol.

Doel – Petit village abrité de l'Escaut par une haute digue, Doel possède un minuscule port de pêche. Au sommet de la digue se dresse un moulin à vent. On peut voir, en face, Lillo, son moulin blanc se détachant derrière les arbres ainsi que les cheminées de la zone industrielle. A proximité de Doel a été installée une centrale nucléaire.

Réserve naturelle De Kalmthoutse Heide et Arboretum Kalmthout – *25 km au Nord. Carte Michelin n° 212 pli 15. Sortir par Schijnpoortweg (* **ET 174**).
Dans le Nord de la Campine anversoise, à 2 km du bourg de Kalmthout, la **réserve naturelle** (natuurreservaat) **De Kalmthoutse Heide** offre, près de la frontière, 732 ha de dunes de sable, landes de bruyère (heide), bois de pins, marécages, peuplés de nombreux oiseaux et sillonnés de sentiers de promenade balisés.
L'**Arboretum Kalmthout** ⊙ *(situé sur la route N 111)*, dont les origines remontent à 1857, est aussi bien un lieu de détente pour le promeneur « amateur » qu'un terrain d'étude pour ceux qui s'intéressent à la botanique. L'accès aux pelouses *(il n'y a pas de sentier – s'équiper de chaussures adéquates)* permet d'admirer une grande variété d'arbres et d'arbustes, dont des espèces rares rassemblées sur 10 ha. Outre de nombreux conifères on y trouve des magnolias, des rhododendrons et des rosacées (prunus, etc.). La présence de plantes sauvages donne un charme particulier à ce parc, aménagé de façon esthétique.

ANVERS

Voir ANTWERPEN

Les pages consacrées à l'art en Belgique et au Luxembourg offrent une vision générale des créations artistiques de ces pays, et permettent de replacer dans son contexte un monument ou une œuvre au moment de sa découverte.
Ce chapitre peut en outre donner des idées d'itinéraires de visite.
Un conseil : parcourez-le avant de partir !

ARLON

Luxembourg **P**

22 216 habitants

Cartes Michelin n°s 409 K 6 et 214 pli 18 – Plan dans le guide Michelin Benelux.

Arlon, chef-lieu du Luxembourg belge, est une très ancienne cité, construite sur une colline. C'était sous la domination romaine une ville importante (Orolaunum) sur la voie de Reims à Trèves. Elle fut fortifiée vers la fin du 3e s. et conserve plusieurs vestiges de l'époque romaine.

Les incendies et les guerres ont éprouvé la ville au cours des siècles.

Le Maitrank – Cet apéritif arlonais appelé boisson de mai est un vin blanc sec parfumé de quelques brins de reine des bois (aspérule odorante) cueillis avant floraison, corsé de cognac, sucré et servi frais avec une tranche d'orange. Depuis 1954, se déroulent vers la fin mai *(voir le chapitre des Renseignements pratiques en fin de volume)* de grandes fêtes populaires organisées par la confrérie du Maitrank.

Point de vue – Au sommet de l'église St-Donat, qui couronne la colline, le **Belvédère** ⊙ offre une vue sur les toits d'ardoise de la ville, l'église St-Martin et un parorama sur quatre pays : Belgique, Grand-Duché, France, Allemagne *(tables d'orientation)*.

★ **Musée luxembourgeois** ⊙ – Ce musée, réaménagé, renferme de belles collections d'archéologie et d'ethnographie régionales.

La **Section lapidaire gallo-romaine**★★, remarquable, comprend notamment, au rez-de-chaussée, un ensemble unique de monuments funéraires et de fragments de monuments civils. Provenant de la ville ou de la région, ils sont sculptés de bas-reliefs représentant des personnages mythologiques (Bacchus, Hercule) ou allégoriques (danseuses) ou illustrant des scènes familières qui nous fournissent des renseignements précis sur la vie quotidienne aux trois premiers siècles de notre ère : agriculteurs, maître d'école, magasin de drapier. On remarquera surtout le magnifique **relief des voyageurs** d'une expressive beauté et le très beau monument des Vervicii, découvert en 1980 (scène de combat entre Achille et Hector).

On verra à l'étage une collection mérovingienne (tombes, bijoux), du mobilier médiéval et de la Renaissance, un retable du 16e s.

Relief des voyageurs

Tour romaine ; thermes – La **tour romaine** ⊙ *(Grand-Place)* faisait partie du rempart dont on peut observer la structure au cours de la visite. Celui-ci fut édifié sur une large assise constituée de fragments de monuments démantelés, notamment de magnifiques bas-reliefs qui ont enrichi le Musée luxembourgeois. L'une de ces sculptures, représentant Neptune, est restée en place dans la muraille, sous la tour *(accès par une échelle métallique)*.

On peut voir également une partie du *relief des voyageurs* conservé au musée.

Près du **vieux cimetière** *(rue des Thermes romains)*, aux belles croix de pierre, subsistent quelques vestiges de **thermes romains** ⊙ du 4e s. ainsi que les fondations de la plus ancienne **basilique** ⊙ chrétienne de Belgique (5e s.).

ENVIRONS

★ **Victory Memorial Museum** ⊙ – *6 km au Sud-Est, sortie directe sur l'autoroute E 411.*

12 années de recherches ont été nécessaires pour réunir cette remarquable **collection de véhicules de transport et de combat**★★ utilisés pendant la Seconde Guerre mondiale. Les chars, camions, autos, ambulances, motos, side-cars fabriqués en Angleterre, Allemagne, Canada, États-Unis, France, Italie, Pologne et Tchécoslovaquie sont présentés dans un vaste bâtiment moderne. Tous restaurés et remis en parfait état de marche, ils sont équipés de leur armement, entourés par des mannequins-soldats en uniforme. Des scènes sont reconstituées : Rommel à bord de son command-car en Afrique du Nord, le débarquement de Normandie, un bal évoquant la Libération et la bataille des Ardennes dans la neige.

Un documentaire constitué de séquences de films d'actualité de *L'Afrique à Berlin* fait revivre les grands moments de 1942 à mai 45.

ATH

Hainaut

23 922 habitants

Cartes Michelin n°s 409 E 4 et 214 plis 16, 17.

Au confluent des deux Dendre, prolongées au Sud par un canal, Ath occupe une situation statégique sur une grande voie de passage, ce qui lui valut en 1667 d'être assiégée par Louis XIV. Une fois prise, elle fut fortifiée par Vauban dont ce fut la première réalisation. Il en fit établir un plan en relief, le premier du genre (1669). Au cours de la guerre de Succession d'Autriche, en 1745, la ville eut encore à subir de la part des troupes françaises un siège qui détruisit la plupart de ses fortifications.

L'humaniste Juste Lipse *(p. 161)* a été au 16e s. l'élève de l'ancien collège.

Des carrières de pierre bleue (granit) ont été exploitées dans les environs (à Maffle).

Cortège des géants – Fin août *(voir chapitre des Renseignements pratiques en fin de volume)* se déroule la fête de la fin de la moisson, appelée **ducasse**★★ (terme dérivé de « dédicace ») avec ses défilés de géants. Les cérémonies se déroulent en deux temps : le samedi, vers 15 h, a lieu le mariage du couple Gouyasse (mot patois pour Goliath) béni en l'église St-Julien au cours des vêpres Gouyasse, puis, devant l'hôtel de ville, on assiste au combat de David contre Goliath.

Le dimanche, à 10 h et à 15 h, les géants, hauts de plus de 4 m et pesant plus de 100 kg, parcourent en dansant la ville en grande liesse. Ce sont principalement M. et Mme Gouyasse, les quatre fils Aymon *(voir La Meuse namuroise)*, montés sur leur cheval Bayard, Samson, symbolisant la puissance des corps armés, Ambiorix *(voir à Tongres)* et Mam'zelle Victoire, personnification de la ville d'Ath.

CURIOSITÉS

Grand-Place – L'**hôtel de ville**, achevé en 1624, a été construit d'après les plans de **Cobergher** (vers 1561-1634), étonnant personnage, peintre, ingénieur, architecte des archiducs Albert et Isabelle, qui introduisit en Flandre les premiers monts-de-piété. L'immense salle des pas perdus possède une belle cheminée, un portail sculpté et un escalier à balustres en pierre.

On aperçoit également l'**église St-Julien** et sa haute tour du 15e s., tronquée par un incendie en 1817, qui conserve ses tourelles d'angle, et l'**église St-Martin** (16e s.) dont le *Calvaire* extérieur en chêne se compose d'un Christ géant encadré des deux larrons, de la Vierge et de St-Jean. A l'intérieur de l'édifice, une splendide *Mise au tombeau*, un ensemble monumental qui daterait de la fin du 16e s.

Tour de Burbant – *Accès par une ruelle (rue du Gouvernement) près du Commissariat de Police.*

A proximité de la Grand-Place se dissimule ce donjon carré et massif à contreforts plats construit en 1166 par le comte de Hainaut, Baudouin IV le Bâtisseur, afin de servir de base, défendre la frontière nord du Hainaut face à la Flandre et surveiller la noblesse environnante. Cette tour, vestige de l'ancienne seigneurie d'Ath, doit son nom à l'appartenance de la région à l'ancien pays carolingien de Brabant. C'est un véritable complexe militaire aux murs épais de 4 m et dont l'intérieur s'articule sur 4 niveaux. Remarquer l'absence d'ouvertures dans la partie inférieure et l'imposante cheminée. Au 14e s., le donjon servait essentiellement de prison. L'enceinte qui l'entoure, ajoutée aux 15e et 16e s., a été restaurée et transformée en centre culturel.

Musée d'Histoire et de Folklore ⊙ – *Rue du Bouchain, accès par l'Esplanade.*

La première salle regorge d'objets divers s'étendant du paléolithique aux âges du bronze et du fer, produits de fouilles locales, alors que la suivante nous plonge de plain-pied dans le Moyen Âge. On peut voir en particulier une intéressante *Mise au tombeau* de la fin du 14e s. provenant de Mainvault, ainsi qu'une très belle collection de chasubles. Au 2e étage, une pièce est consacrée au folklore athois et à sa célèbre Ducasse. Dans la salle voisine, des plans en relief de la ville retracent les principales étapes de son histoire, dont sa fortification par Vauban.

ENVIRONS

Le Musée de la Pierre et le site des Carrières de Maffle – *Chaussée de Mons, accès par la route de Mons au Sud.*

Le site s'étend sur une dizaine d'hectares dans la vallée de la Dendre orientale. Déserté par l'industrie depuis 1960, il est envahi par la végétation et les sièges d'extraction sont remplis d'eau. Devenu une véritable réserve naturelle, il conserve néanmoins d'importants vestiges des anciennes carrières et de leur activité industrielle : fours à chaux, dépôt de poudre, grue, treuil... sont à découvrir au cours de la promenade.

Face à la carrière, un **musée** ⊙, installé dans la maison (19e s.) d'habitation du maître de carrière et dans les anciens ateliers, présente une illustration complète de l'histoire du travail de la pierre en Belgique et plus particulièrement dans la région, au moyen d'outils, de machines et de documents iconographiques permettant d'expliquer le travail de la pierre de l'extraction à la taille, ainsi que l'évolution des techniques de transport et la condition des ouvriers.

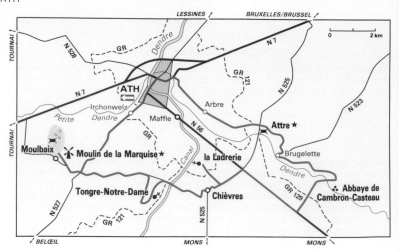

EXCURSIONS

Le pays d'Ath – *Circuit de 38 km – schéma ci-dessus – Sortir d'Ath par la route de Mons au Sud, prendre vers Irchonwelz, puis tourner à droite vers Villers-Notre-Dame.*
Terre d'agriculture et d'élevage, le pays d'Ath présente un paysage aux larges horizons, interrompus par des rangées de peupliers, de grandes fermes ou des hameaux.

Moulbaix – Le joli **moulin de la Marquise★** ⊘ en bois (1614) est le dernier moulin à vent fonctionnant dans le Hainaut. Près de l'église se dissimule dans un grand parc un surprenant château du 19ᵉ s., construit dans le style Tudor.

Tongre-Notre-Dame – La basilique actuelle de style Renaissance (18ᵉ s.) abrite une Vierge en majesté en bois polychromé d'époque romane. Depuis le 17ᵉ s., la statue est souvent enveloppée de somptueux vêtements et ornements ne laissant apparaître que le visage de l'Enfant Jésus. Sur un autel situé à l'endroit où elle serait apparue en février 1081, elle est vénérée et liée à un pèlerinage.
Dans cet intérieur homogène, on admire plus particulièrement le chœur, et les six bas-reliefs en pierre blanche relatant l'histoire du sanctuaire, ainsi que la très belle chaire de vérité.

Chièvres – Cette petite ville appartint au 17ᵉ s. à la famille d'Egmont dont un des membres avait été décapité à Bruxelles en 1568.
L'**église St-Martin** ⊘, gothique (15ᵉ-16ᵉ s.), au clocher orné de tourelles d'angle, contient de beaux monuments funéraires et un lutrin du 15ᵉ s. Des anciens remparts subsiste la **tour de Gavre**, du 15ᵉ s., dont le pignon de briques est visible depuis l'église.
La **Ladrerie** est une jolie chapelle romane sise aux abords de la ville dans une cour de ferme de la vallée de la Hunelle. Elle faisait partie d'une léproserie ou ladrerie.

Cambron-Casteau – Fondée au 12ᵉ s. sous la houlette de saint Bernard et d'observance cistercienne, l'**abbaye** de Cambron-Casteau était l'une des plus prospères du pays. Reconstruite au 18ᵉ s., elle fut détruite par décret pendant la Révolution française. Il n'en reste que des ruines.
À l'extrémité de l'allée de tilleuls, on franchit la porte d'entrée de style classique du **Parc Paradisio** ⊘. Laissant à droite la ferme abbatiale à la curieuse remise à chariots (« charril ») surmontée d'un colombier, on pénètre dans le parc, dominé par la haute **tour** (54 m) de l'église abbatiale, dont on peut également voir les quatre tombeaux à enfeus abritant des gisants et qui rappelle sa fonction de cimetière pour la noblesse du Hainaut au Moyen Âge.
C'est tout autour, dans les jardins aux arbres plusieurs fois centenaires, que se développe le parc ornithologique regroupant plus de 2 500 oiseaux de toutes espèces : perroquets, grues, cigognes, ibis, manchots, canards, hiboux et bien d'autres encore, évoluant au sein de **grandes volières** (1 500 et 3 000 m²), au creux de marais reconstitués, ou tout simplement sur les trois étangs que l'on découvre du haut d'un imposant **escalier** (18ᵉ s.), aux degrés sinueux et bordés de balustres.

★ **Attre.**

ATTRE★

Hainaut

Cartes Michelin n°s 409 E 4 et 213 pli 17 – Schéma ci-contre.

Attre possède un charmant château. Bâti en 1752 par le comte de Gomegnies et aménagé par son fils, chambellan de l'empereur Joseph II, il a gardé intacte sa décoration intérieure d'une homogénéité remarquable.

★ Château ⊙ – Devant l'entrée ont été remontées quatre colonnes provenant du jubé de l'église abbatiale de Cambron-Casteau. Le seuil est encadré de deux sphinx à buste de femme.

Le vestibule tenait lieu aussi de chapelle ; un autel est aménagé dans une encoignure. La rampe de l'escalier, très décorative, aurait été exécutée d'après les dessins de l'architecte parisien Blondel (17e s.).

Les pièces sont garnies de nombreuses œuvres d'art et de précieuses collections parmi lesquelles des toiles de Snyders ; les parquets, remarquables, sont dus à l'architecte Dewez. D'élégantes peintures, attribuées à Hubert Robert (18e s.), décorent les lambris du grand salon où se remarquent des gypseries d'une grande finesse dues à des Italiens, les Ferrari. Le salon des Archiducs est tendu de papiers peints, les premiers importés en Belgique (1760) ; une indienne assortie recouvre les fauteuils. Les murs et sièges du salon chinois sont garnis de tentures en soie de Chine.

Parc – Traversé par la Dendre, il est très beau. Près du château se trouve un colombier du 17e s. Le principal intérêt du parc réside dans le rocher artificiel, haut de 24 m, et percé de couloirs souterrains. Il fut élaboré pour l'archiduchesse Marie-Christine de Saxe qui gouvernait les Pays-Bas avec son époux Albert de Saxe. Elle se tenait pour chasser dans le pavillon qui couronne le sommet.

AUDENARDE★

Voir OUDENAARDE

Abbaye d'AULNE★

Hainaut

Cartes Michelin n°s 409 G 4 et 214 pli 3 – 12 km au Sud-Ouest de Charleroi.

Au fond de la verdoyante vallée de la Sambre se dressent les ruines imposantes de l'**abbaye d'Aulne** ⊙. Fondée au 7e s. par saint Landelin, parmi les aulnes, le monastère dépendait de l'abbaye de Lobbes. Une communauté de cisterciens, venus de Clairvaux, s'y installa en 1147. Incendiée en 1794, l'abbaye fut restaurée pour abriter, en 1896, l'hospice Herset, du nom de son fondateur, le dernier abbé d'Aulne.

Cour centrale – On voit à gauche les écuries encadrant la remise des carrosses, à arcades (18e s.), puis la salle de réception des princes-évêques de Liège (18e s.) ; à la suite et au fond se trouvait le quartier des hôtes, palais abbatial avant 1767 ; il n'en reste qu'une tour.

A droite, on remarque les arcades du palais abbatial (fin 18e s.) et la façade de l'église.

Église abbatiale – Derrière une façade classique (1728) se dissimule l'imposante église gothique construite au 16e s. Elle conserve un chœur et un transept très beaux : remarquer le remplage de la baie du croisillon droit. Communiquant avec le croisillon gauche, la sacristie, puis la salle capitulaire (18e s.) donnant sur le cloître, dont il reste peu de traces, étaient surmontées par les dortoirs.

Prendre à droite l'allée qui desservait le quartier des vieux moines (à gauche) et l'infirmerie (au fond à droite) : vue remarquable sur l'ensemble élancé et majestueux formé par le **chevet** et le **transept★★** aux immenses baies lancéolées.

Reprenant l'allée en direction du cloître, on aperçoit à droite l'un des réfectoires (18e s.) : très jolies voûtes de briques sphériques, portées en leur centre par des colonnes renflées. C'était le réfectoire régulier dit du maigre, car on n'y consommait pas de viande.

Afin de donner à nos lecteurs l'information la plus récente possible, les conditions de visite des curiosités décrites dans ce guide ont été groupées en fin de volume.

Dans la partie descriptive du guide, le signe ⊙ placé à la suite du nom des curiosités soumises à des conditions de visite les signale au visiteur.

AVERBODE★

Vlaams-Brabant

Cartes Michelin n°ˢ 409 H 2 et 213 pli 8 – 9 km au Nord-Ouest de Diest.

Dans une région boisée de pins, au point de rencontre de trois provinces (Anvers, Limbourg, Brabant), les Prémontrés occupent l'abbaye d'Averbode fondée par eux en 1134-1135. Outre leurs activités traditionnelles, les Pères dirigent un centre de retraite ainsi qu'une maison d'édition qui assure la publication de livres et d'hebdomadaires. Chaque année, au printemps, ont lieu des concerts de musique de chambre.

L'ordre de Prémontré – **Saint Norbert** en est le fondateur. En 1120, il établit à Prémontré, près de Laon en France, la première maison de l'Ordre, auquel il impose la règle de saint Augustin. L'Ordre se répand rapidement dans les anciens Pays-Bas où il connaît un essor remarquable. C'est encore actuellement l'un des plus importants de Belgique, les principales abbayes étant Averbode, Parc, Tongerlo. Les Prémontrés ou Norbertins sont des chanoines réguliers. Tout en vivant en communauté, ils se consacrent à l'apostolat, fonction qu'ils exercent surtout dans les paroisses. Ils sont vêtus d'un habit blanc.

★ ABBAYE

On pénètre dans la cour par un porche du 14ᵉ s. surmonté d'un édifice en grès ferrugineux orné de statues dans des niches gothiques. La prélature au fond de la cour a été reconstruite dans le style du 18ᵉ s.

★ **Église** – Construite de 1664 à 1672 par Van den Eynde, cette belle abbatiale ressemble à ses sœurs de Grimbergen et Ninove. La façade aux lignes onduleuses présente les statues de saint Norbert, à droite, et de saint Jean-Baptiste, patron de l'abbaye, à gauche. L'intérieur a des proportions majestueuses. Le chœur, plus long que la nef, en est isolé par deux retables qui formaient autrefois jubé. On aperçoit au-delà de ceux-ci les stalles du 17ᵉ s. richement sculptées.

Bâtiments conventuels ⊙ – Ils ont été incendiés en 1942, à l'exception du cloître (18ᵉ s.), de la salle capitulaire et de la sacristie, ornées de belles boiseries (18ᵉ s.). On y voit d'intéressants tableaux : dans le cloître, les portraits des abbés à partir du 17ᵉ·ˢ. ; dans la salle capitulaire, un De Crayer.

Cimetière conventuel – *Entre l'église et la route.*
On y trouve la tombe d'**Ernest Claes** et de son épouse. Cet auteur flamand (1885-1968), né à Zichem *(p. 120),* affectionnait l'abbaye d'Averbode.

BASTOGNE

Luxembourg

12 074 habitants

Cartes Michelin n°ˢ 409 K 5 et 214 plis 17, 18.

Située sur le plateau ardennais, à 515 m d'altitude, Bastogne est une ancienne place forte dont il subsiste une tour du 14ᵉ s., la **porte de Trèves,** près de l'église St-Pierre. Les fortifications furent rasées par les troupes de Louis XIV en 1688.
Bastogne est réputée depuis des siècles pour son excellent jambon d'Ardenne, ainsi que pour ses noix. Depuis la célèbre réplique du général MacAuliffe, en 1944 *(voir p. 57),* la traditionnelle foire aux noix en décembre comprend des cérémonies commémoratives.

La bataille des Ardennes (déc. 1944-janv. 1945) et le siège de Bastogne – Le 16 décembre 1944, les Allemands déclenchent une contre-offensive sur le front allié, sous la direction du général von Rundstedt qui cherche à reprendre Anvers. L'effet de surprise, le mauvais temps persistant (brouillard, neige) assurent à leurs troupes un succès immédiat. Le général von Manteuffel se dirige vers la Meuse, formant dans les lignes adverses un saillant (d'où le nom parfois donné à la bataille) dont Bastogne, tenue par les Américains et encerclée, devient une position-clé.
Le 22 décembre, le général **MacAuliffe**, commandant la place, est réveillé en sursaut et invité à se rendre. Sa réponse abrupte : « Nuts » (littéralement : « des noix ») à cet ultimatum décide du siège de Bastogne.
Le 23 décembre, le ciel s'est dégagé, permettant à l'aviation de ravitailler Bastogne. Néanmoins, le jour de Noël, l'avance allemande atteint sa pointe maximum (Celles, *p. 123).* Les Alliés vont mettre tout en œuvre pour reprendre le dessus. La 3ᵉ armée, sous les ordres du général Patton, contre-attaque sur le flanc Sud-Est et pénètre dans Bastogne le 26 décembre. L'aviation alliée parvient à empêcher le ravitaillement en carburant des blindés allemands. Début janvier, c'est l'arrivée au Nord de la 1ʳᵉ armée.
Le 25 janvier, le saillant de l'armée allemande est réduit à néant.

CURIOSITÉS

A l'entrée de la ville, sur chaque grand axe, les tourelles de chars exposées indiquent les limites de l'encerclement en 1944.

Grand-Place (place MacAuliffe) – Près du buste du général MacAuliffe, on peut voir un char d'assaut américain ainsi qu'une borne de cette Voie de la Liberté qui, de Ste-Mère-Église, en Normandie, à la sortie de Bastogne, jalonne l'itinéraire des armées américaines.

★ **Église St-Pierre** – Cette église-halle du 15ᵉ s., de style gothique flamboyant, est précédée d'une tour carrée (11ᵉ- 12ᵉ s.) surmontée d'un hourd.
L'**intérieur★** est remarquable. Les voûtes ont été peintes en 1536 : scènes de l'Ancien et du Nouveau Testament, effigies des saints patrons des corporations ou des confréries religieuses. On peut voir également une chaire baroque exécutée par le sculpteur Scholtus, une *Mise au tombeau* en bois (16ᵉ s.), d'une facture encore gothique, des fonts baptismaux romans aux angles portant quatre têtes sculptées, un beau lustre en fer battu, ou « couronne de lumière » (16ᵉ s.).

★ **Le Mardasson** – *3 km à l'Est*. Sur une colline a été érigé en 1950 un gigantesque monument en l'honneur des soldats américains ayant péri dans la bataille des Ardennes. A proximité se trouve la dernière borne de la Voie de la Liberté.
Mémorial « Le Mardasson » – En forme d'étoile à 5 branches, il est gravé des noms des différents bataillons et du récit de la bataille.
La terrasse au sommet offre une **vue panoramique** sur Bastogne et ses environs : à l'extrémité de chaque branche de l'étoile, une table d'orientation indique les principaux épisodes de la lutte. La crypte, décorée par Fernand Léger, abrite trois autels.

★ **Bastogne Historical Center** ⊙ – Cet imposant édifice, construit en forme d'étoile, est consacré à la bataille de Bastogne. Il renferme des collections d'uniformes, de véhicules, et présente deux scènes reconstituées se déroulant l'une parmi les troupes allemandes, l'autre parmi les Américains.
Dans l'amphithéâtre central, la bataille est retracée sur une maquette lumineuse et sur de petits écrans *(commentaire en plusieurs langues)*. Enfin, dans la salle de cinéma est projeté un film constitué de séquences filmées pendant la bataille.

BEAUMONT

Hainaut
6 132 habitants
Cartes Michelin nᵒˢ 409 F 5 et 214 pli 3.

Nœud routier commandant l'entrée de la « botte du Hainaut », Beaumont est une petite ville ancienne, perchée sur une colline. On y confectionne de délicieux macarons dont la recette a été léguée par un cuisinier de Napoléon, venu loger ici, le 14 juin 1815, en se rendant à Waterloo.

Les Trois Auvergnats – « Ville de Beaumont, ville malheur,
Arrivés à midi, pendus à une heure. »
Tel fut le sort de ces trois vagabonds auvergnats qui, abordant un cavalier sur la route de Beaumont, lui imposèrent de porter leur lourde charge. Arrivé en ville, celui-ci déclina son identité : c'était Charles Quint, venu visiter les Pays-Bas (1549). Séance tenante, l'Empereur fit pendre les vagabonds sur la place publique.

Tour Salamandre ⊙ – Sur un versant de la colline, ce vestige des fortifications du 12ᵉ s. a été restauré et renferme un musée d'histoire locale et régionale. Au-dessus de l'une des portes l'écusson des Croÿ, seigneurs du lieu, avec leur devise et le collier de la Toison d'Or. De la terrasse au sommet, vue sur Beaumont, la vallée de la Hantes et son vieux moulin, dans un paysage très vallonné. Le parc aménagé à l'emplacement du château détruit en 1655 appartient à une école.

ENVIRONS

De Beaumont à Solre-sur-Sambre – *10 km. Quitter la ville en direction de Mons. Peu après Montignies, prendre à gauche.*
A proximité de l'ancienne chaussée romaine de Bavay à Trèves, un **pont** à 13 arches, en partie romain, formant barrage, franchit la Hantes dans un joli site.
Solre-sur-Sambre – En contrebas du bourg, le **château fort** ⊙ (13ᵉ-14ᵉ s.) dissimule, derrière les douves ombragées, sa façade austère formée d'un donjon carré flanqué de deux grosses tours rondes à mâchicoulis et toit en poivrière.
Rance – *13 km au Sud*. **Rance** fut célèbre pour sa carrière de marbre rouge d'origine corallienne, aujourd'hui désaffectée, et son industrie marbrière. Installé dans l'ancien hôtel communal, le **musée national du Marbre** ⊙ permet de se familiariser avec les origines de ce matériau, principalement les variétés de marbre rencontrées en Belgique, et les techniques d'extraction et de polissage *(démonstration de polissage)*. L'**église** de Rance est ornée de nombreuses pièces de marbre de la région.

BEAURAING★

Namur

7 781 habitants

Cartes Michelin n⁰ˢ 409 H 5 et 214 Sud du pli 5.

Beauraing est un lieu de pèlerinage célèbre depuis les apparitions de la Vierge à cinq enfants de la localité, du 29 novembre 1932 au 3 janvier 1933.

Les sanctuaires – A partir de 1943, ils se sont multipliés. Dans le jardin, statue de la Vierge, sous l'aubépine des apparitions ; sur le trottoir proche subsistent les pavés où les enfants s'agenouillèrent. Plus loin, dans la rue, s'ouvre la **crypte St-Jean** : les céramiques colorées et naïves du chemin de croix de Max van der Linden y animent les murs bruts aux pierres inégales. La **chapelle monumentale** aux parois épaisses est éclairée de vitraux posés en 1963-1964. L'esplanade et ses gradins sont dominés par la façade en verre de l'ensemble en béton construit en 1968 par l'architecte Roger Bastin : il comprend la **grande crypte** et l'**église supérieure,** celle-ci pouvant contenir 7 000 fidèles et accueillir les malades grâce à une rampe d'accès.

BELŒIL★★

Hainaut

12 489 habitants

Cartes Michelin n⁰ˢ 409 E 4 et 213 pli 16.

Depuis le 14ᵉ s., le château de Belœil appartient à la famille des princes de Ligne dont le plus illustre personnage fut le maréchal Charles-Joseph de Ligne (1735-1814). Homme de guerre, ce « prince charmant de l'Europe », dont on connaît la fameuse citation : « Chaque homme a deux patries : la sienne et puis la France », fut aussi homme de lettres, auteur de célèbres *Mémoires* et d'un *Coup d'œil sur Belœil,* ouvrage dans lequel il décrit avec esprit la demeure et les jardins.

★★ **Château** ⊘ – Dès le 12ᵉ s. un château fort existait à cet endroit, mais l'édifice actuel fut élevé au début du 16ᵉ s. et très remanié aux 17ᵉ et 18ᵉ s., devenant alors une élégante résidence. Le corps principal, incendié en 1900, a été reconstruit sur les mêmes fondations en 1902. Les ailes et les pavillons d'entrée, aux toits à la Mansart, sont restés intacts et datent de la fin du 17ᵉ s. L'intérieur contient de **riches collections★★★** qui en font un véritable musée, tout en lui conservant son caractère d'habitation. Un mobilier précieux, de remarquables tapisseries, des tableaux, des sculptures, des porcelaines garnissent les appartements. De nombreux souvenirs de famille permettent d'évoquer l'histoire de l'Europe aux 17ᵉ, 18ᵉ et 19ᵉ s. Certaines pièces rassemblent des évocations et objets personnels du maréchal de Ligne, en particulier les souvenirs offerts par Marie-Antoinette ou Catherine de Russie, dont il fut l'ami. La **bibliothèque★** contient plus de 20 000 ouvrages principalement consacrés aux diverses sciences. Dans le salon des Ambassadeurs dont le nom évoque les missions diplomatiques confiées à la Maison de Ligne, trois grands tableaux illustrent les étapes marquantes de la vie du prince Claude-Lamoral Iᵉʳ de Ligne, qui fut ambassadeur du roi d'Espagne Philippe IV et vice-roi de Sicile en 1669. Dans une aile précédant le château, la **chapelle** aménagée dans les anciennes écuries rassemble les objets d'art religieux et une collection de sculptures en corail rapportées de Sicile par le prince Claude-Lamoral Iᵉʳ.

Château de Belœil

★ Parc ⊘ – Entrepris dès le 16ᵉ s., modifié à maintes reprises, c'est au 18ᵉ s. que le prince Claude-Lamoral II en dessina les plans sur les conseils de plusieurs architectes de jardins français. Il fut agrandi d'un jardin anglais par le prince Charles-Joseph. Le parc s'ordonne autour d'une superbe perspective de plusieurs kilomètres, la **Grande Vue★★**, qui précède la **Grande pièce d'eau de Neptune**, d'une superficie de 16 ha et ornée d'un groupe dédié au dieu romain des Mers (1761). De part et d'autre du bassin, des salles de verdure alternent avec les pièces d'eau et incitent à la flânerie.

ENVIRONS

Archéosite d'Aubechies ⊘ – *6 km à l'Ouest par la 526 puis à Ellignies tourner à droite.* Après des années de fouilles fructueuses dans le sol d'Aubechies et ses environs, les archéologues ont reconstitué les différents types d'habitation qui se sont succédé depuis le néolithique ancien jusqu'à la période gauloise. La visite des six maisons en bois et argile avec leur mobilier et leurs ustensiles ménagers permet d'imaginer la vie de nos ancêtres. Les premières, très vastes, étaient des demeures communautaires ; à partir de l'âge du Bronze apparaît la maison unifamiliale.

Dans le centre du village d'Aubechies, au-delà de l'**église** de style roman scaldien (fin 11ᵉ-début 12ᵉ s.), la **maison romane**, construite sur le plan d'une villa du 2ᵉ s., abrite les produits des fouilles gallo-romaines.

BINCHE★

Hainaut

28 020 habitants

Cartes Michelin nᵒˢ 409 F 4 et 214 pli 3 – Plan dans le guide Michelin Benelux.

Au cœur du Hainaut, Binche, sur son escarpement qu'enserrait jadis une boucle de la Samme, est une jolie ville calme, encore entourée de son enceinte (12ᵉ au 14ᵉ s.) dont les courtines sont flanquées de 27 tours. En 1554, la ville fut mise à mal par les troupes du roi de France Henri II, adversaire de Charles Quint. Binche vit du commerce régional, de l'artisanat du travesti de carnaval et de l'industrie de confection.

★★Carnaval – Dès janvier les manifestations s'organisent : répétitions de batteries suivies de quatre dimanches de soumonces lors desquels les futurs Gilles sortent, ceints de l'apertintaille (ceinture de clochettes).

Le lundi précédant le Dimanche gras, pendant la nuit, a lieu le bal des trouilles de nouilles.

Le **Dimanche gras**, dès 10 h, des centaines de travestis dansent au son de la viole, de l'orgue de Barbarie, de l'accordéon, du tambour. L'après-midi est marqué par un cortège de 1 500 danseurs binchois. Le lundi est le jour des groupes de jeunes.

Les Gilles – Le **Mardi gras** est le seul jour où l'on « fait le Gille » à Binche, celui-ci ne sortant jamais de sa ville natale. Dès l'aube, les Gilles légendaires font leur apparition. Petits ou grands, ils sont vêtus d'un costume de lin à lions héraldiques, orné de rubans et de dentelles d'un blanc éclatant et formant deux bosses, une sur la poitrine et une dans le dos. Ceinturés de grelots, chaussés de sabots, ils brandissent le faisceau de baguettes (« ramon ») qui conjure les maléfices. Comme les Pierrots, les Marins ou les jeunes Paysans enrubannés, ils sillonnent les rues de la ville, dansant lentement au rythme du tambour, pour rejoindre leur société. Vers 10 h sur la Grand-Place, ils dansent, avec des masques de cire à lunettes vertes. L'après-midi, arborant leur magnifique chapeau à plumes d'autruche, ils défilent à travers la ville, puisant dans un panier les oranges qu'ils offrent et lancent à leurs connaissances (sur le parcours, les fenêtres ont été grillagées). Puis, sur la Grand-Place, noire de monde, a lieu le **rondeau**.

Les Gilles

A 19 h, à la lueur des feux de Bengale, le même scénario se déroule, terminé par un grandiose feu d'artifice. Les Gilles dansent toute la nuit, escortés par la population. La tradition veut que les Gilles ne boivent que du champagne.

En 1872 on a voulu rattacher ces usages aux fêtes données en août 1549 par Marie de Hongrie, gouvernante des Pays-Bas, à son frère Charles Quint venu présenter son fils, le futur Philippe II, à la noblesse du pays : les Gilles descendraient des Indiens couronnés de plumes qu'on aurait fait surgir devant l'empereur en l'honneur de la récente conquête du Pérou. En réalité, le carnaval binchois existait déjà au 14e s. Le Gille est un personnage sérieux et rituel dont les coutumes – danse d'hommes masqués (les femmes étant exclues), offrande de l'orange (autrefois du pain), port du « ramon », de l'apertintaille – ont une origine très lointaine, remontant au temps où la danse avait une valeur religieuse et magique.

★ VIEILLE VILLE *visite : 1 h 1/2*

Grand-Place – Là s'élève l'**hôtel de ville** gothique, modifié au 16e s. par le sculpteur architecte montois Jacques Du Brœucq et surmonté par la suite d'un beffroi à bulbe.

Emprunter à pied la rue étroite à droite de l'hôtel de ville.

En arrivant à la tour St-Georges, suivre à droite les remparts qui présentent au Sud de la ville leur aspect le plus saisissant.

Remonter par le Posty (poterne).

A gauche, la **chapelle St-André** ⊙ (1537), dans le vieux cimetière, présente à l'intérieur des modillons sculptés évoquant avec verve la Danse macabre.

Collégiale St-Ursmer ⊙ – Remarquer au revers de son portail un beau jubé Renaissance. La collégiale renferme une *Mise au tombeau* du 15e s.

Parc communal – A l'entrée, statue en bronze doré représentant un Gille. Le parc a été aménagé dans les ruines du palais construit par Du Brœucq en 1548 pour Marie de Hongrie. Cet imposant édifice, détruit en 1554, couronnait les remparts à l'extrémité Sud de la ville. Du sommet de ceux-ci, on découvre de belles perspectives.

★ **Musée international du Carnaval et du Masque** ⊙ – Installées dans l'ancien collège des Augustins (18e s.), près de la collégiale, les collections de ce musée nous font voyager de carnaval en carnaval, de fête en fête à travers de nombreux pays. La collection de **masques**★★, provenant du monde entier, montre à quel point l'imaginaire et la créativité de l'homme ont, de tout temps et en tout lieu, été inspirés par cette forme d'art : aux parures de fête des populations d'Océanie et d'Amazonie succèdent les masques étonnants d'Amérique du Nord (Indiens) et d'Afrique, les masques de théâtre d'Asie et ceux souvent macabres d'Amérique latine... Une autre partie nous entraîne dans les fêtes d'hiver et les carnavals d'Europe en Autriche, en Pologne, en Roumanie, en Suisse, en Italie, en Espage, en France... dans les mascarades en Autriche, dans la république Tchèque et en Slovaquie, en Bulgarie. Une part importante est laissée aux carnavals traditionnels de Wallonie, plus particulièrement celui de Binche, complété par un spectacle audio-visuel en plusieurs langues et par des explications concernant les origines et la confection de l'étrange costume des Gilles. Chaque année une exposition développe un thème plus particulier sur le masque ou le carnaval.

ENVIRONS

★★ **Domaine de Mariemont** – *10 km au Nord-Est. Quitter Binche par la N 55 en direction de Bruxelles et, à Morlanwelz, tourner à gauche.*

En 1546, la gouvernante Marie de Hongrie confia à Du Brœucq le soin d'édifier, sur une collinne boisée, un château auquel elle donna son nom. Détruit, comme celui de Binche, par Henri II en 1554, il fut reconstruit et agrandi par les archiducs Albert et Isabelle. Un second château, dont on voit les ruines dans le parc, fut construit par Charles de Lorraine au 18e s. et incendié pendant les combats de 1794. Transformé au 19e s. par les Warocqué, une dynastie d'industriels, le domaine a été légué à l'État en 1917, en même temps qu'une importante collection. Celle-ci est actuellement présentée dans un bâtiment construit vers 1970 au point culminant du parc, à l'emplacement du château des Warocqué, détruit par un incendie en 1960.

★ **Parc** ⊙ – Dans ce beau parc de 45 ha, où l'on voit encore les ruines de l'ancien château, on remarque des sculptures des artistes belges Victor Rousseau, Constantin Meunier et Jef Lambeaux, ainsi que *Les Bourgeois de Calais* par Rodin.

★★ **Musée** ⊙ – Il présente d'une façon agréable des collections archéologiques et artistiques d'une grande richesse. Au 1er étage sont rassemblées des œuvres d'art issues de grandes civilisations. Sont particulièrement bien représentées les antiquités égyptienne (remarquer la tête colossale d'une reine d'époque ptolémaïque), grecque (éphèbe de Mariemont), romaine (fresque de Boscoreale) et les **arts d'Extrême-Orient** (émaux, laques, jades et porcelaines de Chine). Au sous-sol, archéologie gallo-romaine et mérovingienne, histoire du domaine de Mariemont et importante **collection de porcelaine de Tournai.** Le 2e étage est consacré à des expositions contemporaines. Le musée possède une **bibliothèque** ⊙ précieuse : manuscrits, reliures, etc.

Abbaye de Bonne-Espérance ⊙ – *6 km au Sud par la N 55, direction Merbes-le-Château puis Vellereille-les-Brayeux.*

Cette ancienne abbaye de Prémontrés *(p. 66)*, fondée en 1126 par Odon, disciple de saint Norbert, est occupée par un collège. Une façade du 18ᵉ s. d'une grande majesté domine la cour d'honneur. A droite, tour gothique (15ᵉ s.) de l'église abbatiale.

Entrer par le portail central.

Dans le hall on admire un bel escalier en chêne à double volée. Dissimulée sous cet escalier, une porte donne accès au cloître.

Le **cloître**, modifié au 18ᵉ s., conserve des voûtes gothiques ; le réfectoire est remarquable pour sa décoration du 18ᵉ s. ; une belle salle capitulaire complète cet ensemble. L'**église**, du 18ᵉ s. également, a été construite à l'emplacement d'un édifice du 13ᵉ s. par Laurent Dewez, dans le style néo-classique. L'intérieur est caractéristique de ce style avec ses colonnes corinthiennes, sa voûte en berceau ornée de stucs. La chapelle orientée de gauche abrite une *Vierge à l'Enfant*, statue miraculeuse du 14ᵉ s., en pierre blanche d'Avesnes, au sourire plein de bonhomie et au costume raffiné. Au fond de la nef, buffet d'orgues de 1768, provenant de l'abbaye d'Affligem.

BLANKENBERGE★

West-Vlaanderen

16 813 habitants

Cartes Michelin nᵒˢ 409 C 2 et 213 pli 2 – Plan dans le guide Michelin Benelux.

Ce petit port de pêche est devenu une importante station balnéaire, bien aménagée et pourvue de nombreuses ressources. Un casino (Kursaal), une grande jetée (Pier) et un port de plaisance figurent parmi les principaux atouts de Blankenberge. Les festivités ne manquent pas dans cette station *(voir Les Renseignements pratiques en fin de volume)*. Le carnaval y est particulièrement animé. Les **fêtes du port**, en mai, sont marquées par un cortège folklorique suivi d'un spectacle de danses. En juillet a lieu la bénédiction de la mer. En août se déroule un célèbre corso fleuri.

St.-Antoniuskerk (Église St-Antoine) – Inaugurée en 1358, l'église a été modifiée à plusieurs reprises et présente un intérieur agrémenté de belles œuvres d'art des 17ᵉ et 18ᵉ s. : retables, banc de communion, confessionnal, chaire, orgues.

J. Évrard, Bruxelles

Jetée de Blankenberge

ENVIRONS

Wenduine ; De Haan ; Klemskerke – *13 km au Sud-Ouest.*

Wenduine – La plus haute des dunes (Spioenkop) est surmontée d'un **belvédère** : vue intéressante sur les plages, les dunes et la station avec son ancien hôtel de ville reconstruit en style flamand. A remarquer : un petit moulin à vent à pivot.

De Haan (Le Coq) – Charmante station fleurie (De Haan-Centrum) groupant ses villas dans un environnement de bois et de dunes que sillonnent des promenades.

Klemskerke – C'est un plaisant village de polders. **St-Clément**, église-halle (à trois nefs d'égale hauteur), renferme des boiseries du 17ᵉ s. : bancs, confessionnaux. A proximité se dresse un moulin à vent à pivot.

BLATON

Hainaut

Cartes Michelin n°s 409 D 4 et 213 Sud du pli 16.

Dans une vallée encastrée entre deux coteaux de bruyères (la Grande et la Petite Bruyère), Blaton est arrosé par trois canaux.

Église de Tous-les-Saints – Dominée par une haute tour du 13e s. couronnée par une flèche à bulbe du 17e s., c'est une des plus anciennes églises du Hainaut. Elle conserve de la période romane de gros piliers sur lesquels s'appuie la voûte croisée édifiée sur plan barlong. La nef, sobre, est portée par d'épaisses colonnes à chapiteaux à crochet et feuilles stylisées en pierre de Tournai.

Remarquer à droite de l'entrée les niches à statues gothiques.

ENVIRONS

Stambruges – *5 km à l'Est par la route de Mons. Passer sur l'autoroute et tourner à droite.* Au centre de la forêt se trouve la **Mer de Sable**, clairière sablonneuse qui s'ouvre parmi les pins et les bouleaux.

Bon-Secours – *7,5 km à l'Ouest.* Bon-Secours est à la fois un centre de villégiature et de pèlerinage dont la basilique néo-gothique (1885), située au sommet d'une colline à la frontière franco-belge, abrite une Vierge vénérée depuis 1606.

A l'Est et au Sud, en partie sur le territoire français, s'étend une belle forêt qui englobe le château de l'Hermitage *(voir guide Vert Michelin Flandres, Artois, Picardie).*

BLÉGNY-TREMBLEUR★★

Liège

Cartes Michelin n°s 409 K 3 et 213 pli 23.

Le complexe touristique de Blégny-Trembleur comprend la visite de la mine, du musée du Puits Marie et une balade en tortillard, ainsi que divers aménagements : cafétéria, self-service, plaine de jeux, etc.

Dès sa fermeture en 1980, le charbonnage de Blégny-Trembleur, le dernier du bassin de Liège, a été maintenu en état pour être visité comme témoignage de la vie des mineurs. Au 16e s. les moines de l'abbaye de Val-Dieu exploitaient déjà le charbon en surface. Mais c'est au cours du 19e s. que furent creusés les puits actuels. A l'époque femmes et enfants y travaillaient, et des chevaux étaient descendus dans les galeries où ils demeuraient parfois jusqu'à leur mort pour assurer la traction des wagonnets.

Charbonnage et exploitation – Ce charbonnage comprend deux puits pour assurer la ventilation des galeries qui étaient ici sur 8 étages descendant jusqu'à la profondeur de – 530 m. A partir de ces galeries l'exploitation se faisait par la méthode de la « taille chassante » qui consiste à avancer parallèlement à la ligne de la plus grande pente de la veine de charbon. Ces veines pouvaient être exploitées jusqu'à une épaisseur minimum de 30 cm. Les mineurs travaillaient en trois postes de 8 h. Le poste du matin était chargé de l'abattage qui consiste à arracher le charbon au marteau-piqueur, le poste de l'après-midi effectuait le soutènement avec des rondins en bois ou des étançons métalliques, et enfin le poste de nuit procédait aux opérations de remblai (remplissage du vide par des pierres) ou de foudroyage (faire tomber la voûte pierreuse).

VISITE *2 h 1/2* ⊙

La visite est d'autant plus intéressante et émouvante qu'elle est guidée par d'anciens mineurs évoquant leurs conditions de travail. Un film présente le charbonnage et la vie des mineurs.

Puits Marie – Dans ce puits se visitent les installations de surface telles qu'elles servaient encore en 1980. Il comprend la lampisterie, les vestiaires bains-douches, la station des compresseurs où était produit l'air comprimé qui servait pour la ventilation et les marteaux-piqueurs, la scierie pour préparer les étais.

Le puits n° 1 – La tour en béton de 45 m de haut a été reconstruite pendant la guerre. Les wagonnets remontaient jusqu'à mi-hauteur pour parvenir à la station de triage, et les pierres étaient déposées sur le terril.

Par ce puit s'effectue la descente pour la **visite des installations souterraines.** La cage de mine s'arrête dans une galerie à – 30 m, et par des escaliers métalliques aménagés pour suivre une taille on parvient à la galerie suivante à – 60 m. Le simple fait d'entendre le bruit assourdissant de la ventilation et d'un marteau-piqueur actionnés par le guide, de voir l'exiguïté de la taille ruisselante d'eau dans laquelle les mineurs étaient couchés permet d'imaginer les conditions pénibles dans lesquelles travaillaient les « gueules noires » sans interruption pendant 8 heures.

Très jeunes ils pouvaient être atteints de silicose, de rhumatismes, de surdité. A cela s'ajoutaient les risques du coup de grisou, des chutes de pierres ou de la poche d'eau qui pouvait tout noyer.

AUTRE CURIOSITÉ DU COMPLEXE TOURISTIQUE

Le train touristique (tortillard) ⊘ – Circulant à travers les vallons et les vergers du pays d'Herve, ce petit train atteint **Mortroux** et son **musée de la vie régionale** ⊘ où sont montrées les techniques de fabrication artisanales des spécialités du pays d'Herve : le sirop de poire et de pomme, le fromage et le beurre.

Domaine provincial de BOKRIJK★

Limburg
Cartes Michelin nᵒˢ 409 J 3 et 213 pli 10.

Ancienne propriété de l'abbaye d'Herkenrode, ce domaine, aménagé autour d'un château de la fin du 19ᵉ s., s'étend sur 550 ha dont 150 ha de bois et 40 ha d'étangs.

VISITE

★**Domaine récréatif** – Outre son **Parc d'attractions** (Speeltuin), situé au centre et comprenant une plaine de jeux, un terrain de sport, une roseraie, le domaine englobe une **réserve naturelle** (Het Wiek Natuurreservaat), créée autour d'un chapelet d'étangs, un **enclos aux cerfs** (Hertenkamp), un **arboretum**★ de 10 ha, remarquablement entretenu, ainsi que plusieurs restaurants.
Un petit train (autotrein) permet de traverser l'ensemble du domaine.

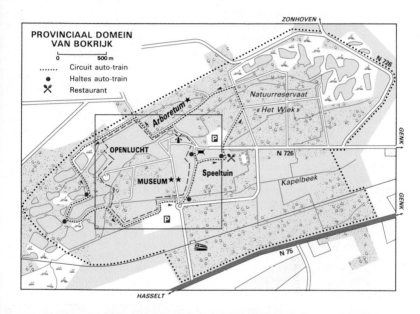

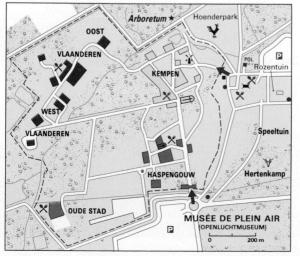

Gardien du musée

★★ Openluchtmuseum (Musée de plein air) ⊙ – C'est, sur 90 ha, la reconstitution d'une centaine de bâtiments, montrant la vie d'autrefois dans les provinces flamandes. On distingue quatre secteurs, dont trois à caractère rural et un secteur urbain. Chaque secteur rural correspond à une région culturelle. Les bruyères peu fertiles de la **Campine** (Kempen) *(voir p. 13)* sont représentées par un village reconstruit ; autour de la place triangulaire se situent les bâtiments publics (église, auberge). Un village du Sud de la province du Limbourg a servi de modèle pour le secteur consacré à la région vallonnée et fertile de la **Hesbaye** et du **pays de la Meuse** (Haspengouw en het Maasland) ; il a un aspect plus fermé que le village campinois. Les fermes de la **Basse-Belgique** (Oost-Vlaanderen, West-Vlaanderen), région fertile, n'ont pas été regroupées sous forme de village ; elles proviennent de différentes régions de la Flandre-Orientale et la Flandre-Occidentale, ce qui explique leur grande variété. Dans le secteur urbain (De Oude Stad), des demeures historiques anversoises (15e-18e s.) ont été reconstituées ou reconstruites.

BOUILLON★

Luxembourg

5 396 habitants

Cartes Michelin nos 409 l 6 et 214 pli 16 – Schéma p. 208-209.

Plan dans le guide Michelin Benelux.

La petite capitale de la **vallée de la Semois** *(voir à ce nom)*, dont les vieux toits d'ardoise se pressent au bord de la rivière formant ici une large boucle, est dominée par la masse sévère de sa forteresse, dressée sur une arête rocheuse.

Le duché de Bouillon – Bouillon doit sa naissance à son château fort qui occupait une position-clé sur une des grandes voies de pénétration de Belgique.

Son nom évoque la figure de **Godefroy de Bouillon** qui assura, par la prise de Jérusalem, la réussite de la première croisade (1096-1099). Avant de partir en 1096, il avait vendu son duché au prince-évêque de Liège. Au 15e s., l'un des gouverneurs du duché de Bouillon est Evrard de La Marck, prince de Sedan. Usurpé par ses descendants, le titre ducal revient en 1594, par héritage, au vicomte Henri de La Tour d'Auvergne, père du grand Turenne. Confisqué par Louis XIV, le château est rendu ensuite à cette famille, mais Vauban est chargé de le fortifier. Charnière entre la France et la principauté de Liège, la ville fait preuve d'une telle indépendance que Vauban dit d'elle : « Elle sent assez sa petite souveraineté. » Au 18e s., elle devient un centre de tendances libérales se réclamant des Encyclopédistes ; l'imprimeur Pierre Rousseau divulgue un grand nombre d'œuvres de Voltaire et de Diderot.

CURIOSITÉS

★★ Château ⊙ – C'est, en Belgique, le vestige le plus important de l'architecture militaire médiévale. Son existence est attestée dès le 10e s. Trois ponts-levis empierrés dès le 17e s., séparés par des fortins, défendaient l'accès de la forteresse. *Suivre les flèches numérotées.* Après le troisième pont, on monte par l'escalier de Vauban, d'une grande pureté de ligne, construit sans ciment ni mortier.

Château de Bouillon

On voit la « salle primitive » aux murs énormes du 12e s., puis la salle Godefroy de Bouillon, du 13e s., creusée dans le roc, abritant une grande croix encastrée dans le sol et présentant des gravures retraçant l'histoire du château.

On débouche sur la cour d'honneur. De la **tour d'Autriche**, qui fut restaurée en 1551 par le prince-évêque de Liège Georges d'Autriche, on découvre des **vues**★★ magnifiques sur la forteresse, le méandre de la Semois, la ville et le vieux pont au Nord.

En visitant la salle des tortures, où ont été reconstitués différents moyens de supplice, et les cachots, et en traversant le grand souterrain servant à la fois de couloir de communication et d'entrepôt, on regagne l'entrée. Au passage, la présence de la citerne et du puits profond de 54 m montre que l'eau n'était pas rare.

★ **Musée Ducal** ⊙ – La **section Histoire et Folklore**, sise dans une maison du 18e s. au charme suranné, évoque les souvenirs des ducs de Bouillon, le folklore et l'artisanat régional : reconstitution d'un intérieur ardennais (chambre, cuisine du début du 19e s. notamment), du cabinet de travail de Pierre Rousseau. Au grenier : ateliers d'un tisserand, d'un sabotier.

La **section Godefroy de Bouillon** occupe la demeure restaurée d'un conseiller à la cour et évoque l'époque des croisades et du Moyen Âge. En dehors des souvenirs rapportés d'Orient par les croisés, une maquette fait revivre l'attaque d'un château fort, et un modèle réduit de la forteresse de Bouillon donne une excellente idée de sa puissance au 12e s.

Abbaye de Cordemoy – *3 km à l'Ouest par une route étroite.*

Au-delà du vieux **pont gothique** (pont de la Poulie), on suit la rive de la Semois, très encaissée.

Dans un site paisible se dresse l'**abbaye N.-D.-de-Clairefontaine**, construite en 1935 dans un style néo-gothique. Elle perpétue le souvenir d'une abbaye cistercienne fondée, près d'Arlon, par Ermesinde, fille du comte de Luxembourg, et qui fut incendiée en 1794.

BRUGGE★★★

BRUGES – West-Vlaanderen 🅟
114 530 habitants
Cartes Michelin n⁰ˢ 409 C 2 et 213 pli 3.

L'hiver, ou au clair de lune, c'est « Bruges la Morte », que célébra Georges Roden-bach, paraissant sortie du Moyen Âge, avec ses vieilles demeures aux briques patinées par les siècles, ses nobles édifices, ses églises au clair carillon, serrés sur les bords de l'eau noire des canaux où évoluent les cygnes. Si l'été, ou les jours de fête, Bruges se métamorphose, on la retrouve, silencieuse et mystique, aux alentours de son béguinage et du Minnewater.

A Bruges naquit et mourut le grand poète flamand **Guido Gezelle** (1830-1899). Prêtre et enseignant, il passait ses loisirs à écrire des poésies. Il est le chantre de la Flandre dont la découverte, à l'occasion de ses voyages, lui inspira des vers enthousiastes.

★★★ **La Procession du Saint-Sang** – *Illustration p. 37.* Le jour de l'Ascension à 15 h, la châsse contenant la relique du Saint-Sang est portée en procession dans les rues, précédée par le clergé, les innombrables confréries religieuses et des groupes costumés, les uns représentant des épisodes bibliques depuis le péché d'Adam et Ève jusqu'à la Passion du Christ, d'autres le retour de la deuxième croisade avec Thierry d'Alsace.

Tous les cinq ans se déroule également à Bruges le **cortège de l'Arbre d'Or** qui rappelle les fastes de l'époque bourguignonne *(prochaine manifestation en août 1996).*

En août, tous les trois ans, a lieu la **fête des Canaux** ou Reiefeest.

UN PEU D'HISTOIRE

Comme la plupart des villes du Nord de la Flandre, son origine est tardive (la ville de Bruges est citée dès 892) et mal connue. A la fin du 9ᵉ s., le comte Baudouin Bras de Fer y élève un château destiné à protéger une côte constamment attaquée par les Normands.

La mer, source de richesses – En 1093, lorsque Robert le Frison fait de Bruges la capitale de son duché, c'est déjà une cité florissante. Son port est relié par une rivière, la Reye, à l'estuaire du Zwin. Bruges s'adonne, comme d'autres cités fla-mandes, à la fabrication du drap et devient, au 12ᵉ s., un grand centre d'importa-tion de la laine anglaise nécessaire à cette activité : elle est à la tête de la Hanse de Londres, association groupant plusieurs villes commerçant avec l'Angleterre. A cette époque est créée Damme qui, située sur l'estuaire du Zwin, lui sert d'avant-port.

Bientôt devenue un grand marché d'échange, Bruges vend le drap flamand et achète aux Scandinaves poissons et bois, aux Russes ambre et fourrures, aux Espagnols les vins, aux Lombards les draps d'or, aux Vénitiens et Génois les soieries et produits de l'Orient.

Au 13ᵉ s., Bruges est un des comptoirs les plus actifs de la puissante **ligue hanséa-tique,** association des villes du Nord de l'Europe dont la capitale est Lübeck et qui détient le monopole du trafic avec la Scandinavie et la Russie. Le Minnewater reçoit 150 vaisseaux en une journée.

La richesse commerciale va de pair avec l'activité artistique de la ville : on agrandit l'hôpital St-Jean et l'église St-Sauveur, on édifie le beffroi et les halles ainsi que l'église Notre-Dame. Bruges se construit une enceinte dont subsistent encore aujourd'hui quatre portes.

A la fin du 14ᵉ s. est bâti l'hôtel de ville, puis au 15ᵉ s. se développe un **style archi-tectural** caractéristique : fenêtres rectangulaires surmontées d'un tympan, l'ensemble des baies s'encadrant parfois d'une gracieuse moulure en forme d'accolade.

On voit fonctionner à Bruges la première bourse d'Europe, en plein air.

Réceptions princières – Depuis 1280, la lutte est engagée en Flandre entre les patri-ciens soutenant le roi de France (leliaerts ou partisans du lis) et le peuple des **Clauwaerts** (ou gens des griffes, celles du lion de Flandre).

Philippe le Bel en profite pour annexer la Flandre. C'est au cours de sa Joyeuse Entrée (1301) que son épouse la reine Jeanne de Navarre, voyant les Brugeoises richement parées venues l'accueillir, s'écrie : « Je me croyais seule reine, j'en vois des centaines autour de moi. » Le peuple s'indigne devant le luxe de cette réception dont on veut lui faire supporter les frais. A l'aube du 18 mai 1302, les clauwaerts dirigés par Pieter de Coninck massacrent la garnison française. Ce sont les **Matines brugeoises,** révolte qui entraîne le soulèvement général de la Flandre et la bataille des éperons d'Or *(voir à Kortrijk).*

Au 15ᵉ s., les ducs de Bourgogne séjournent de plus en plus en Flandre. En janvier 1429, Philippe le Bon accueille à Bruges sa fiancée Isabelle de Portugal. La réception est d'une somptuosité inouïe : « Il n'y avait si petite maison où on ne bût en vaisselle d'argent. » Au milieu des cérémonies du mariage, Philippe fonde l'ordre de la **Toison d'or.**

Les primitifs flamands à Bruges (15ᵉ s.) – Bruges est le berceau de la peinture flamande. C'est à Bruges que **Jean van Eyck** (né à Maaseik) exécute *l'Adoration de l'Agneau Mystique* qui orna en 1432 la cathédrale St-Bavon à Gand. Dans le célèbre polyptyque, Van Eyck joue avec de merveilleux coloris, il crée un paysage en profondeur, réaliste, abandonnant les fonds dorés, les édifices conventionnels, et se distingue dans l'art du portrait. Son génie apparaît également dans ses œuvres visibles à Bruges : *la Madone du Chanoine Van der Paele* est un tableau remarquable tant par la somptuosité du décor que par l'extraordinaire facture du portrait du donateur. Son disciple, **Petrus Christus** (mort vers 1473), est l'auteur du fameux *Portrait de jeune fille* du musée Dahlem de Berlin.

Van der Goes (vers 1440-1482) travaille à Gand, finit ses jours près de Bruxelles *(voir à ce nom)*, mais on peut voir à Bruges sa dernière et meilleure œuvre, *la Mort de la Vierge*. On y admire une recherche dans la composition, une intensité d'émotion rares.

Memling (vers 1435-1494) est à Bruges ce que Rubens est à Anvers. D'origine allemande, Hans Memling, né près de Mayence, s'est fixé à Bruges dès 1465 après un séjour à Cologne et peut-être à Bruxelles. Pour l'hôpital St-Jean, pour les magistrats municipaux ou pour de riches étrangers, il exécute un grand nombre de commandes dont Bruges conserve les plus importantes. Il se distingue de ses contemporains par la sérénité qui règne dans ses tableaux et qui, alliée à la chaleur des coloris, à la perfection des détails, leur confère un charme intense. C'est le peintre des douces madones, des figures féminines calmes, voire éthérées ; ses portraits sont souvent plus idéalisés que ceux de Van Eyck.

Gérard David (vers 1460-1523), né à Oudewater, en Hollande, arrive à Bruges en 1483. Élève de Memling, il en perpétue fidèlement le style et ne se départ pas de la gravité et de la précision caractéristiques des œuvres de son maître *(Baptême du Christ)*.

A l'époque de la Renaissance, ses continuateurs **Adrien Isenbrant**, venu de Haarlem, **Ambrosius Benson**, de Lombardie, **Jean Provost**, originaire de Mons, et **Pierre Pourbus**, de Gouda (Hollande), sont les derniers talents de cette école brugeoise dont il faut citer également quelques anonymes : le Maître de la Légende de sainte Ursule et celui de la Légende de sainte Lucie.

La princesse endormie – A la fin du 15ᵉ s., la décadence de Bruges se manifeste : l'ensablement du Zwin, le déclin de l'industrie drapière en sont les causes.

Anvers va bientôt se substituer à Bruges. Cependant, en 1488, la ville se révolte contre Maximilien d'Autriche et le fait emprisonner. Puis, en 1520, elle accueille encore avec faste Charles Quint dont la réception est organisée par le peintre Lancelot Blondeel.

Les fureurs des iconoclastes au 16ᵉ s., les bandes de « Gueux » en révolte contre l'Espagne et, bien plus tard, l'invasion française de 1794 viennent précipiter la chute de la ville et amènent la disparition de nombreux monuments.

Le renouveau – A la fin du 19ᵉ s., d'importants travaux sont entrepris : la construction à Zeebrugge *(voir à ce nom)* d'un môle en mer relié au nouveau port intérieur de Bruges par un canal de 11 km (terminé en 1907) va rendre à la ville une certaine activité.

Les installations sont détruites pendant les deux guerres mondiales. Depuis leur reconstruction en 1950, de nouvelles industries se sont implantées le long du bassin intérieur et du canal Baudouin : verreries, constructions mécaniques, produits chimiques, montage de téléviseurs.

Les dentelles au fuseau, activité traditionnelle de Bruges, sont très réputées.

Le Collège d'Europe (Europa College) (**AU**) (1949) fait de la cité un centre d'études important.

★★★ CENTRE HISTORIQUE ET CANAUX *visite : 2 jours*

La visite nocturne de Bruges offre (de début mai à fin septembre) un spectacle exceptionnel ; la ville avec ses canaux et ses vieux remparts prend un relief saisissant sous les projecteurs.

★★ **Markt (Grand-Place)** (**AU**) – La vie de Bruges se concentre sur la Grand-Place que bordent des maisons à pignons à redans, anciens sièges des corporations, et les halles dominées par le beffroi. Au centre, la statue de Pieter de Coninck et Jan Breydel évoque les héros de la révolte de 1302 *(voir p. 76)*.

Jusqu'au 18ᵉ s., un canal aboutissait à la Grand-Place où les bateaux accostaient.

★★★ **Belfort-Hallen** (Beffroi et halles) (**AU**) – Ils forment un magnifique ensemble de briques patinées.

Le **beffroi** ⊘ est le plus imposant de Belgique. La tour massive date du 13ᵉ s., mais les tours d'angle ont été ajoutées au 14ᵉ s. et le dernier étage octogonal à la fin du 15ᵉ s. Au-dessus du porche d'entrée, quelques statues encadrent le balcon qui était destiné aux proclamations des lois. L'ascension du beffroi (366 marches) permet de découvrir au 2ᵉ étage la **salle de la trésorerie :** derrière les belles grilles en fer forgé (13ᵉ s.) étaient conservés le sceau de la ville et les chartes.

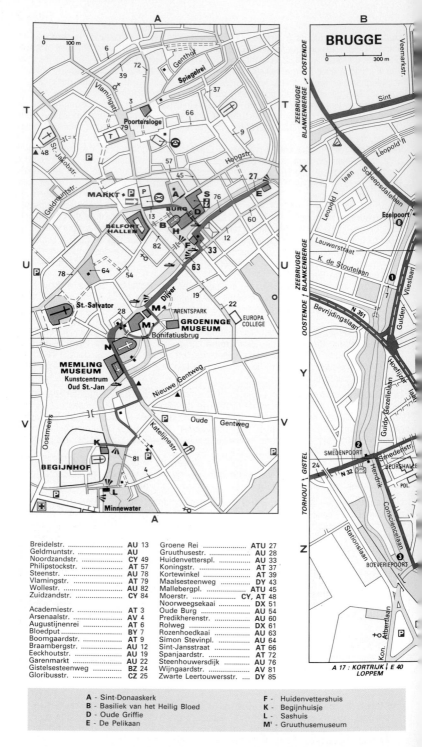

BRUGGE

A - Sint-Donaaskerk	F - Huidenvettershuis
B - Basiliek van het Heilig Bloed	K - Begijnhuisje
D - Oude Griffie	L - Sashuis
E - De Pelikaan	M¹ - Gruuthusemuseum

Au-dessus on découvre le **carillon** de 47 cloches ☉ qui joue tous les quarts d'heure. Enfin du sommet s'offre une **vue**★★ remarquable sur l'ensemble de Bruges et ses environs.

Les **halles,** construites en même temps que le beffroi, furent agrandies aux 14ᵉ et 16ᵉ s. et forment un quadrilatère enserrant une jolie cour. Les arcades de l'aile Sud abritent un marché aux fleurs : on remarquera en face de vieilles façades en bois.

★★ **Burg (Place du Bourg)** (**AU**) – Elle tient son nom du château (Burg) édifié là par Baudouin Bras de Fer.

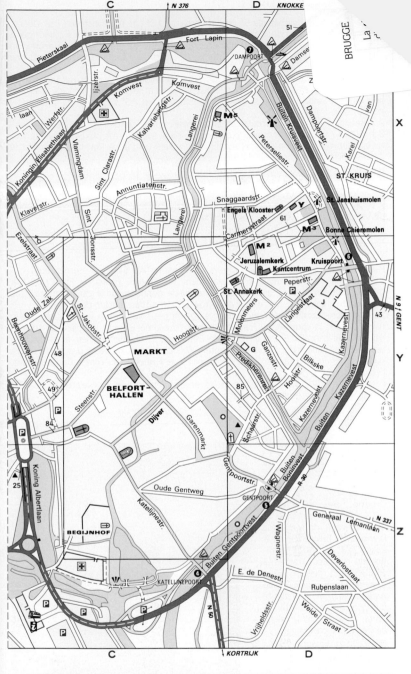

M² - Museum voor Volkskunde	N - O.-L.-Vrouwekerk
M³ - Guido Gezellemuseum	S - Paleis van het Brugse Vrije
M⁴ - Brangwynmuseum	Y - Schuttersgilde St.-Sebastiaan
M⁵ - Museum O.L. Vrouw ter Potterie	▲ - Godshuizen

Quatre des principaux monuments de Bruges encadrent cette place : de droite à gauche, la basilique du Saint-Sang, l'hôtel de ville gothique, le greffe Renaissance et, sur la face en retour, l'ancien Palais de Justice.

Il subsiste un pan de mur du **St.-Donaaskerk** (église Saint-Donatien) (**AU A**) construite vers l'an 900 dans le style carolingien et détruite en 1799.

Sur cette place stationnent les **calèches de promenade** ⊘.

★ **Basiliek van het Heilig Bloed** (Basilique du Saint-Sang) (**AU B**) ⊘ – Elle abrite la relique du Sang du Christ, rapportée de Terre sainte par le comte de Flandre, Thierry d'Alsace, au retour de la deuxième croisade.

79

..apelle basse★ ou chapelle St-Basile, romane (12ᵉ s.), fut construite par Thierry
d'Alsace. Elle a conservé son caractère primitif avec de massifs piliers cylindriques.
On y voit, au revers du tympan d'une porte donnant sur une chapelle à droite, un
bas-relief roman représentant le baptême du Christ et, dans le bas-côté droit, une
Vierge en bois de l'an 1300.

Par un beau portail hors œuvre, de transition gothique flamboyant-Renaissance, et
un élégant escalier à spirale (16ᵉ s.), aux voûtes surbaissées, on acccède à la **chapelle du Saint-Sang**. A l'origine romane, transformée au 15ᵉ s., elle a été décorée de
peintures murales au 19ᵉ s.

A côté de la chapelle se trouve un petit **musée** ⊘. Il contient la châsse du Saint-
Sang (1617), prodigieux travail d'orfèvrerie, dans laquelle est placée la relique lors
de la célèbre procession et deux magnifiques volets où Pierre Pourbus a représenté
les membres de la confrérie du Saint-Sang.

Hôtel de ville (AU H) ⊘ – Élevé à la fin du 14ᵉ s., dans le style gothique flamboyant,
il fut restauré au 19ᵉ s. Sa façade est remarquable par sa verticalité qu'accentue la
présence de trois tourelles, et par sa riche ornementation.

A l'étage, la **salle Gothique** ⊘ possède une voûte d'ogives, lambrissée, ornée au point
de jonction des arcs de belles clés pendantes.

Oude Griffie (Ancien Greffe) **(AU D)** – Actuellement Justice de Paix. Sa façade
Renaissance montre des lignes harmonieuses et arbore trois gracieux pignons à
volutes.

Paleis van het Brugse Vrije (Palais du Franc de Bruges) **(AU S)** – Il a été bâti au 18ᵉ s.
dans le style néo-classique, à l'emplacement de l'ancien palais du Franc (1520).
Celui-ci occupait le Burg dont il reste une partie donnant sur le canal. Le Franc de
Bruges était au 14ᵉ s. un conseil gérant la région située autour de la ville.

Dans le **musée provincial du Franc de Bruges** ⊘, on peut voir, dans la chambre échevinale (16ᵉ s.), la **cheminée du Franc de Bruges★**, exécutée d'après les plans et sous la
conduite de Lancelot Blondeel. De style Renaissance, en marbre noir et chêne, elle
est décorée d'une frise d'albâtre racontant l'histoire de Suzanne et des vieillards. La
partie supérieure montre plusieurs souverains de Flandre : au centre Charles Quint,
l'épée haute.

Les poignées de cuivre au-dessus du foyer permettaient aux échevins de se tenir
lorsqu'ils faisaient sécher leurs bottes.

Emprunter le passage de la rue de l'Ane-Aveugle (Blinde Ezelstraat).

On admire ensuite en se
retournant la belle fenêtre
qui surmonte l'arche, puis
les pignons et tourelles du
palais du Franc.

Suivre le Steenhouwersdijk.

**Groene Rei (Quai Vert)
(ATU 27)** – A droite de ce
quai ombragé, on remarque
la **maison du Pélican** (De Peli-
kaan) (1714) **(AU E)**, édifice bas à hautes lucarnes, à
emblème du pélican. C'est
une ancienne maison-Dieu
(voir p. 84). A l'extrémité
du quai, belle **vue** sur le
canal, le beffroi et la flèche
de l'église Notre-Dame.

**Huidenvettersplaats (Place
des Tanneurs) (AU 33)** –
Charmante place où se
dresse une petite colonne
portant deux lions.

**Rozenhoedkaai (Quai du Ro-
saire) (AU 63)** – Il offre une
des **vues★★** les plus caractéristiques de Bruges. Près du
bassin se dresse la jolie **maison des Tanneurs** (Huiden-
vettershuis) (1631) **(AU F)** à
laquelle fait suite une maison
à tourelle. Au-delà on aperçoit lahaute toiture de la chapelle du Saint-Sang, à gauche
se détache le beffroi altier.

C. Bowman/SCOPE

Quai du Rosaire et beffroi

Dijver (**AU**) – Le pont de St-Jean Népomucène (St.-J. Nepomucenusbrug) est surmonté de la statue du protecteur des ponts. A l'extrémité de ce quai bordé de tilleuls, on découvre une **vue★★** ravissante sur un vieux pont, le porche du musée Gruuthuse et, comme toile de fond, la tour de l'église Notre-Dame surmontée d'une flèche.

Les samedi et dimanche après-midi *(mars-fin octobre)* s'étale le marché aux puces.

★★★ **Stedelijk Museum voor Schone Kunsten** (**Musée Groeninge**) (**AU**) ⊘ – Il recèle notamment d'admirables chefs-d'œuvre des primitifs flamands : consacrées à l'école de Bruges, les cinq premières salles, en enfilade, sont d'un intérêt exceptionnel. Dans la 1re on admire deux œuvres de **Van Eyck** : *la Vierge du chanoine Van der Paele* frappe par l'éclat des couleurs, la luminosité de l'atmosphère et la minutie du détail ; dans le portrait du chanoine, Van Eyck ne nous fait grâce d'aucune ride, d'aucune verrue ; quant au *portrait de Marguerite Van Eyck*, il évoque la dignité bourgeoise un peu bourrue, le sens du devoir et la piété de la femme du peintre. L'œuvre représentant *Saint Luc peignant la Vierge* est une copie ancienne d'un panneau de Roger Van der Weyden.

Dans la 2e salle, **Van der Goes**, qui sait rendre dans le portrait et les scènes religieuses le mouvement et l'expression fugitive, est représenté par *la Mort de la Vierge*, tableau d'une intensité dramatique exceptionnelle. Le *triptyque Moreel* avec saint Maur, saint Christophe et saint Gilles, de **Memling**, par le mysticisme, la paix intérieure, le recueillement dont il est empreint, est peut-être le chef-d'œuvre du maître. Dans la 3e salle, deux peintres brugeois anonymes : le Maître de la Légende de sainte Lucie et le Maître de la Légende de sainte Ursule.

La 4e salle présente des œuvres de **Gérard David** : *le Jugement de Cambyse* (ou histoire du juge prévaricateur) en deux panneaux, et le triptyque du *Baptême du Christ*, d'un coloris splendide. La salle 5 contient un *Jugement dernier* hallucinant de Jérôme Bosch. Les salles 6 et 7 sont consacrées à Jean Provost et Pierre Pourbus ; de ce dernier on admire de beaux portraits et un *Jugement dernier*.

Le musée est complété par une présentation de l'expressionnisme flamand et de la peinture belge contemporaine (Delvaux, Magritte, Broodthaers).

Traverser la ruelle pour pénétrer dans le parc (Arentspark).

Face au musée Brangwyn *(p. 72)*, des vitrines abritent des traîneaux et carrosses appartenant au musée Gruuthuse.

On franchit le pont St-Boniface (Bonifatiusbrug) (**AUV**), en dos d'âne, dans un **cadre★★** délicieusement poétique. Le buste de Luis Vives évoque cet humaniste espagnol du 16e s. qui finit ses jours à Bruges.

Passer entre le musée Gruuthuse et le flanc gauche de l'église Notre-Dame.

★★★ **Memlingmuseum** (**AV**) ⊘ – Il est situé dans l'ancien hôpital St-Jean (12e s.). Le petit **cloître** à droite en entrant abrite la **pharmacie** du 17e s. Les anciennes salles des malades présentent des œuvres d'art et des objets illustrant l'histoire hospitalière. Dans l'**église** sont exposées les œuvres de Memling.

La **Châsse de sainte Ursule** est sans doute le plus connu des ouvrages de Memling ; son enluminure minutieuse décrit la vie et le martyre de sainte Ursule et des 11 000 vierges, ses compagnes : débarquement à Cologne, puis à Bâle, arrivée à Rome ; retour à Bâle en compagnie du pape, puis à Cologne où la sainte est mise à mort par les Huns ; aux pignons, la Vierge et sainte Ursule abritant les vierges sous son manteau. Trois autres œuvres entourent la châsse dont deux sont capitales.

Le **Mariage mystique de sainte Catherine** représente l'Enfant Jésus glissant un anneau au doigt de la sainte tandis que sainte Barbe est plongée dans un livre ; de part et d'autre : la décollation de saint Jean-Baptiste, saint Jean l'évangéliste dans l'île de Patmos, les deux patrons de l'hôpital. Dans ce triptyque de 1479 chargé de symboles, Memling atteint à la grandeur ; d'après certains, sainte Catherine et sainte Barbe représenteraient Marie de Bourgogne et Marguerite d'York.

L'**Adoration des Mages**, de 1479, vaut par la beauté parfaite de la Vierge aux yeux baissés et celle juvénile du roi noir Balthazar.

Le triptyque de la **Déploration** (ou *la Déposition de Croix*) a été exécuté en 1480 à la demande du frère Adrien Reyns, représenté à genoux sur le volet intérieur droit ; sur le volet intérieur gauche figure sainte Barbe, très populaire à l'époque. La chapelle abrite l'inquiétante **Sibylle Sambeth**, diaphane et énigmatique. Le diptyque de **Martin van Nieuwenhove** avec le portrait du donateur et la **Vierge à la pomme** peints en 1487, sont d'une finesse admirable de dessin et de tons.

Récemment restaurés, les bâtiments du 19e s. abritent le **Kunstcentrum Oud St-Jan** (**AV**) : expositions temporaires de qualité.

★★ **Begijnhof** (**Béguinage**) (**AV**) – Le « béguinage de la vigne » fut fondé en 1245 par Marguerite de Constantinople, comtesse de Flandre. Enclos paisible, s'ouvrant près du canal par une belle porte classique, il groupe autour d'un vaste rectangle vert, semé de jonquilles au printemps et planté de grands arbres, l'église du 17e s. et les maisons blanches des béguines. Les bénédictines qui ont remplacé celles-ci en ont gardé le costume.

Begijnhuisje (Maison de béguine) (**AV K**) ⊘ – En traversant la cuisine et les chambres aux meubles rustiques, on parvient à un petit cloître avec un puits de briques. Le pont voisin offre une belle **vue** sur la charmante **maison éclusière** (sashuis) (**AV L**) qui précède le **Minnewater**, un des bassins de l'ancien port : c'est le fameux lac d'Amour. A droite, on remarque une tour des anciens remparts. Les cygnes qui évoluent dans ces eaux tranquilles évoquent une légende : en 1448 les Brugeois emprisonnèrent Maximilien d'Autriche et décapitèrent son conseiller Pierre Lanchals. Comme les armes de ce dernier comprenaient un cygne, Maximilien, une fois libéré, ordonna aux Brugeois, afin qu'ils expient leur crime, d'entretenir à perpétuité des cygnes sur les canaux de la ville.

★★★ **Boottocht (Promenade en barque)** ⊘ – Embarcadères (aanlegplaatsen) indiqués sur le plan.

C'est, pour les touristes pressés, une des meilleures façons d'apprécier le charme de Bruges. Pour d'autres, ce sera l'indispensable – et reposant – complément de l'itinéraire de visite à pied. En général, les bateaux gagnent le béguinage au Sud et le Spiegelrei au Nord.

A l'extrémité du **Spiegelrei**, ou quai du Miroir, s'élèvent la statue de Van Eyck et la Loge des Bourgeois (15ᵉ s.) (Poortersloge, **AT**) flanquée d'une tourelle, qui renferme les Archives de l'État ; une niche (non visible du bateau) abrite un ours en pierre, fétiche de la ville. De l'autre côté de la petite place se trouve l'ancien octroi ou Tonlieu, bâtiment datant de 1477.

Béguinage de Bruges

AUTRES CURIOSITÉS

★ **Gruuthusemuseum** (**AU M¹**) ⊘ – Le palais de Gruuthuse était à l'origine la maison du « grut », mélange de fleurs et plantes séchées que l'on ajoutait à l'orge et qui servait au brassage de la bière. La vaste demeure du 15ᵉ s., construite en briques d'une chaude tonalité rousse, abrite, au fond de la cour d'honneur, un musée d'Arts décoratifs.

Dans le cadre soigné de cet intérieur aux belles cheminées, le passé est évoqué par un millier d'objets anciens d'origine flamande, souvent brugeoise : très beaux meubles, sculptures, tapisseries, instruments de musique, armes... Dans la première salle on remarquera le **buste de Charles Quint**★ (1520) le représentant jeune homme (illustration p. 85).

L'oratoire en bois de Louis de Gruuthuse permettait un accès direct au chœur de l'église Notre-Dame.

★ **O.-L.-Vrouwekerk** (**Église Notre-Dame**) (**AV N**) ⊘ – En majeure partie du 13ᵉ s., elle est remarquable par sa **tour**★★ élancée, en briques, haute de 122 m.

Une statue en marbre blanc d'une grande noblesse, **La Vierge et l'Enfant**★★ par Michel-Ange, est placée sur un autel à l'extrémité du bas-côté droit.

Le chœur ⊘ – Il renferme les mausolées de Charles le Téméraire et de sa fille Marie de Bourgogne. Le **tombeau**★★ gothique de Marie de Bourgogne, morte à 25 ans (voir à Torhout), a été dessiné en 1498 par Jan Borman ; la gisante est remarquable avec son visage juvénile, son cou gracile, ses mains longues et fines aux doigts fuselés ; le soubassement est orné des armoiries de ses ascendants.

Le monument Renaissance du Téméraire date du 16ᵉ s. Au maître-autel, *Calvaire* de Van Orley. Dans le chœur ont été découverts plusieurs caveaux funéraires ornés de fresques ; parmi ces caveaux se trouve le tombeau primitif de Marie de Bourgogne.

Dans le déambulatoire, la chapelle funéraire de Pierre Lanchals abrite la belle *Vierge aux Sept Douleurs*, chef-d'œuvre d'Isenbrant (16ᵉ s.), et un *Christ en croix* peint par Van Dyck. Une tribune (15ᵉ s.) en bois sculpté communique avec le musée Gruuthuse.

Le tombeau de Marie de Bourgogne

★ **Brangwynmuseum (Musée Brangwyn)** (**AU M⁴**) ⊘ – Cet hôtel particulier de la fin du 18ᵉ s. renferme un riche ensemble de vues anciennes de Bruges (17ᵉ-19ᵉ s.) et une importante collection de dentelles.
A l'étage, œuvres du peintre et graveur anglais **Frank Brangwyn** (1867-1956).

Jeruzalemkerk (Église de Jérusalem) (**DY**) ⊘ – A l'angle de la Balstraat, on voit sa curieuse tour à lanterne. Cette église fut édifiée au 15ᵉ s. par la famille Adornes, commerçants originaires de Gênes. Lors d'un pèlerinage en Terre sainte Jacques et Pierre Adornes s'étaient procuré un plan de l'église du St-Sépulcre, qui leur servit de modèle.
Sur le retable de l'autel de la nef, on distingue les instruments de la Passion ; les vitraux datent du 16ᵉ s. et représentent les membres de la famille Adornes. Au centre de la nef, gisant d'Anselme Adornes et de son épouse (15ᵉ s.). Dans la crypte a été reconstitué le tombeau du Christ.

A côté de l'église de Jérusalem, le **Centre de la dentelle** (Kantcentrum) (**DY**) ⊘ s'efforce de sauver de l'oubli l'art délicat de la dentelle au fuseau.

★ **Museum voor Volkskunde (Musée du Folklore)** (**DY M²**) ⊘ – Au n° 40 du Rolweg, l'enseigne « Au Chat noir » (Zwarte Kat), nom d'un estaminet, indique l'entrée du musée.
Présentées dans les charmantes maisons-Dieu édifiées au 17ᵉ s. par la corporation des cordonniers, les collections d'objets usuels, d'outils, les reconstitutions d'un intérieur, d'une boutique évoquent le folklore et les traditions de la Flandre-Occidentale.

Kruispoort (Quartier de la Porte-Ste-Croix) (**DY**) – Autour de la Porte-Ste-Croix, percée dans les remparts, se trouvent quelques curiosités :
Au Nord s'élèvent sur les anciens remparts trois **moulins** à vent sur pivot. Le premier, **Bonne Chieremolen** (**DXY**) ⊘, a été transporté en 1911 d'Olsene. Le second, **St.-Janshuismolen** (**DX**) ⊘, date de 1770.
A proximité se trouve le **musée du poète Guido Gezelle** (Guido Gezellemuseum) (**DX M³**) ⊘ installé dans sa maison natale.
Dans la Camersstraat, la **guilde des Archers de St-Sébastien** (Schuttersgilde St-Sebastiaan) (**DX Y**) ⊘ conserve dans un bel ensemble architectural des 16ᵉ et 17ᵉ s. des portraits des « rois » de la guilde et une collection d'orfèvrerie.
Dans la même rue se trouve le **Couvent anglais** (Engels Klooster) (**DX**) ⊘, dont la chapelle à coupole date du 18ᵉ s.

St.-Salvatorskathedraal (Cathédrale St-Sauveur) (**AU**) ⊘ – Sur une place ombragée se dresse cet imposant édifice gothique, en brique, flanqué d'une tour haute de 99 m.
Commencé au 10ᵉ s. par la base de la tour, il a été souvent incendié et terminé seulement au 16ᵉ s. par les chapelles du chœur. Le sommet de sa tour a été réalisé au 19ᵉ s. dans le style roman.

A l'intérieur, la nef s'élève sur des colonnes en faisceaux très élancées. Dans le chœur, le triforium et les hautes fenêtres du 13e s. surmontent des murs refaits au 15e s.

La décoration est riche. Au fond de la nef, le jubé de la fin du 17e s., de style baroque, est surmonté d'une belle statue de *Dieu le Père*, par Artus Quellin le Jeune. Au-dessus, buffet d'orgues de 1719. La chaire (1785) a été sculptée par H. Pulinx. Les stalles du 15e s. sont surmontées d'armoiries des chevaliers de la Toison d'Or dont le 13e chapitre se tint ici en 1478 ; au-dessus, tapisseries bruxelloises (1725).

Schatkamer (Trésor) ⊘ – *Accès par bras droit du transept.* Outre quelques objets d'art lithurgique, il contient d'intéressantes peintures : *Martyre de saint Hippolyte* par Thierry Bouts, triptyque dont le volet gauche est attribué à Van der Goes.

St.-Annakerk (Église Ste-Anne) (DY) – L'intérieur de cette église bâtie au 17e s. dans le style gothique a été agrémenté d'un riche mobilier baroque : jubé, lambris et confessionnaux, chaire, etc.

Ezelpoort (Porte d'Ostende ou des Baudets) (BX) – Elle se dresse dans un joli site ombragé, à l'extrémité d'un canal dont les eaux paisibles sont fréquentées par des cygnes.

Godshuizen (Maisons-Dieu) *(voir légende du plan)* – Les maisons-Dieu, très nombreuses à Bruges du 15e au 18e s., étaient des sortes d'asiles pour vieillards ou miséreux, financés par les corporations. Ce sont généralement des rangées de maisons basses en brique, blanchies à la chaux, et d'allure modeste. La façade de chaque demeure présente une porte, une fenêtre que surmonte une haute lucarne.

Outre la maison du Pélican *(p. 80)*, les maisonnettes du musée du Folklore *(ci-dessus)*, il faut voir celles de Gloribusstraat (**CZ 25**), Moerstraat (**AT 48**), Zwarte-Leertouwersstraat (**DY 85**), Nieuwe Gentweg (**AV**) et Katelijnestraat (**AV**).

Museum O.-L.-Vrouw ter Potterie (Musée Notre-Dame-de-la-Poterie) (CDX M⁵) ⊘ – Au n° 79 du Potterierei se situe l'ancien hôpital N.-D.-de-la-Poterie (13e s.), dont le rôle était comparable à celui de l'hôpital St-Jean. Quoiqu'il serve encore de maison de retraite, une partie de l'hôpital, comprenant l'ancienne salle des malades, le cloître (14e-15e s.) et le passage vers la petite église baroque richement décorée, abrite un musée : meubles des 15e, 16e et 17e s., peintures, livres d'heures flamands, objets évoquant la vie religieuse et la dévotion pour la Vierge miraculeuse N.-D.-de-la-Poterie.

ENVIRONS

Voir plan d'agglomération dans le guide Michelin Benelux.

★ **Damme** – *7 km au Nord-Est. Description de Damme, voir à ce nom.*

Accès en bateau ⊘ – En saison, on peut se rendre à Damme en bateau. *Embarquement Noorweegse kaai* (**DX 51**), au Nord-Est de Bruges.

La route longe le canal Napoléon (créé en 1812), beau cours d'eau où se reflètent des arbres légèrement inclinés par le vent.

St.-Michiels – *3 km au Sud.*

Boudewijnpark (Parc Baudouin) ⊘ – Ce parc offre de multiples attractions. Deux magnifiques **orgues de Barbarie**, nommés De Senior (1880) et De Condor, sont exposés dans la grande salle de restaurant.

Un vaste bâtiment abrite une immense **horloge astronomique, Heirmanklok** ⊘. Construit par Edgar Heirman, cet appareil finement décoré et agrémenté de nombreux automates s'anime devant le visiteur.

Face à l'entrée du parc, le **Dolfinarium** ⊘ donne des représentations dont les vedettes sont les dauphins et les otaries.

Tillegembos (Bois de Tillegem) – Il présente sur ses 44 ha des promenades balisées, un étang près duquel se trouvent un cabaret typique et un vieux moulin à huile à traction animale (rosmolen).

Loppem (Lophem) – *7 km au Sud.*

Kasteel (Château) ⊘ – A la demande du baron et de la baronne Charles van Caloen, le château néo-gothique de Loppem fut dessiné par l'architecte londonien Edward Welby Pugin (1834-1875) et le baron Jean Béthune, architecte de l'abbaye de Maredsous *(voir à Vallée de la Molignée)*. Le roi Albert et sa famille y séjournèrent en octobre et novembre 1918. Là le souverain promit l'instauration du suffrage universel et la « flamandisation » de l'université de Gand. Le château abrite, dans un cadre néo-gothique, une intéressante collection d'œuvres d'art : peintures – surtout des 16e et 17e s. –, faïences, porcelaines, etc.

Parmi les tableaux des écoles flamande et hollandaise, remarquer la *Place du Bourg*
à Bruges, peinte au début du 17ᵉ s. A l'étage est exposée la collection de Jean van
Caloen ; elle comprend une soixantaine de sculptures religieuses (13ᵉ-16ᵉ s.) de
diverses provenances (Pays-Bas, France, Italie, Espagne, Allemagne).
Dans le parc se trouve un **labyrinthe** (doolhof) ⊘.

Zedelgem – *10,5 km au Sud. Quitter Brugge par la N 32* (**BZ**).
Après avoir traversé la A 10, on aperçoit à droite l'**abbaye St-André** (Zeven-Kerken),
grand centre missionnaire dont les bâtiments entourent une basilique à sept sanctuaires, édifiée au début du siècle.
Au carrefour suivant, tourner à droite.

L'église St-Laurent de Zedelgem renferme de remarquables **fonts baptismaux★** (11ᵉ-
12ᵉ s.) Posées sur un socle abondamment sculpté, quatre colonnes soutiennent une
cuve aux faces ornées de scènes en relief. Aux quatre angles est représenté saint
Nicolas.

Male – *5 km à l'Est par la N 9* (**DY**).

Kasteel (Château) ⊘ – Les chanoinesses régulières de St-Trudon habitent depuis
1954 l'immense château de Male, entouré de douves, qui fut la résidence des
comtes de Flandre.
On peut voir la salle des chevaliers et l'église, reconstruite en 1965.

Buste de Charles Quint, attribué à Konrad Meit.
Musée Gruuthuse, Bruges

GUIDES MICHELIN

Les guides Rouges (hôtels et restaurants) :
Benelux – Deutschland – España – Portugal – main cities Europe – France –
Great Britain and Ireland – Italia – Suisse

Les guides Verts (paysages, monuments, routes touristiques) :
Allemagne – Autriche – Belgique-Grand-Duché de Luxembourg – Bruxelles –
Californie – Canada – Écosse – Espagne – Florence et Toscane – France –
Grande-Bretagne – Grèce – Hollande – Irlande – Italie – Londres – Maroc – New
York – Nouvelle-Angleterre – Paris – Portugal – Le Québec – Rome – Suisse

... et la collection des guides régionaux sur la France.

BRUXELLES/BRUSSEL★★★

964 385 habitants (agglomération)

Cartes Michelin n°s 409 G 3, et pour l'agrandissement plis 21 et 22, et n° 213 pli 18.

Capitale de la Belgique, résidence royale, siège des communautés européennes (UE, Euratom, CECA) et de l'OTAN, Bruxelles est une cité très animée et un monde de contrastes : contraste linguistique entre néerlandophones et francophones auxquels s'ajoute la présence des fonctionnaires européens qui s'expriment souvent en anglais ; contraste dans son urbanisme entre ses grands boulevards aux vastes perspectives, débouchant sur des édifices monumentaux, et ses dédales de petites rues et places bordées de maisons à pignon ; contraste entre les vastes parcs et les quartiers de tours modernes comme le **World Trade Center** ; contraste, enfin, entre son aspect commercial et son rôle de centre culturel. Bruxelles connaît en effet une intense vie intellectuelle, possède des musées réputés, de nombreux théâtres et salles de spectacles. L'activité musicale y trouve son couronnement dans les célèbres **concours Reine Élisabeth** (piano, violon, composition, chant) au printemps. Le **festival Europalia** (années impaires) évoque les arts et la culture d'un autre pays ou ville.

Enfin, Bruxelles est aussi la ville du confort et de la bonne chère.

L'Agglomération de Bruxelles – Ainsi se définit depuis 1971 le groupe des 19 communes, dont Bruxelles, au centre, est la plus étendue.

La **Commune de Bruxelles** (Ville) englobe principalement le « pentagone » formé par la Petite Ceinture des boulevards et le quartier de Laeken.

A l'intérieur du « pentagone » on distingue deux parties : le **Bas de la ville**, qui s'étend dans la vallée de la Senne (actuellement voûtée), autour de l'Îlot sacré avec sa Grand-Place, se consacre à des activités commerciales ; le **Haut de la ville**, sur le Coudenberg et les autres collines avoisinant le parc de Bruxelles, rassemble

Ph. Maille/EXPLORER

Les Galeries Saint-Hubert

le Palais Royal, le Parlement, les principaux ministères, le Palais de Justice.

Les communes du Nord et de l'Ouest, près du port et des canaux, sont très industrielles ; l'Est et le Sud, au contraire, sont résidentiels et agrémentés de grands parcs.

UN PEU D'HISTOIRE

Un Moyen Âge sans histoire – Bruxelles apparaît à la fin du 10e s. lorsque Charles, duc de Basse-Lotharingie, s'y installe et s'y fait construire un château dans l'île St-Géry, formée par les bras d'une petite rivière, la Senne. Le site est marécageux : il est nommé Brosella, mot franc signifiant « établissement dans les marais ».

Bruxelles devient une étape commerciale entre Cologne et la Flandre tandis que se développe la draperie.

Signe de prospérité, l'église St-Michel, édifiée sur une colline, prend le titre de collégiale en 1047 ; elle est placée alors sous l'invocation de sainte Gudule, vierge dont la piété triomphe du diable qui éteint sa lanterne lorsqu'elle se rend à ses dévotions.

Les premiers remparts s'élèvent au 12e s.

Une nouvelle enceinte est construite de 1357 à 1379. Détruite sur ordre de Napoléon, elle est marquée de nos jours par la couronne de boulevards appelée Petite Ceinture. Des sept portes fortifiées, il ne reste que la porte de Hal, au Sud.

Durant tout le Moyen Âge, des conflits opposent artisans et bourgeois, mais la commune reste fidèle à son prince.

Au 15e s., sous l'impulsion de la bourgeoisie marchande et des ducs de Bourgogne, Bruxelles s'adonne aux arts. On y érige un magnifique hôtel de ville, orné de peintures de Roger Van der Weyden (détruites en 1695). Maintes fontaines décorent les rues.

Dès la fin du siècle, la tapisserie de Bruxelles produit des œuvres remarquables *(p. 29)*.

Les malheurs de la capitale des Pays-Bas – Au 16ᵉ s., la ville fête l'avènement de Charles Quint qui est couronné à Ste-Gudule en 1516. La gouvernante Marie de Hongrie s'installe en 1531 à Bruxelles qui remplace peu à peu Malines comme siège du gouvernement central des Pays-Bas. C'est au palais du Coudenberg que Charles Quint abdique en octobre 1555, transmettant à son fils Philippe II ses pouvoirs sur les Pays-Bas.

Sous Philippe II, Bruxelles est mêlée aux troubles religieux du 16ᵉ s. : ses bourgeois protestent par les armes contre le régime espagnol symbolisé par le duc d'Albe. En 1568, l'échafaud du **comte d'Egmont** et celui de son compagnon, le comte de Hornes, se dressent sur la Grand-Place. Egmont, capitaine général des Flandres, avait été condamné pour avoir soutenu le comte de Hornes et Guillaume de Nassau dans la révolte des Pays-Bas contre Philippe II. Goethe en fit le héros d'une tragédie (1787) qui porte son nom, et qui fut portée à la scène sur une musique de Beethoven en 1810.

En 1575, la ville, qui s'était affranchie de la tutelle espagnole, est reprise par Farnèse. En 1695 : la guerre de la Ligue d'Augsbourg vaut à Bruxelles d'être assiégée par le maréchal français de Villeroi sur l'ordre de Louis XIV qui veut ainsi dégager Namur assiégée. Du centre de la ville, il ne reste que des ruines. Un grand effort de reconstruction est réalisé.

Après le passage du gouverneur Charles de Lorraine qui contribue à son embellissement, Bruxelles devient, sous la domination française, en 1795, chef-lieu du département de la Dyle. Elle reprend en 1815 son rôle de capitale qu'elle partage en alternance avec La Haye pendant 15 ans.

Une terre d'accueil – Bruxelles ne compte plus les célébrités françaises qu'elle a hébergées au 19ᵉ s. Le peintre Jacques-Louis David, proscrit en 1816, y passe les dix dernières années de sa vie. C'est le lieu de rassemblement des politiciens français s'opposant à Napoléon III : Barbès, Proudhon, Blanqui. Victor Hugo séjourne sur la Grand-Place en 1852 ; Baudelaire effectue là – sans succès – une série de conférences en 1864 ; c'est aussi tout près de la Grand-Place, en 1873, que Verlaine tire sur Rimbaud qui menaçait de l'abandonner ; il sera incarcéré à la prison de l'Amigo puis à Mons.

La capitale de la Belgique – A la suite de la Révolution de 1830 marquée par les « journées de septembre » à Bruxelles, les provinces belges sont séparées de la Hollande. Le pays devient indépendant ; c'est le royaume de Belgique avec pour capitale Bruxelles où le roi **Léopold Iᵉʳ** fait son entrée solennelle le 21 juillet 1831 (depuis lors le 21 juillet est le jour de la fête nationale).

A partir de 1830 et particulièrement à la fin du siècle, la ville prend un essor considérable. 1834 marque la fondation de son Université libre. C'est de la gare de l'Allée verte qu'a lieu, en 1835, la première liaison ferroviaire d'Europe (Bruxelles-Malines). En 1859 est érigée la Colonne du Congrès commémorant le Congrès National qui promulga la première Constitution belge.

Sous l'impulsion du roi **Léopold II** (1865-1909) sont entrepris d'importants travaux qui renouvellent la physionomie de la capitale. A l'initiative d'Anspach, le Haussmann bruxellois, on trace les grands boulevards centraux. On aménage de nombreux parcs, dont celui de Laeken. On construit d'imposants monuments :
– le palais du Cinquantenaire et son arcade, le musée de Tervuren, reliés entre eux par l'avenue de Tervuren ;
– la basilique de Koekelberg achevée en 1970 et desservie par la grandiose avenue Léopold-II.

Citons encore, parmi une multitude d'édifices : le musée d'Art ancien, la Bourse, le théâtre de la Monnaie, le palais de Justice. La façade du palais royal date de cette époque.

L'extension après la dernière guerre – Le percement de la **Jonction**, voie ferrée en partie souterraine, reliant la gare du Midi à la gare du Nord et inaugurée en 1952, a entraîné la transformation du quartier intermédiaire entre la ville basse et la ville haute, la construction d'ensembles neufs tels que la Banque Nationale, la Cité administrative (1958-1984) et l'aménagement dans un cadre architectural moderne du Mont des Arts. Pour l'Exposition universelle de 1935, on avait déjà construit au plateau du Heysel les Palais du Centenaire dans le parc des Expositions. 1958, année de la deuxième **Exposition universelle**, voit la construction de l'Atomium et le percement des tunnels de la **Petite Ceinture.**

Depuis cette date, une pléthore d'édifices publics ou privés ont contribué à la modernisation de la ville. Il faut signaler en particulier : la bibliothèque Royale (1969), le centre européen du Berlaymont (1967), l'immeuble abritant la Poste Centrale et les services administratifs de la Ville de Bruxelles (1971) et le Musée d'Art moderne (1978-1984).

A Forest, le Palais des Sports et des Spectacles de Forest-National (1970), récemment réaménagé, accueille des concerts, des spectacles et des manifestations sportives. La très moderne et fonctionnelle faculté de médecine de l'Université Catholique de Louvain-la-Neuve *(voir à ce nom)*, dotée d'un hôpital, a été construite à Woluwe-St-Lambert.

Bruxelles se forge un nouveau visage – De nos jours, en dehors de l'Ilot sacré que constituent la Grand-Place dont les édifices anciens sont préservés, Bruxelles réalise d'importantes reconstructions.

A l'Ouest de la gare du Nord, on a érigé de grandes tours, parmi lesquelles le **World Trade Center** (**FQ**) et le Manhattan Center. Sur la **place Rogier** (**FQ 213**), le gratte-ciel du Centre International Rogier abrite le Théâtre national. Tout proche, dans la rue Neuve, a été édifié un centre commercial, le City 2 (**FQ**) en partie souterrain.

Actuellement Bruxelles s'attache à sauvegarder son patrimoine architectural et à entreprendre la rénovation des immeubles existants.

Pour compléter ce développement urbain, on s'efforce d'améliorer le système des transports. Les lignes de métro actuelles et les voies de circulation souterraine des tramways s'étendent sur 40 km et ce réseau continue à s'élargir. La décoration des stations de métro a été confiée à de grands artistes belges.

Les traditions – Les Bruxellois restent fidèles à leurs manifestations folkloriques traditionnelles : **Ommegang** *(voir ci-dessous)*, plantation du Meyboom *(voir p. 37)* ainsi qu'à leurs marchés en plein air, parmi lesquels on peut signaler, sur la Grand-Place, le marché aux oiseaux, place du Grand-Sablon, le marché des antiquités et du livre, et, place du Jeu-de-Balle, le marché aux puces.

★★★ GRAND-PLACE ⊙ *visite : 1 h 1/2*

La « gigantesque place » qu'admira Victor Hugo, le « riche théâtre », que célébra Jean Cocteau, est unique au monde. Il faut la voir aux heures matinales lors du marché aux fleurs, en été, ou la nuit lorsque les illuminations, soulignant ses dorures, lui donnent un relief étonnant, ou encore le dimanche matin, lors du marché aux oiseaux. Tous les deux ans, un Tapis de Fleurs couvre pendant quelques jours en août les pavés de la Grand-Place *(voir le chapitre Manifestations en fin de guide)*.

Les maisons des corporations – Bâties après la destruction de la ville par les Français en 1695 et restaurées au 19e s., elles entourent la Grand-Place de leurs belles façades baroques. En général, les trois ordres, ionique, dorique et corinthien, s'y superposent ; le tout est surmonté de pignons à volutes et décoré de sculptures, de motifs dorés et de pots à feu.

Chaque année, en juillet, lors de l'aristocratique cortège de l'**Ommegang** *(voir le chapitre des Renseignements pratiques en fin de volume)*, les corporations sont à l'honneur ainsi que les Serments (troupes armées) et les chambres de rhétorique. Ce défilé majestueux où flottent des centaines de drapeaux est une reconstitution de la cérémonie qui eut lieu en 1549, en présence de Charles Quint et de sa sœur Eléonore de Habsbourg, veuve de François Ier.

En faisant le tour de la place dans le sens contraire des aiguilles d'une montre, on voit :

1-2 Le Roi d'Espagne ou maison des Boulangers, surmontée d'un dôme et d'une girouette dorée représentant la Renommée.

3 La Brouette, maison des Graissiers.

4 Le Sac, maison des Tonneliers et des Ébénistes.

5 La Louve, maison des Archers. Elle porte un groupe sculpté représentant Romulus et Remus allaités et, au second étage, les quatre statues de la Vérité, du Mensonge, de la Paix et de la Discorde.

6 Le Cornet, maison des Bateliers. Son pignon affecte la forme d'une poupe de frégate.

Maisons des corporations

1-2 - Le Roi d'Espagne	**9** - Le Cygne
3 - La Brouette	**10** - L'Arbre d'Or
4 - Le Sac	**24-25** - La Chaloupe d'Or
5 - La Louve	
6 - Le Cornet	**26-27** - Le Pigeon
7 - Le Renard	**28** - La chambrette de l'Amman
8 - L'Étoile	

7 Le Renard, maison des Merciers. Au-dessus du rez-de-chaussée court une frise sculptée. Au sommet, statue de saint Nicolas.

L'hôtel de ville (H) *(voir ci-dessous).*

8 L'Étoile. Sous l'arcade le mémorial 't Serclaes, par Dillens, assurerait le bonheur à ceux qui y posent la main.

9 Le Cygne, maison des Bouchers.

10 L'Arbre d'Or, maison des Brasseurs occupée en partie par la Confédération des Brasseries en Belgique. Elle est surmontée de la statue de Charles de Lorraine. Dans les caves est installé le **musée de la Brasserie** ⊙ : reconstitution d'une brasserie du 17ᵉ s. avec les accessoires de préparation de la bière ; une toute nouvelle salle évoque les techniques ultramodernes du brassage.

13 au **19 Maison des ducs de Brabant.** Son imposante façade (1698) surmontée d'un beau fronton sculpté et d'un attique dans le style de l'Italien Palladio dissimule six maisons de corporations. Une rangée de bustes des ducs de Brabant orne les pilastres.

24-25 La Chaloupe d'Or, maison des Tailleurs.

26-27 Le Pigeon, maison des Peintres, où Victor Hugo séjourna en 1852.

28 La Chambrette de l'Amman. L'amman était un magistrat représentant le duc de Brabant.

Hôtel de ville (H) ⊙ – *Illustration p. 24.* De pur style gothique, il date des 13ᵉ et 15ᵉ s. Au début du 15ᵉ s., il ne comprenait que l'aile gauche et un beffroi, et avait pour entrée principale l'actuel escalier des Lions. Il fut agrandi de l'aile droite, légèrement plus courte. L'ensemble est dominé par une tour construite par Van Ruysbroeck, merveille d'élégance et de hardiesse (96 m), que surmonte un Saint Michel de cuivre doré.
A l'intérieur, belles tapisseries de Bruxelles, en particulier celles de la salle Maximilienne.

J. Evrard, Bruxelles

Tapis de fleurs sur la Grand-Place

Maison du Roi – Reconstruite au 19ᵉ s. d'après les plans de 1515, c'est l'ancienne halle au pain, puis maison du duc où ne résida en fait aucun roi.
Elle abrite le **musée de la ville de Bruxelles** ⊙. Il renferme des œuvres d'art, des collections retraçant l'histoire de la ville ainsi que de nombreuses industries d'art bruxelloises.
Au rez-de-chaussée, parmi les peintures et retables des 15ᵉ et 16ᵉ s., on admire le paisible *Cortège de Noces,* attribué à Pierre Bruegel l'Ancien, et le *Retable de Saluces,* chef-d'œuvre du début du 16ᵉ s. Parmi les tapisseries bruxelloises se distingue celle qui représente la légende de N.-D.-du-Sablon (1516-1518) d'après des cartons attribués à B. van Orley. Les collections de porcelaines et d'argenterie constituent de beaux exemples d'art décoratif bruxellois. Remarquer dans la salle consacrée à la sculpture gothique les huit prophètes provenant du portail de l'hôtel de ville.
Au 1ᵉʳ étage, des tableaux, gravures, photos et autres objets, dont une maquette de Bruxelles au 13ᵉ s., illustrent la croissance de la ville et les transformations qu'elle a connues au cours des siècles.
Le 2ᵉ étage évoque l'histoire des Bruxellois, des origines à nos jours. La dernière salle contient des habits offerts au Manneken Pis.

★★ LES SABLONS ET LE MONT DES ARTS *visite : 1/2 journée*

Partir de la Grand-Place et suivre l'itinéraire sur le plan.

La rue de l'Étuve est bordée comme toutes les rues voisines aux noms pittoresques de maisons à pignon.

★★ **Manneken Pis (JZ)** – Le Manneken Pis, appelé aussi « Petit Julien », a été sculpté par Jérôme Duquesnoy l'Ancien en 1619 et alimentait le quartier en eau. Ce petit garçon potelé (manneken : petit bonhomme), dont le geste naturel s'accompagne d'une grâce charmante, symbolise la goguenardise et la verdeur brabançonnes. Pour sauvegarder la décence ou plutôt pour honorer le plus célèbre et « le plus ancien citoyen de Bruxelles », la coutume est de lui offrir un vêtement : depuis Louis XV, qui fit don d'un bel habit à la française, jusqu'à la Military Police, donatrice d'un uniforme, tous les pays ont participé à cette garde-robe qui occupe une salle du musée de la ville de Bruxelles *(voir ci-dessus)*.

On longe la **tour Anneessens (JZ C¹)**, vestige de l'enceinte du 12e s., où aurait été emprisonné, avant d'être exécuté en 1719, Anneessens, représentant des métiers, en révolte contre le gouvernement autrichien.

★ **Église N.-D.-de-la-Chapelle (JZ)** ⊙ – *Travaux en cours.* Elle est située à la lisière du populaire quartier des Marolles. Si le transept (13e s.) est de style roman, la majeure partie de l'édifice présente les caractéristiques de l'art gothique brabançon ; on remarque en particulier à l'extérieur l'alignement des pignons latéraux et la tour-porche.

Le peintre Pierre Bruegel l'Ancien fut inhumé dans cette église en 1569 ; son mémorial en marbre noir, surmonté d'une copie de Rubens, le *Christ remettant les clefs à saint Pierre*, se trouve dans la 4e chapelle du bas-côté droit ; dans la 5e chapelle du bas-côté droit, intéressant triptyque exécuté par Henri de Clerck en 1619 ; dans la 4e chapelle du collatéral gauche, belle **statue★** en bois de sainte Marguerite d'Antioche (vers 1520). Dans la chapelle à droite du chœur, monument funéraire des Spinola, en marbre, de 1716.

★ **Place du Grand-Sablon (KZ 112)** ⊙ – Encadrée de façades anciennes, c'est la place élégante de Bruxelles avec ses magasins d'antiquaires, ses nombreux cafés et ses restaurants chic.

★ **Église N.-D.-du-Sablon (KZ)** – Ce bel édifice flamboyant était à l'origine la chapelle de la guilde des Arbalétriers. La légende raconte qu'en 1348 la pieuse Béatrice Soetkens, ayant vu en songe la statue d'une Vierge, l'apporta d'Anvers à Bruxelles dans une barque et en fit don aux arbalétriers. Devenu lieu de pèlerinage, le sanctuaire dut être agrandi vers 1400 et fut terminé vers 1550 par le portail principal. Le « sacrarium », petite construction très décorée destinée à abriter le Saint Sacrement, a été accolé à l'abside en 1549.

À l'intérieur, on admire le chœur très élancé : entre de hautes verrières s'allongent de fines colonnettes. La chaire date de 1697. Le croisillon Sud est orné d'une belle rosace. Les chapelles des bas-côtés communiquent entre elles à la manière brabançonne ; leurs arcatures possèdent, comme celles du chœur, des écoinçons historiés. Au-dessus de l'entrée se trouve la statue *N.-D.-à-l'Arbre (voir à Anvers)*.

Près du chœur se trouve la **chapelle sépulcrale des Tour et Taxis** (ou Tassis), famille d'origine autrichienne qui fonda en 1516 la poste internationale. Le décor de marbre noir et blanc est l'œuvre de Lucas Fayd'herbe. Une statue de sainte Ursule, en marbre blanc, est due à Jérôme Duquesnoy le Jeune.

De magnifiques tapisseries attribuées à Bernard van Orley et illustrant la légende de N.-D.-du-Sablon étaient destinées à orner les bas-côtés. L'une est visible au musée de la ville de Bruxelles, une autre aux musées royaux d'Art et d'Histoire.

★ **Square du Petit-Sablon (KZ 195)** – Transformée en square, cette place est entourée de colonnes portant 48 charmantes statuettes en bronze représentant les métiers bruxellois. A l'intérieur du square se trouvent les statues des comtes d'Egmont et de Hornes par Fraikin et celles des grands humanistes du 16e s. Au Sud-Est s'élève le **palais d'Egmont (KZ)** ou d'Arenberg, où ont lieu les réceptions internationales. Au Nord, dans la rue des Six-Jeunes-Hommes, de jolies maisons anciennes ont été restaurées. En bordure de la place, à l'angle de la rue de la Régence, se trouve le **musée instrumental (KZ M²)** *(voir ci-dessous)*.

★★★ **Musées royaux des Beaux-Arts de Belgique (KZ)** – Ils comprennent le musée d'Art ancien et le musée d'Art moderne (**M¹**) *(voir ci-dessous)*.

★ **Place Royale (KZ)** – Au sommet du Coudenberg (montagne froide), cette place aux proportions élégantes, de style Louis XVI, fait partie du quartier reaménagé à la fin du 18e s. par Charles de Lorraine. Bâtie par les architectes français Guimard et Barré, la place est dominée par l'église St-Jacques-sur-Coudenberg.

Du centre où se dresse la statue de Godefroi de Bouillon, belle vue sur les jardins du Mont des Arts, la tour de l'hôtel de ville et sur le palais de Justice. Depuis quelque temps, on entreprend des fouilles afin de dégager l'Aula Magna, la grande salle d'apparat érigée sous Philippe le Bon.

BRUXELLES
BRUSSEL

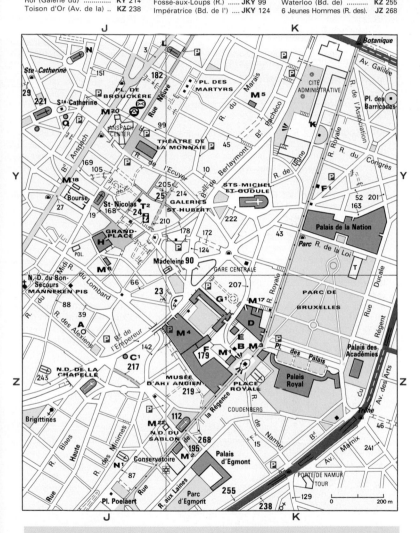

A - Tour de Villers
B - Old England
C - Hôtel Métropole
C¹ - Tour Anneessens
D - Palais des Beaux-Arts
E - Hôtel Ravenstein
F - Appartements de Ch. de Lorraine
F¹ - Vitrine de P. Hankar
G - Palais de la Dynastie
G¹ - Palais des Congrès
H - Hôtel de Ville
K - Colonne du Congrès
L - Église Notre-Dame-du-Finistère
N - Église St-Jean-Baptiste-au-Béguinage

N¹ - Église Sts-Jean-et-Étienne-aux-Minimes
Q - Tour Noire
M¹ - Musée d'Art moderne
M² - Musée instrumental
M³ - Hôtel Bellevue
M⁴ - Bibliothèque Royale Albert Iᵉʳ
M⁵ - Centre belge de la Bande Dessinée
M⁶ - Musée du Costume et de la Dentelle
M¹⁷ - Musée du Cinéma
M¹⁸ - Musée Bruxella 1238
M²⁰ - Historium (Musée de Cire)
M²² - Musée des Postes
       et des Télécommunications
T² - Théâtre de Toone

Avec votre guide Michelin il vous faut des cartes Michelin.

Place des palais (KZ) – Vaste esplanade, elle est dominée par le **palais royal** ⊙ dont la façade à colonnade en arc de cercle fut construite sous Léopold II ; un drapeau au sommet signale la présence du souverain dans le pays. A l'intérieur, la **salle du Trône★**, de 1872, ornée de grands lustres, est somptueuse.

A l'Est de la place le **palais des Académies**, de 1823, est l'ancienne résidence du prince d'Orange.

A l'Ouest de la place, en contrebas de la rue Royale, se dissimule le **palais des Beaux-Arts (KZ D)**, édifié de 1922 à 1928 par Victor Horta, où se déroulent de nombreuses et importantes manifestations culturelles (expositions, concerts, cinéma, théâtre). Il abrite en outre le **musée du Cinéma.**

Hôtel Bellevue (KZ M³) ⊙ – Cet hôtel néo-classique fut construit entre 1776 et 1777. Il abritait jusqu'en 1902 un hôtel de luxe pour voyageurs. Le bâtiment fut incorporé au Palais royal et servait de résidence à la Princesse Clémentine, la fille de Léopold II.

Les 1er et 2e étages abritent le **Musée de la Dynastie** ⊙ qui expose une documentation complète sur la famille royale belge depuis 1831 à nos jours. Un mémorial consacré au roi Baudouin y ouvrira bientôt ses portes.

★ **Parc de Bruxelles (KYZ)** – C'est l'ancien terrain de chasse des ducs de Brabant, qui fut transformé en jardin à la française au 18e s. par le Français Barnabé Guimard et l'Autrichien Joachim Zinner, et peuplé de statues dont la charmante *Fillette à la coquille* de A. de Tombay.

★ **Old England (KZ B)** – Ce splendide bâtiment Art Nouveau (1899), de l'architecte Paul Saintenoy (1862-1952), fut une commande de la société britannique Old England qui s'implanta à Bruxelles en 1886. La récente restauration a redonné à ces anciens magasins toute leur splendeur. L'édifice accueillera prochainement le Musée instrumental.

Hôtel Ravenstein (KZ E) – Sur la rue Ravenstein, en contrebas de la place Royale, cet hôtel des 15e et 16e s. présente une façade flanquée d'une tourelle ainsi qu'une jolie cour intérieure.

Appartements de Charles de Lorraine (KZ F) ⊙ – Au Nord-Ouest de la rue du Musée s'élève la façade néo-classique du palais de Charles de Lorraine ; il s'agit de la seule aile conservée d'un bâtiment que le gouverneur des Pays-Bas fit construire entre 1756 et 1780 à l'emplacement de l'ancien hôtel de Nassau. De nos jours, le cabinet des Estampes et la section de la chalcographie de la Bibliothèque Royale occupe le rez-de-chaussée. Un escalier monumental, au pied duquel s'élève une statue représentant Hercule (1770) sous les traits du gouverneur par Laurent Delvaux, mène au 1er étage. On y admire un salon rond décoré d'un pavement de marbre – remarquer la rosace de 28 marbres belges – et cinq pièces restaurées donnant sur la rue du Musée où l'on aperçoit le puits de lumière du musée d'Art moderne.

Bibliothèque Royale Albert Ier (KZ M⁴) ⊙ – Cette bibliothèque, née au 15e s., lors du règne des ducs de Bourgogne, est ouverte au public depuis 1839 et fut transférée au Mont des Arts en 1969. Elle renferme quatre millions de volumes, de magnifiques collections que l'on peut consulter sur place : manuscrits et imprimés, estampes et dessins, cartes et plans, monnaies et médailles. Le bâtiment englobe la **chapelle de Nassau** ou chapelle St-Georges, vestige de l'ancien palais de Nassau. De style gothique flamboyant (1520), elle sert de cadre à des expositions temporaires.

Musée du Livre et cabinets de donation ⊙ – Les cabinets de donation comprennent une reconstitution du cabinet de travail d'Émile Verhaeren à St-Cloud, près de Paris, et de celui de Michel de Ghelderode à Schaerbeek, ainsi qu'un cabinet consacré au souvenir d'Henry Van de Velde et de son ami Max Elskamp.

La salle du fond renferme de précieux manuscrits ou imprimés.

Musée de l'Imprimerie ⊙ – Série de machines et presses de la fin du 18e s. au début du 20e s., illustrant l'histoire de l'imprimerie (typographie, taille-douce, lithographie, offset) et de la reliure-dorure.

Palais de la Dynastie (KZ G) – S'élevant de l'autre côté du jardin du Mont des Arts, il abrite dans une aile le **Palais des Congrès**. Au-dessus de l'arcade : horloge à jacquemart représentant des personnages historiques et folkloriques.

Du sommet du jardin, belle vue sur la flèche de l'hôtel de ville précédée d'une rangée de maisons reconstruites dans le style flamand.

Descendre la rue de la Madeleine.

Galerie Bortier (JKZ 23) – *Entrée par le n° 55 de la rue de la Madeleine ou le n° 17 de la rue St-Jean.*

Construit d'après les plans de l'architecte Jean-Pierre Cluysenaar, ce passage couvert (1848) au décor inspiré de la Renaissance est le royaume des bouquinistes.

Revenir à la Grand-Place.

★★ BOURSE, MONNAIE ET CATHÉDRALE *visite : 1/2 journée*

Partir de la Grand-Place.

★★ Galeries St-Hubert (JKY) – *Illustration p. 86.* Au début de la rue de la Montagne, l'architecte Cluysenaar construisit en 1846 une élégante façade classique animée de pilastres. La partie centrale est décorée de sculptures et de la devise « Omnibus omnia » (tout pour tous).

La **galerie du Roi** et la **galerie de la Reine,** avec leur élévation classique sur trois niveaux, sont couvertes d'une voûte de verre en plein cintre tendue sur une fine armature métallique. Les galeries St-Hubert servent de cadre à des magasins de luxe dont une très belle librairie (Tropismes), des salons de thé élégants, des restaurants, etc.

Croisant la rue des Bouchers jalonnée de restaurants, la galerie de la Reine se prolonge sur la gauche par la **galerie des Princes,** et s'achève rue de l'Écuyer par une grande façade reprenant les thèmes architecturaux du parvis.

Revenir à la rue des Bouchers.

★ Petite rue des Bouchers (JY 24) – Dans cette ruelle bordée de restaurants touristiques siège le célèbre **théâtre de marionnettes de Toone** ⊙ *(p. 37).*

Bourse (JY) – Cette imposante construction (1868-1873) qui rappelle l'Opéra de Paris de Charles Garnier, a été construite par Léon Suys. L'inspiration est classique bien que sa simplicité soit vaincue par une abondance décorative. Plusieurs artistes ont collaboré au programme sculpté dont Auguste Rodin.

Bruxella 1238 (JY M[18]) ⊙ – *A gauche de la Bourse, rue de la Bourse).*

A l'emplacement d'un ancien couvent des franciscains, fondé en 1238, se situe un petit musée archéologique. Lors des fouilles en 1988, on a trouvé des vestiges de l'ancienne église et du couvent, de nombreux caveaux ainsi que des ossements et des fragments de céramique. Derrière la Bourse, dans la rue au Beurre, se dresse la petite **église St-Nicolas** ⊙, contre laquelle se pressent de vieilles demeures. A l'intérieur le chœur est désaxé par rapport à la nef, et l'on remarque une toile attribuée à Rubens, *la Vierge et l'Enfant endormi.*

Théâtre de la Monnaie (JY) – Reconstruit par Poelaert en 1855, il fut le témoin d'un épisode historique le 25 août 1830. Alors qu'on y représentait *La Muette de Portici* par Auber, et qu'on y entonnait le célèbre « *Amour sacré de la patrie* », les spectateurs déclenchèrent une rébellion, prélude des « journées de septembre » *(voir p. 87).* L'importante rénovation réalisée en 1985-1986 d'après les plans d'URBAT, A.2R.C. et l'architecte Ch. Vandenhove marie de façon heureuse la partie post-moderne au bâtiment néo-classique. Dans le hall d'entrée, les formes lyriques aux couleurs vives (plafond) de Sam Francis contrastent avec les lignes austères (pavement) de Sol LeWitt. Transformé en salle de réception, le salon royal a été décoré par Charles Vandenhove, avec la collaboration de Daniel Buren et de Giulio Paolini, autres artistes de renom international. Les travaux de rénovation ont permis d'adapter le théâtre aux exigences techniques actuelles.

Historium (JY M[20]) ⊙ – Dans l'*Anspach Center*. Une série de tableaux avec des personnages en cire permet de retracer les grands moments de l'histoire de la Belgique depuis César et la conquête des Gaules.

Rue Neuve (JY) – La grande artère piétonne commerçante.

★ Place des Martyrs (KY) – Conçu en 1774-1775, cet ensemble urbain, malheureusement laissé à l'abandon, fait l'objet d'une restauration. Au centre se trouve le monument dédié aux morts de la révolution de 1830 par Guillaume Geefs (1838).

★★ Centre belge de la Bande dessinée (KY M[5]) ⊙ – Il est installé dans le magnifique bâtiment Art Nouveau dessiné par Victor Horta en 1903 pour les magasins Waucquez (textile en gros).

On pénètre dans un hall aux vastes dimensions éclairé par un réverbère qui lui confère une allure de place publique. De ce hall, autour duquel ont été aménagés librairie, bibliothèque et restaurant, part un monumental escalier de pierre aux balustrades en ferronnerie, qui mène vers les collections du musée.

A l'entresol, une exposition explique les différentes étapes de l'élaboration d'une bande dessinée (scénario, dessin, coloriage, impression) tandis que « le trésor » abrite plus de 3 000 planches originales des plus grands de la BD présentées par roulement de 300. Un espace est consacré à la fabrication d'un dessin animé.

Au 1er étage, sous l'immense verrière, le **musée de l'Imaginaire** nous invite à redécouvrir l'univers des grands héros de la bande dessinée belge et leurs créateurs : Tintin (Hergé), Gaston Lagaffe (André Franquin), Spirou (Rob Vel), Bob et Bobette (Willy Vandersteen), Blake et Mortimer (Edgar Pierre Jacobs), Lucky Luke (Morris), Boule et Bill (Roba), les Schtroumpfs (Peyo), etc.

Le dernier étage du centre abrite le Musée de la BD moderne. Il retrace l'évolution du Neuvième Art belge de 1960 à 1990.

Ce centre de la Bande Dessinée est aussi un lieu d'accueil important pour des expositions temporaires.

★★ **Cathédrale des Sts-Michel-et-Gudule** (**KY**) ⊘ – L'ancienne collégiale des Sts-Michel-et-Gudule partage avec Malines, depuis 1962, le titre de cathédrale de l'archidiocèse de Malines-Bruxelles.

« Nef ancrée au cœur de Bruxelles », c'est un très beau monument de style gothique élevé en plusieurs étapes : le chœur est du 13ᵉ s., la nef et les collatéraux des 14ᵉ et 15ᵉ s., les tours du 15ᵉ s. Les chapelles rayonnantes ont été ajoutées aux 16ᵉ et 17ᵉ s. Les deux tours de la façade, puissantes et élancées, ont été construites par Van Ruysbroeck.

Partant du chevet où apparaît pour la première fois le style gothique brabançon, on gagne le porche du transept Sud ; celui-ci est surmonté d'une statue de sainte Gudule et date du 15ᵉ s.

Intérieur – *Actuellement le chœur en travaux n'est pas visible.* La nef, brabançonne, est sobre et imposante. Aux colonnes sont adossées les statues des douze apôtres (17ᵉ s.). On remarque la chaire baroque, par H.F. Verbruggen, où sont représentés Adam et Ève chassés du paradis terrestre.

Noter la différence entre le collatéral Sud du 14ᵉ s. soutenu par des colonnes alors que le collatéral Nord du 15ᵉ s. frappe par la légèreté du faisceau de nervures.

Le chœur, très pur de lignes, possède un élégant triforium aux supports alternés, un fort, un faible ; le mausolée surmonté d'un lion est celui des ducs de Brabant (1610).

Les **vitraux**★ sont remarquables. Au fond de la nef, la tribune s'orne d'un *Jugement dernier* de 1528 aux couleurs éclatantes (présence d'un vert et d'un bleu intenses). Le transept est éclairé par deux riches verrières (16ᵉ s.), au fort beau dessin (architecture, perspective, modelé), exécutées d'après les cartons de Bernard van Orley : l'une, dans le bras Nord, représente Charles Quint et Isabelle de Portugal, l'autre, dans le bras Sud, Louis II, roi de Hongrie, et son épouse Marie, sœur de Charles Quint. De très beaux vitraux (16ᵉ s.) décorent la chapelle du St-Sacrement, à gauche du chœur, tandis que d'autres du 17ᵉ s., d'un esprit tout rubénien, garnissent la chapelle de la Vierge à droite du chœur ; ils représentent des épisodes de la vie de la Vierge et, au-dessous, les portraits des donateurs.

Dans la chapelle axiale ou chapelle Maes, on admire un retable en albâtre (1533) et une *Vierge à l'Enfant*, en albâtre également (vers 1500).

Des fouilles ont permis de découvrir, dans la nef, les vestiges d'un avant-corps de type rhénan-mosan ainsi que les murs d'une église romane du 11ᵉ s. Des dalles blanches dans la nef retracent le plan de l'église romane et des dalles de verre permettent de voir ces vestiges.

Revenir à la Grand-Place.

★★★ MUSÉES ROYAUX DES BEAUX-ARTS DE BELGIQUE

Cet ensemble comprend le musée d'Art ancien et le musée d'Art moderne dont les bâtiments mitoyens communiquent par l'intérieur.

★★★ **Musée d'Art ancien** (**KZ**) ⊘ – Occupant un palais de style classique exécuté par Alphonse Balat de 1874 à 1880 et prolongé d'une aile moderne, ce musée est universellement connu pour ses admirables primitifs flamands et les œuvres célèbres de Bruegel l'Ancien et de Rubens.

15ᵉ-16ᵉ s. – Cette section renferme de véritables trésors de l'école flamande ainsi que des écoles française, allemande, hollandaise, italienne et espagnole. L'un des tableaux les plus anciens est *Scènes de la Vie de la Vierge*, exécuté par un maître anonyme des Pays-Bas méridionaux (vers la fin du 14ᵉ s.).

L'œuvre du Tournaisien Rogier de La Pasture, dit **Van der Weyden**, est représentée par les portraits d'*Antoine, grand bâtard de Bourgogne*, et de *Laurent Froimont*, merveilleux dans leur simplicité, ainsi que par une magnifique *Pietà* (salle 11) dont le caractère dramatique est renforcé par une lumière rougeoyante. Dans la même salle se trouve une œuvre de celui qui fut le maître de Van der Weyden, **Robert Campin**, que certains identifient avec le **Maître de Flémalle** : son *Annonciation*, qui est une variante du panneau central du *Triptyque de Mérode* exposé dans les Cloîtres de New York, est remarquable par les coloris, la douceur du visage de la Vierge et la précision avec laquelle sont traités les différents objets. Dans la *Pietà* de **Petrus Christus**, dont les œuvres sont si rares, se sent l'influence de Van Eyck dont il suivit l'enseignement. Les deux panneaux de la *Justice de l'Empereur Othon*, l'un des principaux chefs-d'œuvre de **Thierry Bouts**, avaient été commandés en 1468 pour l'hôtel de ville de Louvain comme « tableaux de justice » ; ils représentent une erreur judiciaire. De **Hans Memling**, le Brugeois, on admirera la *Vierge à l'Enfant*, pleine de tendresse, et le *Martyre de saint Sébastien* au très beau fond représentant une ville flamande. **Jérôme Bosch** s'illustre avec un *Calvaire avec donateur*, où le paysage est tout en nuances chromatiques, et une copie d'atelier de son célèbre triptyque de la *Tentation de saint Antoine*. De **Hugo van der Goes** *(voir à Bruges)* on remarquera *La Vierge et l'Enfant (illustration p. 27)*, œuvre magnifique dont émane une certaine froideur due aux couleurs choisies par l'artiste. La *Vierge à la soupe au lait* de **Gérard David**, le dernier des grands primitifs, frappe par son côté intimiste. **Quentin Metsys**

Musée d'Art ancien. Bruxelles/ARTEPHOT-COLORTHÈQUE, Paris

L'Annonciation, le Maître de Flémalle

conserve les grands traits des primitifs flamands mais teintés par l'influence italienne, il annonce le maniérisme anversois comme le montrent le triptyque de la
Lignée de sainte Anne et plusieurs *Vierge à l'Enfant*. **Jan Gossaert** dit Mabuse, portraitiste et peintre de cour, montre ici une autre facette de son art avec *Vénus et
l'Amour*, une des premières œuvres à sujet mythologique dans la peinture flamande.
De **Bernard van Orley**, peintre de Marguerite d'Autriche : volet du *retable de la
confrérie de la Sainte-Croix*.

La salle 31 est une véritable consécration de l'œuvre de **Bruegel l'Ancien.** Plusieurs de
ses chefs-d'œuvre y sont réunis et témoignent de l'étendue de son talent et de son
registre. La *Chute des anges rebelles* montre l'influence de Jérôme Bosch sur
Bruegel à ses débuts. L'ironie, le réalisme du détail, la sérénité du paysage qui lui
sont si caractéristiques se manifestent dans le fameux *Dénombrement de Bethléem*
et dans la *Chute d'Icare*, tableau étrange où certains ont voulu voir des symboles
alchimiques.

Les salles réservées au **legs Delporte** renferment un panneau primitif des Pays-Bas,
Calvaire et résurrection, les jolis panneaux ronds de Grimmer représentant les
Saisons et un remarquable Bruegel l'Ancien, *Paysage d'hiver avec patineurs et
trappe aux oiseaux.*

17e-18e s. – Les œuvres de cette période sont réunies dans les salles autour du grand
hall dans les galeries rénovées. **Rubens** y est représenté par des tableaux de premier
ordre : on y voit son talent pour réaliser de grandes toiles religieuses avec
l'*Adoration des Mages* aux très beaux coloris, la *Montée au Calvaire* et le *Martyre
de saint Liévin*, ainsi que des œuvres plus intimistes avec, salle 52, les fameuses
Têtes de nègre et un *Portrait d'Hélène Fourment* plein de malice et de séduction.
Jordaens occupe aussi une place importante : on remarquera dans la salle 57 plusieurs de ses œuvres : l'*Allégorie de la fécondité*, peinture très vivante à la sensua-
lité aiguë, *Le Roi boit*, *Suzanne et les vieillards*. De bonnes œuvres de Corneille de
Vos, Van Dyck, Teniers, Frans Hals et de paysagistes et peintres de genre hollandais complètent ces collections exceptionnelles.

19e s. – *Rez-de-chaussée*. Cette section présente les œuvres (peintures, sculptures
et dessins) qui appartiennent au néo-classicisme, au romantisme, au réalisme, au
luminisme (*La Récolte de lin* d'Émile Claus) et au symbolisme, particulièrement représenté par **Fernand Khnopff** *(Memories*, et l'énigmatique *Des caresses)*.
D'intéressantes œuvres de l'école française (Gauguin, Seurat, Signac, Vuillard,
Monet) et le fameux *Marat assassiné*, peint en 1793 par David, y sont aussi
exposés.
Une salle entière est consacrée à **James Ensor**, figure charnière entre le 19e et le
20e s. (*Le Lampiste*, 1880 ; *Les Masques scandalisés*, 1883 ; *Squelettes se disputant
un hareng saur*, 1891).

★★ **Musée d'Art moderne** (**KZ M¹**) ⏱ – Inauguré en 1984, il comprend deux parties.
Le bâtiment place Royale où se trouve l'entrée sert de cadre à des expositions
temporaires (sur 3 niveaux).

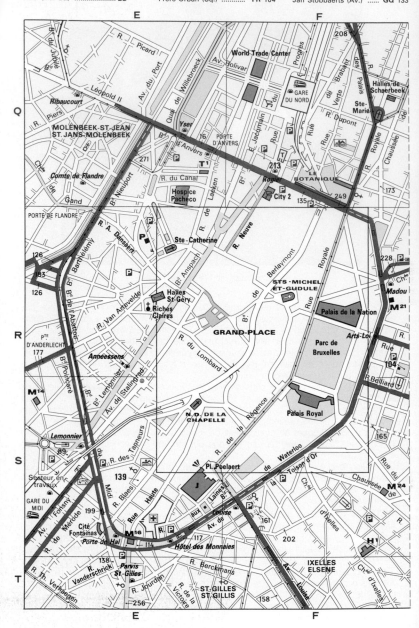

H[1] - Maison communale
      d'Ixelles
J - Palais de Justice
M[7] - Musées royaux d'Art
      et d'Histoire

M[8] - Musée royal de l'Armée
      et d'Histoire militaire
M[9] - Muséum des Sciences naturelles
M[11] - Musée communal d'Ixelles
M[14] - Musée de la Gueuze

Le musée d'Art moderne proprement dit est un bâtiment souterrain, conçu par les architectes R. Bastin et L. Beek, qui s'enfonce sur 8 niveaux autour du puits de lumière. Il abrite les collections permanentes de sculptures, peintures et dessins du 20ᵉ s. (du fauvisme à l'art contemporain).
La visite commence au niveau – 2 dans l'agora, qui présente notamment une grande sculpture de Richard Long (*Utah Circle*, 1989) et des peintures d'Alan Charlton et Alan Green.

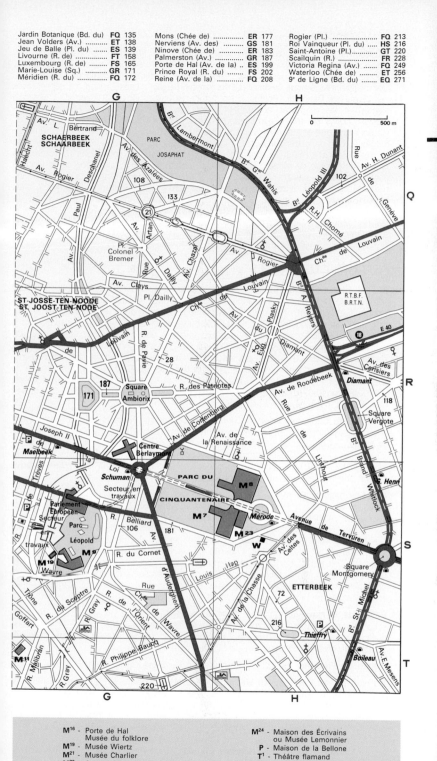

M¹⁶ - Porte de Hal
Musée du folklore
M¹⁹ - Musée Wiertz
M²¹ - Musée Charlier
M²³ - Autoworld

M²⁴ - Maison des Écrivains
ou Musée Lemonnier
P - Maison de la Bellone
T¹ - Théâtre flamand
W - Maison Cauchie

Le niveau – 3, également consacré à l'art contemporain, expose les étonnantes sculptures de **Georges Segal** (personnages en plâtre moulés sur le modèle) ainsi que des œuvres d'Anselm Kiefer (*Bérénice*, 1989), Henry Moore, Pol Bury, Nam June Paik et des peintures de Francis Bacon, Gaston Bertrand.

La descente dans les différents niveaux permet de suivre l'évolution des courants artistiques tels que fauvisme, expressionnisme, jeune peinture belge, COBRA, phases, surréalisme, groupe Zéro, etc. On admirera notamment des œuvres de

Rik Wouters (*La Dame au collier jaune*, 1912 ; *Le Flûtiste*, 1914), un très bel ensemble de **Léon Spilliaert** (*La Dame au chapeau*, 1907 ; *Femme sur la digue*, 1908 ; *Baigneuse*, 1910), les représentants de la deuxième école de Laethem-St-Martin **(Permeke, Gustave De Smet et Frits Van den Berghe)** ; l'abstraction est représentée par **Servranckx**, Baugniet, Peeters ; les futuristes belges (P. de Troyer et J. Schmalzigaug) et les membres de COBRA **(Pierre Alechinsky, Karel Appel)**. Les œuvres de **Delvaux** *(Trains du soir, Pygmalion, La voix publique)* et de **Magritte** témoignent de l'importance que le surréalisme, tout comme le symbolisme au 19ᵉ s., a connue en Belgique. Une salle est consacrée à chacun de ces deux maîtres. La salle Georgette et René Magritte réunit les œuvres qui appartenaient aux collections (*L'Homme du large, Le Mariage de minuit, L'Empire des lumières, 1954*), ainsi que celles léguées par la veuve du peintre *(La Magie noire, Le Galet, Le Domaine d'Arnheim)*. On remarquera aussi des œuvres de Wilfredo Lam, Hans Hartung, Joan Miró, Max Ernst, Paul Klee, Giorgio de Chirico, **Marcel Broodthaers**, Arman...

Le niveau − 8 est plus particulièrement consacré à l'art contemporain tant belge (Michel Mouffe, Mark Luyten, Dan van Severen, Bernd Lohaus, Marthe Wéry, Jan Vercruysse, Walter Swennen, Jef Geys, Jan Fabre) qu'étranger (Dan Flavin, Donald Judd, Ulrich Ruckriem, Tony Cragg).

AUTRES CURIOSITÉS *plans p. 78 et p. 82-83.*

★★ **Musée instrumental** (**KZ M²**) ⊘ − Seulement une partie de la collection, qui compte 6 000 instruments allant de l'âge de bronze à nos jours, est exposée. Au rez-de-chaussée sont regroupés les instruments à vent, dont les saxophones, invention du Dinantais Adolphe Sax. Le premier étage est le domaine des instruments à clavier : les virginals et épinettes, très en vogue à partir du 17ᵉ s., et les clavecins signés de noms célèbres (Ruckers à Anvers), parfois magnifiquement décorés, furent remplacés au 18ᵉ s. par le piano. Au deuxième étage les instruments à cordes comprennent des harpes, des luths, des violons. On y remarquera la très belle viole de gambe de Joachim Tielke (1701), merveilleusement décorée. Le musée possède également des instruments non européens (Inde, Indonésie : gamelan) et d'art populaire européen.

Colonne du Congrès (**KY K**) − Conçu et inauguré par Poelaert en 1859, ce monument commémore le Congrès national qui promulga, au lendemain de la révolution de 1830, la Constitution belge. La colonne est surmontée de la statue de Léopold Iᵉʳ (Guillaume Geefs). Au pied du monument, deux lions gardent la tombe du Soldat inconnu. De l' « Esplanade » aménagée entre les édifices de la Cité administrative s'offre une intéressante vue d'ensemble sur la ville.

★ **Musée Charlier** (**FR M²¹**) ⊘ − *16, avenue des Arts.*
Riche amateur d'art, Henri van Cutsem acheta en 1890 deux maisons mitoyennes à St-Josse. Après avoir fait unir les deux façades, il chargea son ami Victor Horta d'y concevoir des verrières afin d'éclairer ses collections. Puis il proposa à l'artiste Guillaume Charlier (1854-1925) d'y emménager. Ce dernier, légataire universel de son mécène à sa mort en 1904, hérita de cet hôtel particulier et fit construire un musée à Tournai, par Victor Horta, pour accueillir les collections de toiles impressionnistes de H. van Cutsem *(voir à Tournai)*. Ce musée conserve un grand nombre de tableaux et de sculptures d'artistes différents, mais également d'intéressantes collections de mobilier, de tapisseries et d'objets décoratifs.

Palais de la Nation (**KY**) ⊘ − Situé au Nord du parc de Bruxelles, il a été édifié sous Charles de Lorraine et restauré après l'incendie de 1883.
C'est le siège de la Chambre des représentants et du Sénat : la **salle des Séances du Sénat**★ est décorée d'une façon particulièrement raffinée.

Église du Finistère (**KY L**) − Elle renferme la statue de N.-D.-du-Finistère.

Église St-Jean-Baptiste-au-Béguinage (**JY N**) ⊘ − Dans un quartier paisible, elle dresse sa belle façade à trois corps de style baroque flamand (1676).
L'intérieur, où la décoration baroque s'est plaquée sur des structures gothiques, présente de belles proportions. L'entablement, au-dessus des grandes arcades, est très rythmé ; il s'appuie, à la jonction des arcs, sur des têtes d'ange ailées.
Sous la chaire de 1757 figure saint Dominique terrassant l'hérésie.
On admire les tableaux du Bruxellois **Van Loon** et de différents artistes flamands.
Le béguinage, qui compta jusqu'à 1 200 béguines, a disparu au 19ᵉ s.
A proximité s'élève l'**église Ste-Catherine** (**JY**). On a conservé la **tour** (**JY P**) de l'ancienne église et la **tour Noire** (**JY Q**) ; celle-ci est un vestige de la première enceinte de la ville.

Maison de la Bellone (**ER P**) ⊘ − Cette belle demeure patricienne de la fin du 17ᵉ s. n'est pas visible de la rue. Elle abrite la Maison du spectacle (expositions et centre de documentation).

Musée du Costume et de la Dentelle (**JY M⁶**) ⊘ − Ce musée est consacré aux divers artisanats du costume du 17ᵉ au 20ᵉ s. : dentelle de Bruxelles, broderie, passementerie.

Place Poelaert (ES) – Au sommet du Galgenberg ou « mont de la Potence » (là se trouvait le gibet de la ville), cette place est dominée par l'immense **palais de justice (ES J)** ☉, conçu par Poelaert et réalisé entre 1866 et 1883. L'entrée principale se fait par un vaste péristyle ouvrant sur la grandiose salle des Pas perdus. De la terrasse, on découvre une vue étendue sur la ville basse et sur le quartier des Marolles, avec N.-D.-de-la-Chapelle.

★ **Porte de Hal (ES M¹⁶)** ☉ – Cette porte, dont l'intérieur a été récemment restauré, est le seul vestige des fortifications du 14ᵉ siècle. Elle renferme un **Musée du Folklore** ☉. Avec ses six colonnes soutenant des voûtes d'ogives, la salle du premier étage est magnifique ; le 2ᵉ étage est consacré à l'art populaire (jouets anciens, maisons de poupées). Expositions temporaires.

Place du Jeu-de-Balle (ES 139) – Sur cette grande place située au cœur du populaire **quartier des Marolles** se tient un **marché aux puces** ☉.

★ **Le Botanique (FQ)** ☉ – Dans les immenses serres de l'ancien jardin botanique, le centre culturel de la communauté française de Belgique possède une bibliothèque, un restaurant, des cinémas, des théâtres, des salles d'exposition...

LE CINQUANTENAIRE *plan p. 82-83.*

Parc du Cinquantenaire (GHS) – Créé en 1880 lors de l'exposition du Cinquantenaire de l'indépendance de la Belgique, il entoure un grand palais dont les deux ailes sont réunies par une monumentale arcade, due à l'architecte Girault (1905). A l'arrière du palais se situent deux halles à charpentes métalliques qui datent de 1888. L'aile et la halle du Nord abritent le musée de l'Armée, la halle du Sud l'exposition Autoworld, et l'aile Sud les musées royaux d'Art et d'Histoire.

★★★ **Musées royaux d'Art et d'Histoire (HS M⁷)** ☉ – Le musée du Cinquantenaire a fait peau neuve. Plus de 50 salles, renouant avec l'architecture néo-classique du bâtiment original, ont récemment ouvert leurs portes.
Les collections du Cinquantenaire sont extrêmement riches, surtout en ce qui concerne l'Antiquité, les arts décoratifs et les civilisations non européennes.

Antiquité (Asie antérieure, Grèce, Rome, Égypte)
Au rez-de-chaussée sont évoquées les civilisations d'Asie antérieure (Palestine, Chypre, Mésopotamie). De l'entresol, on découvre la **maquette de Rome,** montrant la capitale de l'Empire romain au 4ᵉ s., réalisée à l'échelle 1/400 *(commentaire enregistré avec illuminations)*. Le niveau I est consacré à Rome. Le niveau II a trait à **Rome** (galerie des portraits), à l'**Étrurie**, à la **Grèce** (céramique à figures rouges et à figures noires). La grande colonnade reconstituée d'Apamée témoigne des missions belges menées en Syrie. Vue plongeante sur la fameuse mosaïque d'Apamée qui forme, au milieu de la grande cour intérieure, un fabuleux tapis où s'affrontent chasseurs et bêtes fauves. Ce pavement, réalisé en 539, occupait une salle de banquet d'Apamée, ville de Syrie détruite par les Perses en 612. Le niveau III abrite la section Égypte : à signaler un fragment du **Livre des Morts,** la reconstruction du **mastaba de Neferirtenef,** la **Dame de Bruxelles,** statue archaïque qui remonte à 2600 av. J.-C., et le très beau bas-relief représentant la **reine Tiy,** épouse d'Aménophis III. Le niveau IV renferme une maquette en plâtre du complexe funéraire de Djeser à Saqqarah.

Les civilisations non européennes
Les salles de l'**Amérique** *(Niveau I)* exposent de très beaux ensembles d'art précolombien et ethnographique. Remarquer le magnifique manteau de plumes du 16ᵉ s., la monumentale divinité assise provenant du Mexique ainsi qu'un ornement en forme de double volute (Colombie, 600-1550).
Les collections **Micronésie** et **Polynésie** *(Niveau I)* présentent des objets archéologiques et ethnologiques exposés par thèmes. Le musée possède une des légendaires statues de l'île de Pâques.
La section **Inde, Chine et Sud-Est asiatique** *(Niveau II)* illustre les arts, les religions et les traditions de l'Inde (bronze de Siva du 13ᵉ s.), de la Chine (2 bodhisattvas, vers 1200), du Viêt-nam (céramique), de l'Indonésie, de la Thaïlande et du Tibet (riche collection de thang-kas, représentations religieuses et symboliques faites par les lamas).

Industries d'art
La salle romane et mosane *(Niveau I)* regroupe des objets religieux formant un véritable trésor, dont l'**autel portatif de Stavelot** (vers 1150-1160) en laiton et émaux champlevés, et de très beaux ivoires.
Les salles des arts décoratifs du Moyen Âge au Baroque *(Niveau I)* abritent des **tapisseries** qui rivalisent par la finesse de leur exécution et la splendeur de leur coloris : du début du 16ᵉ s., *La Légende de N.-D.-du-Sablon (illustration p. 30)* et l'*Histoire de Jacob.* Parmi les **retables** en bois, celui de **Saint Georges** par Jean Borreman (1493) frappe par l'intensité de vie de ses personnages.
Le mobilier est extrêmement précieux : beaux cabinets anversois et reconstitution des vitrines conçues par Victor Horta en 1912 pour la joaillerie Wolfers.
Au niveau II, des salles ont trait à la verrerie (101 pièces de M. Marinot), aux textiles, à la céramique et à la dentelle (**couvre-lit d'Albert et Isabelle,** 1599).

La section des **voitures hippomobiles** *(Niveau 0)* abrite des carrosses, des traîneaux, des selles, etc.

Archéologie nationale

La salle consacrée à la **préhistoire nationale** *(Niveau 0)* met en évidence des objets (outils, bijoux, céramique) provenant des fouilles. La salle mérovingienne *(Niveau 0)* présente plusieurs **tombes** découvertes à Harmignies près de Mons ainsi que des outils, des armes, des parures.

Musée royal de l'Armée et d'Histoire militaire (HS M[8]) ☉ – Ce musée évoque, par une riche collection d'uniformes, de décorations, d'armes, d'illustrations, l'histoire militaire du pays de 1789 à nos jours. La section Blindés rassemble aussi bien des véhicules belges (à partir de 1935) que des modèles d'autres pays (URSS, Grande-Bretagne, USA, France). Installée dans un grand hall, la **section Air et Espace**★ comprend une centaine d'avions. Le Nieuport, petit avion français, a servi pendant la guerre 1914-1918, tandis que le Spitfire et le Hurricane, tous deux de fabrication anglaise, datent de la Seconde Guerre mondiale.

La **salle d'armes et d'armures**★ renferme de splendides armes (11ᵉ-18ᵉ s.) et armures (fin du 15ᵉ s.-17ᵉ s.) provenant d'arsenaux anciens.

★★ **Autoworld (HS M[23])** ☉ – Depuis 1986, on peut admirer sous la haute verrière de la halle Sud du Palais du Cinquantenaire quelque 450 véhicules, principalement des automobiles. Si l'exposition comprend les plus beaux exemplaires de la collection De Pauw, anciennement au musée du Manhattan Center, et des voitures de membres du Royal Veteran Car Club, la majeure partie des véhicules présentés provient de la prestigieuse **collection Ghislain Mahy.**

Né à Gand en 1901, Mahy a réussi à rassembler en quarante ans plus de 800 véhicules automobiles, à vapeur, électriques ou à essence. Souvent en piteux état lors de l'achat, le collectionneur s'est attaché à leur rendre vie dans son atelier de réparation ; ainsi près de 300 voitures sont actuellement en parfait état de marche. En 1944 Mahy achète sa première voiture : une Ford de 1921 ; sa collection comprendra un grand nombre de voitures américaines, telle la petite Cadillac 1917 – à comparer à celle de 1928, puis celles de la collection De Pauw *(rez-de-chaussée, gauche)*, datant des années trente et cinquante –, et d'autres marques connues (Buick, Chevrolet, Chrysler, Oldsmobile, Packard) et moins connues (Black, Detroit Electric, Willys-Overland). Parmi les véhicules d'origine française se remarquent une voiturette Léon Bollée de 1896, une Renault 14 CV de 1908, à capot dit « en chapeau de gendarme », une Delaunay-Belleville de 1911, une luxueuse Delage des années vingt et une Hispano-Suiza de 1935. Les marques Bentley, Daimler, Humber, Jaguar et Rolls-Royce – remarquer la magnifique Silver Ghost de 1921 – sont de dignes représentants de la fabrication anglaise, tandis qu'Adler, Mercedes, Horch et Opel évoquent celle de l'Allemagne. Alfa Romeo, Fiat et Lancia témoignent du raffinement italien.

La fabrication belge mérite plus particulièrement l'attention : les firmes Belga Rise, FN, Fondu, Hermes, Imperia, Miesse, Nagant et Vivinus sont représentées, sans oublier la célèbre marque **Minerva.**

Au départ constructeur de cycles, puis de motocyclettes, l'Anversois Sylvain de Jong présente son premier prototype Minerva en 1902. Si la gamme comprend au départ 3 modèles (2, 3 et 4 cylindres), celle-ci ne cessera de croître jusque dans les années trente. L'usine compte 1 600 ouvriers en 1911 ; elle propose l'éclairage électrique en option en 1912 suivi, en 1914, par le démarrage électrique, et en 1922 les quatre roues sont équipées de freins. La firme acquiert une solide réputation pour le grand confort qu'offrent ses superbes automobiles dont le moteur est très silencieux. En 1930 Minerva dispose d'une gamme allant de 12 à 40 CV. Mais la belle époque de la voiture de luxe se termine ; la clientèle se tourne vers des marques moins coûteuses et 1934 voit la faillite de Minerva.

Le musée possède une quinzaine de Minerva ; la plus ancienne date de 1910 et appartenait à la Cour de Belgique à l'époque du roi Albert. La plus luxueuse est celle de 1930 (40 CV), pouvant atteindre une vitesse de 140 km/h.

Emblème de la Minerva

★ **Maison Cauchie** (**HS W**) ⊙ – Au *n° 5 de la rue des Francs* se situe la maison personnelle (1905) de l'architecte et décorateur Paul Cauchie. L'étonnante façade est presque entièrement décorée de sgraffites, technique proche de la fresque.

★★ **Muséum des Sciences naturelles** (**Institut Royal**) (**GS M⁹**) ⊙ – Ce musée dynamique vaut surtout pour sa collection de **squelettes d'iguanodons**. Dans une mine de Bernissart, à l'Ouest du pays, on a découvert en 1878 les ossements bien conservés de 29 de ces reptiles dinosauriens, herbivores de l'époque crétacée dont l'espèce a disparu.

Dix squelettes atteignant 10 m de long ont été reconstitués, d'autres sont présentés tels qu'ils ont été trouvés, gisant dans le sable. Ces spécimens authentiques sont ici confrontés aux robots animés : tyrannosaurus, triceratops, allosaurus... D'autres salles présentent la vie des invertébrés, les mers du Jurassique et du Crétacé, les animaux qui peuplent les pôles. Un vivarium d'arachnides permet d'observer quelques espèces gigantesques et vivantes. Le musée possède également une belle collection de minéraux. La salle des baleines impressionne par ses 18 squelettes de cétacés dont spécialement celui du plus grand mammifère de tous les temps : la baleine bleue. Magnifique collection de coquillages.

Musée Wiertz (**GS M¹⁹**) – *62, rue Vautier.*
A deux pas du Muséum des Sciences naturelles, ce musée est installé dans l'ancien atelier et maison de l'artiste. Le peintre visionnaire Wiertz fut le précurseur du symbolisme et du surréalisme en Belgique. Les compositions de la grande salle surprennent par leur monumentalité. Remarquer également l'insolite *Belle Rosine* et la macabre *Inhumation précipitée.*

Les squares – A deux pas du Berlaymont s'étend un quartier planifié à partir de 1875 par l'architecte Gédéon Bordiau. Cet exemple d'urbanisme moderne aux maisons de style éclectique et Art Nouveau mérite une promenade. Remarquer l'**hôtel Van Eetvelde★** (1895-1898) au n° 4 de l'avenue Palmerston (**GR 187**), une brillante réalisation de Victor Horta ainsi que la **Maison du peintre de St-Cyr** (1900), située au n° 11 du square Ambiorix (**GR**). Ce bâtiment réalisé par Gustave Strauven est remarquable par son étroitesse.

Centre Berlaymont (**GR**) – *Travaux en cours.*
Au rond-point Schuman, des bâtiments (1967) en forme de X ont été construits à l'emplacement d'un couvent fondé au 17ᵉ s. par la comtesse de Berlaymont. Le Berlaymont a été déserté par les fonctionnaires de l'U.E. à la fin de 1991 pour des raisons de sécurité.

AUTRES COMMUNES DE BRUXELLES

A l'Est : Woluwe-St-Lambert et Woluwe-St-Pierre

Chapelle de Marie la Misérable (**DM**) – Cette charmante chapelle fut érigée en 1360 en l'honneur d'une jeune fille pieuse qui, ayant refusé les avances d'un jeune homme, fut accusée par celui-ci de vol et enterrée vivante. A l'endroit de sa mort se produisirent des miracles.

Non loin au Nord se dresse, dans un petit bois, un vieux **moulin à vent** à pivot (**DL**) *(accès par l'avenue de la Chapelle-aux-Champs).*
Au Sud, dans un vaste parc, le **château Malou** (**DM**), du 18ᵉ s., domine un étang. Il propose une galerie de prêt d'œuvres d'art et accueille des expositions temporaires.
A **Woluwe-St-Pierre**, le joli site des **étangs Mellaerts** (**DN**) est très fréquenté l'été.

★ **Palais Stoclet** (**DM P¹**) – *Ne se visite pas.*
Cette magnifique demeure aux formes pures fut construite par l'illustre architecte autrichien **Josef Hoffmann**. Le chantier, auquel ont collaboré les sculpteurs Powolny, Luksch et Metzner, ainsi que le très célèbre peintre **Gustav Klimt**, s'étala sur 6 années (1905-1911). L'extérieur est devenu une référence classique de l'architecture du début du siècle. La perfection de l'exécution et la modernité des volumes ont magistralement résisté au temps. Remarquer la magnifique tour d'escalier ornée de quatre figures et d'un demi-cercle en bronze du sculpteur Metzner.

★ **Bibliotheca Wittockiana** (**DM B¹**) ⊙ – *21, rue du Bémel. Visite par le conservateur, uniquement sur rendez-vous sauf exposition temporaire.*
Ce musée renferme l'importante collection de reliure appartenant à l'industriel Wittock. La réserve précieuse compte environ mille cent volumes dont des reliures rares du 16ᵉ au 20ᵉ s. La collection des hochets s'étend sur quarante siècles d'histoire à partir de la période hittite.

Musée du Transport urbain bruxellois (**DM M²⁶**) ⊙ – *364b, avenue de Tervuren.*
Logé dans un ancien dépôt de la Société des Transports intercommunaux de Bruxelles (STIB), le musée retrace l'évolution des transports en commun à l'aide de vieux trams et bus, panneaux didactiques et documents.

Le ticket d'entrée donne droit à un aller-retour en tramway des années trente vers la forêt de Soignes (Musée de Tervuren) ou le Cinquantenaire (compter environ 1 h).

B¹   Bibliotheca Wittockiana   M²⁶   Musée du Transport urbain bruxellois
M¹⁵ Demeure abbatiale de Dieleghem   P¹   Palais Stoclet

Au Sud : St-Gilles et Ixelles

Situées au Sud de la ville au-delà de la porte Louise, ces deux communes forment un quartier résidentiel. L'**avenue Louise** fut créée au milieu du 19ᵉ s. pour relier le bois de la Cambre au centre de la ville ; aujourd'hui on y trouve d'élégants magasins de mode et d'antiquités. La galerie Louise est une version moderne des galeries St-Hubert. Ce quartier possède de nombreux immeubles de style Art Nouveau dont le plus bel exemple est la maison de Victor Horta.

★★ **Musée Horta** (**BN M¹⁰**) ⊘ – Le musée est installé dans les deux étroites maisons que l'architecte Victor Horta avait construites entre 1898 et 1901 pour en faire son habitation et son atelier. Dans ses Mémoires, Victor Horta écrivait : « Si l'on veut bien se rendre compte de ce que dans chaque maison je dessinais et

ENVIRONS

KRAAINEM

Wezembeek (Av. de) ...... **DM** 259

STROMBEEK-BEVER

Antwerpselaan .... **BK** 9

VILVOORDE

Parkstraat	**CK** 192
Stationlei	**CK** 231
Vuurkruisenlaan	**CK** 252

ZAVENTEM

Henneaulaan .... **DL** 115

ZELLIK

| Romeinsebaan | **AK** 218 |
| Zuiderlaan | **AL** 264 |

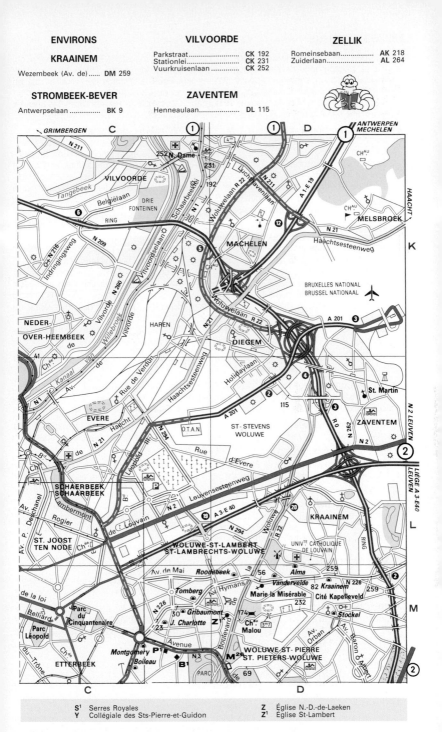

S¹ Serres Royales
Y Collégiale des Sts-Pierre-et-Guidon
Z Église N.-D.-de-Laeken
Z¹ Église St-Lambert

créais le modèle de chaque meuble, de chaque charnière et clenche de porte, les tapis et la décoration murale... », ce travail immense a donné une merveille d'harmonie et d'élégance, un remarquable témoignage de l'Art Nouveau, où le verre et le fer sont rois, où la courbe et la contre-courbe se marient avec grâce. L'**escalier** est une des plus belles décorations de Horta : la légèreté de la structure métallique est soulignée par la lumière dorée diffusée par les vitraux de la verrière et les reflets multiples des miroirs *(voir illustration p. 266)*.

Hôtel Hannon ⊘ – *1, avenue de la Jonction.*
Cette demeure Art Nouveau fut construite en 1903 par l'architecte Jules Brunfaut (1852-1942) et décorée par les Français Louis Majorelle et Émile Gallé, fondateur de l'École de Nancy. Elle a longtemps été laissée à l'abandon, aussi le mobilier a-t-il disparu pour l'essentiel. Restaurée en 1988, elle est actuellement

occupée par une galerie de photos, en hommage à l'industriel Édouard Hannon qui fut un photographe de talent. Remarquer la fenêtre du jardin d'hiver et son vitrail réalisés dans un style qui rappelle Tiffany ainsi que la fresque de l'escalier due au Rouennais Paul-Albert Baudouin, élève de Puvis de Chavannes.

Juste à côté, au n° 55 de l'avenue Brugmann, se trouve la maison dite « **Les Hiboux** » qui a été construite par Édouard Pelseneer en 1895.

★★ **Musée communal d'Ixelles** (**GT M**[11]) ⊘ – *71, rue J. van Volsem.*
Inauguré en 1892 dans les bâtiments d'un ancien abattoir, agrandi en 1973 et partiellement restructuré en 1994, ce musée contient une excellente collection de peintures et de sculptures des 19e et 20e s. où de célèbres artistes belges et français sont représentés : on y voit un dessin de Dürer, *la Cigogne*, et des affiches originales de Toulouse-Lautrec (le musée en possède 29). Des salles sont consacrées à des expositions temporaires de qualité.

★★ **Abbaye N.-D.-de-la-Cambre** (**CN S**) – Au Sud des étangs d'Ixelles s'élève cette ancienne abbaye cistercienne. Elle est occupée de nos jours par l'École nationale supérieure d'architecture et des arts décoratifs dite « La Cambre » et par l'Institut géographique national.
La belle **cour d'honneur**, avec son logis abbatial flanqué de pavillons d'angle et ses communs sur plan semi-circulaire, forme un ensemble du 18e s. très harmonieux.
L'**église** ⊘ date du 14e s. Elle abrite, dans la nef, un admirable **Christ aux outrages**★ d'Albrecht Bouts, un chemin de croix dû à Anto Carte (1886-1954) et, dans le bras Nord du transept, la châsse (17e s.) de saint Boniface, Bruxellois devenu évêque de Lausanne et mort dans le monastère au 13e s.
Dans la chapelle de la Vierge (bras Sud du transept), la voûte s'appuie sur des consoles sculptées de personnages et d'animaux symboliques.

★ **Bois de la Cambre** (**BCN**) – C'est une oasis de verdure dont le paysage vallonné enserre un lac propice au canotage.

★ **Musée Constantin Meunier** (**BN M**[12]) ⊘ – *59, rue de l'Abbaye.*
Il est installé dans la demeure et l'ancien atelier de cet artiste (1831-1905) qui, tour à tour sculpteur et peintre, se consacra à dépeindre le monde du travail.

Maison communale d'Ixelles (**FST H**[1]) – C'était la résidence de la Malibran : la célèbre cantatrice avait épousé en 1836 le violoniste belge de Bériot et mourut la même année à la suite d'une chute de cheval.

Université (**Université Libre de Bruxelles**) (**CN U**) – Une partie de cette université fondée en 1834 est installée à l'Est du bois de la Cambre. Un autre campus se situe près du cimetière d'Ixelles.

Cimetière d'Ixelles (**CN**) – Dans ce cimetière est enterré le général Boulanger qui, réfugié à Bruxelles après sa tentative de coup d'État, se donna la mort en 1891 sur la tombe de sa maîtresse (avenue 3). Sur la tombe de Charles de Coster, statue de Thyl Ulenspiegel (avenue 1).

Watermael-Boitsfort

Église St-Clément (**CN**) – Avec sa nef et sa tour romane du 12e s., elle conserve un cachet campagnard.

Cités-jardins « Le Logis » et « Floréal » (**CN**) – *Près du square des Archiducs.* Construites entre 1921 et 1929, elles servirent de référence à la politique de logement social en Belgique. Fin avril-début mai, on peut admirer le magnifique spectacle rose de leurs cerisiers du Japon en fleur.

Uccle

★ **Musée David et Alice van Buuren** (**BN M**[13]) ⊘ – *41, avenue Léo Errera.*
La maison de David van Buuren construite en 1928 constitue un cadre privilégié pour exposer une partie de la collection rassemblée par cet amateur d'art : parmi les peintures, une version de **La Chute d'Icare** de Bruegel l'Ancien, des paysages d'Hercule Seghers, de Patinir, des natures mortes de Fantin-Latour, plusieurs Permeke, une série de tableaux de Van de Woestyne, en outre des sculptures de Georges Minne et de la céramique de Delft.
L'intérieur de style Art Déco préserve la douce atmosphère que cet amateur d'art réserva à des œuvres tant anciennes que modernes.
Le jardin ne manque pas de charme, avec son Jardin pittoresque, son Jardin du cœur, son labyrinthe dont les étapes évoquent des versets du Cantique des Cantiques.

Parc de Wolvendael (**BN**) – A l'intérieur de ce vaste parc se trouve un petit pavillon de style Louis XVI.
A la limite du parc, le **Cornet** (**BN V**) est une charmante auberge de 1570 où serait passé Ulenspiegel *(voir à Damme).* A côté l'**église orthodoxe russe** (**BN X**) reproduit la silhouette d'une église de Novgorod.

Forest

Église St-Denis (**ABN**) ⊘ – Au pied de la colline et non loin de Forest-National, ce charmant édifice gothique abrite le tombeau de sainte Alène (12ᵉ s.). Située autour d'une vaste cour intérieure, l'**ancienne abbaye de Forest** (**ABN**) abrite un centre culturel. Du côté de la place St-Denis, beau portail de style Louis XVI.

Auderghem

Le Rouge Cloître (**DN**) – A l'Est subsiste ce monastère de la Forêt de Soignes, aujourd'hui occupé par un restaurant, où le peintre Hugo Van der Goes séjourna jusqu'à sa mort en 1482. Les dépendances abritent un **Centre d'Art** ainsi qu'un **Centre d'Information de la Forêt de Soignes**.
Non loin, dans les bois au Sud de la chaussée de Wavre, se dresse le **Château de Trois Fontaines** (**DN**) dont il ne subsiste qu'un petit bâtiment de briques rouges.
Au Nord, un vaste parc entoure le **château de Val Duchesse** (**DN**) où fut élaboré le Traité de Rome et la charmante **chapelle Ste-Anne** du 12ᵉ s.

A l'Ouest : Anderlecht

★★ **Maison d'Érasme** (**AM**) ⊘ – Construite en 1468 et agrandie en 1515, le « Cygne » était l'une des maisons du chapitre d'Anderlecht où logeaient les membres de la communauté et leurs hôtes illustres. En 1521, le plus célèbre lui donna son nom : Érasme (1469-1536).
Derrière les murs de briques d'un enclos ombragé, cinq pièces au mobilier gothique et Renaissance, où pénètre une lumière tamisée, évoquent l'ombre du « prince des humanistes ».
En parcourant le rez-de-chaussée, on découvre la chambre de rhétorique, la salle du chapitre abritant des peintures de maîtres dont la superbe *Adoration des Mages* de Jérôme Bosch, le **cabinet de travail d'Érasme**, avec sa simple écritoire, les portraits du philosophe par Quentin Metsys, Dürer et Holbein (copie).
Au pied de l'escalier, statue du 16ᵉ s. qui représenterait Érasme en pèlerin.
A l'étage, la **salle blanche**, ancien dortoir, abrite de précieuses éditions originales, dont la première édition de l'*Éloge de la Folie*, des portraits gravés d'Érasme et de ses contemporains.

★ **Collégiale des Sts-Pierre-et-Guidon** (**AM Y**) ⊘ – *Travaux en cours.*
Ce bel édifice gothique flamboyant date des 14ᵉ et 15ᵉ s., sa flèche du 19ᵉ s.
A l'intérieur on verra, dans la chapelle N.-D.-de-Grâce, des vestiges de fresques (vers 1400) illustrant la vie de saint Guidon, mort en 1012 et très vénéré comme patron des paysans et protecteur des chevaux. La crypte (fin du 11ᵉ s.) renferme la pierre tumulaire de saint Guidon.

Béguinage (**AM**) – Fondé en 1252 et partiellement reconstruit en 1756, il a été restauré.

★ **Musée de la Gueuze** (**ES M¹⁴**) ⊘ – *56, rue Gheude.*
Cette dernière brasserie artisanale de la capitale permet de suivre les différentes étapes de la fabrication du lambic, de la kriek, de la gueuze et du faro de tradition.

Koekelberg

★ **Basilique nationale du Sacré-Cœur** (**ABL**) ⊘ – Commencée en 1905, elle fut consacrée en 1951 et terminée seulement en 1970. Le dôme de cet immense édifice en briques, béton et pierre s'élève à 90 m au-dessus de la colline de Koekelberg. Contre l'abside se dresse un grand *Christ en croix* de George Minne.
A l'intérieur, les murs revêtus de terra-cotta jaune d'or circonscrivent un très vaste espace, le transept atteint 108 m de longueur. On remarque surtout le **Ciborium**, au-dessus du maître-autel : il est surmonté d'un calvaire et de quatre anges en bronze, agenouillés, exécutés par Harry Elström. De nombreux **vitraux** diffusent une lumière colorée ; ceux de la nef ont été réalisés d'après les cartons d'Anto Carte.
On peut monter à la **galerie-promenoir** ⊘ et au sommet du **dôme** ⊘ : **vue** panoramique sur Bruxelles.

Au Nord : Jette

Demeure abbatiale de Dieleghem (**ABL M¹⁵**) – Seul vestige d'une abbaye fondée au 11ᵉ s., elle abrite, dans de belles salles de style Louis XVI, le **musée national de la Figurine historique** ⊘ : une riche collection de figurines illustre des scènes historiques, le plus souvent militaires, de l'Antiquité à nos jours. Au deuxième étage se trouve le **musée communal du Comté de Jette** qui retrace l'histoire de la commune depuis la préhistoire.

BRUXELLES
BRUSSEL

Alfred Madoux (Av.) .... **DN** 6
Altitude 100 (Pl. de l') .... **BN** 7
Broqueville (Av. de) .... **CM** 30
Charleroi (Chée de) .... **BM** 34
Charroi (R. du) .... **ABN** 36
Delleur (Av.) .... **CN** 57
Edith Cavell (R.) .... **BN** 67

Edmond Parmentier
(Av.) .... **DM** 69
Emile Vandervelde (Av.) ... **DM** 82
Flagey (Pl.) .... **BN** 93
Fonsny (Av.) .... **BN** 94
Foresterie (Av. de la) .... **CN** 96
France (R. de) .... **BM** 100
Frans van Kalken (Av.) .. **AN** 103
Gén. Jacques (Bd) .... **CN** 109
Houzeau (Av.) .... **BN** 123
Louis Schmidt (Bd) .... **CN** 162

Mérode (R. de) .... **BN** 174
Paepsem (Bd) .... **AN** 186
Parc (Av. du) .... **BN** 190
Plaine (Bd de la) .... **CN** 196
Prince-de-Liège (Bd) ...... **AM** 204
Stockel (Chée de) .... **DM** 232
Tervuren (Chée de) .... **DN** 235
Th. Verhaegen (R.) .... **BN** 237
Triomphe (Bd. du) .... **CN** 240
Veeweyde (R. de) .... **AM** 244
Vétérinaires (R. des) ...... **BM** 247

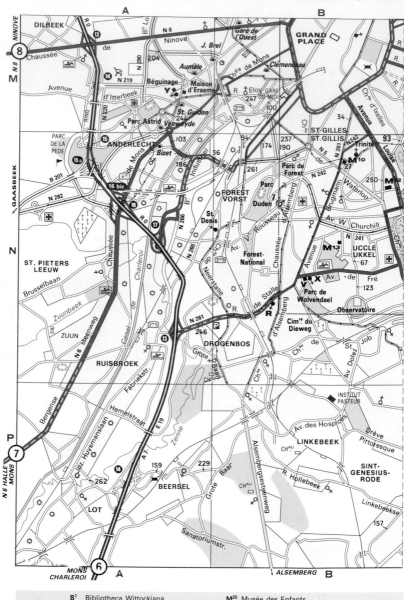

B¹   Bibliotheca Wittockiana
M¹⁰   Musée Horta
M¹²   Musée Constantin Meunier
M¹³   Musée van Buuren

M²⁵   Musée des Enfants
M²⁶   Musée
      du Transport urbain bruxellois
P¹   Palais Stoclet

Laeken

Église N.-D.-de-Laeken (**BL Z**) ⊙ – Construite par Poelaert dans le style néo-gothique, elle abrite les tombeaux de la famille royale (crypte) et une *Vierge* du 13ᵉ s., très vénérée. Dans le cimetière, on voit le chœur gothique de l'ancienne église ainsi que des tombes de nombreuses célébrités. Remarquer *Le Penseur* de Rodin qui signale la sépulture de Jef Dillen.

Château royal de Laeken (**BL**) – Situé dans la partie orientale *(non accessible au public)* du parc de Laeken, c'est la résidence habituelle des souverains de Belgique.

		V	Le Cornet
R	Église Notre-Dame-des-Affligés	X	Église orthodoxe russe
S	Abbaye Notre-Dame-de-la-Cambre	Y	Collégiale des Sts-Pierre-et-Guidon
U	Université Libre de Bruxelles		

Au-delà des grilles d'entrée, on aperçoit sa façade réédifiée en 1902 par l'architecte Girault. En face se dresse, dans un parc public, le monument érigé à la mémoire de Léopold Iᵉʳ.

Non loin de ce monument royal se dissimule le pavillon du Belvédère, résidence du roi Albert et de la reine Paola.

★★ **Serres royales de Laeken** (**BK S**[1]) ⊘ – Plus au Nord du domaine royal. Ces édifices au splendide décor architectural et très riches au point de vue botanique sont malheureusement rarement ouverts au public. Les serres furent construites vers la fin du siècle dernier par l'architecte Balat. Plusieurs galeries et pavillons aux plantes exotiques relient les deux axes principaux, l'Église de fer *(non accessible au public)* et le magnifique Jardin d'hiver qui impressionne par ses dimensions. Ce véritable palais en verre, fer, fonte et acier est une synthèse audacieuse d'ingéniosité technique et esthétique.

Pavillon chinois (**BK**) ⊘ – Face à la tour japonaise, ce gracieux édifice (1901-1909) fut construit par l'architecte Alexandre Marcel. Le kiosque et les boiseries extérieures furent exécutés à Shanghai. Remarquer au rez-de-chaussée le salon Delft orné de dessins illustrant les fables de La Fontaine. Belle collection de porcelaines sino-japonaises manufacturées pour l'exportation, dont les pièces sont exposées par roulement.

Une galerie-tunnel creusée sous l'avenue J. van Praet relie les deux bâtiments.

Tour japonaise (**BK**) ⊘ – Le pavillon d'entrée de cette pagode bouddhique (1901-1904) correspond au porche réédifié du *Tour du monde* de l'Exposition universelle de Paris en 1900, réalisé par Alexandre Marcel et racheté à la fermeture par Léopold II. La tour et l'aile abritant le grand escalier ont été construites à Bruxelles par ce même architecte. L'ornementation architecturale fut exécutée au Japon. Expositions temporaires.

La **fontaine** voisine est la reproduction de la célèbre *fontaine de Neptune* à Bologne par Jean Bologne.

Heysel

★ **Atomium** (**BK**) ⊘ – Témoin de l'Exposition universelle de 1958, l'Atomium domine de ses 102 m le plateau du Heysel. Symbole de l'âge atomique, il représente une molécule de cristal de fer agrandie 165 milliards de fois. Sa structure, en acier revêtu d'aluminium, est composée de 9 sphères de 18 m de diamètre, reliées entre elles par des tubes de 29 m de long et 3 m de diamètre, dans lesquels on peut circuler. Quatre de ces sphères abritent l'exposition Biogenium, la médecine en mouvement. Les grandes étapes de la médecine, la microscopie, la génétique, la cellule humaine, la virologie et l'immunologie sont les principaux sujets traités à l'aide de maquettes, de panneaux didactiques et de photos.

Un ascenseur mène à la sphère supérieure : panorama de Bruxelles.

Au pied de l'Atomium s'étend le **Bruparck**, vaste terrain comprenant, outre Mini-Europe *(voir ci-dessous)* le Kinepolis avec presque 30 salles de cinéma, une salle Imax dont l'écran mesure 600 m², l'Océade, hall aménagé pour les loisirs aquatiques et The Village, ensemble de cafés et de restaurants.

On aperçoit plus loin au Nord le **palais du Centenaire**, dans le parc des Expositions, aménagé pour l'Exposition universelle de 1935.

Mini-Europe (**BK**) ⊘ – Tous les pays de l'U.E. sont représentés ici à travers des maquettes (échelle 1/25) de bâtiments ayant une valeur socio-culturelle, historique et symbolique. Ainsi se trouvent rassemblés dans un parc de 2,5 ha l'Acropole d'Athènes, des réalisations danoises du temps des Vikings, l'hôtel de ville de Louvain (15ᵉ s.), une copie de l'austère monastère de l'Escurial (16ᵉ s.) que fit élever Philippe II au Nord-Ouest de Madrid, des maisons bordant des canaux d'Amsterdam (17ᵉ s.), la ville anglaise de Bath, œuvre des architectes du 18ᵉ s. John Wood Sr. et Jr., etc.

Quelques créations contemporaines animent le parc, tels la fusée Ariane, le TGV et un Jumbo-ferry.

EXCURSIONS

★★ Forêt de Soignes

59 km au Sud-Est. Sortir par ③ du plan.

★ **Tervuren** – Au Nord-Est de la forêt de Soignes *(p. 109)*, le **parc**★ de Tervuren aux pelouses soignées, où s'égrènent de beaux étangs, était à l'origine un rendez-vous de chasse apprécié. Des châteaux et jardins successifs firent sa gloire du 13ᵉ au 19ᵉ s. *Accès principal du parc en voiture par la place de l'église.*

★★ **Koninklijk Museum voor Midden-Afrika** (**Musée royal de l'Afrique centrale**) ⊘ – *Parking Leuvensesteenweg.*

En 1897, le roi Léopold II de Belgique avait organisé dans le cadre du Palais Colonial une exposition sur le Congo qui présentait la faune, la flore, l'art et l'ethnologie de ces contrées lointaines. Cette exposition obtint un tel succès qu'elle devint un musée permanent pour lequel l'architecte Girault construisit entre 1904 et 1910 le bâtiment actuel avec sa façade de style Louis XVI.

Les collections du musée présentent un vaste panorama de l'Afrique. Les sculptures et autres objets ethnographiques offrent un choix de pièces représentatives de divers groupes ethniques, et en particulier des deux foyers majeurs de cette forme d'expression artistique : l'Afrique centrale, avec une place privilégiée pour l'ancien Congo belge devenu le Zaïre, et l'Afrique occidentale. Cet établissement est aussi un centre scientifique de recherches fondamentales sur le continent africain.

Visite – On entre par la **rotonde** d'où s'offre une belle vue sur le parc. De part et d'autre, la **grande galerie** ainsi que quelques salles qui la prolongent à droite abritent une sélection remarquable d'objets et d'œuvres d'art africain. Dans la partie de la galerie à gauche de la rotonde, les collections sont présentées par thème ethno-graphique (chasse, agriculture, artisanat ou événements sociaux : mariage, mort...) ; dans la partie de droite les objets sont regroupés par zone géographique (Zaïre, Angola du Nord, Rwanda et Burundi). Il y apparaît une variété de sculptures éton-nantes en bois, en ivoire, en pierre, en métal (plus particulièrement salle 4). On peut aussi admirer une riche collection de bijoux et parures (salle 6). La suite de la visite offre des développements intéressants sur l'histoire coloniale de l'Afrique (parmi les grands explorateurs figurent Livingstone et Stanley à la première place), sur le paysage de montagne africain du Ruwenzori avec ses différentes zones d'alti-tude, ainsi que sur la zoologie (vastes dioramas), la géologie, la minéralogie.

Revenir au centre de Tervuren et suivre la signalisation pour l'Arboretum.

★ **Arboretum** ⊙ – L'arboretum géographique de Tervuren, créé en 1902, occupe une partie du bois des Capucins. Il est divisé en deux sections : nouveau et ancien continent, et rassemble des espèces forestières de climat tempéré, classées par région : chênes, ormes, frênes, bouleaux et conifères, mais aussi des essences exotiques.
On remarque les grands résineux de la zone du Pacifique tels que les séquoias et les douglas.

Jezus-Eik (**DN**) – Dans cette localité nommée en français N.-D.-au-Bois convergent les promeneurs qui viennent s'y restaurer et déguster une de ces fameuses tartines au fromage blanc, aux oignons et aux radis, spécialité de la région de Bruxelles.

★★ **Forêt de Soignes** (**Zoniënwoud**) (**DN**) – Cette superbe forêt témoigne, sur 4 380 ha, de l'ancienne **forêt charbonnière**, située à l'Ouest de la forêt ardennaise, où l'on fabriquait, du temps des Romains, du charbon de bois. De magnifiques hêtres se pressent sur le territoire vallonné de cet ancien rendez-vous de chasse. Maints vestiges de domaines abbatiaux occupent le creux des vallons : ainsi **Groenendael** (Groenendaal), beau **site**★ romantique jalonné d'étangs qui fut célèbre, du 14ᵉ au 18ᵉ s. pour son abbaye. Là vécut au 14ᵉ s. le grand mystique **Jan van Ruusbroec**, sur-nommé l'Admirable.
En dehors des grandes voies de circulation, de nombreux sentiers et allées cavalières, quelques pistes cyclables permettent des promenades agréables.

La Hulpe – Parmi les collines se disséminent résidences et châteaux. Le **domaine Solvay**, propriété de 220 ha, qui appartenait à la famille de l'industriel Solvay, a été légué à l'État.
Le **parc**★★ ⊙ magnifique, parsemé d'étangs, est dominé par un **château** ⊙ de 1840 transformé en centre culturel.

Lac de Genval – Rendez-vous de week-end des Bruxellois : vaste, il permet la pratique de nombreux sports nautiques ; boisé, ses abords autorisent de belles promenades.

Château de Rixensart ⊙ – Imposant quadrilatère de briques flanqué de tourelles d'angle, de style Renaissance, il date du 17ᵉ s.
Le domaine appartient depuis plus d'un siècle à la famille de Merode dont l'un des membres, Félix de Merode, fit partie du gouvernement provisoire en 1830. L'une des filles de ce dernier épousa le célèbre écrivain catholique français Montalembert. L'intérieur renferme en particulier de belles tapisseries (Beauvais, Gobelins), des peintures françaises (Valentin, Nattier) et une collection d'armes rapportées de la campagne d'Égypte par le mathématicien français Monge.

Waterloo

19 km au Sud.

Sortir par ⑥ du plan. Description, voir à ce nom.

Beersel et Huizingen

16 km au Sud.

Beersel (**AP**) – Ce bourg possède un joli **château fort** ⊙ en briques, cons-truit entre 1300 et 1310. Une restauration réalisée à partir de gravures qui le re-présentent à la fin du 17ᵉ s. lui a rendu son éclat d'antan.

Château de Beersel

Avec sa couronne de douves où se reflètent les chemins de ronde à mâchicoulis, ses trois tours à échauguettes et pignons à redans, il a une allure très romantique.

Huizingen – *Sortir par* ⑥ *du plan.*
Son **domaine récréatif provincial** ⊙ couvre 90 ha. Bien entretenu, il représente une oasis de verdure au sein d'une région industrielle.

Gaasbeek

12 km au Sud-Ouest.

★★ **Château et parc de Gaasbeek** ⊙ – Très restauré à la fin du 19e s., situé en bordure d'un parc vallonné, il abrite un riche musée. L'ensemble a été légué par son propriétaire en 1921, et depuis 1981 appartient à la communauté flamande. Le célèbre comte d'Egmont y passa les trois dernières années de sa vie.
Le **musée** conserve un beau mobilier, des tableaux, une multitude d'objets anciens et de magnifiques **tapisseries** (Tournai, 15e s., Bruxelles, 16e et 17e s.) dont les cinq épisodes de l'histoire de Tobie (escalier d'honneur). La salle des archives conserve le testament de Rubens. De la terrasse, la vue sur la campagne évoque les œuvres de Bruegel l'Ancien qui vint peindre cette région du Pajottenland, en particulier à St-Anna-Pede : on reconnaît l'église de cette localité sur un de ses tableaux.

Meise

14 km au Nord.

★★ **Plantentuin** (**Jardin botanique**) (**BK**) ⊙ – Située au Nord de Bruxelles, cette localité est surtout connue pour son domaine de Bouchout qui accueille le Jardin botanique. L'aspect du parc est déterminé par les implantations scientifiques, les massifs boisés alternant avec les pelouses, les étangs et les arbres remarquables plantés en solitaire. Au hasard de sa promenade et en fonction de la saison, le visiteur découvrira des collections d'hortensias, de magnolias, de rhododendrons, de chênes et d'érables. Au **Palais des Plantes,** un circuit fléché parcourt un univers de plantes tropicales et subtropicales. Ne pas manquer la serre dite « à Victoria » aux « palettes des peintres ». Le château où mourut l'impératrice Charlotte, sœur du roi Léopold II et veuve de Maximilien, empereur du Mexique, accueille des expositions temporaires. Mirant ses tours crénelées dans les eaux paisibles des anciennes douves, il forme un joli tableau.

Grimbergen

16 km au Nord par la A 12 jusqu'à Meise puis prendre à droite.

Église abbatiale des Prémontrés – C'est un des plus intéressants ensembles d'architecture et de décoration baroques de Belgique (1660-1725). Restée inachevée, elle présente un chœur très allongé que prolonge une tour carrée. L'intérieur tient sa majesté de la hauteur des voûtes et de la coupole. Il conserve un riche mobilier, notamment les quatre **confessionnaux★** où alternent allégories et personnages de l'Ancien et du Nouveau Testament, par le sculpteur anversois Henri-François Verbruggen. Les **stalles,** du 17e s., sont intéressantes. L'église renferme en outre 15 tableaux d'anciens maîtres flamands (17e-18e s.).
La **grande sacristie** (1763), à gauche du chœur, est décorée de lambris remarquables ; au plafond, la fresque et les grisailles sont consacrées à saint Norbert, fondateur de l'Ordre.
Dans la petite sacristie, beaux tableaux du 17e s.

Vilvoorde (Vilvorde)

12 km au Nord par la N 1.

O.-L.-Vrouwkerk (**Église Notre-Dame**) (**CK**) ⊙ – *Fermée pour travaux.*
Cette église gothique renferme de magnifiques **stalles★** baroques (1663), en bois sculpté, provenant de l'abbaye de Groenendael (*p. 109*).
Chaire d'Artus Quellin le Jeune (17e s.).

Zaventem

10 km à l'Est par la chaussée de Louvain et ensuite à gauche.

St.-Martinus (**Église St-Martin**) (**DL**) – Elle possède un intéressant tableau de Van Dyck : *Saint Martin partageant son manteau.*

... ET A GAUCHE LA PETITE RUE DES BOUCHERS

... EN LINKS DE KORTE BEENHOUWERSSTRAAT

Canal du CENTRE

Le canal du Centre fut créé entre 1882 et 1917 pour relier le bassin de la Meuse à celui de l'Escaut, afin de constituer un axe direct entre l'Allemagne et la France. Le gros problème était le dénivelé de 90 m qui existait entre les deux bassins. Il fut résolu par la construction de 4 ascenseurs à bateaux et de 6 écluses qui fonctionnent toujours.

A la suite de la loi du 9 mars 1957 qui décrétait la mise au gabarit européen (1 350 t) des principaux canaux belges dont ce tronçon, il fut décidé de lui donner un nouveau tracé et de remplacer les ascenseurs hydrauliques et les écluses par l'ascenseur de Strépy-Thieu.

★ **Les ascenseurs hydrauliques** – Ces belles constructions métalliques dessinées par une firme londonienne et exécutées par les usines Cockerill furent mises en place entre 1888 et 1917. Le principe est très simple : les péniches prennent place dans deux bassins remplis d'eau, l'un dans la partie haute du canal et l'autre dans la partie en contrebas. Ces deux bacs fixés sur d'énormes pistons constituent une sorte de balance hydraulique. Ceux-ci coulissent dans deux cylindres remplis d'eau, reliés par une tuyauterie. Une surcharge d'eau dans le bac supérieur vient rompre l'équilibre et le fait descendre tandis que le principe des vases communicants fait remonter l'autre.

J. Evrard, Bruxelles

Un ascenseur hydraulique sur le Canal du Centre

Ascenseur à bateaux de Strépy-Thieu – En complément du nouveau tracé du canal du Centre, il a été décidé de construire un pont-canal menant à un énorme ascenseur funiculaire.

Au **pavillon d'accueil** ⊙, une maquette, une carte lumineuse et un montage audiovisuel donnent une idée de l'ampleur et des détails techniques du projet en cours de réalisation depuis 1982. L'ouvrage choisi pour résoudre les 73,15 m de dénivelé du nouveau trajet aura des dimensions impressionnantes : hauteur 110 m, longueur 130 m, largeur 75 m ; la charge transmise au sol atteindra les 300 000 t. Deux bacs en acier de 112 m sur 12 m, suspendus par des câbles supportant 16 000 t et équilibrés par des contrepoids, pourront de façon indépendante monter ou descendre en 6 à 7 minutes ; 40 minutes suffiront à une péniche pour franchir entièrement la chute. Ainsi, le tracé actuel, qui ne permet que le passage de bateaux de 300 t (en 5 heures), sera remplacé pour être accessible à des bateaux de 1 350 t (en 2 heures) !

Un point de vue avec table d'orientation permet aux visiteurs de suivre l'évolution des travaux.

111

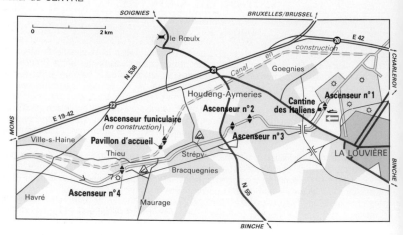

Promenade en bateau pour la visite des ascenseurs ⊙ – *Durée 2 h. Départ de la cantine des Italiens ou de Strépy-Bracquenies.*
Cette agréable promenade sur le canal bordé d'arbres et de maisons permet d'imaginer la vie des mariniers : passage des ascenseurs hydrauliques, des ponts tournants ou levis, manipulés par les pontiers ou les éclusiers. Un des embarcadères se trouve près de la **cantine des Italiens**, baraquements qui avaient été construits en 1945 pour accueillir des ouvriers italiens travaillant dans les charbonnages. Le franchissement des ascenseurs n° 2 et n° 3 permet d'en apprécier le fonctionnement. Dans la salle des machines qui se trouve sur la rive droite près de l'ascenseur n° 3 on peut voir comment se fabrique de l'eau sous très haute pression stockée dans les deux tours du bâtiment pour lever les portes d'accès à l'ascenseur, établir une jonction étanche entre le canal et le bac et faire fonctionner les pistons. Le retour se fait en petit train touristique, le long du chemin de halage, et l'on revoit les ascenseurs, mais cette fois de l'extérieur. Cette promenade peut être complétée par la visite de différents bateaux restaurés et rassemblés le long des berges du canal et, dans l'ascenseur n° 1, de l'**exposition** ⊙ consacrée aux ascenseurs à bateaux dans le monde.

CHARLEROI

Hainaut

356 858 habitants (agglomération)
Cartes Michelin nᵒˢ 409 G 4 et 214 pli 3 – Plan dans le guide Michelin Benelux.

Grand nœud routier et ferroviaire, Charleroi est, à proximité du bassin houiller, une des métropoles de l'économie belge. Ses rues animées, ses boutiques, sa gaîté même font de la capitale du Pays Noir une cité attrayante.
Deux quartiers principaux se dessinent au sein de cette agglomération tentaculaire : la **ville haute**, groupée autour de son beffroi moderne au Sud, dans une ancienne île de la Sambre dont un bras a été comblé, la **ville basse**, à vocation commerciale.

Passé militaire – En 1666, le gouvernement des Pays-Bas espagnols, inquiet des prétentions de Louis XIV, fait transformer en forteresse le village de Charnoy qui, en hommage au roi d'Espagne Charles II, prend le nom de Charleroy. Dès juin 1667, Louis XIV s'empare de la place forte. Vauban renforce les remparts de la ville haute, puis on édifie la ville basse pour entretenir l'activité économique. La présence de la houille dans la région va attirer les industries (verreries). Jusqu'en 1868, date de la transformation des remparts en boulevards, Charleroi est l'enjeu de durs combats. Prise par Jourdan en 1794, elle sert de base aux armées de la République puis aux troupes napoléoniennes.
En août 1914 a lieu la bataille de Charleroi (21-23 août), au cours de laquelle les troupes françaises échouent dans leur courageuse tentative d'interdire à l'ennemi la traversée de la Sambre le 21 : Charleroi est prise. Cependant, l'avance allemande est contenue un instant puis, devant la menace d'encerclement, l'armée française doit battre en retraite dans la soirée du 23, juste avant l'arrivée des renforts allemands le 24.

L'industrie – C'est la houille qui a attiré l'industrie : d'abord la verrerie dès 1577, puis la métallurgie (fonderies, clouteries, tréfileries et laminoirs) qui s'est particulièrement bien développée dès le début du 19ᵉ s. Aujourd'hui, la sidérurgie et la verrerie sont toujours représentées, mais l'industrie s'est diversifiée avec les constructions électriques, l'électromécanique, les industries chimiques et pharmaceutiques, l'imprimerie, etc. Deux instituts supérieurs forment des techniciens spécialisés et des ingénieurs.
Le canal de Charleroi à Bruxelles unit la Sambre à l'Escaut via Bruxelles et le canal maritime. La Sambre se jette ensuite dans la Meuse à Namur.

Les « marches » d'Entre-Sambre-et-Meuse – Particulièrement imprégnés de souvenirs guerriers, les villes et villages de la région qui s'étend au Sud de Charleroi, entre la Sambre et la Meuse, sont célèbres dans le calendrier folklorique belge pour leurs marches militaires qui remontent au 17e s.

Vestiges probables de l'époque troublée des réformes où les processions religieuses étaient encadrées par des milices rurales en armes, ces manifestations aux dehors très martiaux honorent un saint local.

Le jour de sa fête, c'est une véritable petite armée qui défile dans les rues, escortant parfois la statue du saint. En tête vont les « sapeurs », puis les tambours, les fifres et la fanfare, ensuite les soldats armés d'un fusil et tirant des salves ; parmi eux, des cavaliers et même des cantinières. Depuis le passage de Napoléon, l'uniforme du Premier Empire connaît un grand succès.

Une quarantaine de localités organisent des marches militaires *(voir p. 37)* ; à **Ham-sur-Heure**, pour la marche de St-Roch, défilent plus de 700 personnes parmi lesquelles figurent des « volontaires montois de la révolution brabançonne de 1789 » *(voir à Turnhout)*.

La plus longue marche est celle de **Gerpinnes** : 35 km, qui « mobilise » plus de 5 000 personnes. Dans ce village, le petit **musée des Marches folkloriques de l'Entre-Sambre-et-Meuse** ⊙ présente les costumes militaires des marcheurs. Celle de **Fosses-la-Ville**, aussi splendide que rare, a lieu tous les 7 ans *(voir p. 189)*.

En dehors de l'Entre-Sambre-et-Meuse, il faut signaler la marche de la Madeleine à **Jumet** *(4 km au Nord de Charleroi)*. Remontant à l'an 1380, c'est la plus ancienne de toute la Wallonie. Elle est remarquable par la variété de ses costumes.

LA VILLE HAUTE *visite : 1 h*

Beffroi – Comme l'hôtel de ville dont il fait partie, il fut construit entre 1930 et 1936 et domine de ses 70 m la place Charles-II aux rues en étoile. L'hôtel de ville abrite le **musée des Beaux-Arts** ⊙ : œuvres de François-Joseph Navez (1787-1869), élève de David, de Pierre Paulus, de Magritte et de Delvaux.

Place du Manège – Autour de cette grande place où se tient une partie du marché dominical se trouvent le palais des Expositions (1954) et le palais des Beaux-Arts (salle de spectacles et de concerts) qui est le siège du Centre chorégraphique de la communauté française de Belgique.

★ **Musée du Verre** ⊙ – *10, bd Defontaine, près du palais de Justice.*
Dans l'édifice de l'Institut national du Verre, reconnaissable à ses baies vitrées de teinte rousse, ce musée, d'une présentation remarquable, expose d'une manière vivante *(commentaire enregistré de 40 mn en plusieurs langues)* la technique et l'art du verre, des origines à nos jours. Au sous-sol, exposition permanente de produits verriers belges et expositions temporaires.

Musée archéologique de Charleroi – Au sous-sol du musée du Verre, une salle évoque le passé romain et mérovingien de la région et l'artisanat de la poterie et notamment du grès, dans le bassin de la Sambre.

ENVIRONS

Mont-sur-Marchienne – *3 km au Sud. Accès par le ring sortie « Porte de la Villette » ou par le périphérique R 3 sortie Mont-sur-Marchienne.*
Le **musée de la Photographie**★ ⊙ occupe un ancien couvent de carmélites de style néo-gothique. Un parcours à travers les pièces disposées autour du cloître permet de retracer l'histoire de la photographie depuis ses débuts en suivant l'évolution des appareils (depuis la camera obscura et le daguerréotype jusqu'à l'holographie) ainsi que les étapes de l'art photographique. Des tirages des plus grands photographes illustrent cet itinéraire. Ce musée qui se veut aussi un lieu vivant possède une bibliothèque de plus de 2 000 volumes sur la photographie et présente tout au long de l'année des expositions temporaires de grande qualité qui donnent lieu à des publications.

Vallée de la Sambre – *26 km. Sortir de Charleroi par la N 53, direction Beaumont. A 5 km du centre, tourner vers Montignies-le-Tilleul et gagner Landelies en traversant la N 579 puis la Sambre.*
Verdoyante et encaissée, la vallée de la Sambre en amont de Landelies est fort appréciée des pêcheurs et des plaisanciers.

★ **Abbaye d'Aulne** – *Voir à ce nom.*

Poursuivre la route pour atteindre Gozée.

En s'élevant au-dessus de l'abbaye, on a une belle vue d'ensemble des ruines.

Gozée – Au passage, voir la **pierre de Zeupire** *(à gauche en allant vers Beaumont, près d'un grand café)*. C'est un mégalithe en grès rose, pesant 20 t, qui serait le seul vestige d'un ancien cromlech.

Revenir sur ses pas et prendre la N 59.

Thuin – *Voir à ce nom.*

Lobbes – Sa célèbre abbaye fondée comme celle d'Aulne, au 7e s., par saint Landelin, s'élevait près de la Sambre et fut détruite en 1794.

Au sommet de la colline, la **collégiale St-Ursmer** a remplacé l'église funéraire élevée par saint Ursmer vers 713. Remontant à l'époque carolingienne, elle a été agrandie au 11e s. : le chœur et la crypte sont romans, ainsi que le porche et la tour Ouest, qui se rattachent à l'école mosane. Au 19e s. a été édifiée la tour de croisée.

Dans la crypte dont les piliers ont été refaits au 16e s., remarquer les tombeaux de saint Ursmer et saint Erme.

CHIMAY★

Hainaut

9 379 habitants

Cartes Michelin nos 409 G 5 et 214 pli 13.

Au fond de la « botte du Hainaut », à la lisière Sud de la vaste forêt de Rance, la petite ville de Chimay est connue pour son château dont on a une jolie vue depuis le pont sur l'Eau Blanche. Elle conserve le souvenir de **Froissart**, auteur, au 14e s., de célèbres *Chroniques*, et de Mme Tallien.

La princesse de Chimay – Mme Tallien, née Thérésa Cabarrus, l'une des plus jolies femmes de son temps, épousa en troisièmes noces (1805) François-Joseph de Caraman, prince de Chimay, et termina dignement en son château une existence agitée (1773-1835).
Sauvée de l'échafaud à Bordeaux par le proconsul Tallien, elle avait été réincarcérée à Paris. De sa prison, elle inspira à Tallien, qui devint peu après son mari, le courage nécessaire pour renverser Robespierre d'où son surnom de Notre-Dame-de-Thermidor.

Château ⊘ – Il appartint à la famille de Croÿ, puis, en 1804, à un Riquet de Caraman, descendant du Riquet constructeur du Canal du Midi (17e s.) et parent du fameux Mirabeau. Incendié partiellement en 1935, il a été construit sur des plans anciens dans le style de la Renaissance finissante. Sa façade en calcaire gris bleuté se dissimule au fond d'une vaste esplanade.

A l'intérieur, dans un salon dont la terrasse domine de 16 m la vallée de l'Eau Blanche, deux portraits font revivre l'ombre de Mme Tallien, l'un par Gérard, l'autre alors qu'elle était âgée. Son fils aîné, Joseph, fit bâtir en 1863 le charmant théâtre rococo chargé de stucs dorés, réplique de celui de Fontainebleau. Parmi les artistes invités à Chimay figurait la Malibran.

La chapelle aux jolies voûtes surbaissées contient des bannières de Louis XI provenant du château de Carrouges en Normandie (Louis XI s'empara du château de Chimay en 1447).

Dans un petit salon : robe de baptême du roi de Rome et souvenirs de Napoléon.

Collégiale des Sts-Pierre-et-Paul ⊘ – Cette église construite en pierre de taille, au 16e s., a conservé un beau chœur du 13e s. Dans celui-ci se trouvent le remarquable gisant de Charles de Croÿ, chambellan et parrain de Charles Quint (mort en 1552), quatre plaques funéraires à la mémoire de membres illustres de la famille de Chimay, d'intéressantes stalles du 17e s. et une croix triomphale (vers 1550). Remarquez, dans la première chapelle à droite en entrant dans l'église, l'épitaphe en latin du chroniqueur Froissart qui fut chanoine à Chimay et y mourut en 1410. Sur la place, on remarque le monument où figurent des membres de la famille de Chimay dont Mme Tallien et son mari, vêtu d'une cape.

ENVIRONS

★ **Étang de Virelles** ⊘ – *3 km au Nord-Est.*
Cette réserve naturelle couvre 100 ha. Entouré de bois, l'étang, très fréquenté, est la plus vaste étendue d'eau naturelle de Belgique. L'aire de détente offre des possibilités de restauration, des locations de pédalos et des jeux pour enfants.

Abbaye N.-D.-de-Scourmont – *10 km au Sud par Bourlers.*
Fondée en 1850, elle est occupée par des trappistes. Ses sobres bâtiments s'ordonnent autour d'une cour centrale où se dresse la façade dépouillée de l'église (1949).
Les pères fabriquent de la bière connue sous le nom de Trappiste de Chimay.

Cet ouvrage tient compte des conditions du tourisme connues au moment de sa rédaction.

Certains renseignements perdent de leur actualité en raison de l'évolution incessante des aménagements et des variations du coût de la vie.

Nos lecteurs sauront le comprendre.

COO

Liège

Cartes Michelin n°s 409 K 4 et 214 pli 8 – 8,5 km à l'Ouest de Stavelot
Schéma p. 46-47.

Dans un cadre montagneux (pistes de ski à Wanne et à Brume), cette station de villé-giature animée s'enorgueillit d'une magnifique **cascade**★ par laquelle se précipitent avec un bruit de tonnerre les eaux bouillonnantes et écumantes de l'Amblève. *Illumination tous les soirs.* Au 18e s., l'Amblève traçait ici un long méandre dont les racines se rejoi-gnaient presque sous l'effet de l'érosion. Les moines de Stavelot eurent-ils l'idée de per-cer le rocher pour compléter le travail de la nature ? Une cascade finit par se former, par suite de la dénivellation.

Montagne de Lancre – De la tour construite au sommet *(accessible par un télé-siège)*, on découvre un vaste **panorama**★ sur la vallée de l'Amblève et l'ensemble des installations électriques de pompage de Coo-Trois-Ponts dont le méandre ou Tour de Coo, retenu par deux digues, constitue le bassin inférieur. Comme à Vianden, la nuit, des pompes en remontent l'eau aux réservoirs des bassins supérieurs de Brume, ce qui permet de produire de l'énergie supplémentaire aux heures de pointe.

COURTRAI★

Voir KORTRIJK

COUVIN

Namur

12 452 habitants

Cartes Michelin n°s 409 G 5 et 214 plis 13, 14.

Couvin aligne ses toits d'ardoise le long des quais ombragés de l'Eau Noire. Elle est dominée par un rocher calcaire (Falize) où s'élevait le château détruit en 1672 par Louis XIV. C'est une avenante cité de villégiature située au cœur d'une région riche en promenades balisées et en rivières propices à la pêche. Couvin est réputée pour sa cuisine : poulet à la Couvinoise, escavèche...

Les fonderies sont une très ancienne activité de la région. Aux Fonderies de l'Eau Noire, on peut voir une exposition de plaques de cheminées (ou taques).

Le pays fut évangélisé par des bénédictins venus de l'abbaye St-Germain-des-Prés, de Paris, en 872, aussi la rue principale porte-t-elle le nom du Faubourg-St-Germain.

Cavernes de l'Abîme ⊘ – Dans l'une des plus impressionnantes de ces grottes habitées par l'homme préhistorique et servant de refuge à l'époque romaine et au Moyen Âge est présenté un spectacle audiovisuel sur la préhistoire en Belgique. Un petit musée complète cette évocation. A l'extérieur, du sommet d'un escalier, jolie vue sur Couvin.

Circuit de 17 km à l'Ouest de Couvin – *Prendre la N 99 et tourner à gauche à Pétigny.*

★ **Grottes de Neptune** ⊘ – *A 5 km de Couvin.* L'Eau Noire, appelée ainsi à cause de la pierre noire dont est constitué le fond, disparaît en grande partie dans l'Adugeoir (gouffre) pour ressortir près de Nismes. On visite les trois galeries superposées aux belles concrétions, bien mises en valeur. Si la galerie supérieure a été abandonnée depuis des siècles par l'Eau Noire, celle du centre est inondée lors des crues. La partie inférieure des grottes, où coule la rivière souterraine, permet d'effectuer en barque une agréable promenade au cours de laquelle on admire une spectaculaire **cascade**. La fin du parcours s'agrémente d'un exceptionnel spectacle son et lumière.

Revenir à Pétigny, reprendre la N 99 et tourner à gauche vers Nismes.

Nismes – L'Eau Noire, après la traversée des grottes de Neptune, réapparaît ici et se mêle à l'Eau Blanche pour former le Viroin. Nismes est une station estivale fréquentée. Ses environs calcaires recèlent de nombreuses curiosités géologiques, dont le **Fondry des Chiens** *(accès par la rue Orgeveau)*, le plus imposant de ces gouffres tourmentés, hérissés de monolithes, qui parsèment le plateau situé à l'Est de la ville ; belle vue sur la campagne environnante.

Mariembourg – Cette petite ville doit son nom à Marie de Hongrie, gouvernante des Pays-Bas, qui la fit construire en 1542. Cette ville au plan géométrique dotée de fortifications (dont il ne reste rien) faisait face à la place de Maubert-Fontaine, située en territoire français. Réputée imprenable, Mariembourg fut enlevée dès 1554 par le roi de France Henri II *(voir p. 69)*, ce qui obligea Charles Quint à édi-fier une nouvelle place, Philippeville *(voir p. 201)*. Reconquise par les Espagnols en 1559, Mariembourg fut cédée 100 ans plus tard à la France et resta française jusqu'au 25 juillet 1815, date à laquelle les défenseurs de la ville durent capituler devant les Prussiens, non sans recevoir « les honneurs de la guerre ».

Mariembourg est le point de départ du **Chemin de fer des Trois Vallées** ⊘, un train touristique qui se rend jusqu'à Treignes en suivant la pittoresque **vallée de Viroin** ; il passe également par la vallée de l'Eau Blanche en direction de Chimay.

xcursion dans le Pays des Rièzes et des Sarts – *20 km au Sud.*

*P*rès de la frontière française s'étend le Pays des Rièzes et des Sarts, région de landes marécageuses et de forêts dont les rièzes, terres peu fertiles, sont en partie vouées à l'élevage, permettant la fabrication d'un beurre et d'un fromage réputés.

Prendre la route de Rocroi puis la N 964 ; tourner vers Brûly-de-Pesche.

Brûly-de-Pesche – Dans un bois, près d'une source, lieu de pèlerinage traditionnel à saint Méen, se dissimule l'**abri d'Hitler** ⊙. Du 6 juin au 4 juillet 1940, Hitler fit de cet endroit son quartier général et y dirigea, en compagnie de son état-major, la campagne de France. En toute hâte, il y avait fait construire un petit bunker en béton.

Cul-des-Sarts – Le **musée des Rièzes et des Sarts** ⊙ est installé derrière l'église, dans une maison à colombage et toit de chaume dont l'intérieur évoque la vie traditionnelle dans la région.

COXYDE

Voir KOKSIJDE

DAMME★

West-Vlaanderen

10 749 habitants

Cartes Michelin n°s 409 C 2 et 213 pli 3 – 7 km au Nord de Bruges.

La jolie petite ville de Damme, un peu mélancolique dans son abandon, était, sur l'ancien estuaire du Zwin, l'avant-port de Bruges à qui elle dut son développement et avec qui son histoire se confond. Toutes sortes de marchandises y transitaient ; cependant Damme était spécialisée dans le commerce du vin.

En 1468, on y célèbre avec faste le mariage de Charles le Téméraire et de Marguerite d'York. Mais, dès la fin du 15e s., l'essor de Damme est affecté par le déclin de Bruges. Damme est la patrie d'un des plus anciens écrivains flamands, **Jacob Van Maerlant** (vers 1225-fin 13e s.) ; là vit le jour également **Thyl Ulenspiegel**, héros du roman picaresque (1867), de Charles de Coster *(voir p. 33)*, en lutte perpétuelle contre la tyrannie de Charles Quint et Philippe II.

CURIOSITÉS

★ **Stadhuis (Hôtel de ville)** ⊙ – Du 15e s., il a été restauré au 19e s. ; les halles occupaient jadis le rez-de-chaussée.

Son élégante façade, avec ses échauguettes et son perron, est ornée de jolies statues supportées par des consoles historiées avec une verve malicieuse ou charmante : de sa niche, Charles le Téméraire tend à sa fiancée, Marguerite d'York, l'anneau nuptial.

L'intérieur conserve de magnifiques poutres sculptées. L'un des personnages représentés serait l'écrivain Jacob van Maerlant.

O.-L.-Vrouwekerk (Église Notre-Dame) ⊙ – Elle date des 13e et 14e s. Entre les chevets plats des deux chapelles latérales, l'abside présente de belles baies lancéolées. Lorsque au début du 17e s. de nombreux habitants quittèrent la ville, qui avait dû cesser ses activités portuaires et se transformait en forteresse, l'église devint trop spacieuse et la nef fut démolie. Les ruines de celle-ci conservent une galerie à triplets de style tournaisien.

A l'intérieur de l'église actuelle, on voit une série de statues d'apôtres en bois (fin 13e s.) et, sur un retable baroque placé contre le mur Nord, un *Christ miraculeux* qui est transporté à l'occasion de processions comme celle du Saint-Sang à Bruges.

La haute **tour★** ⊙ carrée, qui a perdu sa flèche, est remarquable. Elle domine une charmante petite place plantée de tilleuls, bordée par l'hospice aux grands toits. Du sommet de la tour, **vue** sur la ville ; des tertres marquent l'emplacement des fortifications du 17e s. Si le temps le permet, on aperçoit la côte.

St.-Janshospitaal (Hôpital St-Jean) ⊙ – Fondé au 13e s., il a été agrandi et transformé en hospice. On visite la chapelle et le **musée** dont les meubles, tableaux, faïences, objets liturgiques, sculptures (statuette de sainte Marguerite d'Antioche) évoquent le riche passé de l'hôpital et de la ville.

Tijl Uilenspiegelmuseum (Musée Thyl Ulenspiegel) ⊙ – Près de l'hôtel de ville, dans la pittoresque maison à double pignon nommée De Grote Sterre (la grande étoile), du 15e s., des livres, dessins, peintures, vitraux évoquent l'illustre Thyl et son entourage.

De Schellemolen (Moulin) ⊙ – Au bord du canal, ce moulin restauré moud du grain.

DENDERMONDE ★

Termonde occupe une position stratégique au confluent de la Dendre et de l'Escaut (Dendermonde : bouche de la Dendre). Louis XIV dut en abandonner le siège en 1667, à cause de l'inondation provoquée par les habitants : « Ville maudite, s'écria-t-il, que n'ai-je pour te prendre une armée de canards ! »
En septembre 1914, peu après la capitulation d'Anvers, Termonde fut très éprouvée.
Chaque année *(voir le chapitre des Renseignements pratiques en fin de volume)* se déroule ici un cortège de géants. Le cortège du cheval Bayard, chevauché par les quatre fils Aymon *(voir p. 178)*, est organisé tous les 10 ans. La légende raconte que l'illustre cheval fut noyé dans l'Escaut, à Termonde, sur ordre de Charlemagne.

CURIOSITÉS

Grote Markt (Grand-Place) – Bien qu'en partie reconstruite, elle conserve un cachet ancien ; deux monuments importants s'y remarquent.

Stadhuis (Hôtel de ville) – Cette ancienne halle aux draps a été reconstruite après la Première Guerre mondiale, dans le style Renaissance flamande, de part et d'autre d'un beffroi carré avec tourelles d'angle du 14e s.
Derrière l'hôtel de ville, jolie vue sur la Dendre (Oude Dender).

Stedelijk Oudheidkundig Museum (Musée municipal) ⊘ – Situé dans l'ancienne halle aux viandes (vleeshuis), de 1460, flanquée d'une tourelle octogonale, ce musée présente, dans un joli cadre médiéval, des collections concernant l'archéologie et l'histoire de la ville.

★★ **O.-L.-Vrouwekerk (Église Notre-Dame)** ⊘ – Elle est située sur une place flanquée de marronniers qu'on aperçoit depuis la façade arrière du musée. Cet édifice des 13e et 14e s., surmonté d'une tour de croisée octogonale, est une alliance des styles gothique, brabançon et scaldien.
L'intérieur contient un bel ensemble d'**œuvres d'art**★. Dans le bas-côté droit, on peut voir une cuve baptismale romane, en pierre bleue de Tournai, dont les côtés sont décorés de représentations symboliques ayant trait au baptême. Les événements principaux de la vie de l'apôtre Paul figurent sur deux frises. Sur une des faces de la cuve, Paul est représenté parmi les autres apôtres. A proximité, on aperçoit deux toiles de Van Dyck : un *Calvaire* et l'*Adoration des Bergers*.
Remarquer une autre *Adoration des Bergers*, attribuée au peintre Henri Blès (16e s.). Le croisillon gauche du transept et le chœur ont conservé des fresques des 15e et 17e s.

Begijnhof (Béguinage) – *Accès par la route de Bruxelles (Brusselsestraat) et à droite.*
Autour de la cour intérieure sont groupées de hautes maisons du 17e s. Aux n°s 11, 24 et 25, petits **musées** ⊘.

DEURLE

Au bord de la Lys, dans la région chère aux peintres de Laethem-St-Martin *(voir p. 138)*, Deurle dissimule dans la verdure de nombreuses villas fleuries.

Museum Gust De Smet ⊘ – La maison où le Gantois Gust De Smet (1877-1943) se retira pour peindre de 1935 à sa mort est devenue musée. L'intérieur, l'atelier sont restés inchangés et abritent de nombreuses œuvres de cet artiste du deuxième groupe de Laethem.

Museum Léon De Smet ⊘ – La maison, construite en 1969 par la dernière compagne de Léon De Smet (1881-1966), frère de Gust, conserve les meubles et les objets familiers du peintre qu'il reproduisait sur ses toiles. Une vingtaine de tableaux et de dessins y sont exposés.

Museum Mevrouw Jules Dhondt-Dhaenens ⊘ – A côté du musée Léon De Smet, ce long bâtiment de brique blanc construit en 1969 offre un bon aperçu de l'expressionnisme flamand, issu de l'art de Laethem.
On y admire des œuvres de grands maîtres comme Permeke *(Dame au chapeau vert, Paysage doré)*, Van den Berghe, Gust De Smet *(Crépuscule, Ferme, Baraque de tir)* et du précurseur Albert Servaes, au mysticisme tragique *(Bourreau, la Passion, la Sépulture, la Résurrection)*.
Quelques sculptures et une salle pour expositions complètent cet ensemble.

Si vous cherchez un hôtel agréable, tranquille, bien situé,
*consultez le **guide Rouge Michelin Benelux** de l'année.*

DIEST★

Vlaams-Brabant

20 574 habitants

Cartes Michelin n°s 409 I 3 et 213 plis 8, 9.

Dans une boucle formée par le Demer, Diest est une cité paisible entourée d'une forte ceinture de remparts, en partie conservée.

Au même titre que Breda aux Pays-Bas, Dillenburg en Allemagne, Orange en France, Diest fut le fief de la **Maison d'Orange** dont le représentant le plus célèbre fut Guillaume de Nassau. Plus connu sous le nom de **Guillaume le Taciturne** (1533-1584), il prit la tête de la révolte des Provinces-Unies contre l'Espagne. Héritier de son cousin René de Chalon, prince d'Orange né à Diest, il fut le fondateur de la dynastie d'Orange-Nassau à laquelle appartient encore la reine Béatrix, aux Pays-Bas. Le fils aîné du Taciturne, Philippe-Guillaume, est enterré dans l'église St-Sulpice.

Diest est la ville natale de **saint Jean Berchmans** : mort en 1621 à 22 ans, il est devenu le patron des jeunes (maison natale au 24 de la rue du même nom).

CURIOSITÉS

Grote Markt (Grand-Place) (AZ 7) – Elle est bordée de maisons du 16e au 18e s. et de l'hôtel de ville du 18e s. ; au centre se dresse l'église.

St.-Sulpitiuskerk (Église St-Sulpice) **(AZ)** ☉ – C'est un édifice des 14e-16e s. de style brabançon dont les campagnes de construction sont marquées par la juxtaposition du grès ferrugineux de la région (chœur, nef) et de la pierre blanche (tour inachevée du 16e s.). Elle possède un important carillon. L'intérieur montre un triforium ajouré et contient d'intéressantes **œuvres d'art★**. De belles boiseries du 18e s. – chaire, orgues – sont à remarquer. Dans le chœur, **stalles** du 15e siècle aux amusantes miséricordes représentant les péchés capitaux, des proverbes ; **tabernacle** (17e s.) dont les niches sont décorées à l'italienne ; triptyque du 16e s., *Adoration des Mages* ; *Vierge à l'Enfant* (Sedes Sapientiae) du 13e s.

Une pièce derrière le chœur abrite le trésor de l'église.

★ Stedelijk Museum (Musée communal) **(AZ H)** ☉ – Situé dans les cryptes de l'hôtel de ville *(porte à droite sous le perron)*, ce musée est mis en valeur par son cadre moyenâgeux. Sous les voûtes gothiques en grès rouge (14e s.) sont présentés un **Jugement dernier** du 15e s., peint sur bois, une *Vierge à l'Enfant* de 1345, en marbre, provenant du béguinage, des armures des 15e et 16e s.

La salle suivante, d'influence romane, aux coupoles de briques soutenues par de courts piliers, est une ancienne brasserie seigneuriale dont subsiste le puits ; on remarque le lustre en bois de cerf et orfèvrerie (15e s.).

La salle des guildes et la chambre des échevins, avec leur mobilier sculpté et leurs statues, les vitrines d'orfèvrerie où sont présentés de beaux **colliers de guildes** des 17e et 18e s. complètent cet ensemble.

Collier de guilde

Lakenhalle (Halle aux draps) **(AZ B)** – 14e s. La façade a été reconstruite au 19e s. ; tout près a été déposée la Holle Griet, bombarde du 15e s. Contourner l'édifice pour voir la façade ancienne.

Au carrefour des rues piétonnes voisines se dressent deux pittoresques **maisons en encorbellement** du 15e s. **(AZ D)**.

Les refuges – En faisant quelques pas dans la Demerstraat, on aperçoit à droite près d'un canal l'**ancien refuge de l'abbaye de Tongerlo**, ou Het Spijker, datant du 16e s. **(AY)**, érigé en grès et pierre.

Plus loin, se dissimule dans la verdure celui d'**Averbode** du 15e s. **(AY F)**. Les dépendances datent du 20e s.

Se rendre en voiture au béguinage par la Michel Theysstraat.

★ Begijnhof (Béguinage) **(BY)** – Fondé au 13e s., c'est l'un des plus importants de Belgique. On y pénètre par une belle porte baroque de 1671 dont la niche est garnie d'une *Vierge à l'Enfant*.

Les maisons, à pignons et niches, datent du 16e au 18e s. On peut en visiter une au n° 5, Engelen Conventstraat (rue centrale).

L'**église (BY L)** ☉, de style gothique brabançon, renferme de belles boiseries ; chaire de 1671, remarquable par l'élégance de ses sculptures, clôture de chœur de la même époque, finement ouvragée. Intéressantes statues.

Aux n°s 72 et 74 de la Koning Albertstraat (**BY K**), on admire les pignons de deux anciennes brasseries sculptés d'outils de brasseur.

Watermolen van Oranje (Ancien moulin à eau des princes d'Orange) (BY) – 16e s. A l'ombre d'un saule pleureur, sur un canal où se reflète son pignon à redans, il forme un charmant tableau.

Schaffensepoort (Porte de Schaffen) (BY) – Elle est percée dans deux enceintes successives du 19e s.

Leopoldvest (BYZ) – Ce boulevard longeant les remparts (vest : rempart) offre une jolie **vue** sur le béguinage : derrière la clôture de briques s'étendent les jardins, au-delà se pressent les maisons à hautes toitures.
On découvre ensuite le **Lindenmolen (BZ R)**, moulin en bois de type standard du 18e s., provenant du village voisin d'Assent. Ses abords ont été aménagés en centre récréatif (vaste baignade entourée de sable) : **De Halve Maan.**

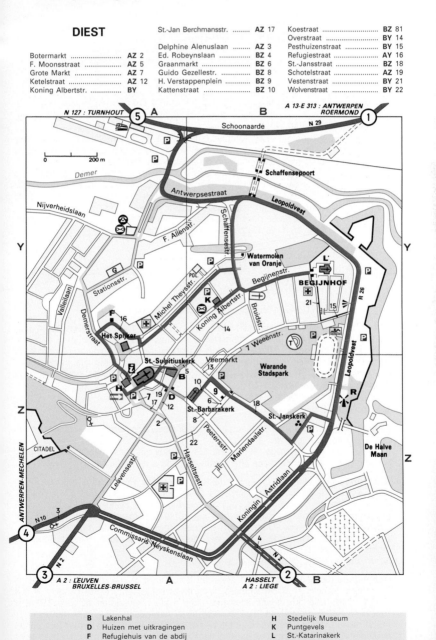

B	Lakenhal	**H**	Stedelijk Museum
D	Huizen met uitkragingen	**K**	Puntgevels
F	Refugiehuis van de abdij	**L**	St.-Katarinakerk
	van Averbode	**R**	Lindenmolen

119

Ruïnes van de St.-Janskerk (Ruines de l'église St-Jean) (**BZ**) — Au centre d'une place se dressent les vestiges de son chœur gothique, en grès rouge, couvert de lierre.

H. Verstappenplein (**BZ 9**) — Sur cette place on voit l'entrée principale du **parc Warande** : situé sur la butte où se trouvait le château, c'est l'ancienne réserve de chasse des princes d'Orange. Leur hôtel (1516), flanqué d'une tourelle, lui fait face.

St.-Barbarakerk (Église des Croisiers) (**BZ**) ⊙ — Cette église baroque contient six somptueux confessionnaux en bois sculpté, du 17e s. L'un d'entre eux forme la base de la chaire.

EXCURSION

Circuit de 37 km — *2 h. Sortir par* ① *du plan et tourner à gauche.*

Tessenderlo — L'église St-Martin (St.-Maartenskerk) renferme un beau **jubé★**, du début du 16e s., aux trois arcades finement sculptées reposant sur six piliers. Entre les arcs se dressent huit grandes statues des évangélistes et des Pères de l'Église. De petits personnages en costumes du Moyen Âge animent dans quatre médaillons surmontant les arcs des scènes de la vie de la Vierge et au-dessus, sous des dais ajourés, des scènes de la vie du Christ. Les fonts baptismaux ont été sculptés au 12e s.

★ **Averbode** — *Voir à ce nom.*

Zichem — L'église de ce bourg où naquit Ernest Claes *(voir à Averbode)* contient un beau triptyque du 16e s. illustrant la vie de saint Eustache, patron de l'église et, au-dessus du maître-autel, un vitrail de 1397, le plus ancien du pays.

Scherpenheuvel (Montaigu) — Au sommet d'une butte de 77 m d'altitude, c'est, pour la Belgique, le lieu de pèlerinage national à la Vierge. Le dimanche suivant la Toussaint se déroule, l'après-midi, une procession aux chandelles.
La basilique a été construite par Cobergher *(voir à Ath)* entre 1609 et 1627. Au centre d'un plan urbain géométrique, sept avenues convergent en effet vers l'édifice à sept pans, surmonté d'un dôme baroque, qui marque l'introduction de ce style en Belgique ; à l'arrière se dresse une haute tour carrée.
A l'intérieur sont disposées dans les chapelles rayonnantes six toiles de Van Loon, *Vie de sainte Anne et de la Vierge,* d'un franc coloris.

DIKSMUIDE

DIXMUDE — West-Vlaanderen

15 270 habitants

Cartes Michelin n°s 409 B 2 et 213 plis 1, 2.

Port sur l'Yser et ville drapière au Moyen Âge, Dixmude fut détruite en 1914 puis bombardée en 1940. Elle a été reconstruite, comme Ypres, dans le style flamand. Dixmude fut un des points stratégiques de la bataille de l'Yser *(voir à Nieuwpoort)*. Le nom de la ville est lié au souvenir des soldats belges et des fusiliers marins français de l'amiral Ronarc'h qui y résistèrent héroïquement à des forces supérieures, du 16 octobre au 10 novembre 1914.

CURIOSITÉS

Begijnhof (Béguinage) — *Pour y accéder, passer devant le portail de l'église et tourner à gauche au Vismarkt.*
Il a été reconstruit à l'image de l'ancien. Les maisons blanches s'alignent autour d'un puits, de part et d'autre d'une charmante chapelle à hauts pignons.

IJzertoren (Tour de l'Yser) ⊙ — Sur la rive opposée à l'Yser, cette tour de 84 m a été élevée à la mémoire des héros de l'Yser. Elle porte les lettres A.V.V.-V.V.K., initiales d'une devise signifiant : Tout pour la Flandre, la Flandre au Christ.
Du sommet *(ascenseur)*, beau **panorama★** sur la plaine flamande parcourue par l'Yser sinueux, et sur Dixmude. On aperçoit, par beau temps, de droite à gauche, les beffrois de Bruges, d'Ostende, de Nieuport, les monts de Flandre — mont Rouge et mont Noir *(table d'orientation)*.
Au 1er étage, **musée** de la bataille de l'Yser.

Dodengang (Boyau de la Mort) ⊙ — *3 km au Nord-Ouest, sur la rive gauche de l'Yser.*
Dans les tranchées ainsi dénommées, les soldats belges ont résisté pendant 4 ans (1914-1918) face aux lignes allemandes qui avaient réussi, en octobre 1914, à franchir l'Yser à cet endroit *(voir p. 190)* et se trouvaient à quelques mètres.
Au 1er étage de la maison, une table d'orientation permet de situer les points stratégiques. On peut circuler ensuite dans deux longs couloirs de tranchées dont les parapets formés de sacs de terre sont fidèlement reproduits en béton.

DINANT★★

Namur

12 085 habitants

Cartes Michelin n°s 409 H 5 et 214 pli 5 – Schémas p. 123 et p. 179.

Plan dans le guide Michelin Benelux.

Dinant occupe un **site**★★ remarquable dans la vallée de la Meuse. Dominée par le clocher bulbeux de sa collégiale et la masse de sa citadelle, la ville étire sur 4 km, entre le fleuve et le roc, ses maisons aux toits bleutés.

C'est un centre de tourisme réputé. Dinant a donné son nom à la **dinanderie**, art de fondre, battre et repousser le laiton (ou cuivre jaune), pratiquée ici dès le 12e s. Dinant a pour autre spécialité les « couques », gâteaux au miel auxquels la cuisson dans un moule en bois sculpté donne des formes décoratives.

Ici naquit à la fin du 15e s. **Joachim Patinir** (ou Patenier) : ce peintre insère des scènes bibliques dans de vastes paysages évoquant ceux de la Meuse ; mais également Antoine Wiertz (1806-1865), artiste visionnaire qui annonce déjà le symbolisme et le surréalisme en Belgique. Au Dinantais **Adolphe Sax** (1814-1894), on doit l'invention... du saxophone.

Un passé mouvementé – Dinant fut constamment en conflit avec Bouvignes, pour des rivalités de dinanderie, ainsi qu'avec Namur, Liège ou les ducs de Bourgogne. Cela lui valut d'être détruite en 1466 par Charles le Téméraire. Occupant une position clé sur la vallée de la Meuse, elle vit défiler de nombreuses armées de conquérants. En 1554, ce sont les troupes du roi de France Henri II ; en 1675 et en 1692, celles de Louis XIV.

La ville est de celles qui, en Belgique, ont le plus souffert des deux dernières guerres. En 1914, elle fut mise à sac par les Allemands : 1 100 maisons furent incendiées et 674 civils fusillés. En 1940 et en 1944, elle fut bombardée et en partie incendiée.

Promenades en bateau ⊙ – *Embarcadère face à l'hôtel de ville.*

Collégiale et citadelle de Dinant

CURIOSITÉS

Collégiale Notre-Dame – De l'église élevée au rang de collégiale dès le 10e s., il ne reste aucune trace visible. Transformée au 12e s., elle a fait place à une église romane dont subsiste le portail Nord. La construction de l'édifice gothique, au style importé de Bourgogne et de Champagne, s'étale du 13e à la fin du 14e s.

C'est de l'époque du sac de la ville par les armées de Henri II que date la tour bulbeuse et son gracieux campanile qui, à l'origine, devaient être surmontés d'un beffroi.

Intérieur – *Accès par le portail Nord.* Malgré les dimensions restreintes imposées par l'exiguïté de l'emplacement, l'ensemble produit une impression de grandeur et de sobriété caractéristiques de l'école mosane. L'unité du plan en croix latine est obtenue grâce à l'ordonnance de l'élévation, identique dans l'ensemble de l'édifice : les colonnes monostyles aux chapiteaux octogonaux à feuilles strictes de style régional soutiennent de grandes arcades moulurées, un triforium à arcades trilobées, et de hautes fenêtres au remplage flamboyant. Le chœur présente un déambulatoire sans chapelles rayonnantes.

★ **Citadelle** ⊙ – *Accès par téléphérique, à pied (408 marches), ou en voiture par la N 936, route de Sorinnes.*
Un château fort fut élevé là en 1051. Reconstruit en 1523 par l'évêque de Liège, il fut détruit par les Français en 1703. Sa physionomie actuelle date de l'occupation hollandaise (1818-1821).
La citadelle a été transformée en **musée.** En parcourant les différentes pièces des reconstitutions (parfois sonores), des dioramas, des objets divers et un petit musée d'armes rappellent les aspects les plus marquants de l'histoire de la citadelle et de la ville.
Du haut de l'enceinte, à 100 m au-dessus de la Meuse, très jolie **vue**★★ sur la ville, dominée par la collégiale, et sur la vallée de la Meuse, avec Bouvignes.

★ **Grotte la Merveilleuse** ⊙ – *Rive gauche de la Meuse, route de Philippeville.*
Elle est remarquable par la profusion de ses concrétions, aux formes (draperies, cascades, colonnettes) et aux tonalités (blanc, brun, bleu et rose) diverses, s'étageant sur trois niveaux.
Le retour à la surface se fait par une galerie-escalier comptant plus de 120 marches.

★ **Rocher Bayard** – A 1 km au Sud de la ville *(par la N 95)* se dresse cette aiguille (40 m) que le cheval Bayard *(p. 178)* aurait fendue d'un coup de sabot pour échapper à Charlemagne. Il n'existait jadis qu'un étroit sentier qui fut élargi en 1661, puis en 1698 pour les troupes de Louis XIV.

Parc de Mont-Fat ⊙ – Dans ce parc d'attractions, accessible par télésiège, se dresse la **Tour de Mont-Fat,** dont la terrasse offre un vaste panorama sur Dinant et toute la vallée de la Meuse.

Cavernes préhistoriques (Grotte de Mont-Fat) ⊙ – Situées à mi-pente, on y accède soit par les souterrains et le trou du Diable (qui porte bien son nom), soit par les jardins.
Les eaux, ruissellant du plateau et s'engouffrant dans les fissures de la falaise, ont creusé cet habitat préhistorique, devenu temple de Diane (donnant peut-être son nom à la cité) à l'époque romaine.
Les différentes salles sont ornées de multiples concrétions.

EXCURSIONS

1 **Bouvignes** – *2 km au Nord par la N 96.*
La ville, fusionnée avec Dinant, est dominée par les ruines du château de Crèvecœur, qui reçut ce nom après qu'il eut été rasé en 1554 par les troupes du roi de France Henri II. Ici est né **Henri Blès**, admirable paysagiste, continuateur de Patinir *(voir à Dinant).* Ses tableaux *(voir à Namur, Musée des Arts Anciens et du Namurois)* ont la particularité de dissimuler une petite chouette, peinte en guise de signature.

Maison espagnole – Elle se dresse sur la Grand-Place. Ainsi appelée en raison de l'époque de sa construction (16ᵉ s.), c'est l'ancien hôtel de ville, à pignons à volutes et fenêtres Renaissance. Elle renferme un **musée de l'Éclairage** ⊙, où l'on admire une collection de lampes anciennes.

Église St-Lambert ⊙ – Des 13ᵉ et 16ᵉ s., restaurée, elle conserve d'intéressantes œuvres d'art : *Christ aux liens* (16ᵉ s.), chaire et lutrin du 17ᵉ s.
A côté de l'église, on dégage les vestiges d'un château qui daterait du 11ᵉ s.

Château de Crèvecœur – *Accès par la route de Sommière (4 km) ou par un escalier.*
On aperçoit face au départ de l'escalier une porte, vestige des fortifications. Du château, la **vue**★★ est fort belle sur la ville, l'église et la Maison espagnole, ainsi que sur la vallée de la Meuse, avec Dinant à l'horizon.

2 **Anseremme et la descente de la Lesse** – *4,5 km au Sud par la N 95.*

★ **Anseremme** – Centre de villégiature bien situé au confluent de la Lesse et de la Meuse, ce bourg fusionné avec Dinant s'allonge sur la rive droite du fleuve. Le **pont St-Jean** (16ᵉ s.) sur la Lesse et, au Sud dans le Vieil Anseremme, en bordure du fleuve, un **prieuré** du 15ᵉ s. *(propriété privée)* et son église, entourée d'un cimetière, sont à signaler.

Vallée de la Lesse – *4 km.* Une route très étroite longe la vallée encaissée et verdoyante de la Lesse, jusqu'au rocher qui porte le château de Walzin.

★ **Descente de la Lesse** ⊙ – Il est possible de descendre la Lesse en kayak ou en barque pilotée, de Houyet à Anseremme. Houyet est accessible par train depuis Anseremme et par autobus.
On traverse la Lesse à l'endroit où elle se jette dans la Meuse. Dans un virage, près d'un café, le point de vue de Freÿr offre une **vue plongeante**★ sur les jardins du château de Freÿr *(voir à ce nom).* Plus loin, un autre point de vue permet d'admirer une large **perspective**★ sur la vallée, avec les aiguilles de Freÿr et le château.

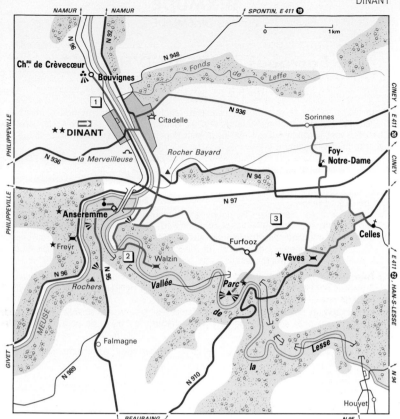

③ **Furfooz ; Vêves ; Celles ; Foy-Notre-Dame** – *Circuit de 30 km. Sortir de Dinant par le Sud, par la N 95, et prendre à gauche la route de Furfooz.*
On trouve bientôt dans la montée une route à droite : à quelques mètres de l'embranchement, jolie **vue★** plongeant sur Anseremme.

Furfooz – A 500 m au Sud du village, le **parc de Furfooz★** ⊘ est aménagé dans un massif rocheux calcaire que contourne une boucle de la Lesse. La rivière y a d'ailleurs creusé un lit souterrain exploré depuis 1962. *Suivre le circuit fléché.*
Forteresse naturelle, le site a été occupé jusqu'au 10e s. En témoignent les bains romains, sur hypocauste, reconstitués, les ruines au sommet du plateau, d'où l'on découvre de belles perspectives sur la vallée de la Lesse. Le promontoire est truffé de grottes où ont été découvertes des traces de vie préhistorique.

Vêves – Dominant le hameau, un élégant **château★** ⊘ se détache sur les bois. Il appartient depuis le 12e s. à la lignée des Beaufort, puis à celle des comtes de Liedekerke Beaufort. L'un des seigneurs ayant participé au siège de Dinant en 1466, sa forteresse fut détruite par les Dinantais. Reconstruite aussitôt, puis remaniée à la Renaissance, elle fut réaménagée au début du 18e s. Dans la cour, on découvre une galerie à arcs surmontée de colombages. Un mobilier français du 18e s. et des souvenirs de famille ornent l'intérieur fidèlement restauré.

Celles – Ce village est situé dans un joli val. A l'entrée Nord, un char allemand rappelle l'extrême limite atteinte par l'avance allemande en 1944 *(voir p. 66)*. L'**église romane St-Hadelin** (11e s.) est un excellent exemple de style mosan, par sa tour-façade massive flanquée de deux tourelles, sa décoration extérieure faite de bandes lombardes, ses absides en cul-de-four. A l'intérieur sont à signaler des grisailles (17e s.) d'un vivant modelé, des stalles du 13e s., les plus anciennes de Belgique, et surtout une superbe **dalle funéraire★** (16e s.) en marbre noir de Dinant : Louis de Beaufort et son épouse encadrant un calvaire. L'église conserve deux cryptes du 11e s.

Foy-Notre-Dame – En 1609 fut découverte à Foy, dans un vieux chêne, une statue de la Vierge dont les dons miraculeux, reconnus par le prince-évêque de Liège, firent de la bourgade un important centre de pèlerinage. L'église date de 1623. L'intérieur renferme des lambris Louis XIII et un remarquable **plafond★** à caissons, en bois, décoré de 145 peintures du 17e s. dues aux frères Stilmant et à Guillaume Goblet, peintres dinantais. Offertes par les pèlerins, elles représentent la vie de la Vierge et du Christ, les évangélistes, les docteurs de l'église et des saints.

Regagner Dinant par Sorinnes. On passe près de la Citadelle (p. 122).

Barrages de l'EAU D'HEURE ⋆

Hainaut-Namur

Cartes Michelin nᵒˢ 409 F 5 et 214 pli 3 – 32 km au Sud de Charleroi.

Cette région vallonnée et bien irriguée a été choisie pour l'implantation d'une chaîne de lacs de retenue destinés à alimenter la Sambre et, par la même, le canal de Charleroi dont le volume d'eau est insuffisant depuis qu'il a été rendu accessible à des gabarits internationaux.

Deux grands barrages ont été aménagés : celui de l'Eau d'Heure, grande digue en enrochement d'une longueur de crête de 250 m, et celui de la Plate-Taille, équipé d'une centrale hydro-électrique. Plus élevée, mais insuffisamment alimentée, la retenue de la Plate-Taille doit être remplie par pompage, de nuit, à l'aide de turbopompes de la retenue de l'Eau d'Heure.

Trois pré-barrages, Féronval, Ry-Jaune et Falemprise, construits pour faciliter les travaux, ont permis en outre l'implantation d'un nouveau réseau routier. Un vaste programme d'aménagement touristique aux abords des lacs, comprenant différentes possibilités d'hébergement, de sports, de distractions, est en cours de réalisation. Plus de 100 km de sentiers destinés aux promeneurs sillonnent le site.

⋆ **Barrage de la Plate-Taille** – *Accès par une large route au départ de Boussu.* Construit en 1977, c'est le plus important barrage de Belgique. De type poids, il possède une longueur de crête de 790 m. La retenue, d'une superficie de 351 ha, a une capacité de 68,4 millions de m^3 ; elle est réservée à la voile, la planche à voile et la plongée sous-marine. Une **tour-belvédère**, de 107 m de haut, a été édifiée sur la crête du barrage.

Centre d'accueil – Montage audio-visuel sur les barrages ; aquariums avec poissons de la région.

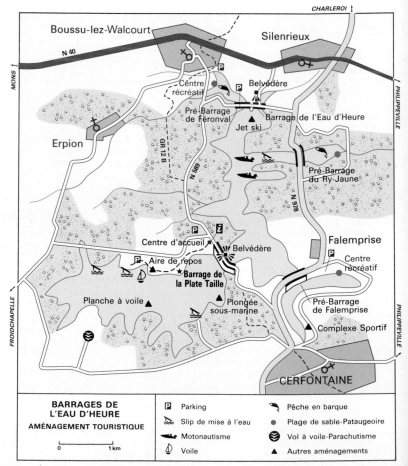

BARRAGES DE L'EAU D'HEURE
AMÉNAGEMENT TOURISTIQUE

0   1 km

🅿 Parking		🎣 Pêche en barque
Slip de mise à l'eau		● Plage de sable-Pataugeoire
Motonautisme		Vol à voile-Parachutisme
Voile		▲ Autres aménagements

ENGHIEN

Hainaut

10 101 habitants

Cartes Michelin n°s 409 F 3 et 213 pli 17.

Située à la frontière linguistique, la seigneurie d'Enghien fut cédée à la famille d'Arenberg en 1606 par Henri IV.

★ **Parc** ⊙ – Ses premiers aménagements datent du 15e s., mais c'est véritablement au 17e s. avec Charles d'Arenberg qu'il deviendra l'un des plus beaux parcs d'Europe. Le château a été démoli au 19e s., et la tour de la chapelle en est l'unique vestige. Le château actuel, bâti dès 1913, se situe à l'emplacement de l'ancienne orangerie. Au fil de la promenade se succèdent les bois, les pelouses, les parterres de fleurs et les plans d'eau entourant les écuries (18e s.), le pavillon chinois, et le pavillon des Sept-Étoiles.

Église St-Nicolas – Sur la Grand-Place, cette vaste église gothique abrite un carillon de 51 cloches. À l'intérieur, on découvre les beaux vitraux modernes (1964) de Max Ingrand, dont la grande verrière évoque l'Apostolat. La chapelle Notre-Dame de Messine (jadis St-Éloi), partie la plus ancienne de l'édifice, renferme un admirable retable (16e s.) aux origines incertaines, illustrant des scènes de la vie de la Vierge.

Maison de Jonathas – A deux pas de l'église, ce donjon roman du 12e s. a été aménagé en demeure patricienne dès le 16e s., ce qui le différencie de la Tour Burbant de Ath *(voir à ce nom)* où prédomine l'aspect militaire. Cette maison abrite un petit **musée de la Tapisserie** ⊙ qui rappelle que Enghien posséda d'importants ateliers de lissiers du 15e au 18e s. Remarquer une fort belle série de 5 tapisseries *Verdures avec Jeux d'Enfants* (16e s.).

Église des Capucins ⊙ – *Accès par la route de Ninove et, à gauche, rue des Capucins.*

Cet édifice de 1616 contient, dans une chapelle, un beau mausolée Renaissance exécuté par le sculpteur de Charles Quint, Jean Mone, pour Guillaume de Croÿ (cardinal-évêque de Tolède). La chapelle opposée est dédiée à Notre-Dame-de-la-Grâce, dont la statue miraculeuse, offerte par les archiducs Albert et Isabelle à Marie de Médicis, trône sur l'autel. Au maître-autel, un retable en ébène et ivoire (17e s.) encadre une *Adoration des Mages* dont les 51 personnages sont des portraits de la famille d'Arenberg.

Le couvent comprend également plusieurs salles converties en musée de la Maison d'Arenberg : sculptures, peintures, tapisseries, archives...

Dans ce guide,
les plans de villes indiquent essentiellement
les rues principales et les accès aux curiosités.
Les schémas mettent en évidence les grandes routes et l'itinéraire de visite.

EUPEN

Liège

15 503 habitants

Cartes Michelin n°s 409 K 4 et 213 pli 24 – Plan dans le guide Michelin Benelux.

Sur un versant de la vallée de la Vesdre, à proximité des Hautes Fagnes, Eupen est une importante ville industrielle dont les usines se disséminent le long de la rivière.

Elle date du 18e s., époque à laquelle furent construites, par de riches lainiers du pays de Gand attirés par les eaux de la Vesdre, ses belles maisons patriciennes, son **église St-Nicolas** avec d'amusantes tours à bulbes verts et d'exubérants autels baroques.

Eupen, où l'on parle un dialecte germanique, appartint à l'Allemagne pendant 100 ans et fut rattachée à la Belgique en 1925, comme Moresnet, Malmédy et St-Vith.

★★ **Le Carnaval** *(voir le chapitre des Renseignements pratiques en fin de volume)* – De caractère rhénan, il est préparé dès la mi-novembre. Le samedi apparaît le prince Sa Folie au chef orné de plumes de faisan. Le dimanche après-midi a lieu le cortège des enfants. La fête atteint son point culminant la veille du Mardi gras avec le défilé du Rosenmontag (Lundi des Roses).

Musée de la ville d'Eupen ⊙ – *Au n° 52, Gospertstrasse.*
Installé dans une pittoresque maison du 17e s., il a trait à l'horlogerie, à l'histoire de la ville, à l'évolution de la mode et contient un atelier d'orfèvre et une collection de poteries de Raeren *(voir Introduction, L'art).*

EXCURSIONS

★ **Barrage de la Vesdre** *(signalé : Talsperre) – 5 km. Quitter Eupen au Sud-Est par la N 67 et tourner à gauche.*

En amont de la ville, au confluent de la Vesdre et de la Getzbach, ce barrage inauguré en 1950 est l'un des plus grands ouvrages de cet ordre en Belgique avec celui de la Gileppe et le complexe de l'Eau d'Heure.

Du type barrage-poids, il est haut de plus de 63 m et long de près de 410 m, avec une épaisseur de 55 m à la base. Sa capacité est de 25 millions de m³.

Destiné, comme à Gileppe, à l'alimentation en eau des environs d'Eupen ainsi que de la région liégeoise, il est équipé d'une station de traitement des eaux et d'une petite centrale électrique. On peut y pratiquer la voile (Yacht Club de la Vesdre) mais la navigation à moteur, la pêche et la baignade y sont interdites.

Belvédère ⊙ – Il permet de contempler le lac et son environnement de forêts de l'Hertogenwald (épicéas, bouleaux).

Henri-Chapelle – *11 km au Nord-Ouest par la N 67 puis à gauche la N 3.*

A 4,5 km au Nord de **Henri-Chapelle**, à Vogelsang-Hombourg, se trouve un **cimetière américain**, endroit fleuri de roses et de rhododendrons, remarquablement entretenu, où reposent 7 989 soldats américains morts en 1944-1945 en Ardenne ou en Allemagne. Sur une pelouse légèrement inclinée, des croix de marbre blanc (ou des stèles gravées d'une étoile de David pour les Israélites) forment des arcs de cercle convergeant vers le mémorial. A l'intérieur du mémorial, un petit **musée** ⊙ présente, gravés dans le marbre, le récit et les cartes de la fin de la campagne américaine.

De la terrasse face au cimetière, **panorama★** sur le plateau de Herve, aux prairies bordées de haies, campagne vallonnée au peuplement très dense mais dispersé.

★ **Les Trois Bornes (Drielandenpunt)** – *18 km au Nord par la N 68.*

Après avoir quitté la N 68 à Kettenis, on traverse Walhorn puis Astenet où se situe un petit sanctuaire dédié à la mémoire de Catherine de Sienne. Après Kelmis – La Calamine, via le sanctuaire marial de Moresnet–Chapelle et son calvaire monumental situé dans un cadre de verdure, on rejoint Gemmenich. De là, une route en lacet mène au plateau boisé, où se rejoignent les frontières des Pays-Bas, de Belgique et d'Allemagne. Avant 1918 s'y ajoutait la frontière du petit territoire neutre de Moresnet, aujourd'hui belge. A 321 m d'altitude, c'est aussi le point culminant des Pays-Bas. Le sommet de la **tour Baudouin** ⊙, haute construction métallique, offre un beau **panorama★** sur la région, l'agglomération d'Aix-la-Chapelle et les forêts de l'Eifel en Allemagne, et, à l'horizon, Maastricht dans un paysage de collines boisées.

A 500 m au-delà, sur la route de Vaals (Pays-Bas), un beau **point de vue★** s'ouvre à droite sur la plaine allemande et Aix-la-Chapelle.

FAGNES

Voir HAUTES FAGNES

FOURNEAU-ST-MICHEL★★

Cartes Michelin nᵒˢ 409 J 5 et 214 pli 6.

Fourneau-St-Michel se trouve dans la verdoyante vallée de la Masblette entre des collines boisées. Une fondation bénédictine occupait autrefois ce ravissant vallon. Au 18ᵉ s., le dernier abbé de St-Hubert, Nicolas Spirlet, y créa un complexe métallurgique. En 1966, ce site devint domaine provincial et il fut décidé d'y aménager plusieurs musées.

★★ **Musée de la Vie rurale en Wallonie** ⊙ – *On peut y accéder par deux entrées différentes. Compter 3 h pour effectuer cette agréable promenade avec possibilité de se restaurer à l'auberge du Prêvost (18ᵉ s.) ou à l'auberge des Tahons (plaine de jeux).*

Occupant une superficie de 40 ha, ce musée de plein air est constitué d'habitations rurales anciennes, représentatives des différentes régions de la Wallonie, dispersées le long d'un itinéraire d'environ 2 km. On y trouve aussi une école, une chapelle, une imprimerie, des hangars à tabac, un lavoir, une maison des artisans. Une grande bâtisse traditionnelle des Ardennes accueille le **musée du Cheval de trait ardennais** ainsi qu'une exposition des instruments que ce puissant cheval de labour tractait.

Fourneau-St-Michel - Le Musée de la Vie rurale en Wallonie

★ Musée du Fer et de la Métallurgie ancienne ⊙ – *visite 1 h.*
L'ancienne maison du maître de forges abrite un musée sur la métallurgie ancienne et les différentes techniques artisanales qui y sont liées. A côté des objets réalisés dans ce métal (taques, fers à repasser, serrures, objets religieux, pièges, etc.) sont exposés les outils utilisés par les artisans (cloutier, forgeron, charron, tonnelier). Le haut fourneau, la forge avec ses différents types de soufflet permettent de comprendre comment était obtenu le fer aux 18e et 19e s.

Musée P.-J.-Redouté ⊙ – Situé dans une autre partie de la maison du maître de forges, il est consacré au peintre Pierre-Joseph Redouté, le « Raphaël des fleurs », né en 1759 à St-Hubert, et à son frère Henri-Joseph qui réalisa des illustrations pour la *Description de l'Égypte.*

Les FOURONS

VOERSTREEK – Limburg
3 593 habitants
Cartes Michelin nos 409 K 3 et 213 pli 23.

Enclave du Limbourg dans la province de Liège, c'est une région verdoyante où de petites rivières comme la Voer, la Gulp et la Berwinne se sont tracé une vallée sinueuse à travers d'agréables collines boisées, de gras pâturages et des vergers.

St.-Martens-Voeren (Fouron-St-Martin) – L'église avec sa tour romane et un petit château du 18e s. transformé en centre culturel, Het Veltmanshuis, sont à remarquer.

St.-Pieters-Voeren (Fouron-St-Pierre) – Près d'un étang se dressent encore les beaux bâtiments d'une ancienne **Commanderie** ⊙ de l'ordre teutonique. Fondée en 1242, celle-ci fut réédifiée au 17e s.

Château de FREŸR★

Namur
Cartes Michelin nos 409 H 5 et 214 pli 5 – Schéma p. 179.

Le domaine s'étend en bordure de la route longeant la Meuse, dans un **cadre★★** superbe ; cet ensemble classique contraste avec les rochers tourmentés qui, sur la rive opposée, plongent dans le fleuve *(p. 178).*

★ Château ⊙ – Construit du 16e au 18e s., restauré en 1972, il est de style Renaissance mosane et Louis XV.
Au cours de la visite, on parcourt une suite de salons aux belles boiseries et cheminées, ornés de meubles des 17e et 18e s. Là fut reçu Louis XIV lors du siège de Dinant en mai 1675 et de la signature du traité de Freÿr, en octobre, puis la gouvernante des Pays-Bas, l'archiduchesse Marie-Christine, en 1785.
Un grand vestibule est décoré de toiles représentant des scènes de chasse (atelier de Snyders) ; au balcon, belle rampe en fer forgé inspirée de la place Stanislas à Nancy.

Château de FREŸR

Château et Rochers de Freŷr

★ **Parc** ⊘ – Les jardins à la française, dessinés en 1760 par les comtes de Beaufort-Spontin selon les principes de Le Nôtre, s'étagent, parallèles au fleuve, sur trois terrasses ornées de miroirs d'eau ; la plus basse, plantée de tilleuls, porte une collection de 33 **orangers** en caisses dont certains sont tricentenaires, les autres sont couvertes d'une haute **charmille** en labyrinthe.
Au sommet du jardin, près de Frédéric Salle, pavillon décoré intérieurement par les frères Moretti comme à Annevoie, on domine l'ensemble du domaine.

FURNES★
Voir VEURNE

GAND★★★
Voir GENT

GEMBLOUX
Namur
18 808 habitants
Cartes Michelin nᵒˢ 409 H 4 et 213 plis 19, 20.

Gembloux, centre agronomique et horticole, fut célèbre pour son abbaye bénédictine qui, fondée au 10ᵉ s., eut bientôt un grand rayonnement culturel. Le moine **Sigebert**, mort en 1112, laissa une importante Chronique universelle concernant la période de 381 à 1111. Depuis 1860, le domaine de l'abbaye, supprimée lors de la Révolution française, est occupé par la faculté des sciences agronomiques.
La ville conserve plusieurs vestiges de ses remparts du 12ᵉ s.

Ancienne abbaye – C'est un ensemble de bâtiments construits entre 1759 et 1779 par l'architecte Dewez. On admire la belle ordonnance de la **cour d'honneur** au fond de laquelle s'élève l'ancien palais abbatial ; les sculptures au fronton rappellent le pouvoir de l'abbé, comte de la terre de Gembloux. Le cloître a été restauré ; il donne accès à une pièce romane, seul vestige de l'abbaye médiévale.
A proximité se trouve l'ancienne **église** abbatiale (18ᵉ s.), devenue paroissiale.

Maison du Bailli ⊘ – Cette ancienne « maison forte » du 12ᵉ s. a été très remaniée au 16ᵉ s. C'est l'actuel hôtel de ville.

ENVIRONS

Corroy-le-Château – *5 km au Sud-Ouest.*
Entouré de bois, le **château féodal★** ⊘ du 13ᵉ s. se reflète dans ses douves que l'on franchit par un pont de pierre. Son plan a été copié sur celui des châteaux royaux de Philippe-Auguste et il a conservé une allure toute militaire avec ses sept tours cylindriques et son châtelet.

Corroy-le-Château

L'intérieur a été réaménagé au cours des siècles : la chapelle gothique, située à l'entresol de la 7ᵉ tour d'enceinte, fut restaurée au 19ᵉ s. et les appartements sont décorés de marbre, de toiles peintes, dont certaines sur le thème des fêtes populaires flamandes, et de meubles des 17ᵉ et 18ᵉ s. Belle collection de jolités (petites boîtes peintes) de Spa *(voir à ce nom)*.

Grand-Leez – *8 km au Nord-Est par la route de Namur, puis à gauche.*
Datant de 1830, le **moulin** Defrenne, le seul en exercice dans la province de Namur, moud encore le blé. C'est un moulin tronconique, à calotte tournante.

Gentinnes – *12 km. Route de Charleroi puis à droite.*
A Gentinnes est installé depuis 1904 un centre d'études et de formation de futurs missionnaires de la congrégation des Pères du St-Esprit.
Le **Mémorial-Kongolo** est une chapelle élevée en 1967 à la mémoire de 21 missionnaires belges de cet ordre massacrés en 1962, lors d'une révolte, à Kongolo au Zaïre. Leurs noms sont gravés sur la façade ainsi que ceux de 196 autres victimes, religieux ou laïques, catholiques ou protestants.

GENK

Limburg

45 906 habitants

Cartes Michelin nᵒˢ 409 J 3 et 213 pli 10 – Plan dans le guide Michelin Benelux.

Au bord de la Campine, desservi par le canal Albert et par deux autoroutes, Genk est le plus important centre industriel du Limbourg, grâce aux deux importantes zones industrielles au Sud. Genk est aussi une cité prospère, disposant de centres commerciaux modernes et du **Limburghal** (1979), où sont organisés congrès et expositions. La ville possède le **Molenvijver**, superbe jardin public de 15 ha s'ordonnant autour d'un vaste étang et d'un moulin à eau, ainsi que des parcs récréatifs comme Kattevennen ou sportifs comme Kattevenia.
On remarque à Genk, sur une petite éminence, une sobre église de brique (1954), aux voûtes élancées.

ENVIRONS

Natuurreservaat (Réserve) De Maten ⊙ – *2 km. Route de Hasselt, puis à gauche après le pont de chemin de fer.*
Entre les collines de bruyères s'étend une zone marécageuse occupée par un chapelet d'étangs où évoluent de nombreux oiseaux aquatiques *(sentiers de promenade)*.

Zwartberg – *6 km au Nord de la N 76.*
Le **zoo** (Limburgse zoo) ⊙ rassemble, sur 30 ha, plus de 4 000 animaux (ours, singes et oiseaux).

Natuurreservaat De Mechelse Heide – *7 km au Nord-Est par la N 75, puis la N 763 vers Maasmechelen.*
Cernée par les bois, c'est une immense clairière (400 ha) offrant un magnifique paysage de landes à bruyère (« heide »), un des rares vestiges de la végétation primitive de la Campine. *Circuits de promenade balisés.*

GENT★★★

GAND – Oost-Vlaanderen 🅿

210 704 habitants

Cartes Michelin n°ˢ 409 E 2 et 213 pli 4.

Citadelle spirituelle de la Flandre, ville universitaire, Gand, second port belge et grand centre industriel, dégage une impression de grande vitalité. Bâtie sur de nombreuses îles au confluent de la Lys et de l'Escaut, elle est sillonnée de canaux et de cours d'eau. La cité natale de **Charles Quint** (1500-1558), chargée d'histoire et de monuments, offre aussi, entre la cathédrale et le château des Comtes de Flandre, la poésie intime de ses vieux quartiers et de ses quais. Au nombre des Gantois célèbres figure le grand écrivain d'expression française **Maurice Maeterlinck** (1862-1949).

Promenades en bateau ⊙ – Des promenades sont organisées sur les canaux (rondvaart) et sur la Lys *(voir à Gand, Excursions)*.

UN PEU D'HISTOIRE

Gand fut un des derniers réduits du paganisme en Gaule : saint Amand, venu l'évangéliser au 7ᵉ s., fut jeté dans l'Escaut. Gand se développe alors autour de deux monastères : St-Pierre, fondé par saint Amand, et, près de la Lys, la future abbaye St-Bavon. Vers l'an 1000 est édifiée, à l'emplacement de l'actuel château des Comtes, une forteresse en pierre, dominant un troisième noyau urbain.

A la fin du 12ᵉ s., l'industrie drapière est florissante : la ville s'érige en « commune » et acquiert des privilèges importants ; les bourgeois se construisent des demeures en pierre fortifiées ou « stenen ». Au milieu du 12ᵉ s. s'élève l'église St-Jean, de nos jours la cathédrale St-Bavon.

Voulant marquer sa préséance sur les puissants drapiers, le comte Philippe d'Alsace fait réédifier le château en 1180.

D'incessants conflits – Bientôt de féroces luttes intestines vont déchirer les Gantois : comme à Bruges, les ouvriers de la laine, soutenus par le comte Guy de Dampierre, se soulèvent, en 1280, contre les patriciens, défendus par le roi de France *(voir à Brugge, Réceptions princières)*. Au 14ᵉ s., pendant la guerre de Cent Ans, c'est la lutte contre la France. Le comte de Flandre Louis de Nevers prend parti pour le roi de France contre l'Angleterre. Comme celle-ci bloque l'importation des laines anglaises en Flandre, le peuple gantois se révolte. Il prend pour chef **Jacques Van Artevelde** qui s'allie aux Anglais et se met à la tête des villes flamandes.

Van Artevelde est assassiné, par le doyen de la corporation des tisserands, en 1345, mais son fils Philippe réussit à imposer à toute la Flandre la prépondérance gantoise. Finalement, les Flamands sont battus par la chevalerie française à la bataille de Westrozebeke en 1382 *(voir à Kortrijk, La bataille des Éperons d'or)*.

Au 15ᵉ s., Gand, passée sous la domination des ducs de Bourgogne, s'insurge contre Philippe le Bon qui veut lui imposer une nouvelle taxe (1452). Battus à Gavere *(18 km au Sud-Ouest)*, les Gantois se soumettent (1453). La ville se révolte encore contre Charles le Téméraire en 1469, puis en 1477 contre Marie de Bourgogne qui doit concéder de nouveaux privilèges aux provinces des Pays-Bas.

A la fin du siècle, la draperie est en décadence. Mais Gand est devenue l'entrepôt principal des céréales de l'Europe et s'est assuré une nouvelle prospérité.

Au 16ᵉ s., refusant de payer de trop lourds impôts, les habitants se soulèvent de nouveau contre Charles Quint, né cependant à Gand et qui disait avec fierté : « Je mettrais Paris dans mon Gand. » Charles Quint réplique par la **Concession caroline** (1540) qui fait perdre à la commune ses privilèges.

A la fin du siècle, les luttes religieuses troublent la vie communale. Un soulèvement de calvinistes iconoclastes en 1567 est étouffé par le duc d'Albe, mais les protestants réagissent et, quatre jours après la « Furie » d'Anvers *(p. 48)*, Philippe II est obligé de concéder la célèbre **Pacification de Gand** (1576), libérant les 17 provinces des Pays-Bas aux troupes espagnoles.

Organisée en République à partir de 1577, la ville révoltée contre les Espagnols est reprise par Farnèse en 1584. En 1815, **Louis XVIII** se réfugie à Gand, dans l'ancien hôtel d'Hane Steenhuyse *(47, Veldstraat EZ A)*, du 18ᵉ s. C'est la « fuite de Gand ».

De la décadence au renouveau – Au 17ᵉ s., le déclin économique de Gand s'accentue. La fermeture de l'Escaut en 1648 porte un coup fatal à ses activités commerciales et industrielles. Toutefois, au début du 19ᵉ s., Gand, annexée à la France, reprend vie avec les tissages de coton créés par le Gantois **Liévin Bauwens**, qui a introduit la mule-jenny, procédé anglais de filature mécanique. Gand file et tisse également le lin, les eaux de la Lys permettant, alors, comme à Courtrai, un rouissage remarquable. L'industrie textile reste importante pour l'économie gantoise.

Le **port** est relié à l'Escaut occidental depuis 1827 par le canal de Gand à Terneuzen, long de 33 km. Rendu accessible fin 1968 aux navires de 80 000 t, il a vu son trafic international de marchandises atteindre 25 millions de t en 1990.

Tout au long du canal ont été créées des installations pour le transbordement de céréales ; de nouvelles industries se sont implantées : métallurgiques, chimiques, pétrolières, montage automobile. Dans la partie Nord de la zone portuaire, à côté d'installations permettant de recevoir de grands minéraliers, le complexe sidérurgique Sidmar produit environ 3,5 millions de t d'acier par an.

Par ailleurs, Gand assure le débouché d'une importante activité horticole régionale (localisée surtout à l'Est de la ville) qui l'a fait surnommer « la ville des fleurs ». Une grande partie de la production est exportée.

Tous les cinq ans, la ville organise les **Floralies gantoises** universellement connues *(les prochaines auront lieu en 2000)*.

★★★ LA VIEILLE VILLE *visite : 1/2 journée*

Les **illuminations** ⊘ rendent la promenade nocturne extraordinaire.

★★ St.-Baafskathedraal (Cathédrale St-Bavon) (FZ) ⊘ – Élevée sur l'emplacement de l'ancienne église St-Jean, du 12e s., dont il subsiste quelques vestiges de la crypte, elle prit le nom de collégiale St-Bavon en 1540, sur l'ordre de Charles Quint lorsqu'il fit démolir l'abbaye St-Bavon *(p. 137)* pour édifier le château des Espagnols. Elle devint cathédrale en 1561. Bâtie par étapes successives et bien que montrant des influences diverses – éléments du gothique français (le chœur), du gothique brabançon (la tour) et du gothique flamboyant (la nef) – la cathédrale donne une impression d'unité et de sobre élégance.

La **tour**, remarquable, se trouve du côté Ouest de l'église et lui sert d'entrée comme c'est la règle dans le gothique brabançon. De son sommet ⊘ s'offre une **vue** étendue sur Gand et ses environs.

L'**intérieur** serait plus majestueux sans la clôture de marbre néo-classique, ornée de grisailles qui, au 18e s., a coupé la belle ordonnance du vaisseau. Un peu surélevé par rapport à la nef, le chœur ou église haute, très élancé, en pierre de Tournai, date du 14e s. Il a été agrandi au 15e s. de cinq chapelles rayonnantes et surmonté d'un triforium. Le déambulatoire est jalonné de colonnes de marbre et de portes ouvragées. La nef du 16e s., en grès et brique, est sobre mais harmonieuse avec ses gracieuses balustrades flamboyantes et ses voûtes à nervures multiples. Cette cathédrale contient de nombreuses œuvres d'art dont l'extraordinaire *Agneau mystique.*

★★★ Polyptyque de l'Adoration de l'Agneau mystique ⊘ – *Dans une chapelle à gauche en entrant.* Ce polyptyque, merveille de la peinture, a connu bien des vicissitudes. Offert par Josse Vijd, il fut installé solennellement en 1432 dans une chapelle du déambulatoire ; Philippe II désira s'en emparer, les protestants voulurent le brûler en 1566, Joseph II en fit retirer Adam et Ève qu'il jugeait choquants, le Directoire le fit envoyer à Paris d'où il ne revint qu'en 1815 ; il fut alors amputé de plusieurs panneaux qu'exposa le musée de Berlin. Reconstitué en 1920, il perdit en 1934, à la suite d'un vol, le panneau des Juges intègres qui, depuis 1941, est remplacé par une copie. Pendant la Deuxième Guerre mondiale, le polyptyque, d'abord confié à la France, fut transféré par les autorités allemandes en Autriche où les troupes américaines le trouvèrent, en 1945, dans une mine de sel de Styrie près d'Altaussee. Après avoir repris sa place dans la chapelle choisie par le donateur, le polyptyque devait de nouveau être transféré en 1986 : pour des raisons de sécurité et d'accueil, on l'exposa dans la chapelle où il se trouve actuellement, transformée en vraie chambre forte.

L'attribution du retable a alimenté d'innombrables discussions : est-il entièrement de **Jean Van Eyck** *(p. 77)* ou bien, comme le dit une inscription en latin placée sur le cadre du polyptyque, a-t-il été commencé par son frère aîné Hubert, dont on ne connaît aucun autre tableau ?

GIRAUDON

Polyptyque de l'Adoration de l'Agneau mystique (détail), Jean van Eyck

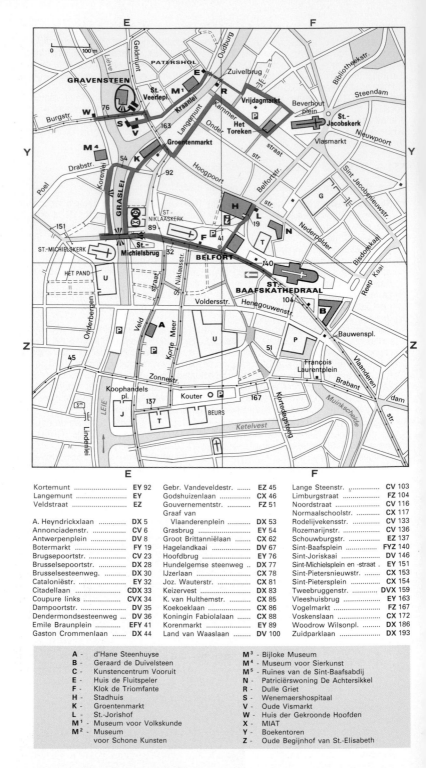

Telle quelle, cette œuvre colossale ne comprend pas moins de 248 figures éclairées par une lumière unique venant de droite ; d'une technique et d'un style magnifiques, c'est aussi un témoignage sur l'idéal chrétien du Moyen Âge.

Les panneaux du **registre inférieur** montrent, sur un autel, l'Agneau mystique entouré d'anges, vers lequel se dirigent, de part et d'autre de la fontaine de vie, à gauche les Chevaliers *(illustration p. 42)* et les Juges intègres, à droite les Ermites et les Pèlerins, tandis qu'au fond sont rassemblés, à droite les Vierges, à gauche les Martyrs et Confesseurs.

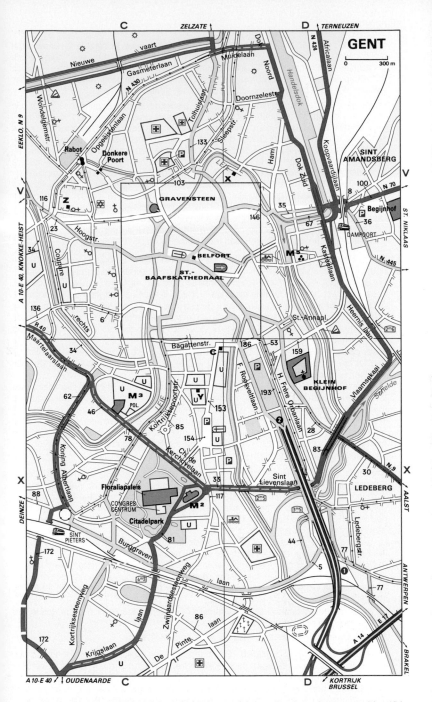

Le paysage est lumineux, la végétation précise : des botanistes ont identifié 42 espèces de plantes et de fleurs.

Au centre du **registre supérieur** trône le Christ triomphant sous les traits du Grand-Prêtre, à gauche se tiennent la Vierge, des chœurs d'anges, Adam ; à droite, saint Jean-Baptiste, des Anges musiciens et Ève ; remarquer le réalisme des personnages et la beauté décorative des broderies.

Fermés, les panneaux représentent au milieu l'Annonciation ; en haut, les Prophètes et les Sibylles ; en bas, saint Jean-Baptiste, saint Jean l'évangéliste et les donateurs, Josse Vijd et sa femme Élisabeth Borluut.

Mobilier et œuvres d'art de la cathédrale – La chaire de vérité baroque, aux statues de marbre, est de Laurent Delvaux. Dans le chœur, le maître-autel a été exécuté par Henri-François Verbruggen, dans le style baroque et représente l'*Apothéose de saint Bavon*. A gauche du chœur, le mausolée de Mgr Triest (1654) par Jérôme Duquesnoy le Jeune frappe par l'expression lasse du personnage.

Dans la 1re chapelle du déambulatoire à droite, se trouve le retable de **Jésus parmi les docteurs** (1751) par François Pourbus le Vieux : y figurent nombre de personnages célèbres dont Charles Quint, dans le coin inférieur gauche. Dans la 10e chapelle du déambulatoire, on verra la **Vocation de saint Bavon** (1624), par Rubens qui s'est peint sous la cape rouge d'un converti.

★ **Crypte** ◷ – Elle est construite sur le même plan que le chœur qu'elle supporte. Un tracé de carreaux noirs limite sur le sol la partie la plus ancienne (1150). De naïfs ex-voto des 15e et 16e s. sont peints sur les piliers et les voûtes romanes. La crypte renferme un riche trésor : châsse d'argent de saint Macaire signée Hugo de la Vigne (1616), évangéliaire du 9e s., rouleau nécrologique retraçant la vie monastique au Moyen Âge. Dans l'une des chapelles qui abritent des pierres tombales, on admirera le remarquable **triptyque du Calvaire★** (1466) par Juste de Gand, œuvre capitale de ce peintre avant son départ en Italie. On y remarquera l'influence des Van Eyck et de Van der Weyden (groupe des saintes femmes devant la croix). Cette œuvre frappe par la subtilité des coloris aux tons souvent acides.

Derrière le chevet de la cathédrale, on aperçoit le **château de Gérard le Diable** (Geraard de Duivelsteen) (**FZ B**), austère demeure médiévale (13e s.) restaurée au 19e s., qui a appartenu à un châtelain de Gand surnommé ainsi.

★★★ **Belfort (Beffroi) et Lakenhalle (Halle aux Draps)** (**FY**) ◷ – La puissante silhouette du beffroi (91 m), dominée par un dragon de cuivre doré, symbolise la puissance des corporations gantoises au Moyen Âge. Construit aux 13e et 14e s., souvent modifié et restauré, il est accolé à la **Halle aux Draps** (15e s.). Il abrite un carillon de 52 cloches.

A l'**intérieur du beffroi**, la salle appelée « Secret » abritait jadis les archives ; on y voit une farouche statue d'homme d'armes, seule survivante des quatre qui ornaient les angles du beffroi. Aux étages, quelques souvenirs historiques et le clavier du carillon sont à signaler.

De la plate-forme supérieure, belle vue sur la ville. C'est là que François Ier disait à Charles Quint lui faisant admirer la cité : « Que de peaux d'Espagne il faudrait pour faire un gant de cette grandeur. »

Contourner le beffroi pour aller voir la porte classique (1741) de l'**ancienne prison** ornée de « l'homme qui tète », le **mammelokker**, bas-relief baroque symbolique de la charité chrétienne : Cimon, vieillard romain condamné à mourir de faim, est allaité par sa fille. Dans le square au pied du beffroi se trouve une cloche nommée **La Triomphante** (Klok de Triomfante) (**EY F**), héritière de celle qui occupait jadis le beffroi et portait pour devise : « Cette cloche a nom Roeland ; quand elle s'ébranle, elle sème l'orage dans la contrée. »

Stadhuis (Hôtel de ville) (**FY H**) ◷ – On y observe deux styles très différents. Commencés en 1518 sur les plans de Waghemakere *(p. 49)* et Keldermans, les travaux furent en effet interrompus en 1535 et repris 60 ans plus tard.

Ornée d'une tourelle d'angle, la **maison de la Keure** (charte), à droite, est d'un style gothique fleuri (16e s.) ; sur la façade Nord, la chapelle, une petite loggia (pour les proclamations) et un perron font saillie.

La partie gauche (début 17e s.), inspirée de la Renaissance italienne, est la **maison des Parchons,** échevins chargés d'apaiser les différends.

A l'**intérieur**, on traverse une partie de la maison de la Keure, notamment la salle de justice, au pavement en labyrinthe, donnant sur la loggia où fut proclamée la Pacification de Gand, la chapelle surmontée d'une belle voûte gothique et, à l'étage, la salle du Trône aux voûtes Renaissance.

Face à l'hôtel de ville se dresse **St.-Jorishof** (**FY L**), ancienne maison de la guilde des arbalétriers (1478), occupée par un hôtel.

Passer devant St-Nicolas pour gagner le pont St-Michel.

St.-Michielsbrug (Pont St-Michel) (**EY**) – Il offre une **perspective★★★** étonnante sur les monuments et les façades de la vieille cité. On admire d'abord, en se retournant, l'enfilade des tours de St-Nicolas, le beffroi et de St-Bavon.

Du centre du pont, on voit, au Sud, l'abside de St-Michel, accolée à l'ancien couvent des dominicains du 15e s., actuellement bâtiment universitaire (Het Pand), au Nord les créneaux du château des Comtes de Flandre avec, au premier plan, les maisons du quai aux Herbes et du quai au Blé.

★★★ **Graslei (Quai aux Herbes)** (**EY**) – *Pour bien voir l'ensemble des façades, se placer sur le quai au Blé (Korenlei).*

Là se trouvait jadis le port de Gand. Le quai aux Herbes est bordé de maisons du 12e au 17e s., d'un style architectural très pur. Remarquer de gauche à droite les plus intéressantes :

– la maison des Maçons (16e s.), avec une haute façade en pierre prolongée d'élégants pinacles ;

– la première maison des Mesureurs de grains (15e s.) ;

– la large maison de l'étape, en style roman scaldien, qui servait d'entrepôt pour les grains perçus comme droit d'étape ;

– la minuscule maison du Tonlieu (1682) où logeait le receveur de l'étape ;

Le Quai aux Herbes

– la seconde maison des Mesureurs de grains (1698) ;
– la maison des Francs-Bateliers, au portail surmonté d'une nef et dont l'admirable façade couronnée d'un pignon aux lignes souples date de 1531.
Revenir sur le quai aux Herbes.

Groentenmarkt (Marché aux légumes) (**EY**) – A gauche se dresse la **Grande Boucherie** (1404) (**K**), aux nombreuses lucarnes à redans.

Vrijdagmarkt (Marché du Vendredi) (**FY**) – Ce vaste marché fut le théâtre de nombreux épisodes historiques. Les souverains de Flandre venaient y haranguer le peuple ; des luttes sanglantes s'y déroulèrent en mai 1345 entre tisserands et ouvriers de la laine.
Au fond, la maison à tourelle, **Het Toreken** de 1480, appartenait à la corporation des Tanneurs.
Plus à l'Est, on aperçoit trois tours de l'**église St-Jacques** (St.-Jacobskerk) (**FY**) ; les deux tours de façade sont romanes, mais l'une a reçu au 15ᵉ s. une toiture en grès, à crochets. La statue au centre est celle de Jacques Van Artevelde.

Dulle Griet (Margot l'Enragée) (**EFY R**) – Près d'un pont sur la Lys a été placée cette bombarde (petit canon) du 15ᵉ s.

Kraanlei (Quai de la Grue) (**EY**) – On y voit d'intéressantes maisons anciennes, en particulier celle du **Cerf-Volant** (ou du Joueur de flûte) (Huis de Fluitspeler) (**E**) qu'avoisine une autre dont les bas-reliefs représentent les œuvres de miséricorde.

★ **Museum voor Volkskunde (Musée du Folklore)** (**EY M¹**) ⊘ – Il est installé dans les maisonnettes et la chapelle gothique de l'**hospice des Enfants Alyn**, fondé au 14ᵉ s. La **cour★** intérieure autour de laquelle s'alignent les ravissantes maisons blanches à haute lucarne forme un joli tableau.
Le musée évoque, dans une quarantaine de petites salles, les arts et traditions populaires de la Flandre. De remarquables reconstitutions de boutiques (épicerie, estaminet, pharmacie), d'intérieurs, d'ateliers d'artisans (savetier, cirier, tourneur) évoquent la vie de Gand vers l'an 1900. Le musée présente aussi un **théâtre** ⊘ de traditionnelles marionnettes gantoises et des expositions temporaires.

St.-Veerleplein (Place Ste-Pharaïlde) (**EY**) – Cette place, où se pratiquaient les exécutions capitales, groupe ses maisons anciennes, l'**hospice St-Laurent** (Wenemaershospitaal) (**S**) ou de Wenemaer dont la façade date de 1564, et l'**ancien marché aux poissons** (Oude Vismarkt) (1690) (**V**), de style baroque, avec des hauts-reliefs au beau modelé représentant Neptune, la Lys et l'Escaut.

Patershol (**EY**) – C'est un des plus anciens quartiers de la ville. Sauvé de la destruction dans les années 80, il est réputé pour ses nombreux cafés et restaurants.

★★ **Gravensteen (Château des Comtes de Flandre)** (**EY**) ⊘ – Le château, construit en 1180 par le comte de Flandre Philippe d'Alsace sur un donjon plus ancien, a été radicalement restauré au début du 20ᵉ s. Il n'en restait alors que quelques ruines qui étaient occupées par une filature. Son architecture est inspirée des forts des croisés en Syrie. Sa couronne de courtines munies de bretèches, d'échauguettes et de merlons se mire dans les eaux de la Lève.

A l'intérieur de l'enceinte, on visite le chemin de ronde (remarquer les baies géminées romanes sur le mur Est du donjon), les belles salles du palais des comtes dont l'une servit de cadre au septième chapitre de la Toison d'or en 1445 présidé par Philippe le Bon, contenant une collection d'instruments de torture rappelant que le château servit longtemps de prison.

Du sommet du donjon, on a une fort belle **vue★** sur Gand et ses environs.

Château des Comtes de Flandre

En contournant le donjon, on pénètre dans le bâtiment des écuries, crypte à deux nefs aux voûtes en ogive, qui abrite un puits.

En sortant du château, on peut voir au début de la Burgstraat la **maison des Têtes Couronnées** (Huis der Gekroonde Hoofden) (**EYW**), ornée de médaillons avec bustes des comtes de Flandre.

★★ LES GRANDS MUSÉES *visite : 1/2 journée*

★★ **Museum voor Schone Kunsten (Musée des Beaux-Arts) (CX M²)** ⊘ – Cet important musée est situé en bordure du parc de la Citadelle entourant le **palais des Floralies** *(voir p. 131)*. Il possède de riches et intéressantes collections d'art ancien et moderne du 15ᵉ au 20ᵉ s. Si quelques sculptures et les tapisseries de Bruxelles méritent d'être citées, ce sont surtout les peintures qui retiendront l'attention.

Peinture ancienne *(aile gauche)* – Dans la collection des maîtres anciens, on admirera la ravissante *Vierge à l'œillet* de Van der Weyden et les deux tableaux de **Jérôme Bosch** qui traitent du même thème : l'opposition entre le bien et le mal. Dans le premier, **saint Jérôme**, œuvre de jeunesse, l'avant-plan du tableau représentant le mal montre le saint en prière entouré d'objets effrayants et d'une nature menaçante tandis qu'à l'arrière le paisible paysage évoque le bien. Le **Portement de croix**, l'une des dernières œuvres du grand peintre, témoigne d'un modernisme extraordinaire dans sa façon de traiter en gros plan cet agglutinement de têtes aux trognes démoniaques au milieu duquel apparaît le visage serein du Christ. Le Christ se trouve entre deux diagonales ; l'une symbolisant le mal avec la poutre de la croix et le visage du mauvais larron en bas à droite, l'autre reliant le visage du bon larron à celui de sainte Véronique se retirant avec le suaire.

La *Vierge et l'enfant* d'Adrien Isenbrant frappe par la beauté du paysage. On remarquera aussi les tableaux du Gantois Gérard Horenbaut, surtout connu comme miniaturiste (16ᵉ s.) et représenté ici par des portraits.

Viennent ensuite les œuvres de Pierre Brueghel le Jeune et de Roland Savery, un admirable *portrait de femme* de Pourbus le Vieux, des Rubens, une *étude de têtes* de Jordaens d'une rare vigueur, une *étude de tête d'un jeune Maure* par Gaspar de Crayer, *les Disciples d'Emmaüs* et un *portrait de Jean-Pierre Camus* par Philippe de Champaigne, un *Butor* de Fyt et un portrait de Frans Hals.

Regroupés dans une autre partie du musée, les tableaux de l'Anversois Joachim Beuckelaer (1530-1574) montrent des représentations réalistes de marchés et de cuisines.

Peinture moderne *(aile droite)* – La collection est très importante et présente, en particulier, des peintures des Belges Ensor, Evenepoel *(l'Espagnol à Paris)*, Spilliaert, Émile Claus, Van Rysselberghe *(la Lecture)*, du Français Rouault et des expressionnistes Kokoschka, Kirchner et Rholfs.

Quelques salles sont consacrées aux peintures du premier groupe de Laethem-St-Martin *(voir p. 138)* avec Minne, Van de Woestijne, De Saedeleer, et à ceux du deuxième groupe : Permeke, Gust De Smet, Servaes.

Une salle rassemble des œuvres de l'école française du 19ᵉ s. : Géricault avec son remarquable *Portrait d'un Kleptomane*, Corot, Courbet, Fantin-Latour, Daubigny, Théodore Rousseau.

Museum van Hedendaagse Kunst (Musée d'Art contemporain) – Installé dans le même bâtiment, ce musée a été inauguré en 1976 et se consacre aux tendances de l'art contemporain. Cobra, hyperréalisme, art Minimal, art Conceptuel, Pop Art et tous les mouvements actuels y sont représentés ainsi que les précurseurs comme René Magritte, Paul Delvaux et Victor Servranckx. Expositions temporaires.

★★ **Bijloke Museum (Musée de la Byloke) (CX M³)** ⊘ – L'ancienne abbaye de cisterciennes de la Byloke fut fondée au 13ᵉ s. Ce remarquable ensemble de constructions de briques datant du 14ᵉ au 17ᵉ s. abrite un musée d'archéologie et d'histoire.

A l'intérieur des bâtiments conventuels, on parcourt de belles pièces où ont été reconstitués d'anciens intérieurs gantois, et les galeries du cloître où sont exposées d'importantes **collections d'arts décoratifs** (ferronnerie, objets en cuivre, bronze, poteries et céramiques), des costumes, des armes.

Au premier étage, le **réfectoire** du 14ᵉ s. est remarquable avec sa grande voûte lambrissée et ses fresques dont l'une représente la Cène. Au centre, beau gisant en pierre de Tournai d'un châtelain gantois mort en 1232.

La salle des Corporations, ancien dortoir, renferme de magnifiques **torchères** en bois sculpté, du 18ᵉ s., symbolisant les différents métiers.

Au rez-de-chaussée, deux salles sont consacrées aux différentes confréries militaires de Gand.

En traversant la petite galerie donnant sur une seconde cour, remarquer le pignon du réfectoire délicatement sculpté de briques moulurées.

Dans la maison de l'abbesse (17ᵉ s.) ont été replacées de belles cheminées du 17ᵉ s. provenant de l'hôtel de ville.

Dans la salle de la commune de Gand, on admire les insignes en argent des musiciens communaux (15ᵉ et 16ᵉ s.).

AUTRES CURIOSITÉS

★ **Klein Begijnhof** (Petit béguinage) (**DX**) – Fondé en 1234 par Jeanne de Constantinople, ce calme enclos n'a pas changé depuis le 17ᵉ s. et quatre béguines l'habitent encore. Les charmantes maisons en brique, précédées de jardinets aux murs blanchis à la chaux, encadrent l'église et deux pâturages.

Museum voor Sierkunst (Musée d'Arts décoratifs) (**EY M⁴**) ⊘ – Les élégantes pièces de l'ancien hôtel de Coninck (18ᵉ s.) abritent de beaux meubles groupés par époque, des tapisseries, des objets d'art recréant l'atmosphère d'une demeure patricienne d'autrefois. Certaines salles sont décorées de panneaux de toile peinte. Avec son plafond peint, ses boiseries, son mobilier, ses porcelaines de Chine, la **salle à manger** (salle 7) forme un ensemble du 18ᵉ s. particulièrement gracieux. Une nouvelle aile abrite le mobilier moderne.

Ruïnes van de St.-Baafsabdij (Ruines de l'abbaye St-Bavon) (**DV M⁵**) ⊘ – Fondée au 7ᵉ s., l'abbaye fut reconstruite au 10ᵉ s.

En 1540 après avoir promulgué la Concession caroline *(p. 130)*, Charles Quint transforma l'abbaye en citadelle. Elle fut démolie au 19ᵉ s.

Il ne reste des bâtiments abbatiaux qu'une galerie du cloître gothique, le beau lavabo roman, les baies géminées, romanes aussi, de la salle capitulaire et surtout le vaste **réfectoire★** du 12ᵉ s. à la magnifique charpente en bois en carène de bateau ; celui-ci renferme des fresques romanes et une importante collection de dalles funéraires. Dans les celliers : pierres romanes et gothiques.

Museum voor Industriële Archeologie en Textiel (MIAT) (**DV X**) ⊘ – *Minnemeers, 9.*

Situé dans une ancienne filature de coton, ce musée d'Archéologie industrielle et du Textile est consacré au passé industriel de la ville.

Boekentoren (**CX Y**) – *Rozier 9.*

Située dans un quartier très animé, la Bibliothèque centrale de l'université de Gand (1933-1940) fut construite d'après les plans du célébrissime architecte Henry van de Velde (1863-1957), fondateur de la Kunstgewerbeschule à Weimar, précurseur du Bauhaus. La tour de 64 m de haut comprend 26 étages dont une belle salle de réception (Belvédère) aux formes pures. Le bâtiment moderniste dont la façade est d'une grande simplicité fut réalisé en béton.

Kunstencentrum Vooruit (**CX C**) – *St.-Pietersnieuwstraat 23.*

Cet ancien « palais de fête » du mouvement socialiste fut érigé par F. Dierkens entre 1911 et 1914. Il abrite aujourd'hui plusieurs salles de spectacle (théâtre, danse, concerts). Très belle façade de style Art Nouveau.

Oud Begijnhof van St.-Elisabeth (Ancien béguinage Ste-Élisabeth) (**CV Z**) – Devenu insuffisant, le grand béguinage, fondé, comme le petit béguinage, en 1234, fut abandonné au 19ᵉ s. par les béguines qui s'installèrent à Mont-St-Amand *(ci-dessous)*. Il n'en subsiste qu'une rue pittoresque et étroite, la **Proveniersterstraat**, à proximité de l'église Ste-Élisabeth, et non loin du porche de l'église, trois jolies maisons à pignons à redans, bien restaurées.

Par la Begijnhoflaan, on peut gagner au Nord le **Rabot** (**CV**). Cette porte de 1489 aux toits pointus et aux pignons à redans est une ancienne écluse sous laquelle disparaît la Lième, devenue en partie souterraine. Non loin, la **Donkere Poort** est le seul vestige du palais (de Prinsenhof) où naquit Charles Quint.

Patriciërswoning De Achtersikkel (Maison de l'Arrière-Faucille) (**FY N**) – Dans une ruelle proche de la cathédrale (Biezekapelstraat), elle forme un ensemble du 16ᵉ s., pittoresque avec ses tourelles et sa cour à arcades.

Non loin, dans la Hoogpoortstraat, se succèdent plusieurs façades anciennes.

ENVIRONS

St.-Amandsberg (Mont-St-Amand) – *Rejoindre la Land van Waaslaan* (**DV 100**). *L'entrée du béguinage se trouve au n° 53.*

Begijnhof (Le Grand Béguinage) (**DV**) – Il a succédé en 1874 à l'ancien béguinage Ste-Élisabeth *(ci-dessus)* dont il conserve le nom. C'est un immense enclos qui présente l'aspect traditionnel des béguinages. Au centre s'élève l'église de style néo-gothique. Quelques béguines y habitent encore. Le **musée** ⊘ donne un aperçu de la vie des béguines.

EXCURSIONS

Lochristi – *9 km au Nord-Est par la N 70.*
Dans cet important centre agricole prédomine la culture du bégonia (floraison en été) et de l'azalée.

Eeklo – *20 km au Nord-Ouest par la N 9.*
Cette ville possède un joli **hôtel de ville** Renaissance, à pignons et lucarnes à redans et volets de couleurs gaies.

A 29 km au Nord par la N 456, près de la frontière des Pays-Bas, l'église de **Watervliet** (16ᵉ s.) abrite un beau triptyque du 15ᵉ s. peint sur bois et un intéressant mobilier baroque.

★ **Laarne** – *13 km à l'Est. Sortir par la N 445 et tourner à gauche vers Heusden.*
On découvre avant Heusden de superbes propriétés. *Description de Laarne (voir à ce nom).*

Leiestreek (Région de la Lys) – *22 km. Sortir par Koningin Fabiolalaan, près de la gare (St.-Pietersstation)* (**CX**).
Les bords de la Lys ont inspiré bien des peintres. Le nom de la petite localité de **St.-Martens-Latem** (Laethem-St-Martin) est resté dans l'histoire de l'art.
A la fin du 19ᵉ s., un groupe d'artistes se forma autour du sculpteur Georges Minne installé dans le village depuis 1897 : Gustave Van de Woestijne (1881-1947), les paysagistes Van den Abeele (1835-1918) et Valérius de Saedeleer (1867-1941).
Leurs recherches aboutirent, après la guerre, à l'expressionnisme très marqué du deuxième groupe de Laethem dont le précurseur est **Albert Servaes** (1873-1967), et les principaux représentants **Constant Permeke** (1886-1952), le chef de file **Gust De Smet** (1877-1943) et **Frits Van den Berghe** (1883-1939).
Aucune route ne suivant vraiment la Lys, une **promenade en bateau** ⊘ est la meilleure façon d'en découvrir les paysages.

Afsnee – Sa charmante église romane dont le chevet borde la Lys est souvent reproduite sur les toiles.

St.-Martens-Latem (Laethem-St-Martin) – Situé près de la Lys, c'est un village dont les environs sont très fréquentés par les Gantois. De la route qui le traverse, on aperçoit à gauche un moulin à vent en bois datant du 15ᵉ s.

Deurle – *Voir à ce nom.*
En quittant Deurle, on longe un instant la Lys (jolie vue à gauche), puis, en franchissant un pont, on a un beau **point de vue** sur la rivière qui s'écoule paresseusement entre de gras pâturages.

Kasteel van Ooidonk (Château d'Ooidonk) ⊘ – Ce château du 16ᵉ s. se situe dans une boucle de la Lys, à proximité du village de Bachte-Maria-Leerne ; il a remplacé une forteresse du Moyen Âge, habitée par les seigneurs de Nevele et détruite au cours des guerres de Religion.
Le château actuel, cerné d'eau et entouré d'un domaine boisé, est toujours habité. Avec ses pignons à redans, ses tours à bulbe, il est caractéristique du style hispano-flamand. L'intérieur réaménagé au 19ᵉ s. contient une belle suite d'appartements. Parmi les portraits du 16ᵉ s., figurent celui de Philippe de Montmorency, comte de Hornes et propriétaire du château, et celui du comte d'Egmont. Tous deux furent décapités à Bruxelles en 1568.

Deinze – Petite ville industrielle construite sur les bords de la Lys, Deinze possède une belle **église** dédiée à Notre-Dame (Onze-Lieve-Vrouwekerk). Elle date du 13ᵉ s. et constitue un bel exemple de gothique scaldien (triplets, tour au-dessus de la croisée du transept). A l'intérieur, on peut admirer une œuvre de Gaspar de Crayer : l'*Adoration des Bergers*.
Un peu plus loin, on aperçoit à travers la verdure le bâtiment blanc du **musée de Deinze et de la région de la Lys** (Museum van Deinze en Leiestreek) ⊘. Dans les collections comprenant des peintures et sculptures d'artistes de la région entre Gand et Courtrai, le groupe de Laethem est bien représenté. Sont à signaler : *la Récolte des betteraves* d'Émile Claus, *Un paysage marécageux* de Saedeleer et des œuvres de A. Saverys, A. Servaes, Van de Woestijne, G. Minne, Van Rysselberghe, Van den Abeele et R. Raveel. Le musée comprend également une section d'archéologie et de folklore.

GERAARDSBERGEN★

GRAMMONT – Oost-Vlaanderen

30 193 habitants

Cartes Michelin nᵒˢ 409 E 3 et 213 pli 17.

Grammont, dont le nom exprime la **situation**★ dominante, est accrochée au flanc d'une colline surplombant la Dendre. Elle est célèbre dans le monde des courses cyclistes pour sa terrible côte sinueuse et irrégulièrement pavée : « le mur » de Grammont.

Grammont possède une très importante fabrique d'allumettes. La tarte au maton (lait caillé) et fromage blanc est une spécialité de la ville.

CURIOSITÉS

Grote Markt (Grand-Place) – Là se dressent l'église St-Barthélemy, rénovée dans le style néo-gothique (19ᵉ s.), tout comme l'hôtel de ville à pignons dentés et tourelles d'angle. Adossé à ce dernier, un petit Manneken Pis, qui possède son musée de costumes au rez-de-chaussée du bâtiment, serait le plus ancien de Belgique (1455). Devant l'édifice, une fontaine gothique, le Marbol, date de 1475.

St.-Adriaansabdij (Ancienne abbaye St-Adrien) – *Suivre la rue à gauche de l'hôtel de ville ou Vredestraat, puis à droite Abdijstraat.*

Un monastère bénédictin fut fondé ici en 1081. Les bâtiments abbatiaux du 18ᵉ s., transformés en **musée** ⊙, abritent au 1ᵉʳ étage du mobilier provenant de l'église St-Barthélemy à Grammont et de l'hôtel d'Hane Steenhuyse à Gand *(voir à ce nom)* ainsi que quelques tableaux anciens, le tout réparti dans différentes salles et salons longeant un large couloir voûté. Le 2ᵉ étage est occupé par diverses sections consacrées à la culture du tabac (activité florissante à Grammont de 1840 à la Seconde Guerre mondiale), un cabinet de pipes provenant du monde entier, et à la dentelle noire de Chantilly (produite dans la région dès 1870).

Dans le parc, qui fut aménagé autour d'un étang, les hangars à chariots ont été restaurés afin d'y accueillir des expositions.

Oudenberg (Vieille Montagne) – *Accès en voiture par Oude Steenweg et, à gauche, Driepikkel.* Une chapelle de pèlerinage, abritant une statuette de la Vierge (17ᵉ s.), est érigée sur ce mont dont le sommet, à 110 m d'altitude, offre une belle vue sur le paysage environnant. A cet endroit se déroule la fête du **Krakelingenworp** ou « jet de craquelins » *(voir le chapitre des Renseignements pratiques en fin de volume).* A 15 h, un cortège folklorique (800 participants) commence à gravir la colline. A l'arrivée, 8 000 craquelins, sorte de biscuit, sont lancés à la volée sur la foule, et les notables doivent boire, dans une coupe en argent, de petits goujons vivants. Le soir, lors du **Tonnekensbrand**, le feu est mis à un tonneau rempli de poix et ceinturé de paille. De nombreux récits et légendes tentent d'expliquer l'origine de ces manifestations, supposées très anciennes, mais qui restent mystérieuses.

Le **GRAND-HORNU** Hainaut

Hainaut

Cartes Michelin nᵒˢ 409 E 4 et 214 pli 2.

Hornu, cité du Borinage près de Mons, conserve un complexe architectural industriel, construit entre 1814 et 1832, le Grand-Hornu, magnifique témoignage d'un ensemble où usine et habitat sont incorporés comme cela avait été réalisé à la Saline d'Arc-et-Senans en France, 25 ans plus tôt.

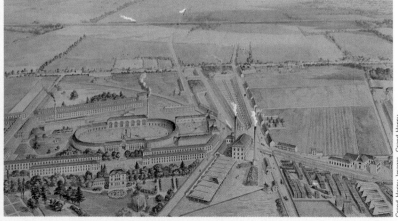

Vue panoramique de l'exploitation du Grand-Hornu vers 1900

Le fondateur du Grand-Hornu, l'industriel **Henri de Gorge** (1774-1832), avait confié les plans à l'architecte Bruno Renard qui conçut le site dans un style néo-classique très en vogue à l'époque. Cela se voit dans l'utilisation des arcades, frontons, fenêtres en demi-lune. En plus du complexe industriel, 425 maisons, exceptionnellement confortables pour l'époque, furent construites pour les ouvriers.

Les activités du Grand-Hornu ont cessé en 1954. Laissé plusieurs années à l'abandon, le complexe fit l'objet en 1969 d'un arrêté royal le condamnant à la démolition. En 1971, un architecte d'Hornu, Henri Guchez, rachète le site en ruine et en entreprend la restauration. Depuis 1989, le Grand-Hornu est devenu propriété de la Province de Hainaut.

VISITE ⊙

On entre d'abord dans une cour fermée (la Basse-cour) bordée à gauche par les anciennes écuries, converties en galerie d'art (portes sculptées par Félix Roulin), et à droite par le magasin au foin. Puis l'on accède à la vaste cour ellipsoïdale, entourée d'arcades et de bâtiments en brique, où étaient installés les ateliers (occupés actuellement par des bureaux). Sur la gauche l'atelier principal, qui servait à la construction des machines à vapeur, a conservé les piliers qui soutenaient des coupoles à pendentifs. En face le bâtiment de l'administration se cache derrière une façade à fronton. Autour de l'usine, les 425 maisons ouvrières s'alignent de part et d'autre de rues rectilignes, inscrites dans un rectangle. La cité comptait 2 500 h. en 1829.

HAKENDOVER
Vlaams-Brabant
Cartes Michelin nᵒˢ 409 H 3 et 213 pli 20.

Ce très ancien village est célèbre par ses pèlerinages. Le plus spectaculaire comporte la grande procession du Divin Rédempteur *(voir le chapitre des Renseignements pratiques en fin de volume)* accompagnée de cavaliers. Elle se déroule à travers les prairies et les champs ensemencés qui, malgré le piétinement de la foule, produisent, dit-on, de belles récoltes.

St.-Salvatorskerk (Église St-Sauveur) ⊙ — Sa fondation date de 690. Elle conserve une tour et une partie du transept romans, le chœur ayant été construit au 14ᵉ s. La nef fut agrandie au 18ᵉ s. Au maître-autel, un célèbre **retable★** brabançon (1400), en bois, illustre de façon vivante et élégante, en treize scènes, l'édification miraculeuse de l'église. Trois vierges entreprirent, au 7ᵉ s., d'élever une église que les anges démolissaient la nuit. Le 13ᵉ jour après l'Épiphanie, un corbeau indique aux vierges l'endroit où devait s'élever l'église. Elles prirent alors 12 ouvriers auxquels vint s'adjoindre un 13ᵉ qui n'était autre que le Christ. Ainsi fut terminée l'église.

HALLE★
HAL – Vlaams-Brabant
32 310 habitants
Cartes Michelin nᵒˢ 409 F 3 et 213 pli 18 – Plan dans le guide Michelin Benelux.

La ville est vouée depuis le 13ᵉ s. au culte de la Vierge Noire, objet d'un pèlerinage fameux : la procession de la Pentecôte avec cortège historique *(voir le chapitre des Renseignements pratiques en fin de volume)*, la plus importante, puis celles du 1ᵉʳ dimanche de septembre et du 1ᵉʳ dimanche d'octobre.
Par ailleurs, le carnaval *(dimanche de la mi-carême)* est réputé.

★★ BASILIEK (BASILIQUE) visite : 3/4 h

Elle a été bâtie au 14ᵉ s. Son plan, sans transept saillant, constitue un bon exemple du style gothique brabançon d'origine. Elle est précédée d'une puissante **tour** ⊙ carrée, surmontée de clochetons d'angle et, depuis 1775, d'une lanterne baroque. Hors œuvre à droite, une petite montgolfière coiffe la chapelle baptismale (15ᵉ s.). Le carillon installé en 1973 possède 54 cloches.
Remarquer le **portail Sud** avec sa Vierge à l'Enfant entourée d'anges musiciens et, un peu plus loin, une petite porte où figure le couronnement de la Vierge. Le chevet, d'harmonieuses proportions, et les flancs de l'édifice sont ornés de superbes culs-de-lampe historiés et d'un double étage de balustrades.

Intérieur — La nef, élégante, possède un triforium à remplage flamboyant ; au-dessus du porche, le mur est ajouré d'un double étage de baies également flamboyantes. On y admire de nombreux **objets d'art** ainsi que de belles sculptures.
Les fonts baptismaux *(chapelle à droite de la tour)* datent de 1466 : en laiton, ils sont recouverts d'un riche couvercle décoré d'apôtres, de cavaliers (saint Martin, saint Georges, saint Hubert) et d'un groupe représentant le Baptême du Christ.

Dans le chœur, statues d'apôtres de 1410 inspirées de l'art de Claus Sluter, célèbre sculpteur des ducs de Bourgogne à Dijon ; au milieu trône la célèbre Vierge Noire ; dans le déambulatoire, les écoinçons des arcatures sont sculptés de scènes remarquables (15ᵉ s.).

Dans la chapelle de Trazegnies, construite hors œuvre le long du bas-côté gauche, un retable représentant les sept Sacrements a été exécuté par Jean Mone, sculpteur de Charles Quint, dans la ligne de la Renaissance italienne. Remarquer encore, dans une chapelle orientée à gauche du chœur, le minuscule gisant de Joachim, fils de Louis XI, mort en 1460 alors que son père, encore dauphin, s'était réfugié à Genappe *(7 km à l'Est)*.

Trésor ⊘ – Dans la crypte, sont exposées les plus belles pièces du trésor, témoignant de la générosité de protecteurs illustres ; en particulier, deux ostensoirs bruxellois, l'un, du 15ᵉ s., donné par Louis XI, l'autre, du 16ᵉ s., offert par Henri VIII.

AUTRES CURIOSITÉS

Grote Markt (Grand-Place) – Voisin de la basilique, l'**hôtel de ville**, construit au début du 17ᵉ s. dans le style Renaissance et restauré au 19ᵉ s., présente une façade harmonieuse. Au milieu de la place s'élève la statue du violoncelliste **Adrien-François Servais** (1807-1866), originaire de Halle. Servais connut un succès international – Berlioz l'appelait le Paganini du violoncelle – et il fut en outre violoncelle solo du roi Léopold Iᵉʳ.

Zuidwest Brabants Museum (Musée du Sud-Ouest du Brabant) ⊘ – Installé dans l'ancien collège des Jésuites du 17ᵉ s., il reflète la vie régionale dans le passé : objets trouvés lors de fouilles, outillage ancien, corbeilles fabriquées à Halle aux 17ᵉ et 18ᵉ s., porcelaine de Huizingen, etc.

EXCURSION

Rebecq – *10 km au Sud-Ouest par la N 6, puis une route à droite.*
Un **train touristique** ⊘ tracté par une petite locomotive relie l'ancienne gare de Rebecq à la halte de Rognon, dans la vallée de la Senne.
Dans le **moulin d'Arenberg**, situé sur la Senne, sont organisées des expositions.

HAN-SUR-LESSE★

Namur

Cartes Michelin nᵒˢ 409 I 5 et 214 pli 6.

Au cœur du **parc national de Lesse et Lomme**, vaste massif calcaire traversé par deux rivières, Han-sur-Lesse doit sa célébrité à sa magnifique grotte et à sa réserve d'animaux.

CURIOSITÉS

★★★ **Grotte de Han** ⊘ – *L'entrée de la grotte, située au Trou de Salpêtre, n'est accessible que par tramway. Le retour s'effectue à pied (400 m).*
La grotte calcaire géante creusée par la Lesse sur 15 km offre à la visite le cinquième de son réseau. Elle servit de refuge de la fin du néolithique au 18ᵉ s. Très humide, d'une température de 13 °C, elle abrite de gigantesques concrétions dont la progression est en moyenne de 4 à 5 cm par siècle, telle l'élégante stalagmite du **Minaret** haute de 5 m. Exploitées depuis 1856, certaines galeries sont noircies par les torches des premiers visiteurs. La **Salle des Mystérieuses** garde toutefois la magie d'un palais de cristal avec sa très belle stalagmite en forme de tiare. L'imposante **Salle d'Armes**, de 50 m de diamètre, traversée par la Lesse, est animée par un impressionnant son et lumière. Elle précède la **Salle du Dôme** haute de 129 m, où l'on voit un porteur de torche dévaler le prodigieux amoncellement, et celle des **Draperies** à la voûte hérissée de stalactites marbrées.
De larges barques descendent le cours souterrain de la Lesse et ramènent au jour au **Trou de Han** après un dernier coup de canon permettant d'apprécier le pouvoir de résonance de la galerie.

Spéléothème ⊘ – *Accessible à la sortie de la grotte, il est situé au 1ᵉʳ étage de la Ferme de Dry Hamptay.*
Spectacle audio-visuel qui fait découvrir les salles et galeries de la grotte non accessibles aux visiteurs et réservées aux spéléologues.

Musée du Monde souterrain ⊘ – Ce musée présente les résultats des fouilles régionales, principalement celles pratiquées dans la grotte de Han, au fond de la rivière ou sur les berges : silex taillés néolithiques, remarquable ensemble de poteries, outils, armes et parures dont certaines en or, de l'âge du bronze (1100 à 700 av. J.-C.), fibules de l'âge du fer, **fragment de diplôme★** d'un vétéran romain composé de deux tablettes de bronze, objets divers des époques gallo-romaine, mérovingienne et médiévale.

★ **Réserve d'animaux sauvages** ⊘ – A bord d'un petit train routier, dans le magnifique domaine du Massif de Boine (250 ha) où vient s'engouffrir la Lesse, la réserve rassemble la faune des forêts d'Ardenne (cerfs, daims, sangliers) et, dans une vaste clairière, les principaux animaux sauvages ayant vécu autrefois dans la région : bisons, ours brun, bouquetins, chamois, loups, tarpans (petits chevaux), aurochs dont l'espèce éteinte a été reconstituée par croisements, et le cheval de Przewalski originaire des steppes.

Au **gouffre de Belvaux**, la Lesse se perd sous un arc rocheux du mont de Boine pour ressurgir au Trou de Han *(voir ci-dessus)*.

ENVIRONS

Lavaux-Ste-Anne – *10 km à l'Ouest par la route de Dinant.*
Entouré de douves alimentées par les eaux de la Wimbe, le **château féodal** se présente comme une forteresse encore flanquée aux angles de trois tours massives du 15ᵉ s. coiffées de bulbes et d'un donjon du 15ᵉ s. Aux 17ᵉ et 18ᵉ s., les courtines reliant les tours ont laissé place à des corps de logis disposés en U.

L'intérieur abrite un **musée de la Chasse et de la conservation de la Nature** ⊘. Animaux naturalisés, trophées de chasse et documentation sur la faune européenne.

HASSELT

Limburg ℗

64 722 habitants
Cartes Michelin nᵒˢ 409 I 3 et 213 pli 9.

Aux confins de la Campine et de la Hesbaye, Hasselt est depuis 1839 le chef-lieu du Limbourg belge, un traité, signé à Londres, ayant alors partagé cette province, reste d'un ancien duché, entre la Belgique et les Pays-Bas. C'est une ville active qui voit son importance croître avec l'industrialisation de la région. On y fabrique un excellent genièvre *(voir ci-dessous)*. L'arrondissement de Hasselt compte pas moins de neuf fabricants de cette eau-de-vie, localement appelée « witteke » (petit blanc).

Du 14ᵉ au 18ᵉ s., la ville dépendit de l'évêché de Liège, non sans se soulever parfois, comme au 16ᵉ s., lorsque les protestants hasseltois participèrent aux troubles religieux fomentés contre les princes-évêques.

En 1798, les paysans flamands se révoltèrent contre l'occupant français qui pillait le pays et vendait les propriétés des églises comme « biens nationaux ». Cette révolte, appelée **Boerenkrijg**, se termina par un bain de sang ; le monument érigé sur Leopold-plein (**Z**) rappelle qu'à Hasselt un millier d'hommes moururent.

HASSELT

Botermarkt	Y 7
Demerstr.	Y
Diesterstr.	YZ 8
Grote Markt	Z
Havermarkt	Z 18
Hoogstr.	Y 22
Koning Albertstr.	Z 27
Ridder Portmanstr.	Z 39
Badderijstr.	Y 2
Dorpstraat	Y 10
Kapelstr.	Z 23
Kempischesteenweg	Y 24
Kolonel Dusartpl.	Y 26
Koning Boudewijnlaan	Y 28
Koningin Astridlaan	Y 30
Kunstlaan	Z 32
Lombaardstr.	Y 34
Maastrichtersteenweg	Y 35
Maastrichterstr.	YZ 36
de Schiervellaan	Z 43
St.-Jozefstr.	Z 44
Windmolenstraat	Z 50
Zuivelmarkt	Y 51

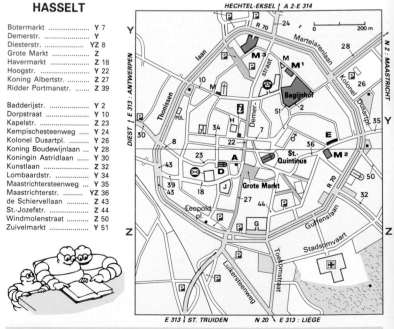

A - Het Sweert
D - O.-L. Vrouwkerk
E - Refugiehuis van de abdij van Herkenrode

M¹ - Nationaal Jenevermuseum
M² - Museum Stellingwerff-Waerdenhof
M³ - Stedelijk Modemuseum

Hasselt s'est dotée en 1959 d'un centre culturel moderne (*par Kunstlaan*, **Z 32**).
En 1967 fut fondé le diocèse de Hasselt qui couvre la province du Limbourg.
A l'Est de la ville a été installé en 1968 le Centre universitaire du Limbourg.

Hendrik van Veldeke – C'est dans les environs de Hasselt que naquit au 12e s. le premier poète de langue néerlandaise qui ne soit pas resté anonyme : Hendrik van Veldeke (mort après 1210) ; une statue a été élevée à sa mémoire dans le petit parc à l'angle de la Dorpsstraat et de la Thonissenlaan.

Les fêtes – Tous les 7 ans, en août (*voir le chapitre des Renseignements pratiques en fin de volume*), la Madone Virga Jesse, patronne de la ville, est honorée par une importante procession religieuse, présidée par le géant hasseltois De Langeman ou Don Christophe.
Chaque année, le 30 avril, sur la Grand-Place, a lieu une fête folklorique, le Meie-avondviering. L'arbre de mai y est porté en cortège, puis planté tandis qu'on brûle des mannequins représentant la mauvaise saison et que dansent les sorcières. Puis retentissent des chants hasseltois, notamment le Meiliedeke.

CURIOSITÉS

Grote Markt (Grand-Place) (**Z**) – On y admire, abritant une pharmacie, une maison à colombage (1659), nommée d'après son enseigne **Het Sweert** (**Z A**), l'Épée.
Toute proche est la **cathédrale St-Quentin** (St.-Quintinuskathedraal) (**Z**), dont on aperçoit la tour trapue du 13e s., couronnée par une flèche du 18e s. La nef et les bas-côtés ont été construits au 14e s. et agrandis progressivement du chœur, des chapelles latérales, puis du déambulatoire.

O.L.-Vrouwkerk (Église Notre-Dame) (**Z D**) – Cette église du 18e s. abrite des œuvres d'art en marbre sculpté, provenant de l'abbaye cistercienne d'Herkenrode (*5 km au Nord-Ouest de Hasselt*), qui fut fondée à la fin du 12e s., supprimée en 1797, et dont l'église fut détruite au 16e s. par un incendie. Le **maître-autel** de marbre noir et blanc est le chef-d'œuvre du sculpteur liégeois Jean Delcour, mort en 1707 (*voir à Liège*), les statues de saint Bernard et de l'Immaculée Conception sont aussi des œuvres de Delcour. Dans le transept les deux **mausolées** d'abbesses d'Herkenrode ont été réalisés l'un à droite (*Christ au Tombeau*), par Artus Quellin le Jeune (1625-1700), l'autre à gauche (*Résurrection du Christ*), par Laurent Delvaux (1696-1778). Dans le chœur est exposée la Virga Jesse (14e s.) à l'origine de la procession septennale.

★ **Nationaal Jenevermuseum** (Musée national du Genièvre) (**Y M¹**) ⊘ – Ce musée est installé dans la ferme d'un ancien couvent, transformée en genièvrerie en 1803 ; celle-ci a fonctionné jusqu'en 1939. Le musée a repris la fabrication du genièvre selon les procédés du 19e s.
Dès le 16e s., le genièvre, un vin de malt à base d'orge et de seigle, était fabriqué dans les Flandres. De l'orge germée est posée sur le germoir perforé de la touraille afin de sécher. Le malt d'orge et le seigle sont moulus pour libérer la fécule. Suit la macération (2/3 de seigle et 1/3 de malt d'orge) à 63° environ, qui permet aux enzymes de transformer la fécule

Ph. Gajic / MICHELIN

en saccharose. En ajoutant de la levure, on obtient la transformation des sucres en alcool. L'étape suivante est la distillation : le moût est séparé de l'alcool, puis par une seconde distallation de ce genièvre brut, on obtient le vin de malt dont le goût varie selon les épices (baies de genévrier par exemple) ajoutés lors de la dernière distillation.
L'itinéraire numéroté fait passer le visiteur par l'ancienne étable des bœufs pour accéder à la touraille. Au rez-de-chaussée, il pourra admirer une machine à vapeur actionnant les meules et le macérateur. L'installation de distillation à vapeur du 19e s. peut être mise en marche. Les collections exposées dans l'ancienne habitation concernent l'histoire, l'emballage du genièvre et la publicité faite par les fabricants. La visite se termine par une dégustation.

Begijnhof (Ancien béguinage) (**Y**) – Le jardin est encore bordé de rangées de maisons de béguines du 18e s., précédées d'une petite cour. Elles sont de style mosan, avec des murs de briques entrecoupés de rangées de pierre. Un bâtiment moderne abrite le **musée provincial** (Provinciaal Museum) ⊘ qui organise des expositions d'art contemporain international. Des ruines couvertes de lierre et quelques pierres sculptées sont les seuls vestiges de l'église détruite par un bombardement en 1944.

Museum (Musée) Stellingwerff-Waerdenhof (YZ M²) ⊘ – Les collections de ce musée illustrent l'histoire et la vie artistique de la ville de Hasselt et de l'ancien comté de Loon. Outre des objets religieux dont un ostensoir de 1286, le plus ancien du monde, on admire de la céramique Art nouveau (Manufacture de céramiques décoratives fondée en 1895), une collection d'enseignes et des peintures des 19ᵉ et 20ᵉ s.

Ancien refuge de l'abbaye d'Herkenrode (Y E) – Ce bel édifice gothique-Renaissance du 16ᵉ s., actuellement occupé par des services publics, était, aux époques troublées, l'un des refuges des Cisterciennes d'Herkenrode.

Stedelijk Modemuseum (Musée de la Mode) (Y M³) ⊘ – *Gasthuisstraat 11.*
Situé dans un ancien couvent du 17ᵉ s. récemment réaménagé, ce nouveau musée retrace l'évolution de la mode depuis le 18ᵉ s. à nos jours à l'aide de documents, d'accessoires et de toilettes. Expositions temporaires.

Japanse tuin (Jardin japonais) (Y) ⊘ – *A l'Est par la Koning Boudewijnlaan.*
Situé en dehors du centre, ce charmant jardin a été réalisé en collaboration avec la ville d'Itami au Japon, ville avec laquelle Hasselt est jumelée. Aménagé selon les principes du Saku-tei-ki, il renferme également une maison de thé ainsi qu'une maison de cérémonie féerique.

EXCURSIONS

Circuit de 42 km – *3 h. Sortir par Kempischesteenweg (**Y 24**) et prendre à droite après le pont sur le canal Albert.*

★ **Domaine provincial de Bokrijk** – *Voir à ce nom.*

Contourner le domaine par l'Est.

On traverse bientôt de magnifiques collines de bruyère, caractéristiques de la Campine, puis on dépasse le parc récréatif de **Hengelhoef**, avant d'atteindre la route de Houthalen à Zwartberg.

Kelchterhoef – C'est un grand domaine récréatif boisé, parsemé d'étangs *(pêche)* où subsiste une ancienne ferme abbatiale à colombage, transformée en auberge.

Se diriger vers l'Est pour se rendre à Zwartberg.

Zwartberg – *Voir à Genk.*

Genk – *Voir à ce nom.*

En rentrant à Hasselt, on peut faire une halte à la **réserve De Maten** *(voir à Genk).*

Heusden-Zolder ; 't Fonteintje ; Molenheide – *59 km au Nord. Sortir par Koningin Astridlaan (**Y 30**) et prendre à droite après le passage sous l'autoroute.*

Heusden-Zolder – Au Sud de la ville, près de la colline du **Bolderberg** (alt. 60 m), couverte de pins, le **circuit automobile international de Zolder** de 4,19 km est un important centre de compétition où se dispute le Grand Prix de Belgique Formule 1, lorsque cette course n'a pas lieu à Francorchamps.

't Fonteintje – A l'Est de Koersel-Beringen, c'est un **centre récréatif** ⊘ situé au milieu des pins. Du sommet de la **tour** (uitkijktoren), vue sur la Campine.

Molenheide – Au Nord de Helchteren-Houthalen, ce parc récréatif de 180 ha, aménagé dans les bois, dispose de nombreuses ressources. Dans le **parc à gibier** (wild-en wandelpark) ⊘, les animaux (daims, chevreuils, etc.) évoluent en liberté. Le parc offre des possibilités d'activités sportives (natation, tennis, bicyclettes).

HAUTES FAGNES★★

Liège

Cartes Michelin nᵒˢ 409 L 4 et 213 pli 24.

Entre Eupen et Malmédy s'étendent les Hautes Fagnes, plateau balayé par le vent, nostalgique et désolé, allongeant à l'infini ses tourbières humides et des champs de molinia (plante herbacée glabre, à panicule généralement violacée) qu'interrompent les masses noires des plantations d'épicéas, ou quelques bouquets de feuillus (hêtres, chênes, bouleaux). Pratiquement déserte de nos jours, cette région connut jadis une importante occupation humaine : on a retrouvé des vestiges d'une chaussée dont l'origine remonterait au 7ᵉ s. : la Via Mansuerisca.

Une réserve ⊘ – *Illustration p. 14.* En 1957 fut créée la Réserve naturelle domaniale des Hautes Fagnes. Couvrant plus de 4 200 ha, c'est une aire où sont protégés intégralement la faune, la flore, le sol et le paysage. La plupart des tourbières sont incluses dans la réserve. L'altitude du plateau n'est guère élevée, mais son climat rigoureux permet la reproduction de nombreux spécimens de la flore et de la faune de régions montagnardes, voire boréales. Deux dangers menacent les tourbières.

Le piétinement, en paralysant leur développement, entraîne, à long terme, leur destruction : c'est pourquoi il est interdit de s'écarter des sentiers balisés autorisés. L'incendie, fatal à ce milieu, s'y produit fréquemment ; une très grande prudence est recommandée, surtout en période sèche *(drapeaux rouges : accès interdit)*.

Un parc naturel – Depuis 1971, la réserve est englobée dans le **parc naturel Hautes Fagnes-Eifel**. Celui-ci, qui comprend en outre les lacs de Robertville et Bütgenbach, de la Gileppe et d'Eupen, la vallée de l'Our et l'Eifel, communique avec le parc naturel allemand du Nordeifel. L'ensemble nommé **Deutsch-Belgischer Naturpark** représente un territoire de 2 400 km², dont 700 km² en Belgique, et rejoint au Sud le parc naturel germano-luxembourgeois *(p. 15)*.

QUELQUES SITES

Centre Nature Botrange ⊙ – Un vaste bâtiment lumineux et chaleureux en bois clair accueille les visiteurs des Hautes Fagnes. Il abrite un centre d'information, des expositions, des spectacles audio-visuels, une librairie.

Le Signal de Botrange – 694 m. C'est le point culminant de Belgique. Il occupe, avec la Baraque-Michel, le centre de ce plateau bombé qui s'étend sur des terres sauvages et marécageuses hérissées de touffes de linaigrettes au plumet blanc.
Du sommet de la **tour** ⊙ qui s'y dresse, on découvre un lointain panorama (tables d'orientation). Par temps clair, la **vue★** la plus dégagée concerne le secteur Nord-Est : au-delà des conifères, les landes coupées de bois rejoignent l'Allemagne vers Roetgen et Aix-la-Chapelle.

★ **Sentier de découverte nature** – *1 h 1/4 à pied, de préférence avec des bottes en caoutchouc. Le départ du sentier se trouve en face du Signal de Botrange de l'autre côté de la route.*
Cette agréable promenade, suivant les caillebotis au-dessus des tourbières, permet de ressentir l'immensité du paysage qui se déroule à perte de vue, et de découvrir de près les oiseaux et la flore des Fagnes : sorbiers, myrtilles, bruyères, bouleaux, résineux.

La Baraque-Michel – C'est une station géodésique (1886-1888) située à 675 m d'altitude. Au mont Rigi, tout proche, l'université de Liège a installé une station scientifique.

HERENTALS

Antwerpen
24 468 habitants
Cartes Michelin n⁰ˢ 409 H 2 et 213 pli 8.

Jadis florissante ville drapière, Herentals garde de son passé quelques souvenirs, notamment, au Sud et à l'Est, deux **portes** de son enceinte du 14ᵉ s.

CURIOSITÉS

Stadhuis (Hôtel de ville) – Au centre d'une Grand-Place allongée, c'est l'ancienne halle aux draps. Du 16ᵉ s., en brique et grès, il est surmonté d'un minuscule beffroi à carillon. Les combles abritent le **musée Fraikin** ⊙ ; collection de plâtres du sculpteur Charles Fraikin, né à Herentals (1817-1893).

St.-Waldetrudiskerk (Église Ste-Waudru) ⊙ – Cette église de style gothique brabançon a conservé sa tour centrale carrée, du 14ᵉ s. L'intérieur abrite un mobilier intéressant. Le **retable★** des saints Crépin et Crépinien, patrons des cordonniers et des tanneurs, où est représenté leur martyre, a été sculpté en bois au début du 16ᵉ s. par Pasquier Borremans. On peut également voir des stalles sculptées du 17ᵉ s., des tableaux (16ᵉ et 17ᵉ s.) d'Ambrosius et de **Frans Francken le Vieux**, ce dernier étant né à Herentals, de Pierre-Joseph Verhagen (18ᵉ s.). Fonts baptismaux romans.

Begijnhof (Béguinage) – *Accès par Fraikinstraat et Begijnenstraat.*
Fondé au 13ᵉ s., il connut une grande prospérité mais, détruit par les iconoclastes en 1578, il dut être reconstruit. Les maisons encadrent un jardin où se dresse une charmante église de style gothique (1614).

EXCURSION

Circuit de 65 km au Nord-Est.

Geel – La ville est connue pour sa colonie d'aliénés inoffensifs hébergés dans des familles. La spécialisation de Geel serait née à la suite de la décapitation de sainte Dymphne, princesse d'Irlande, par son père que le démon avait rendu fou.
L'**église Ste-Dymphne** (St.-Dimpnakerk) ⊙ s'élève à la sortie de la ville, route de Mol. Cette église flamboyante contient un riche mobilier : dans le chœur, un beau **mausolée★** en marbre noir et albâtre par l'Anversois Corneille Floris (16ᵉ s.) ; sur

l'autel, un retable (1513) illustrant la vie de la sainte ; dans le bras droit du transept, un retable brabançon (fin du 15e s.) représentant des scènes de la Passion ; dans la première chapelle du déambulatoire, le retable aux douze apôtres (14e s.). Un petit édifice accolé à la tour de l'église, et nommé Chambre des Malades, montre une jolie façade Renaissance.

Mol – Mol est connu pour son Centre national d'études nucléaires créé en 1952. L'**église des Sts-Pierre-et-Paul** (St.-Pieter-en-Pauluskerk) renferme une épine de la couronne du Christ en l'honneur de laquelle a lieu chaque année une procession (H. Doornprocessie). Près de l'église s'élève un **pilori**.

Jakob Smits (1855-1928), qui vécut dans le village de **Achterbos**, est le grand peintre de la Campine. L'ancien presbytère du village voisin de **Sluis** a été transformé en **musée** ⊙ (Jakob Smits Museum).

Ginderbuiten – Une église moderne (St.-Jozef Ambachtsman), construite par Meekels, est à signaler.

Zilvermeer – Au Nord de Sluis, dans les pinèdes, cet important domaine récréatif provincial entoure deux lacs, l'un réservé à la baignade et au canotage, l'autre à la voile.

Abdij Postel (Abbaye Postel) – Au cœur d'une forêt de pins, c'est une abbaye de Prémontrés *(voir à Averbode)* fondée au 12e s. par les moines de Floreffe. Les bâtiments du 18e s. sont flanqués d'une tour Renaissance à carillon (concerts). L'**église**, romane, des 12e et 13e s., a été modifiée au 17e s. On y donne des concerts d'orgue. En été, une nouvelle salle sert de cadre à des concerts de musique de chambre.

Kasterlee – Au milieu des pinèdes, c'est le grand centre touristique de la Campine anversoise.
Au Sud, face à un petit cimetière britannique de la dernière guerre, abondamment fleuri, on peut voir un joli **moulin à vent**, et plus au Sud, sur la Nèthe (Nete), un moulin à eau, transformé en restaurant *(panneaux : « De Watermolen »)*.

Toeristentoren (Belvédère) **de Papekelders** ⊙ – *A l'entrée d'Herentals, juste avant la voie ferrée, tourner à droite vers le bois Bosbergen et continuer à pied.*
Au point culminant du bois (altitude 40 m) a été aménagée une tour-belvédère de 24 m : panorama sur la région.

HUY★★

Liège
17 336 habitants
Cartes Michelin nos 409 I 4 et 213 pli 21.

Au confluent de la Meuse et du Houyoux, Huy (prononcer : « houy ») est une charmante petite ville blottie au pied de sa collégiale et de son fort. Jadis, les Hutois s'enorgueillissaient de posséder quatre merveilles : li pontia, le pont (gothique, reconstruit en 1956), li rondia, la rose de la collégiale, li bassinia, la fontaine de la Grand-Place, li tchestia, li château (fort).
Huy fit partie de la province de Liège de 985 à 1789. Sa situation stratégique lui valut une trentaine de sièges et une longue série de destructions.
La ville vit naître les fameux orfèvres mosans du 12e s. : **Renier de Huy**, auteur des fonts baptismaux de St-Barthélemy à Liège *(voir à ce nom)*, et Godefroy de Claire, nommé aussi **Godefroy de Huy**. Depuis le 7e s., les étains sont une spécialité locale.
En 1095, **Pierre l'Ermite** prêcha ici la première croisade. Il vint terminer sa vie dans le couvent de Neufmoustier où il fut enterré en 1115. Les vestiges du cloître, au Nord de la rue de Neufmoustier *(accès par avenue Delchambre)*, abritent son mausolée (1857).

Promenades sur la Meuse ⊙ – Des promenades sont organisées sur le plan d'eau de Huy.

CURIOSITÉS

★ **Collégiale Notre-Dame** (**Z**) – C'est un vaste édifice rayonnant du 14e s. Des tendances flamboyantes apparaissent dans les fenêtres hautes, terminées à la fin du 15e s. Une imposante tour ornée d'une belle rosace (li rondia), d'un diamètre de 9 m, précède la collégiale. Le chevet est flanqué de deux tours carrées, fait exceptionnel en Belgique.
L'intérieur à trois nefs est d'une belle envolée que confirment les fenêtres lancéolées du chœur s'élançant à 20 m de haut, décorées de vitraux modernes qui ont remplacé ceux détruits en 1944. Les voûtes ont été refaites au 16e s. et sont peintes d'arabesques Renaissance. Sous le chœur s'étend une crypte romane.

★ **Le trésor** ⊙ – Il abrite, outre d'intéressantes statues de saints en bois (14e et 16e s.), une riche collection d'orfèvrerie mosane comprenant notamment quatre magnifiques **châsses** des 12e et 13e s. : celles des saints Domitien et Mengold, patrons de la ville, très endommagées, attribuées à Godefroy de Huy ; la châsse de saint Marc (probablement du 13e s.), remarquable pour ses figurines pleines de vie dont les lignes souples sont rehaussées par des émaux champlevés ; la châsse de la Vierge (vers 1265) dont les personnages en cuivre repoussé s'inscrivent dans un décor extrêmement riche.

Portail du Bethléem – *Longer la nef sur la droite pour y parvenir.* Ce portail du 14e s., situé à côté du chevet, donnait autrefois sur le cloître. Il présente un tympan où figurent la Nativité (à gauche les bergers, à droite les Rois Mages) et, au-dessus, le Massacre des Innocents. La fluidité des étoffes et le pittoresque de certains détails sont bien rendus.

Médaillon Fabri « L'Arbre de Vie »
(Trésor de la Collégiale Notre-Dame)

Ancien hospice d'Oultremont – Au pied de la citadelle, le bâtiment en brique à la belle tour-escalier, édifié au 16e s. par le chanoine Gérard d'Oultremont, abrite l'**Office de tourisme**. En face sur la rive opposée, on voit la **maison de Batta** (**Z A**) de style Renaissance mosane.

★ **Fort** (**Z**) ☽ – *Accès à pied ou par le téléphérique allant à la Sarte.*
La forteresse a été construite de 1818 à 1823 par les Hollandais sur l'emplacement de l'ancien château des princes-évêques (li tchestia) démantelé en 1717. Entre 1940 et 1944, elle servit de prison pour résistants et otages. Plus de 7 000 personnes y ont été internées.
On visite *(circuit fléché)* les locaux qui ont servi de cachots, la salle d'interrogation et le musée militaire. Du glacis, **vues★★** splendides sur la vieille ville, la Meuse et les environs ; au Nord-Est, centrale nucléaire de Tihange (1975).

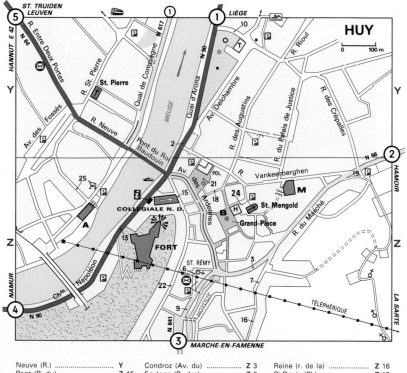

A - Maison de Batta   **B** - Fontaine   **M** - Musée communal

Grand-Place (**Z**) – Devant l'élégant hôtel de ville de 1766 se dresse « li bassinia », belle **fontaine** du 18ᵉ s. (**B**) surmontée de personnages en bronze, datant de 1406 et 1597.

Par de charmantes ruelles tortueuses, on gagne le musée, en traversant la **place Verte** où s'élève la jolie petite église gothique St-Mengold.

★ **Musée communal** (**Z M**) ⊘ – Installé dans les bâtiments et le cloître de l'ancien couvent des frères Mineurs (17ᵉ s.), il contient d'importantes collections relatives à l'histoire et au folklore local : intérieur régional orné d'une belle cheminée en grès de 1621, pièces archéologiques, estampes de la ville, céramiques fabriquées à Huy au 19ᵉ s., étains, objets d'art religieux parmi lesquels on remarque le Christ du 13ᵉ s. nommé **« le beau Dieu de Huy »**.

Église St-Pierre (**Y**) – Fonts baptismaux romans ornés d'animaux symboliques (lion, dragon).

La Sarte – A l'arrivée du téléphérique, la **plaine de jeux** ⊘ comprend des jeux pour enfants.

ENVIRONS

Amay – *8 km à l'Est en longeant la Meuse par la N 617.*

Collégiale St-Georges – D'origine romane et restaurée au 18ᵉ s., elle abrite une belle œuvre d'orfèvrerie mosane, la **châsse★** en cuivre doré et argent de sainte Ode et saint Georges, réalisée vers 1230 (bras gauche du transept), et un **sarcophage mérovingien★** (sous le chœur) qui porte l'inscription Santa Chrodoara mais pourrait être celui de sainte Ode. Le cloître abrite un petit **musée communal d'Archéologie et d'Art religieux** ⊘.

Château de Jehay

A 2 km d'Amay, entre le rocher et la Meuse, se dresse l'**abbaye de Flône**, des 17ᵉ et 18ᵉ s. Dans l'église, beaux fonts baptismaux romans du 12ᵉ s.

★ **Château de Jehay** ⊘ – *12 km à l'Est.*

Il offre une vision très romantique avec ses façades extérieures à damiers de pierres blanches et brunes se reflétant dans les douves. L'édifice actuel date du 16ᵉ s., bel exemple de manoir fortifié mosan, mais l'occupation du site est très ancienne : les fouilles ont permis de retrouver les restes d'une cité lacustre datant de 10 000 ans. Le propriétaire actuel du château, sculpteur et archéologue, a redessiné les jardins. L'intérieur contient de riches **collections★** comprenant des meubles, des tapisseries, des tableaux, de la porcelaine, de l'orfèvrerie. Sont à signaler dans le fumoir un très bel ensemble d'argenterie et d'orfèvrerie, un coran complet présenté sur un seul rouleau de papier, une tête humaine réduite par les Jivaros, dans la bibliothèque une tapisserie de Bruxelles d'après Teniers, et dans le salon Queen Ann un rare clavecin du 18ᵉ s.

Les caves du 13ᵉ s. abritent le **Musée archéospéléologique** ⊘, dont certaines pièces ont été découvertes sous la cour du château, entre autres un patin en os fossilisé.

Cet ouvrage tient compte des conditions du tourisme connues au moment de sa rédaction.

Certains renseignements perdent de leur actualité en raison de l'évolution incessante des aménagements et des variations du coût de la vie.

Nos lecteurs sauront le comprendre.

IEPER ★

YPRES – West-Vlaanderen
34 874 habitants
Cartes Michelin nᵒˢ 409 B 3 et 213 plis 13, 14.

Ypres, presque entièrement démolie en 1914-1918, a été rebâtie après la guerre. C'était au 13ᵉ s., avec Bruges et Gand, la plus puissante des villes flamandes.

UN PEU D'HISTOIRE

Une grande ville drapière (12ᵉ-13ᵉ s.) – Fondée au 10ᵉ s., Ypres aurait compté 40 000 h. vers l'an 1260. A cette époque sont construites les halles et l'église St-Martin. Au 14ᵉ s., pendant la guerre de Cent Ans, Ypres s'allie à l'Angleterre qui lui procure la laine nécessaire à son activité et subit de ce fait les représailles du roi de France. C'est alors le début du déclin économique de la ville que Bruges remplace sur le marché international. Ypres souffre de troubles internes : les dissensions entre patriciens et gens de métiers la conduisent à subir la prépondérance de ces derniers, après la bataille des Éperons d'Or (1302, *voir à Kortrijk*).

Une épidémie en 1316, la destruction de ses faubourgs ouvriers en 1383 pendant le siège des Gantois et des Anglais précipitent sa décadence. Au 16ᵉ s., la répression succède aux troubles religieux ; de nombreux tisserands quittent le pays. Siège d'un nouvel évêché en 1559 (supprimé en 1801), Ypres devient cité religieuse ; des couvents y sont créés. L'un des évêques sera le célèbre Jansénius *(voir à Leuven)*.

Une place forte (17ᵉ-18ᵉ s.) – Sa situation stratégique lui vaut de soutenir de nombreux sièges et de passer de mains en mains.

En 1678, les Français s'en emparent et Vauban l'entoure de bastions. Sous le règne des Habsbourg, Ypres occupe la frontière méridionale d'un vaste empire et voit ses fortifications renforcées.

En 1852, ses remparts sont démolis. Ils ont été aménagés en promenade.

Le saillant d'Ypres (1914-1918) – La guerre de 1914-1918 anéantit la ville d'Ypres qui, la tourmente passée, renaît de ses cendres et retrouve ses activités (textiles et industries). Après les inondations de Nieuport *(voir à ce nom)*, les Allemands ont reporté leurs attaques sur la région d'Ypres, en octobre 1914. Pendant 4 ans, jusqu'en octobre 1918, celle-ci est le centre de sanglantes batailles pour la possession d'un saillant tenu à l'Est de la ville par des troupes en majorité britanniques. Comme sur l'Yser, le front va rester stable malgré tous les efforts allemands et, en particulier, l'utilisation, pour la première fois en avril 1915, de gaz asphyxiants à Steenstraat (au Nord d'Ypres).

En avril 1918, une importante offensive allemande est arrêtée à Merkem, au Nord, par les troupes belges, et aux monts de Flandre *(voir à Ieper, Excursions)* par les Britanniques et les Français. A partir de septembre la contre-attaque des Alliés, commandée par le maréchal Foch, va permettre de libérer la Belgique. Plus de 300 000 Alliés dont 250 000 Britanniques ont trouvé la mort au cours des combats. La campagne environnant Ypres n'est qu'une vaste nécropole : on y compte plus de 170 cimetières militaires. A **Poelkapelle** *(9 km par ① du plan)* fut abattu en 1917 le capitaine Guynemer (monument commémoratif).

Un itinéraire jalonné de panneaux hexagonaux, « Route 14-18 » permet de découvrir les sites et cimetières militaires au Nord-Est de la ville.

La Fête des Chats : Cortège des Sorcières

F - St.-George's Memorial Church
H - Nieuwerk
M¹ - Hotel-Museum Merghelynck
M² - Museum OCMW

★ LES HALLES AUX DRAPS (**ABX**) *visite : 1/2 h*

Achevées en 1304, elles ont été détruites en 1914-1918 et reconstruites avec soin, en grès, dans le style primitif.

En forme de long rectangle entourant deux étroites cours, elles montrent sur la Grand-Place Albert-Ier une façade de 133 m interrompue par un très beau **beffroi** carré flanqué de quatre tourelles. Du 2e étage de ce beffroi, lors de la **fête des Chats** qui a lieu tous les trois ans *(voir le chapitre des Renseignements pratiques en fin de volume)*, sont lancés des animaux en peluche. La fête remonte au 10e s. Les chats étaient alors vivants. C'était un défi au diable et à la sorcellerie. Depuis 1955, la manifestation est précédée d'un grand cortège de chats.

Les halles sont flanquées à droite du **Nieuwerk** (**BX H**), gracieux édifice Renaissance construit en 1619 pour abriter l'hôtel de ville.

Montée au beffroi ⊙ – Du sommet *(264 marches)*, bonne vue sur la ville et la cathédrale.

Herinneringsmuseum (Musée du Souvenir) ⊙ – Au 1er étage des halles, nombreux documents sur la guerre de 1914-1918 et sur la bataille du Saillant. Une vitrine est consacrée à Guynemer.

AUTRES CURIOSITÉS

Hotel-Museum Merghelynck (Musée Merghelynck) (**BXY M¹**) ⊙ – Cet hôtel de 1774, détruit en 1915 et reconstruit en 1932, a retrouvé ses collections sauvées du désastre. Un beau mobilier, des objets d'art (tableaux, porcelaines) agrémentent les belles pièces auxquelles on a restitué leur décoration raffinée du 18e s.

Museum (Musée) OCMW (**BX M²**) ⊘ – Installé dans la chapelle de l'**hospice Belle**, aux lambris Renaissance, il renferme du mobilier ancien et des œuvres d'art : sculptures, orfèvrerie, peintures, parmi lesquelles *la Vierge aux donateurs* (1420), belle composition à fond doré.

Menenpoort (Mémorial de la Porte de Menin) (**BX**) – Les murs du mémorial conservent les noms de 54 896 Britanniques disparus pendant les batailles précédant le 16 août 1917. Tous les soirs à 20 h, des clairons du corps de pompiers y sonnent le « last post», sonnerie du couvre-feu britannique.

St.-Maartenskathedraal (Cathédrale St-Martin) (**ABX**) – Détruite pendant la guerre, elle a été rebâtie dans son style d'origine (13ᵉ-15ᵉ s.). A l'intérieur, on admire, à droite en entrant, un polyptyque datant du 16ᵉ s. et, à gauche, des statues d'albâtre du 17ᵉ s., couronnant la clôture de la chapelle baptismale.

St.-George's Memorial Church (**AX F**) ⊘ – Cette église anglicane construite en 1929 commémore de nos jours les militaires britanniques morts pendant les deux guerres mondiales. Les pièces du mobilier et de la décoration sont dues à la générosité de donateurs de Grande-Bretagne ou du Commonwealth.

EXCURSIONS

Bellewaerde Park. *5 km à l'Est. Sortir par ② du plan.*
On dépasse la porte de Menin *(voir ci-dessus)* et plusieurs cimetières militaires, notamment le **Hooghe Crater Cemetery**, à droite, qui groupe plus de 6 800 tombes britanniques. Dans le **Bellewaerde Park** ⊘, les visiteurs se promènent parmi les antilopes, les autruches, les cerfs, les lamas, les zèbres ; ils traversent en tram-safari le parc aux lions et aux tigres, assistent à un spectacle donné par un éléphant, circulent en bateau dans un paysage africain après être passés sous une cascade magique...

Tyne Cot Military Cemetery – *10 km au Nord-Est par la N 332.*
Ce cimetière britannique est le plus important de la région. Autour de la haute « Croix du Sacrifice » s'alignent 11 856 stèles blanches se détachant sur une pelouse fleurie remarquablement entretenue. Sur le mur en hémicycle fermant le cimetière sont inscrits près de 35 000 noms de soldats disparus après le 16 août 1917. Le site domine la contrée sur laquelle il offre une jolie vue.
Au Nord-Est, le village de **Westrozebeke** *(13 km)* évoque une bataille du 14ᵉ s. *(voir à Kortrijk, La bataille des Éperons d'or).*

Heuvelland (Monts de Flandre) – *17 km au Sud par ③ du plan ; prendre à droite la N 331.*

Kemmelberg (Mont Kemmel) – Ce mont boisé (alt. 159 m) fait partie de la chaîne des monts de Flandre qui s'étend de part et d'autre de la frontière. De très violents combats se livrèrent dans la région en avril 1918, au début de la dernière grande offensive allemande *(voir à Ieper, Le saillant d'Ypres).* La montée procure d'intéressantes échappées sur la campagne. Près du sommet, une **tour** ⊘ néo-gothique procure un intéressant panorama. Sur le versant Sud, un obélisque marque l'emplacement de l'**Ossuaire français** où sont enterrés plus de 5 000 soldats inconnus.
Traverser la N 375.

Rodeberg (Mont Rouge) – Il s'élève à 143 m et constitue avec le mont Noir situé en France un centre touristique très fréquenté. Un petit moulin à vent s'y dresse.

KNOKKE-HEIST★★

West-Vlaanderen
31 237 habitants
Cartes Michelin nᵒˢ 409 C 1 et 213 pli 3 - Plan dans le guide Michelin Benelux.

Heist, Duinbergen, Albert-Strand, Knokke et le Zoute (Het Zoute) ne forment qu'une seule station balnéaire, réputée pour son élégance et qui se flatte de posséder, notamment au Zoute, les plus belles villas de la côte.
Les distractions y sont particulièrement nombreuses. Un marché folklorique se tient au **centre De Bolle** (non loin de la gare de Heist, Heist Station) le jeudi après-midi en juillet et en août. Dans le **casino** et le **centre culturel Scharpoord** (Ontmoetingscentrum, *Meerlaan 32*), qui servent aussi de centre de congrès, sont présentées chaque année d'importantes expositions.
La station détient en outre un équipement sportif très complet (golf, piscines, tir à l'arc, stade, gymnase), un lac artificiel (Zegemeer) et un institut de thalassothérapie. Un tramway fait la navette entre Knokke et la Panne *(voir à ce nom).*
Promenades à pied ⊘ – Plusieurs circuits pédestres peuvent être effectués au départ de la station. La **promenade des fleurs** (Bloemenwandeling), longue de 8 km et balisée, permet de découvrir les avenues ombragées de saules et les cossues villas du Zoute dissimulées dans de beaux jardins. Plusieurs promenades dans l'arrière-pays font traverser une campagne verdoyante parsemée de coquettes fermes blanches, aux toits de tuiles rouges.

CURIOSITÉS

Kursaal (Casino) – Dans le hall central, on admire un très grand lustre en cristal de Venise. Devant l'édifice se dresse une statue en bronze (1965) de Zadkine : *le Poète.*

★ **Het Zwin (Le Zwin)** – Entre la station et la frontière belgo-hollandaise s'étend le Zwin, ancien bras de mer aujourd'hui ensablé qui desservait jadis les ports de Sluis, Damme et Bruges.

Une avocette

Entouré par les dunes qui l'isolent de la mer et les digues qui protègent la campagne des inondations, c'est un univers de chenaux soumis à la marée et de présalés.

Le Zwin a été converti en **réserve naturelle** ⊙ (150 ha, dont 25 aux Pays-Bas) et abrite une flore et une faune très intéressantes. Une partie de la réserve (60 ha) est accessible au public.

Le meilleur moment pour visiter est le printemps, pour les oiseaux, et l'été, pour les fleurs. De mi-juillet à fin août en effet, le « statice des limons », ou fleur du Zwin, forme un merveilleux tapis mauve.

Avant d'entreprendre la promenade, visiter les volières et enclos : là nichent les cigognes et pataugent les canards et l'on peut aussi observer quelques oiseaux propres à la réserve. En traversant le bois, on atteint le sommet de la digue, où la vue embrasse l'ensemble de la réserve.

Parmi les innombrables espèces peuplant le Zwin, citons la colonie de sternes, des échassiers comme l'avocette au fin bec recourbé, des canards comme le tadorne (au bec rouge) et plusieurs migrateurs comme le pluvier argenté et différentes espèces de bécasseaux.

KOKSIJDE

COXYDE – West-Vlaanderen

18 354 habitants

Cartes Michelin n°s 409 A 2 et 213 pli 1.

Cette localité qui comprend la station balnéaire de **Koksijde-Bad** englobe la plus haute dune du littoral belge, le **Hoge Blekker** (**BX**), de 33 m.

Parmi les nombreuses manifestations de Coxyde, citons un grand **marché aux fleurs** ⊙, une fête folklorique des pêcheurs et un cortège « Hommage à la peinture flamande » *(voir le chapitre des Renseignements pratiques en fin de volume).*

La pêche aux crevettes à cheval

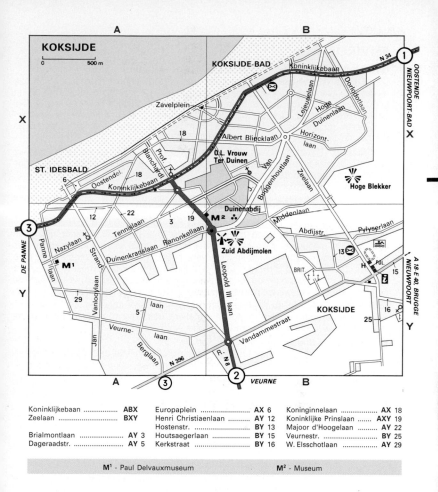

Koninklijkebaan	**ABX**	Europaplein	**AX** 6	Koninginnelaan	**AX** 18
Zeelaan	**BXY**	Henri Christiaenlaan	**AY** 12	Koninklijke Prinslaan	**AXY** 19
		Hostenstr.	**BY** 13	Majoor d'Hoogelaan	**AY** 22
Brialmontlaan	**AY** 3	Houtsaegerlaan	**BY** 15	Veurnestr.	**BY** 25
Dageraadstr.	**AY** 5	Kerkstraat	**BY** 16	W. Elsschotlaan	**AY** 29

M¹ - Paul Delvauxmuseum   **M²** - Museum

CURIOSITÉS

Duinenabdij (Abbaye des Dunes) (**BY**) ⊘ – Fondée en 1107 par les Bénédictins, elle devint cistercienne en 1138.
L'abbaye connut son apogée au 12ᵉ s. puis déclina pour finalement être détruite par les iconoclastes en 1566.
Des fouilles, effectuées depuis 1949, ont permis de retrouver des **vestiges,** laissant apparaître les lignes majestueuses de l'abbatiale ; le cloître a conservé de jolis culs-de-lampe ; les belles colonnes en grès appartenaient à la salle du chapitre et au réfectoire des convers.
Dans le **musée** (**M²**) sont exposés les produits des fouilles. Les collections concernent l'archéologie, l'histoire, la faune et la flore de la région (dioramas).

Près de l'abbaye des Dunes, un **moulin à vent** (Zuid Abdijmolen) (**BY**) en bois, à pivot, date de 1773.

O.L.V.-ter-Duinenkerk (Église N.-D.-des-Dunes) (**BX**) ⊘ – Au Nord de l'abbaye se dresse cette église aux lignes souples, en forme d'arc de cercle, construite en 1964. La forme ondulante du toit et sa couleur bleu marine évoquent les vagues de la mer, tandis que le coloris beige des murs de brique s'assimile à celui des dunes voisines. A l'intérieur, les vitraux diffusent des lumières chatoyantes. La crypte *(accès par l'extérieur)* renferme une relique de saint Idesbald qui fut, au 12ᵉ s., abbé de l'abbaye des Dunes.

Paul Delvauxmuseum (**M¹**) ⊘ – *Kabouterweg St-Idesbald.*
Les peintures, aquarelles et dessins réunis par la Fondation Paul Delvaux permettent de suivre l'évolution de l'artiste (né en 1897 à Antheit, province de Liège et mort en 1994 à Furnes) depuis ses œuvres post-impressionnistes, puis expressionnistes jusqu'aux peintures surréalistes où Delvaux a su développer un style très personnel.
Certains sujets sont particulièrement chers au peintre : les gares – comparer la *Vue de la Gare du Quartier Léopold* (1922) avec la *Gare forestière* (1960) – et surtout la femme, qu'il aime représenter plus ou moins dévêtue dans un paysage aux temples grecs ou romains.

ENVIRONS

Oostduinkerke – *4,5 km à l'Est. Sortir par ① du plan.*
Sur la plage d'**Oostduinkerke-Bad**, quelques pêcheurs pratiquent encore la pêche aux crevettes à cheval : à marée basse, le cheval, qui a remplacé le mulet, traîne un lourd chalut et s'enfonce dans l'eau jusqu'au poitrail. Chaque année a lieu la fête de la Crevette *(voir chapitre des Renseignements pratiques en fin de volume)* avec sortie du cortège le dimanche. Ici comme à la Panne, la largeur des plages permet de pratiquer le char à voile (club SYCO).

St.-Niklaaskerk (Église St-Nicolas) ⊘ – Cette église de 1954, en brique brune, est couverte de grands toits pointus. Elle est réunie par des arcades à une massive tour carrée rappelant celle de Lissewege.
A l'intérieur, les tons jaunes dominants contrastent avec la couleur bleutée du pavement. L'absence de chœur, la succession d'arcs aigus très rapprochés, prenant naissance au-dessous du sol, font l'originalité de l'édifice.

Nationaal Visserijmuseum (Musée national de la Pêche) ⊘ – *Pastoor Schmitzstraat 5.*
Un édifice moderne abrite ce musée consacré à la pêche. Il contient une belle collection de maquettes de bateaux, des instruments de marine et des peintures d'artistes ayant travaillé à Oostduinkerke vers 1900, comme **Artan**, peintre belge né à La Haye (1837-1890). A côté ont été reconstituées une maison de pêcheur typique, dont la façade Nord est protégée du vent par un toit descendant très bas, et une taverne de 1920. Dans la cour ont été placés un bateau de sauvetage et un crevettier.

Folklore Museum (Musée du folklore) **Florishof** ⊘ – *Koksijdesteenweg 24.*
Reconstitution d'un intérieur régional, d'ateliers (dentellière, sabotier, etc.), d'une chapelle, d'une épicerie, d'une grange, d'une petite école.

Ferme de Ten Bogaerde – *4 km au Sud par ③.*
A droite de la route se remarque cette ferme, bel ensemble de briques qui appartenait à l'abbaye des Dunes. De la grange monumentale, qui est comparable à celle de Ter Doest *(p. 240)*, il ne reste que des ruines.

KORTRIJK★

COURTRAI – West-Vlaanderen
74 044 habitants
Cartes Michelin n°s 409 C 3 et 213 pli 15.
Plan d'agglomération dans le guide Rouge Michelin Benelux.

Courtrai, que traverse la Lys, est une cité d'affaires dynamique au centre d'une zone industrielle en plein essor : ses rues piétonnes et ses magasins luxueux exercent leur attraction sur toute la région.
A Courtrai naquit **Roland Savery** (1576-1639). Remarquable peintre de fleurs ou de paysages avec animaux, il travailla pour l'empereur Rodolphe II à Prague, voyagea dans les Alpes pour observer la nature et termina ses jours à Utrecht. Son art est très voisin de celui de Bruegel de Velours.

UN PEU D'HISTOIRE

Une ville prospère – Elle est connue dès l'époque romaine (on a découvert en 1959, dans la Molenstraat, un cimetière gallo-romain du 1er s.) mais son apogée se situe au 15e s. au moment de l'épanouissement de son industrie drapière. Le tissage de la laine fit bientôt place à celui du lin favorisé par la qualité des eaux de la Lys qui, exemptes de calcaire, étaient particulièrement propices au rouissage. Courtrai devint réputée pour la fabrication de la toile et se fit une spécialité du damassé. Courtrai reste un centre textile de réputation internationale (tapis, tissus d'ameublement, confection).
A cela s'ajoutent d'autres secteurs en expansion : métallurgie, électronique et aussi orfèvrerie, huilerie, bois, industries chimiques, construction.
Les **Halles** (Hallen) *(accès par Doorniksewijk au Sud)*, ensemble moderne (1967) destiné aux congrès, expositions, concerts, témoignent du développement industriel et culturel de la ville qui joue par ailleurs un rôle important dans l'enseignement, notamment grâce à son campus appartenant à la K.U.L. *(voir à Leuven)*.

La bataille des Éperons d'Or – Sous les murs mêmes de Courtrai eut lieu le 11 juillet 1302 une bataille qui, marquant la lutte des Flamands contre l'hégémonie du roi de France, n'est pas étrangère à la formation de la Belgique.
La chevalerie française de Philippe le Bel y fut battue par les gens de métier (artisans) d'Ypres et de Bruges commandés par Pieter de Coninck *(voir à Gand, Réceptions princières)*. Les éperons d'or ramassés sur le champ de bataille ont tapissé les voûtes de l'église Notre-Dame jusqu'en 1382, date à laquelle ils ont été repris par l'armée française, victorieuse des Flamands à la bataille de Westrozebeke.
Ce fut alors, dit-on, que le duc de Bourgogne, Philippe le Hardi, vola les statues du jaquemart qui couronnaient le beffroi et les donna à l'église Notre-Dame de Dijon. Une restitution symbolique eut lieu le 23 septembre 1961 : Manten et son épouse Kalle surmontent de nouveau le beffroi.

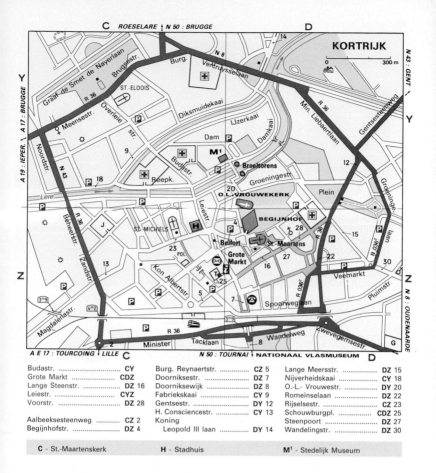

Budastr.	CY	Burg. Reynaertstr.	CZ 5	Lange Meersstr.	DZ 15
Grote Markt	CDZ	Doorniksestr.	DZ 7	Nijverheidskaai	CY 18
Lange Steenstr.	DZ 16	Doorniksewijk	DZ 8	O.-L.- Vrouwestr.	DY 20
Leiestr.	CYZ	Fabriekskaai	CY 9	Romeinselaan	DZ 22
Voorstr.	DZ 28	Gentsestr.	DY 12	Rijselsestr.	CZ 23
		H. Consciencestr.	CY 13	Schouwburgpl.	CDZ 25
Aalbeeksesteenweg	CZ 2	Koning		Steenpoort	DZ 27
Begijnhofstr.	DZ 4	Leopold III laan	DY 14	Wandelingstr.	DZ 30

C - St.-Maartenskerk	H - Stadhuis	M¹ - Stedelijk Museum

CURIOSITÉS

Grote Markt (Grand-Place) (**CDZ**) – C'est le centre de l'activité commerciale de cette ville aux nombreuses rues piétonnes.

Belfort (Beffroi) (**CZ**) – 14e s. Coiffé de cinq tourelles à toit pointu, surmonté de son fameux jaquemart, il se dresse au milieu de la Grand-Place.
A l'Est de la place, on aperçoit l'imposante tour de l'**église St-Martin** (15e s.) (**CZ C**).

Stadhuis (Hôtel de ville) (**CZ H**) ⊘ – Il montre une façade flamboyante, restaurée ; les statues, renouvelées au 19e s., représentent les comtes de Flandre.
L'intérieur, modernisé, conserve de magnifiques salles. Au rez-de-chaussée, la **salle des échevins★** (Schepenzaal) est ornée d'une remarquable cheminée en pierre, de style gothique flamboyant (1527) dont les niches abritent les statues de la Vierge et des saints patrons des villes de la région. Au plafond, les extrémités des poutres sont ornées de scènes polychromes pittoresques dont le personnage principal est la Justice, représentée par une femme couronnée.
L'ancienne **salle du Conseil★**, au 1er étage, présente une cheminée de 1527, ornée de trois registres de sculptures : en haut, les vertus ; au centre, de part et d'autre de la statue de Charles Quint, les vices ; en bas, l'idolâtrie et les péchés capitaux.
Les sculptures des poutres du plafond représentent ici des scènes très pittoresques illustrant l'influence néfaste de la femme sur l'homme, par exemple le lai (poème médiéval) d'Aristote : le philosophe est chevauché par une femme.

★**Begijnhof** (Béguinage) (**DZ**) – Entre St-Martin et Notre-Dame, c'est un charmant petit village dont le calme surprend dans ce quartier bourdonnant d'activité.
Le béguinage, fondé en 1238, fut richement doté en 1242 par la comtesse de Flandre, Jeanne de Constantinople, dont on voit la statue. Les 41 maisonnettes actuelles datent du 17e s. La maison de la Supérieure (n° 27) se distingue par son double pignon à redans. Un petit **musée** (begijnhofmuseum) ⊘ restitue l'atmosphère du passé.

★**O.-L.-Vrouwekerk** (Église Notre-Dame) (**DY**) ⊘ – Les tours de cette église dominent des ruelles pittoresques. Fondée au 13e s. par Baudouin de Constantinople, elle eut pour vicaire au 19e s. le poète Guido Gezelle *(voir à Brugge)*.

Béguinage de Kortrijk

A l'intérieur, la chapelle des comtes de Flandre (14e s.), qui s'ouvre sur le côté droit du déambulatoire, a des arcatures aux curieux écoinçons sculptés.

Elle abrite une **statue de sainte Catherine★** (1380), en albâtre, attribuée à Beauneveu, dont le drapé du vêtement est d'une distinction rare.

Une belle toile de Van Dyck, l'**Élévation de la Croix★** où se reconnaît l'influence de Rubens, est placée dans le croisillon gauche du transept.

Broeltorens (Tours du Broel) (DY) – Vestige des anciennes fortifications détruites par Louis XIV en 1684, elles protégeaient le pont sur la Lys (reconstruit après la Première Guerre mondiale). La tour Sud date du 12e s., la tour Nord du 13e s.

Stedelijk Museum (Musée communal) (CY M¹) ⊙ – Ce musée, agréablement présenté, possède une belle collection de céramique, d'argenterie, d'objets anciens, de sculptures et une intéressante série de peintures du 16e s. à nos jours : remarquer le *Pillage d'un village* par Roland Savery.

★ **Nationaal Vlasmuseum (Musée national du Lin)** ⊙ – *Étienne Sabbelaan 4. Par Dooorniksewijk, au Sud du plan.*
Le musée national du Lin est installé dans une ferme du 19e s. destinée à l'origine à la culture du lin qui fut longtemps une des activités les plus importantes des Flandres et plus particulièrement de la région de la Lys.
Les étapes successives de la culture et de l'élaboration de la toile de lin, ainsi que l'évolution de cette industrie jusqu'aux premières mécanisations (vers 1900) sont évoquées par des tableaux où des mannequins grandeur nature, vêtus de costumes traditionnels, effectuent les gestes correspondant à chaque activité. Une aile du bâtiment est consacrée à la culture et au travail du lin, l'autre au travail artisanal pour les besoins domestiques.
Dans une autre partie du bâtiment ont été reconstitués des intérieurs où se déroulent les différentes activités de broyage, teillage, peignage, filage et finalement de tissage du lin.

EXCURSION

Rumbeke – *18 km au Nord-Ouest vers Roeselare.*
Un beau parc (Sterrebos) entoure le **château** ⊙ de Rumbeke.
Dès les 15e et 16e s., le château est hérissé de multiples tourelles dont l'une est coiffée d'un bulbe, et de pignons à redans. Baudouin Bras de Fer, qui venait d'enlever Judith, fille du roi de France Charles le Chauve, s'y réfugia en 862. C'est à la suite de cet épisode qu'il obtint du roi le territoire de Flandre dont il devint le premier comte.

Attention, il y a étoile et étoile !
Sachez donc ne pas confondre les étoiles :

– des régions touristiques les plus riches et celles de contrées moins favorisées,
– des villes d'art et celles des bourgs pittoresques ou bien situés,
– des grandes villes et celles des stations élégantes,
– des grands monuments (architecture) et celles des musées (collections),
– des ensembles et celles qui valorisent un détail...

Château de LAARNE★

Oost-Vlaanderen

Cartes Michelin n°s 409 E 2 et 213 pli 5.

Encerclé de douves, le **château** ⊙ de Laarne présente de hauts murs gris flanqués de tours à toit de pierre et d'un donjon à tourelles. Édifié au 12e s. pour servir à la défense de Gand, il fut modifié au 17e s. De cette époque datent la cour d'honneur et l'entrée actuelle, précédée d'un pont de pierre et surmontée d'une loggia.

L'**intérieur** a été remeublé de façon à restituer l'atmosphère du château au 17e s. Dans les salles aux belles cheminées sont disposés de grands meubles anversois et français ; les murs sont tendus de belles tapisseries dont deux, réalisées à Bruxelles au 16e s. d'après les cartons de B. van Orley, appartiennent à la série des Chasses de Maximilien. A signaler, au rez-de-chaussée, les voûtes Renaissance de la galerie donnant sur la cour intérieure ; au 1er étage, une élégante tapisserie du 16e s., illustrant la vie seigneuriale, et surtout la **collection d'argenterie★** (15e-18e s.), de divers pays européens, donation de M. Claude Dallemagne.

LÉAU★

Voir ZOUTLEEUW

LESSINES

Hainaut

15 780 habitants

Cartes Michelin n°s 409 E 3 et 213 pli 17.

Située sur la Dendre, au centre d'une région où l'on cultive les plantes médicinales (en particulier à Deux-Acren), Lessines possède de célèbres **carrières de porphyre** ⊙ à ciel ouvert, situées à l'Est de l'agglomération.

Lessines a vu naître en 1898 le peintre **René Magritte** qui fut l'une des principales figures du surréalisme belge.

Lessines et ses fêtes – Le Vendredi saint a lieu la **procession des pénitents** qui remonte au 15e s. et durant laquelle les pénitents noirs, en cagoule et robe de bure, porteurs des instruments de la Passion et du corps du Christ, suivent une partie des anciens remparts de la ville avant de le déposer dans une chapelle de l'église St-Martin. Le 3e dimanche d'août se déroule la **foire Saint-Roch** : le matin les cayoteux (nom donné aux ouvriers carriers) travaillent le porphyre dans la rue comme autrefois, et l'après-midi se déploie le cortège folklorique des géants mené par celui qui incarne « El Cayoteu ». Le 1er week-end de septembre le **cortège historique du Festin** commémore la victoire de Sébastien de Tramasure en 1583 sur les pillards anglais et hollandais qui essayaient de prendre la ville d'assaut. Plus de 600 figurants en costume d'époque défilent et prennent part au festin qui couronne la fête lorsque le capitaine dépose symboliquement son épée aux pieds de Notre-Dame.

★ Hôpital N.-D.-à-la-Rose ⊙ – Ce monastère hospitalier fut fondé en 1242 par Alix de Rosoit, dame d'honneur de Blanche de Castille et veuve d'Arnould IV d'Audenaarde, grand bailli de Flandre et seigneur de Lessines. Les bâtiments furent reconstruits du 16e au 18e s. avec une constance de style Renaissance flamande. Ils forment un grand quadrilatère autour d'un cloître gothique entourant un joli jardin intérieur. Les collections reflètent la vie quotidienne de cet établissement à travers les siècles : mobilier, tableaux, orfèvrerie, porcelaine sont présentés dans les nombreuses pièces reconstituées et aménagées en musée. L'église, datant du 18e s., est construite dans le prolongement de la salle des malades de la même époque, car, comme l'exigeait le principe des soins, il fallait veiller à l'âme tout en guérissant le corps, d'où le lien étroit entre les espaces spirituel et temporel. Dans la pharmacie (19e s.) a été réuni le matériel qui servait à élaborer l'helkiase (terme dérivé du mot grec blessure), un médicament pour traiter les maladies de la peau et les ulcères, inventé à la fin du 19e s. par la sœur Marie-Rose Carouy et qui a eu une très grande renommée.

ENVIRONS

Ellezelles – *11 km à l'Ouest.* 3 km au-delà du village, le **moulin du Cat Sauvage** (De Kattenmolen) ⊙ se dresse au sommet d'une butte de 115 m d'altitude. Ce pittoresque moulin à pivot, en bois, date de 1751.

Actualisée en permanence,
*la **carte Michelin** bannit l'inconnu de votre route.*
*Équipez votre voiture de **cartes Michelin** à jour.*

LEUVEN★★

LOUVAIN – Vlaams-Brabant ℗

80 439 habitants

Cartes Michelin nᵒˢ 409 GH 3 et 213 Nord du pli 19.

Siège d'une fameuse université, Louvain, bâtie sur les bords de la Dyle, garde d'un passé brillant de beaux monuments religieux et surtout un admirable hôtel de ville.

UN PEU D'HISTOIRE

Le château fort existe à Louvain au 9ᵉ s., mais un nouveau château édifié au 11ᵉ s. par Lambert Iᵉʳ le Barbu, comte de Louvain, est à l'origine du développement de la ville. Capitale du duché de Brabant, favorisée par sa situation à l'extrémité de la section navigable de la Dyle et sur la route reliant les régions rhénanes à la mer, Louvain devient un important centre drapier. Un rempart est édifié au 12ᵉ s. dont il subsiste quelques traces, en particulier dans le **parc St-Donat** (St.-Donatus Park) **(Z)**, puis, au 13ᵉ s., une forteresse s'élève au Nord sur le **Mont-César** (Cesarsberg) **(Y)**.

La **Joyeuse Entrée**, charte des libertés du Brabant à laquelle les nouveaux souverains doivent jurer fidélité, est signée à Louvain en 1356 ; elle dura jusqu'en 1789.

Louvain s'entoure alors d'une deuxième enceinte, longue d'environ 7 km. Mais de vives luttes opposent les membres des corporations de drapiers aux patriciens. Une grande émeute éclate en 1378 et aboutit à la prise de l'hôtel de ville ; les patriciens qui s'y étaient réfugiés sont précipités par les fenêtres. Sa draperie ruinée par la guerre civile, Louvain subit la concurrence de Bruxelles. Cependant, sous la domination bourguignonne, elle se pare de monuments (l'hôtel de ville est construit à la fin du 15ᵉ s.) et se dote d'une université. Au 18ᵉ s., Louvain développe ses activités, en particulier la fabrication de la bière dont l'origine remonte ici au 14ᵉ s. Il est possible de visiter une importante **brasserie** ⊙.

Le sac et l'incendie de Louvain en 1914 détruisent 1 800 maisons et la bibliothèque de l'université. En 1940, celle-ci est incendiée et la ville bombardée ; en mai 1944, Louvain est touchée par les bombes alliées. Rapidement, la ville s'est relevée de ses ruines.

L'Université Catholique de Louvain (Y) – L'« Alma Mater » est fondée en 1425 sur l'initiative du pape Martin V et à la demande de Jean IV, duc de Brabant ; elle devient bientôt une des plus prestigieuses institutions d'Europe. En 1517, Érasme crée le Collège des Trois Langues où l'on enseigne hébreu, latin, grec, et qui servira de modèle au Collège de France à Paris. Résistant aux troubles religieux du 16ᵉ s., l'Université de Louvain reste longtemps la championne de l'orthodoxie. Elle héberge d'illustres personnages : l'un de ses recteurs, précepteur de Charles Quint, deviendra le pape Adrien VI (1459-1523). Au 16ᵉ s., viennent y enseigner Juste Lipse *(p. 161)*, Mercator *(p. 210)* et au 17ᵉ s., **Jansénius** (1585-1638). Après la mort de ce dernier paraît à Louvain, en 1640, l'*Augustinus*, ouvrage qui, condamné en 1642 par le pape, donna naissance au jansénisme. L'Université s'était constitué une magnifique bibliothèque que les deux guerres mondiales endommagèrent gravement.

Depuis 1968, l'Université Catholique de Louvain est divisée. L'université francophone, ou U.C.L., est installée à Louvain-la-Neuve *(p. 172)*. A Louvain, la Katholieke Universiteit Leuven, dite **K.U. Leuven**, conserve 25 000 étudiants dont près de 2 000 étrangers.

Thierry Bouts – Parmi les primitifs du 15ᵉ s., Thierry (ou Dirk) Bouts occupe une place de choix. Après avoir étudié à Bruxelles dans l'atelier de Van der Weyden, cet artiste, originaire de Haarlem (Hollande), s'installe en 1450 dans la ville de Louvain dont il devient peintre officiel en 1468. Son chef-d'œuvre, *la Cène*, peut encore être admiré dans la collégiale St-Pierre. Si dans ses tableaux, le dépouillement et la sobriété de la composition dénotent l'influence de Van der Weyden, le style est bien caractéristique : impassibilité des expressions, tempérée par la finesse de la touche, la richesse des coloris, la minutie du décor. Thierry Bouts meurt à Louvain en 1475. Ses deux fils, Thierry et surtout **Albert** (ou Albrecht), héritent de son talent pictural.

En 1466 naît à Louvain **Quentin Metsys** ; ce remarquable portraitiste s'installe à Anvers où il meurt en 1530.

★★★ STADHUIS (HÔTEL DE VILLE) (ZH) ⊙ visite : 3/4 h

De style flamboyant, il a été construit au milieu du 15ᵉ s. sous le duc de Bourgogne Philippe le Bon, par **Mathieu de Layens**.

Il faut prendre du recul pour apprécier les lignes verticales de cette châsse de pierre élégamment ciselée avec ses pignons à tourelles et pinacles, ses lucarnes, et près de 300 niches regarnies de statues au 19ᵉ s. Les culs-de-lampe des niches sont ornés de petites scènes naïves et pittoresques qui content des épisodes bibliques.

A l'**intérieur**, on visite la salle des pas perdus où sont exposées plusieurs œuvres de Constantin Meunier. Des trois salons en enfilade les deux derniers sont richement décorés. Dans le salon Louis XVI, au plafond peint, on admire *la Résurrection du Christ* par Otto Venius. Au 1ᵉʳ étage, la grande et la petite salle gothiques présentent des plafonds en chêne dont les clés de voûte évoquent des scènes de l'Ancien et du Nouveau Testament. On remarquera également dans la grande salle les poutres aux consoles sculptées de scènes bibliques (16ᵉ s.).

Les **caves** (Raadskelder) abritent un café et un petit musée de la Bière.

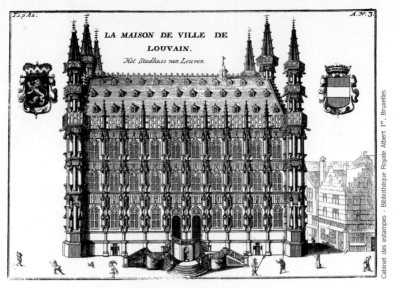

L'hôtel de ville, gravure de Jacques Harrewyn

AUTRES CURIOSITÉS

★ **St.-Pieterskerk (Collégiale St-Pierre) (Z)** – Elle fut bâtie au 15e s. dans le style gothique brabançon, à l'emplacement d'une église romane.
Sa façade devait comporter au 16e s. trois hautes tours, suivant les plans audacieux de Josse Metsys ; le sol menaçant de s'affaisser, elle resta inachevée.
L'**intérieur** est remarquable pour la pureté du vaisseau gothique aux piliers énormes rejoignant la voûte d'un seul jet, avec une élévation à deux étages et un triforium qui se prolonge par de nombreuses fenêtres hautes à lancettes.
La chaire du 18e s. est d'un baroque exubérant : au pied d'un rocher hérissé de palmiers, on voit saint Norbert foudroyé.
Un **jubé★** à trois arches légères (1499), dominé par un grand Christ en bois, précède le chœur. Dans le bras gauche du transept trône la *Sedes Sapientiae*, Vierge à l'Enfant de 1441, patronne de l'université de Louvain.

★★ **Museum voor Religieuze Kunst (Musée d'Art religieux)** ⊘ – Le déambulatoire et le chœur abritent les pièces du trésor et de magnifiques peintures.
La **Cène★★** de Thierry Bouts (1468) est un calme et lumineux chef-d'œuvre d'une admirable simplicité de composition. La profondeur de la perspective, la finesse du dessin s'y allient à la variété de la palette. Le peintre, qui s'est représenté debout à droite sous un bonnet rouge, n'a pas mis l'accent sur la trahison de Judas, mais sur le mystère de l'Eucharistie. Sur les volets du retable, quatre scènes bibliques, aux riches couleurs, préfigurent l'institution de ce sacrement.
Du même artiste, le triptyque du *Martyre de saint Érasme* montre les bourreaux enroulant sur un treuil les entrailles du saint impassible.
Une copie réduite de la *Descente de Croix*, triptyque de Van der Weyden dont l'original est exposé au Prado à Madrid, a été réalisée par le maître en 1440.
Une remarquable **Tête de Christ★** dite « de la Croix tortuée » en bois, du 13e s., incendiée en 1914, montre un émouvant visage.
Dans le chœur se dresse un superbe **tabernacle★**, tour de dentelle en pierre d'Avesnes, œuvre de Mathieu de Layens (1450). Les stalles sont sculptées de sujets satiriques (15e s.).
La crypte romane servit de sépulture aux comtes de Louvain ; des chapes et des chasubles du 16e s. sont exposées.

Naamsestraat (Rue de Namur) (Z) – Elle compte de nombreux collèges universitaires.

Universiteitshalle (Halles universitaires) (Z U¹) – L'Université s'installa en 1425 dans cette halle aux draps du 14e s. Au 17e s., l'édifice fut surélevé d'un étage, puis rebâti après sa destruction en 1914.
Il est occupé actuellement par le centre administratif de l'Université.

Pauscollege (Collège du Pape) (Z U²) – Fondé par le pape Adrien VI *(p. 158)*, c'est un vaste bâtiment du 18e s. dont les deux ailes et la sévère façade à portique encadrent une cour d'honneur.

St.-Michielskerk (Église St-Michel) (Z B) – 17e s. Conçue par le père Hésius, sa splendide **façade★** baroque, d'harmonieuses proportions, montre un bel élan vertical.

LEUVEN

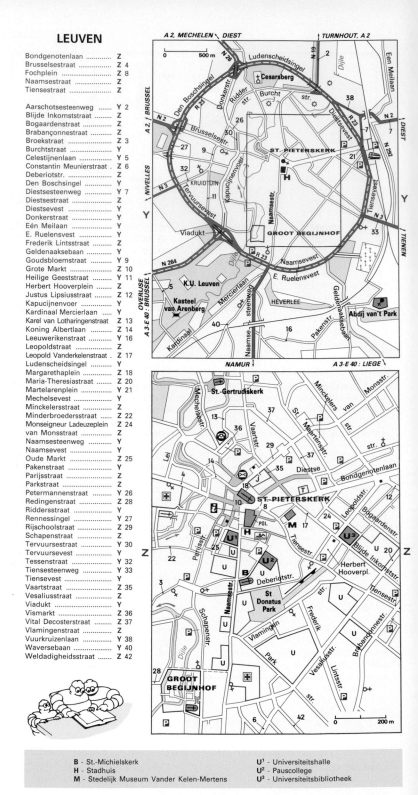

B - St.-Michielskerk
H - Stadhuis
M - Stedelijk Museum Vander Kelen-Mertens
U¹ - Universiteitshalle
U² - Pauscollege
U³ - Universiteitsbibliotheek

Les pages consacrées à l'art en Belgique et au Luxembourg offrent une vision générale des créations artistiques de ces pays, et permettent de replacer dans son contexte un monument ou une œuvre au moment de sa découverte.

Ce chapitre peut en outre donner des idées d'itinéraires de visite.

Un conseil : parcourez-le avant de partir !

★★ **Groot Begijnhof** (Grand Béguinage) (**Z**) – Fondé vers 1230, ce béguinage comprenait d'abord le quartier se situant près de l'église. Au 17ᵉ s., il s'est agrandi pour atteindre l'impressionnante surface de 6 ha ; il s'agit du plus grand béguinage de Belgique. L'université l'a acheté en 1962 et l'a restauré en respectant autant que possible l'architecture d'origine. Depuis lors, les maisons sont habitées par des étudiants. La dernière béguine s'est éteinte en 1988.

Derrière ses vieux murs en brique bombés, c'est un très bel ensemble traversé par deux bras de la Dyle. Les maisons en brique et pierre blanche s'ouvrent sur de petites portes surmontées d'un arc et parfois, comme dans le quartier espagnol, de petites niches abritant des statues. Certaines demeures sont agrémentées d'un jardin. Si les béguines les plus aisées avaient leur maison à elles – la maison Sint-Pauwel (1634) située Middenstraat 65 en est un exemple – d'autres partageaient un couvent.

L'**église** gothique est sobre : elle ne comporte ni tour, ni transept, ni déambulatoire. Le chevet est éclairé par une belle baie à deux lancettes ; la décoration de l'intérieur date du 18ᵉ s.

★ **Museum Vander Kelen-Mertens** (**Z M**) ⊙ – Par la porte baroque du collège de Savoie, on accède à la maison patricienne de la famille Vander Kelen-Mertens, transformée en musée pour abriter de riches collections artistiques.

Quatre pièces du rez-de-chaussée ont été restaurées dans les styles néo du 19ᵉ s. La section céramique offre un aperçu de la production de faïence européenne ainsi que de la porcelaine japonaise et chinoise. On admire également la collection de vitraux. Dans la section des beaux-arts sont représentés les peintres Van der Weyden, Metsijs, né dans la ville, et J.-P. Verhagen. Parmi les sculptures se distinguent notamment une *Sedes Sapientiae* du 11ᵉ s., ainsi qu'un retable de la deuxième moitié du 16ᵉ s. La collection montre en outre l'importance de la production brabançonne aux 15ᵉ et 16ᵉ s.

A proximité s'élève la **Bibliothèque universitaire** (**Z U³**). Construite en 1927 après la destruction de l'ancienne bibliothèque (1914), c'est un énorme édifice de style néo-gothique couronné d'une tour imitée de la Giralda de Séville. Incendiée en 1940, elle a été restaurée.

St.-Gertrudiskerk (Église Ste-Gertrude) (**Z**) ⊙ – Elle conserve une belle tour construite au milieu du 15ᵉ s. par Jan Van Ruysbroek, architecte de l'hôtel de ville de Bruxelles, et surmontée d'une flèche de pierre ajourée. On peut voir à l'intérieur d'intéressantes **stalles** en bois du 16ᵉ s. sculptées de scènes de la Bible.

Abdij van 't Park (Abbaye du Parc) (**Y**) ⊙ – *A Heverlee. Sortir par Geldenaaksebaan et tourner à gauche après le pont de chemin de fer.*

Au bord de vastes étangs alimentés par le Molenbeek se dressent les bâtiments (16ᵉ au 18ᵉ s.) de cette abbaye de Prémontrés *(p. 66)* fondée en 1129 par Godefroid Iᵉʳ le Barbu. Passé plusieurs porches assez délabrés, puis le moulin à eau et la ferme, on aboutit à la cour de la prélature, gardée par deux lions de pierre.

La visite guidée des bâtiments abbatiaux permet d'admirer les **plafonds★** du réfectoire (1679) et de la bibliothèque (1672), ornés de hauts-reliefs en stuc de Jean-Christian Hansche. L'église romane a été transformée en 1729. L'intérieur baroque est agrémenté de plusieurs toiles de Pierre-Joseph Verhagen (dans le chœur et la tribune).

Kasteel van Arenberg (Château d'Arenberg) (**Y**) ⊙ – *A Heverlee.* Cet immense château du début du 16ᵉ s., dont l'imposante façade se dresse à l'extrémité d'une large pelouse, appartient à l'université. Les **facultés** de sciences exactes sont installées dans le domaine environnant (120 ha).

EXCURSION

Vallée de l'IJse – *25 km au Sud-Ouest. Sortir par la N 264 et prendre à gauche la N 253 vers Overijse.*

On traverse bientôt une campagne agréable plantée de nombreux peupliers.

Korbeek-Dijle – L'**église** de St-Barthélemy ⊙ contient un superbe **retable★** de bois sculpté (1522) aux personnages expressifs et aux volets peints, ayant trait au martyre et au culte de saint Étienne.

't Zoet Water – *3 km au départ de Korbeek-Dijle.* Ce joli site boisé (en français : les Eaux Douces) où se succèdent cinq étangs est très fréquenté par les touristes *(équitation, pêche, canotage, parc récréatif).* La maison espagnole, vestige du manoir du 16ᵉ s., transformée en restaurant, se mire dans l'un des étangs.

A Neerijse, on pénètre dans la vallée de l'IJse, affluent de la Dyle (Dijle).

Huldenberg – Ici apparaissent les premières **serres à raisin.** La culture du raisin en serres chauffées, qui fut inaugurée dans la région vers 1865, est très répandue dans toute la vallée de l'IJse et aux environs de Duisburg.

Overijse – C'est la ville natale de **Juste Lipse** (1547-1606), humaniste du 16ᵉ s., qui enseigna à Louvain et fut l'ami de Plantin *(p. 48).*

Au cœur de la région viticole, Overijse organise tous les ans *(voir le chapitre des Renseignements pratiques en fin de volume)* les fêtes du raisin.

Hoeilaart – Hoeilaart, bâtie sur des collines dont la moindre parcelle de terre est occupée par une serre, a été surnommée la « cité de verre ». De grandes fêtes des Vendanges s'y déroulent le troisième week-end de septembre.

LIÈGE★★

Liège ℙ

155 999 habitants

Cartes Michelin n°s 409 J 4 (agrandissement plis 17 et 18) et 213 pli 22.
Schéma p. 199 – Plan d'agglomération dans le guide Michelin Benelux.

Située au confluent de la Meuse et de l'Ourthe, dans un bassin entouré de collines, Liège, métropole économique et commerçante, est la troisième ville de Belgique. Important port fluvial, nœud de communications, elle bénéficie de la proximité avec les Pays-Bas et l'Allemagne.

Son passé glorieux en a fait une ville d'art riche en églises et en musées.

Au premier abord, Liège frappe par son animation, par le caractère de ses habitants connus pour leur hospitalité, leur côté frondeur et chaleureux. Cette réputation est entretenue par les nombreux étudiants du campus du Sart Tilman qui se retrouvent le soir dans les cafés, bars et petits restaurants du « carré » (entre les rues du Pot-d'Or, St-Adalbert, St-Gilles et le boulevard de la Sauvenière).

Dans la journée, l'animation règne plutôt dans les quartiers commerçants autour de la place St-Lambert et entre Feronstrée et la Meuse. Le dimanche matin, tout Liégeois se doit d'aller au **marché de la Batte** (**FY**) (quais de Maastricht et de la Batte) où se vendent antiquités, volailles, articles ménagers, etc.

Points de vue – On peut avoir une idée du site de la ville s'étalant le long de la Meuse en accédant à la **Citadelle** (**DW**) *(en voiture ou à pied par les 373 marches de la montagne de Bueren)* où une table d'orientation offre une **vue★★** très générale ou au **parc de Cointe** (**CX**) : **vue★** près de la table d'orientation.

UN PEU D'HISTOIRE

On situe la naissance de Liège en 705 à la suite de l'assassinat de saint Lambert, évêque de Tongres et Maastricht, pour qui saint Hubert fit élever une chapelle qui devint rapidement un grand lieu de pèlerinage. En 721, il fut décidé d'en faire un évêché, mais c'est seulement à partir du 10e s. que la ville prit une réelle importance.

La principauté ecclésiastique (10e-18e s.) – A la fin du 10e s., l'évêque **Notger** fait de ses possessions une principauté dont le territoire relevait du Saint Empire germanique et correspondait aux deux tiers de la Wallonie actuelle. L'histoire de cette dernière ne sera qu'une longue série de luttes : celles des princes pour maintenir leur indépendance, celles des sujets contre leur prince.

En 1316 puis en 1343, des privilèges sont obtenus par les Liégeois. Ils leur sont repris en 1408 après un soulèvement des communes de la principauté. Une autre révolte est écrasée par Charles le Téméraire qui fait raser la ville (1468), n'épargnant que les églises ; il est vrai que plus tard, repentant, il offre à Liège le beau reliquaire du trésor de la cathédrale St-Paul.

Au 15e s., le féroce Guillaume de La Marck, nommé « le Sanglier des Ardennes » parce que ses partisans se couvrent de peaux de sangliers, terrorise la principauté et tue de sa main le prince-évêque Louis de Bourbon (1482).

Sous le règne d'Érard de La Marck (1506-1538), la ville retrouve la prospérité. A sa mort, la lutte reprend entre partisans et adversaires du prince-évêque.

Au 18e s., Liège se jette dans le « parti des Lumières » et accueille sans déplaisir la révolution de 1789. La domination des princes-évêques prend fin en 1794 : la ville devient possession française puis hollandaise jusqu'en 1830.

En août 1914, la résistance héroïque de la citadelle et de la couronne de forts (dont le **fort de Loncin** ⊙ dont on voit les ruines à 8 km au Nord de Liège), permet la concentration des armées belge et française. En 1944-1945, plus de 1 500 V1 et V2 tombent sur l'agglomération.

Un important centre artistique – Sous Notger commence à se développer l'école mosane. Aux 10e et 11e s., elle s'illustre surtout par les ivoires puis à partir de la 2e moitié du 11e s., ainsi qu'aux 12e et 13e s., elle produit de véritables chefs-d'œuvre dans les domaines de l'orfèvrerie, dans les émaux et surtout dans la fonte ou la dinanderie *(voir Introduction, L'art)*.

A la Renaissance, **Lambert Lombard** (1505-1566) se distingue dans la peinture et l'architecture. **Jean Delcour** (1627-1707), formé à l'école romaine et parfois appelé le Bernin liégeois, est le plus fécond des sculpteurs du 17e s. Ses innombrables statues aux draperies mouvementées, parmi lesquelles de gracieuses Madones, ornent les églises et les fontaines de la ville.

Reliquaire
de Charles le Téméraire,
Cathédrale St-Paul

Du 16ᵉ au 18ᵉ s., l'architecture est à l'honneur. Le style classique triomphe, mais en conservant ses particularités locales comme l'utilisation de la brique éclairée par des cordons de pierre blanche et les croisées de fenêtre en pierre.

Le 18ᵉ s. est la grande époque de l'ébénisterie liégeoise qui s'inspire alors du style « rocaille » ; la sculpture décorative du meuble est toujours exécutée dans la masse. La musique brille avec les compositeurs **André-Modeste Grétry** (1741-1813), **César Franck** (1822-1890) et le violoniste **Eugène Ysaÿe** (1858-1931).

La littérature romanesque s'illustre avec **Georges Simenon** (1903-1989) qui a évoqué sa ville natale dans plusieurs de ses œuvres.

Signalons aussi le folklore avec trois théâtres de marionnettes. Le personnage le plus connu est **Tchantchès**, incarnation bon enfant de l'âme liégeoise *(p. 168)*.

L'essor économique – Grâce à l'extraction de la houille, découverte au 12ᵉ s., de nombreux forgerons ont exercé leur activité à Liège dès le 14ᵉ s. La ville s'est bientôt fait une spécialité de l'armurerie. Au 19ᵉ s., Liège connaît un prodigieux développement industriel, favorisé par sa situation sur une grande voie navigable et sur un riche bassin houiller. Hauts fourneaux et industries lourdes s'installent sur les bords de la Meuse. On y construit la première locomotive européenne et on y expérimente le procédé Bessemer de fabrication de l'acier. La Fabrique nationale d'armes de Herstal est fondée en 1889.

L'essor industriel est interrompu par les deux guerres mondiales qui touchent durement la ville. Cependant, la création du **canal Albert** (1939) reliant la Meuse à l'Escaut a permis à Liège de devenir le troisième port intérieur d'Europe. Un port pétrolier a été aménagé entre 1951 et 1964. Aujourd'hui, le travail des métaux reste une des activités importantes de la région liégeoise : sidérurgie, métallurgie lourde et de transformation, traitement des métaux non ferreux notamment le zinc (Seraing). Sont à citer également les industries chimique et plastique, la verrerie (Val-St-Lambert), les cimenteries et les manufactures de caoutchouc.

★★ LA VIEILLE VILLE *visite : 1/2 journée*

Partir de la **place St-Lambert** (**EY 138**), centre de la vie commerciale de Liège, où s'élevait autrefois la cathédrale St-Lambert. Elle fait actuellement l'objet de travaux.

★ **Palais des Princes-Évêques** – Édifié vers l'an mille par l'évêque Notger, il a été entièrement rebâti sur l'ordre du prince-évêque Érard de La Marck à partir de 1526. La façade principale a été refaite après son incendie en 1734, l'aile gauche date du siècle dernier. Actuellement, le bâtiment est occupé par les services provinciaux et le palais de justice.

La **grande cour★★** est entourée de galeries aux arcades surhaussées et de 60 colonnes galbées, à la fois massives et élégantes, surmontées de chapiteaux richement ornés. La variété de la décoration des colonnes est extraordinaire. La **petite cour**, que l'on peut voir par la fenêtre d'un couloir, paraît plus intime.

★ **Le perron** (**EY A**) – Sur la place du Marché, face à l'élégant hôtel de ville du 18ᵉ s. qui dissimule une belle façade arrière, le perron est juché sur une monumentale fontaine sculptée par Delcour ; au sommet, les Trois Grâces supportent une pomme de pin et une croix. Ce monument, le plus célèbre de ce type en Belgique, fut érigé en 1697, à l'emplacement de l'ancien perron détruit par une tempête. D'abord emblème de la juridiction épiscopale, le perron devint le symbole des libertés communales. C'est à ce titre qu'il fut enlevé en 1468 par Charles le Téméraire pour être transféré à Bruges. Il ne fut restitué qu'en 1478.

Hors-Château – Cette rue datant du 11ᵉ s. doit son nom au fait qu'elle se trouvait en dehors de l'enceinte fortifiée.

★★ **Musée de la Vie wallonne** (**EY**) ⊙ – Voué à l'ethnographie et au folklore du pays wallon, ce musée est installé dans un ancien couvent des frères mineurs, magnifique ensemble de style Renaissance mosane du 17ᵉ s. où se marient avec élégance la brique et la pierre de taille. Les modes de vie d'autrefois sont évoqués par la reconstitution d'intérieurs, d'ateliers, de cadres familiaux traditionnels et par l'illustration d'arts régionaux ou de croyances populaires. Dans la salle consacrée à la sorcellerie, remarquer les « chênes à clous » où les malades venaient clouer leurs vêtements pour se débarrasser de leurs maux.

Au 2ᵉ étage sont exposées une exceptionnelle collection de cadrans solaires et une remarquable série de marionnettes liégeoises. Le musée abrite un **théâtre de marionnettes** ⊙ et possède une salle de dialectes.

★ **Musée d'Art religieux et d'Art mosan** (**FY M⁵**) ⊙ – Les collections de ce musée montrent l'évolution de l'art religieux dans le diocèse de Liège depuis le haut Moyen Âge et comptent quelques chefs-d'œuvre. L'art roman mosan est représenté par de nombreuses sculptures et orfèvreries : la **Vierge d'Évegnée**, statue très primitive

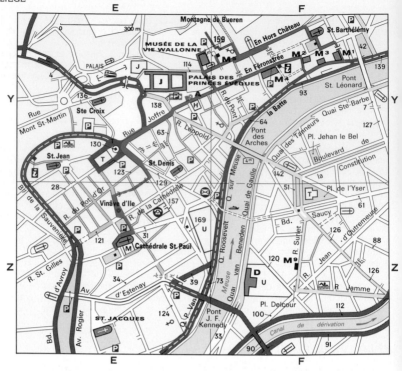

A - Le Perron	**M²** - Musée d'Ansembourg	**M⁷** - Musée d'Art moderne
B - Tour Cybernétique	**M³** - Musée d'Armes	**M⁸** - Maison de la Métallurgie
D - Aquarium	**M⁴** - Ilot St-Georges	**M⁹** - Musée Tchantchès
M¹ - Musée Curtius et musée du Verre	**M⁵** - Musée d'Art religieux et d'Art mosan	**M¹⁰** - Musée des Transports en commun

(fin 11ᵉ s.), le **Christ de Rausa**, sculpture en bois du 13ᵉ s., qui montre la transition entre le roman (effigie assise) et le gothique (douceur des traits). Parmi les tableaux gothiques on remarquera la **« Vierge au papillon »**, rare peinture de l'école mosane du 15ᵉ s., et la ravissante **« Vierge à la Donatrice et sainte Marie-Madeleine »** (1475) attribuée au maître de Sainte-Gudule. La **Vierge de Berselius** en bois, exécutée en 1530 par l'artiste souabe Daniel Mauch, montre un Enfant Jésus remuant et des angelots surgissant des jupes d'une ravissante madone.

De la rue Hors-Château, tourner à gauche vers l'escalier de la Montagne de Bueren, puis tourner à gauche dans l'impasse des Ursulines.

Impasse des Ursulines (**FY** 159) – Elle doit son nom à la communauté religieuse qui occupait l'**ancien béguinage du St-Esprit** dont on peut admirer les belles façades à colombage. A côté un ancien relais de poste, transféré ici, renferme le studio reconstitué du violoniste Eugène Ysaïe.

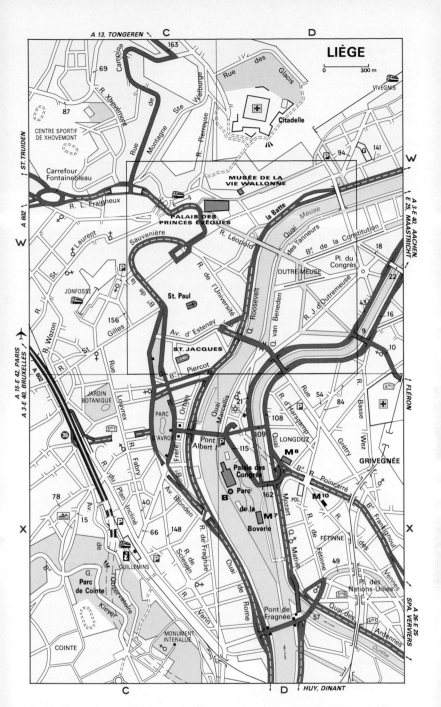

Église St-Barthélemy (FY) ⊘ – Cette église romane est précédée d'un avant-corps massif surmonté de deux tours, très caractéristique du style rhénan-mosan du 12ᵉ s.

L'intérieur abrite une **cuve baptismale★★★** en laiton *(illustration p. 22)*, exécutée par Renier de Huy de 1107 à 1118 pour l'église Notre-Dame-aux-Fonts, détruite à la fin du 18ᵉ s. Cachée pendant la période d'agitation qui suivit la Révolution française, elle fut transférée à l'église St-Barthélemy. Reposant à l'origine sur 12 bœufs (il n'en reste que 10), symbole des apôtres, la cuve présente 5 scènes dont la principale est le baptême de Jésus dans le Jourdain ; autour, on reconnaît la prédication de saint Jean-Baptiste, le baptême des Catéchumènes, le baptême du centurion Corneille et celui du philosophe Craton. Sur le fond lisse se détachent les personnages en haut-relief. Avec leurs formes stylisées, leur attitude d'une grande souplesse, ils atteignent une perfection plastique qui évoque l'art antique.

★ Musée Curtius et musée du Verre (Musées d'Archéologie et d'Arts décoratifs) **(FY M¹)** ⊙ – De style Renaissance mosane, cette haute maison patricienne du début du 17ᵉ s., construite pour Jean Curtius, riche munitionnaire des armées espagnoles, abrite de précieuses collections. Trois remarquables œuvres mosanes sont à signaler : l'**Évangéliaire de Notger★★★**, ivoire des environs de l'an mil, orné d'émaux champlevés de la fin du 12ᵉ s. et de plaques de cuivre ajoutées postérieurement ; la **Vierge de Dom Rupert**, sculpture en grès houiller du 12ᵉ s., d'allure encore byzantine ; le **Mystère d'Apollon**, tympan en pierre sculpté du 12ᵉ s.

Au fond de la cour, le musée du Verre montre une importante **collection d'objets de verre★**, des origines à nos jours. Remarquer au rez-de-chaussée le bel ensemble de vases Art Nouveau et Art Déco (Gallé, Lalique, Daum, Val-St-Lambert, etc.), ainsi que du mobilier du décorateur et ébéniste belge Serrurier-Bovy.

★ Musée d'Armes (FY M³) ⊙ – Aménagé dans un bel hôtel du 18ᵉ s., où siégea, de 1800 à 1814, la préfecture du département de l'Ourthe et qui hébergea Napoléon en 1803 et en 1811, ce musée présente d'une façon attrayante une des plus riches collections d'armes portatives, principalement des armes à feu du Moyen Âge à nos jours, ainsi qu'une importante collection de médailles napoléoniennes et de décorations.

★ Musée d'Ansembourg (Musées d'Archéologie et d'Arts décoratifs) **(FY M²)** ⊙ – Tout contribue à donner à l'intérieur de ce bel hôtel du 18ᵉ s. l'atmosphère raffinée de l'époque : plafonds ornés de stucs, murs tendus de cuirs de Malines, de tapisseries d'Audenarde, meubles caractéristiques de l'ébénisterie liégeoise, cuisine décorée de carreaux de Delft.

En Féronstrée (FY) – Cette rue tient son nom des « férons » ou forgerons qui travaillaient ici au Moyen Âge.

Îlot St-Georges (FY M⁴) – Cet ensemble abrite le **musée de l'Art wallon** ⊙ présenté dans un bâtiment moderne d'une conception originale. Ce musée est consacré aux œuvres de peintres et de sculpteurs du Hainaut, du Namurois, du Luxembourg, de Liège, du Brabant Wallon et de Bruxelles, qui ont participé aux grands mouvements artistiques européens du 16ᵉ s. à nos jours. Citons parmi les artistes exposés Lambert Lombard, Léonard Defrance, Antoine Wiertz, Félicien Rops, Henri Evenepoel, Constantin Meunier et, pour le 20ᵉ s., Anto Carte, Pierre Paulus, Léon Navez, Louis Buisseret (tous quatre du groupe Nervia), Pol Bury, Jo Delahaut, René Magritte et Paul Delvaux. Salle d'expositions temporaires.

Vinâve d'Île (EZ) – Sur cette place située au cœur du quartier commerçant réservé aux piétons, se dresse, au-dessus d'une fontaine, une *Vierge à l'Enfant* de Delcour.

Cathédrale St-Paul (EZ) – Cet édifice gothique, à trois nefs élancées et triforium, contient quelques œuvres de Delcour *(saint Pierre et saint Paul, Christ au tombeau),* une chaire sculptée par Guillaume Geefs au 19ᵉ s. et un remarquable trésor.

★★ Trésor ⊙ – Une pièce située dans le cloître contient le **reliquaire de Charles le Téméraire★★** ; en or rehaussé d'émaux, il a été offert par le duc en 1471 et le représente près de saint Georges dont le visage est identique au sien. Le majestueux **buste-reliquaire de saint Lambert** datant de 1512, en vermeil, haut de 1,50 m, surmonte un socle très ouvragé illustrant des scènes de la vie du saint. Deux ivoires du 11ᵉ s., l'un byzantin, l'autre mosan, sont également à remarquer.

AUTRES CURIOSITÉS

Rive gauche

★★ Église St-Jacques (EZ) ⊙ – Cette église de style gothique flamboyant conserve à l'Ouest un narthex roman, vestige de l'abbatiale bénédictine fondée au 11ᵉ s. Sur le porche Nord a été plaquée une intéressante façade Renaissance (1558) exécutée par Lambert Lombard. Sous le porche, un bas-relief de 1380 représente le Couronnement de la Vierge.

A l'**intérieur** on est frappé par la somptueuse décoration architecturale. Les **voûtes de la nef★★** aux multiples nervures forment des compartiments prismatiques au milieu desquels sont peints des portraits en médaillons. A chaque croisement des nervures se trouve une clé de voûte sculptée. Le long des colonnes sont fixées de grandes statues en tilleul peint, œuvres pour la plupart de Delcour. Le chœur a reçu une décoration de style ogival flamboyant d'une richesse extraordinaire et s'orne de vitraux du 16ᵉ s. offerts par les grandes familles de la ville.

Dans la chapelle à gauche du chœur se trouve un retable comprenant en son centre une Pietà du 15e s. et à côté, dans le transept, une Immaculée Conception du 16e s. Au bas de la nef, un superbe buffet d'orgues (17e s.) repose sur une tribune.

Église St-Denis (EY) – Au cœur d'un quartier commerçant, cette église, fondée par l'évêque Notger au 10e s. et modifiée à plusieurs reprises par la suite, conserve la base d'un important avant-corps du 12e s.

A l'intérieur, réaménagé au 18e s., dans le bras droit du transept se trouve un **reta-ble★** en bois de style brabançon du début du 16e s., illustrant la Passion du Christ avec une multitude de personnages ; à la prédelle, un peu plus tardive, est représentée la vie de saint Denis.

Ph. Gajic/MICHELIN

Voûtes de l'église St-Jacques

Église St-Jean (EY) ⊙ – Cette église, dont la forme – octogone surmonté d'une coupole – est inspirée de la cathédrale d'Aix-la-Chapelle, a été édifiée par le prince-évêque Notger à la fin du 10e s. Son avant-corps fut surélevé vers l'an 1200 et la nef reconstruite au 18e s. A l'intérieur, la rotonde et le chœur ont été décorés dans le style néo-classique à la fin du 18e s.

Une sacristie abrite un calvaire avec de belles **statues★** en bois de la Vierge et de saint Jean, du 13e s. Dans une chapelle latérale on admirera une magnifique Vierge à l'Enfant ou **Sedes Sapientiae★** sculptée dans le bois vers 1220, remarquable par la représentation des draperies fluides et la féminité du visage.

Le cloître a été ajouré au 16e s., puis a subi des modifications au 18e s. Sa galerie Sud conserve du 16e s. une belle voûte dont les nervures et les liernes dessinent d'élégantes rosaces.

Église Ste-Croix (EY) ⊙ – Précédée d'un avant-corps de style roman, cette église des 13e et 14e s. est de type halle avec trois nefs d'égale hauteur. Elle présente la particularité de posséder deux chœurs opposés, celui qui est situé à l'Ouest servant actuellement de baptistère. Le **trésor** ⊙ renferme de précieux ornements liturgiques et des pièces d'orfèvrerie, en particulier la clef symbolique en bronze offerte à saint Hubert par le pape Grégoire II en 722, et un triptyque-reliquaire en laiton doré repoussé (12e s.) attribué à Godefroy de Huy.

Rive droite

Parc de la Boverie (DX) – A l'extrémité Sud de l'île, arrosée par la Meuse d'un côté et par le canal de dérivation de l'autre, se trouve le parc de la Boverie. Le **Palais des Congrès**, dont la longue façade se reflète dans les eaux du fleuve, voisine avec une **tour cybernétique** (B) de 52 m de haut conçue par Nicolas Schöffer où un jeu de pales mobiles matérialisent les changements atmosphériques. Le bâtiment de style Louis XVI au milieu du parc date de 1905. Il abrite le **musée d'Art moderne et d'Art contemporain** (M⁷) ⊙. Le musée possède un bel ensemble de peintures et de sculptures de la fin du 19e s. à nos jours. On admirera notamment des œuvres de l'école française avec Gauguin *(Le Sorcier d'Hiva-Oa)*, Picasso (la célèbre *Famille Soler*, caractéristique de la période bleue), Monet, Signac, Derain, etc. La peinture belge est également bien représentée avec Van Rysselberghe, Claus, Ensor, Wouters, Khnopff, Evenepoel et les expressionnistes flamands. Le musée expose également des œuvres d'artistes contemporains : Magnelli, Arp, Ubac.

Le sous-sol renferme un cabinet des estampes. Expositions temporaires.

Maison de la Métallurgie (DX M⁸) ⊘ – Dans de vastes ateliers du 19ᵉ s. ont été installés une forge wallonne avec un haut fourneau à charbon de bois du 17ᵉ s. et deux énormes « makas » (marteaux hydrauliques) du 18ᵉ s. La production traditionnelle des « férons » liégeois est exposée ici : plaques ou « taques » de cheminée, chenets.

Une autre salle présente l'histoire des énergies grâce à une riche collection de machines, maquettes et moteurs.

★ **Aquarium (FZ D)** ⊘ – L'institut de Zoologie de l'université possède un très bel aquarium. Dans 26 bassins, situés au sous-sol du bâtiment, on peut admirer des poissons provenant du monde entier.

Au 1ᵉʳ étage, une intéressante collection de madrépores a été rapportée d'une expédition à la Grande Barrière de Corail d'Australie.

Musée Tchantchès (FZ M⁹) ⊘ – Au cœur du quartier d'Outre-Meuse, ce musée appartenant à une association nommée République libre d'Outre-Meuse est consacré à Tchantchès (nom wallon pour François), héros populaire du théâtre de marionnettes liégeois. Le musée rassemble les costumes qui lui ont été offerts et une collection de marionnettes du Théâtre Royal Ancien Impérial. On peut y assister à des **spectacles de marionnettes** ⊘.

Sur la place de l'Yser, à l'extrémité de la rue Surlet, se dresse le monument à Tchantchès. Dans les rues avoisinantes, on remarque plusieurs niches ou potales, abritant des christs ou des madones. Le 15 août a lieu la fête des potales.

Musée des Transports en commun de la ville de Liège (DX M¹⁰) ⊘ – 9, rue Richard-Heintz.

Dans un grand hangar sont réunis des tramways et autobus remis en état.

EXCURSIONS

Promenade en bateau (FZ) ⊘ – Une croisière est organisée sur la Meuse et le canal Albert de Liège à Maastricht.

★★ **Blégny-Trembleur** – 20 km au Nord-Est, en direction de Aachen. Voir p. 62.

Sart Tilman – 10 km au Sud. Sur ce plateau boisé, l'**université de Liège** possède un domaine de 740 ha et un centre de recherches métallurgiques. Le château de Colonster (17ᵉ s.), à l'extrémité Est du domaine, a été transformé en centre de congrès et abrite le Fonds Simenon (archives, manuscrit et bibliothèque de l'écrivain). Le parc abrite un musée en plein air.

Chaudfontaine – 10 km, en direction de Verviers.

Dans la vallée de la Vesdre, Chaudfontaine est, depuis la fin du 17ᵉ s., une station thermale très fréquentée. Ses sources chaudes (36,6 °C), les seules en Belgique, sont employées dans le traitement des rhumatismes. Parmi les atouts de Chaudfontaine figurent une piscine d'eau thermale à toit ouvrant et un **casino** avec mini-golf.

Dans le parc des sources, la **maison Sauveur** ⊘, du 17ᵉ s., restaurée, abrite le Syndicat d'initiative.

Château d'Aigremont ⊘ – 16 km à l'Ouest, par l'autoroute E 40 que l'on quitte à l'échangeur n° 4.

Situé comme celui de Chokier au sommet d'un rocher à pic dominant la Meuse, le château d'Aigremont aurait été élevé par les quatre fils Aymon. Ce fut au 15ᵉ s. l'un des repaires de Guillaume de La Marck. Il a été reconstruit au début du 18ᵉ s. en brique et pierre de taille.

L'intérieur, garni de beaux meubles du 18ᵉ s., a pour plus bel ornement sa cage d'escalier à fresques en trompe l'œil, recréant l'architecture du palais italien. La cuisine est tapissée de carreaux de Delft représentant plus de 1 000 motifs.

Les terrasses portent un joli jardin à la française.

Neuville-en-Condroz et St-Séverin – 27 km au Sud-Ouest, en direction de Dinant.

Neuville-en-Condroz – Dans le cimetière américain des Ardennes, un magnifique parc soigné précède le mémorial et la pelouse où sont enterrés 5 310 Américains morts pendant la Seconde Guerre mondiale, la plupart lors de la bataille des Ardennes. L'ensemble des stèles blanches dessine une immense croix grecque. A l'intérieur du mémorial, des cartes gravées évoquent la fameuse bataille.

St-Séverin – L'**église**★ de ce bourg, harmonieux édifice roman du 12ᵉ s., est un ancien prieuré de l'abbaye de Cluny ; la tour de croisée octogonale s'inspire d'ailleurs du clocher de l'Eau Bénite à Cluny. Pour admirer le bel étagement de volumes, se placer dans le jardin du presbytère.

A l'intérieur, le plafond de la nef centrale, les voûtes du transept et du chœur sont à la même hauteur, celles de l'abside et des chapelles orientées sont beaucoup plus basses. Dans la grande nef intervient un décor discret : alternance de colonnes ou groupes de colonnettes et de piliers, et, au-dessus de ceux-ci, colonnettes géminées torsadées.

Les **fonts baptismaux★**, en pierre, de la fin du 12ᵉ s., sont originaux : la cuve supportée par 12 colonnettes entourant un fût central est sculptée de lions placés dos à dos ; aux angles, 4 têtes d'inspiration syrienne.

Visé – *17 km au Nord par la E 25.*
Sur les bords de la Meuse, Visé est un centre touristique très fréquenté pour sa spécialité gastronomique : l'oie préparée avec une sauce à l'ail. Visé est fière de ses trois gildes : arbalétriers, arquebusiers et francs-arquebusiers que l'on voit défiler lors des fêtes. Visé possède aussi de nombreux aménagements touristiques : centre culturel, plaine de sports, réserve naturelle et l'île Robinson.

Collégiale – Elle abrite dans le bras droit du transept la **châsse de saint Hadelin★**, œuvre mosane du 12ᵉ s., en argent repoussé. Les pignons provenant d'une châsse plus ancienne (1046) représentent le Christ d'un côté foulant l'aspic et le basilic (animal fabuleux), de l'autre couronnant les deux saints amis, Remacle et Hadelin. Certaines des scènes des panneaux latéraux, illustrant la vie de saint Hadelin, sont attribuées à Renier de Huy. Saint Hadelin fut le fondateur, au 7ᵉ s., du monastère de Celles près de Dinant dont la communauté fut transférée à Visé au 14ᵉ s.

LIER★★

LIERRE – Antwerpen
30 246 habitants
Cartes Michelin nᵒˢ 409 G 2 et 213 pli 7.

Touristes, écrivains et artistes ont, nombreux, été séduits par l'atmosphère, les promenades, les monuments, les façades anciennes de cette ville située aux confins de la Campine anversoise et du Brabant. La ville est encore ceinte de remparts du 16ᵉ s., bordés par un canal et aménagés en promenades.
Lierre a vu naître le ferronnier d'art Van Boeckel (1857-1944), le portraitiste Opsomer (1878-1967), l'écrivain **Félix Timmermans** (1886-1947) et le grand horloger Zimmer (1888-1970).
Les « Lierse Vlaaikens » ou tartelettes de Lierre sont une savoureuse spécialité locale.

★★ST.-GUMMARUSKERK (ÉGLISE ST-GOMMAIRE) (Z) *visite : 3/4 h*

Elle a été construite du 14ᵉ au 16ᵉ s., dans le style gothique brabançon. A sa construction participèrent les Keldermans et les de Waghemakere *(voir à Antwerpen, Cathédrale)*. La tour massive, terminée par un clocher octogonal et restaurée, renferme un carillon de 45 cloches.
On a une bonne vue d'ensemble de l'extérieur de l'église, près du transept gauche. Dans cette église, en 1496, Philippe le Beau épousa Jeanne la Folle.
L'**intérieur**, pavé de pierres tombales, comporte de belles clés de voûte. Les colonnes épaisses où sont adossées de grandes statues d'apôtres, le triforium à remplages sont caractéristiques du style brabançon. D'intéressantes œuvres d'art se remarquent.
En pierre blanche, le magnifique **jubé★★**, flamboyant malgré sa date tardive (1536), est l'œuvre de sculpteurs malinois ; des statues d'évangélistes et de Pères de l'église (refaites en 1850) sont disposées sur des colonnes ; au-dessus, des scènes de la Passion se détachent au milieu d'une décoration luxuriante. La tourelle a été ajoutée en 1850.
L'église possède un bel ensemble de vitraux. Dans le collatéral droit, une **verrière★** du 15ᵉ s. représente, en médaillon, le Couronnement de la Vierge dont le dessin souple s'apparente à l'art de Van der Weyden. Dans le chœur, trois des vitraux ont été offerts par Maximilien d'Autriche lors de sa visite en 1516 : celui-ci figure avec son épouse Marie de Bourgogne.
Les stalles du chœur (1555) sont sculptées de motifs pittoresques. Au centre du chœur, lutrin en cuivre du 17ᵉ s. La chaire baroque est l'œuvre de trois artistes dont Artus Quellin le Vieux. Dans la 1ʳᵉ chapelle du déambulatoire à gauche, est exposé un triptyque dont les volets, sainte Claire et saint François, seraient de Rubens. Dans la 4ᵉ chapelle, le *triptyque dit de Colibrant, le Mariage de la Vierge*, est attribué à Goswyn van der Weyden, petit-fils de Rogier (1516). On remarque également, dans le transept droit, un triptyque d'Otto Venius, maître de Rubens, datant de 1612 *(Descente du Saint-Esprit)*.
Une fois par an *(voir le chapitre des Renseignements pratiques en fin de volume)*, la châsse en argent repoussé du 17ᵉ s., contenant les reliques de saint Gommaire, est portée en procession à travers les rues de Lierre.

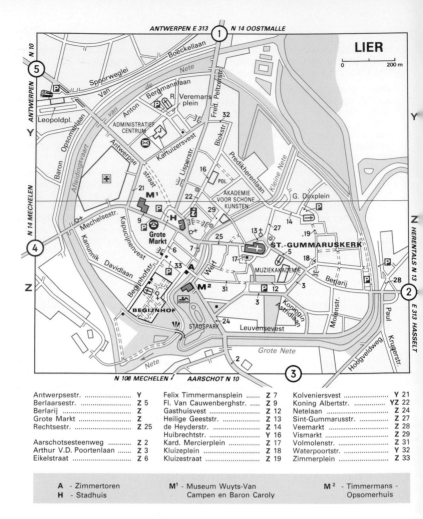

A - Zimmertoren	**M¹** - Museum Wuyts-Van	**M²** - Timmermans -
H - Stadhuis	Campen en Baron Caroly	Opsomerhuis

AUTRES CURIOSITÉS

Zimmertoren (Tour Zimmer) (Z A) ⊙ – Sur la Zimmerplein se dressent deux vestiges de la première enceinte du 14e s. : la **porte des Prisonniers** (Gevangenenpoort) et la tour Zimmer, jadis tour Cornelius.

La façade de la tour Zimmer aborde l'étonnante **horloge astronomique**★ exécutée en 1930 par le Lierrois Zimmer et où figurent 11 cadrans, la terre et la lune ; sur la face droite de la tour a lieu tous les jours à 12 h un défilé d'automates.

A l'intérieur de la tour, le **studio astronomique** possède 57 cadrans, montrant le cycle lunaire, les marées, le zodiaque et les principaux phénomènes cosmiques.

Dans le pavillon voisin de la tour, on visite la **Wonderklok,** autre horloge astronomique dotée de 93 cadrans et de 14 automates, ainsi que l'atelier de Louis Zimmer.

★ **Begijnhof (Béguinage) (Z)** – Le béguinage a été fondé au début du 13e s. et remanié au 17e s. Un monumental portique Renaissance, de la fin du 17e s., surmonté de la statue de sainte Begge, en marque l'accès. De là s'offre une belle perspective sur la porte des Prisonniers et le beffroi.

Dans l'enclos, les maisons, certaines précédées d'un jardin dissimulé par un muret, se pressent le long d'étroites ruelles pavées où se dissémine un chemin de croix. L'église montre

Horloge astronomique de la tour Zimmer

une façade Renaissance (17ᵉ s.) couronnée au 18ᵉ s. de volutes et d'un lanternon. L'insolite disposition des toitures et des lucarnes compose de pittoresques recoins.

Grote Markt (Grand-Place) (**Z**) – Au centre, l'**hôtel de ville** (**H**), élégante construction du 18ᵉ s. dont les baies comptent plus de 3 900 vitres, est flanqué d'un grêle **beffroi** gothique (1369) ; surmonté de 4 tourelles d'angle et pourvu d'un carillon, celui-ci est le vestige de l'ancienne halle aux Draps.
La place, où se tient le samedi un marché, est entourée de plusieurs anciennes maisons de corporations. Près du beffroi, la maison des Bouchers, au pignon à redans, au perron gardé par deux lions héraldiques, sert pour les expositions (tentoonstelling).

Museum Wuyts-Van Campen en Baron Caroly (**YZ M¹**) ⊙ – Il possède une bonne collection de tableaux du 16ᶜ s. à nos jours.
Bruegel le Jeune, Bruegel de Velours, Rubens figurent parmi les peintres de l'école flamande dont on admire notamment un remarquable portrait collectif de **Frans Floris** : *la famille Van Berchem*.
Des tableaux de l'école hollandaise (Van de Velde, Jan Steen), espagnole (Murillo), française (Poussin, Le Lorrain), des œuvres belges des 19ᵉ et 20ᵉ s. (Ferdinand De Braekeleer, Tytgat, Opsomer) sont à remarquer.

Timmermans-Opsomerhuis (Maison Timmermans-Opsomer) (**Z M²**) ⊙ – Ce musée évoque le souvenir d'artistes lierrois contemporains.
La forge de **Van Boeckel** groupe, sous un lustre à fleurs, des œuvres du célèbre ferronnier d'art.
L'atelier de peinture, reconstitué, du baron **Opsomer** présente des paysages (*le Béguinage de Lierre*) et de nombreux portraits : Albert Iᵉʳ, Félix Timmermans, Opsomer lui-même.
A l'étage, plusieurs salles consacrées à l'écrivain flamand Félix **Timmermans** qui fut aussi dessinateur humoriste et peintre, nous rappellent ses ouvrages les plus célèbres : *Contes du béguinage, Crépuscule de la Mort,* **Pallieter** (1916), roman truculent et plein de verve, et *Psaumes des Paysans.*
Une salle contient des œuvres et des souvenirs du musicien Renaat **Veremans** (1894-1969), auteur de *Vlaanderen* (Les Flandres), air populaire fameux.

LOMMEL

Limburg
26 854 habitants
Cartes Michelin nᵒˢ 409 I 2 et 213 pli 9.

Lommel est connu pour son important cimetière militaire allemand qui se trouve dans les pinèdes, à quelques kilomètres au Sud du bourg.

Cimetière militaire allemand – Cet enclos de 16 ha a recueilli les restes de tous les soldats allemands tombés en Belgique pendant la Seconde Guerre mondiale, ainsi que de quelques autres soldats morts dans l'Est de l'Allemagne ou pendant la Première Guerre mondiale.
Un calvaire en basalte de 6 m de haut, bâti sur une crypte, précède le cimetière. Près de 20 000 croix (une croix représente deux tombes) s'alignent sur des tapis de bruyère parsemés de pins et de bouleaux et sont séparées par des allées de gazon.

Natuurreservaat (Réserve naturelle) Kattenbos – Elle fait partie, avec le bois de Pijnven, au Sud près d'Eksel, et celui de Holven, à l'Est près d'Overpelt, du **Parc de la Basse-Campine** (Park der Lage Kempen), couvrant plus de 12 000 ha, disséminés dans la province du Limbourg.
Au Nord de la réverse de Kattenbos, près de la route, se dresse un moulin à vent (1809) en bois, à pivot. C'est le point de départ de plusieurs circuits fléchés permettant une promenade à travers la pinède.

LOUVAIN★★

Voir LEUVEN

Vous trouverez, en début de ce guide,
un choix d'itinéraires de visite.

Pour organiser vous-même votre voyage,
consultez la carte des principales curiosités.

LOUVAIN-LA-NEUVE ★

Brabant Wallon

Cartes Michelin nᵒˢ 409 G 4 et 213 pli 19 (7 km au Sud de Wavre).

Depuis la fondation de Charleroi en 1666, Louvain-la-Neuve est la seule ville nouvelle créée en Belgique. Prévue pour abriter 35 000 habitants, elle s'étend sur la commune d'**Ottignies-Louvain-la-Neuve** (21 665 h).

L'Université Catholique de Louvain (U.C.L.) – Depuis la scission en 1968 de l'Université catholique fondée à Leuven (Louvain) en 1425, l'Université d'expression française s'est installée à Louvain-la-Neuve, à l'exception des étudiants en médecine dont la Faculté est implantée à **Woluwe-St-Lambert** (Bruxelles), sur le site de **Louvain-en-Woluwe**. Le transfert a été réalisé entre 1972 et 1979. L'U.C.L. compte 18 300 étudiants dont 14 000 à Louvain-la-Neuve.

L'université dans la ville – Centre urbain mais aussi cité universitaire, Louvain-la-Neuve est d'une conception originale. Elle est divisée en quatre quartiers – **Hocaille, Biéreau, Bruyères, Lauzelle** – mais dans chacun l'interpénétration des différents secteurs – commerces, habitations, facultés – doit faciliter les échanges.

Au cœur de la ville, le **Centre urbain** a été conçu comme lieu de rencontre et d'animation, réservé exclusivement aux piétons ; la circulation automobile, ferroviaire et les parkings sont en sous-sol.

A proximité de la ville ont été aménagés un parc scientifique regroupant des entreprises et des laboratoires de recherche, et le complexe du Cyclotron. Le site naturel a été respecté. Les quartiers sont établis sur quatre collines du plateau de Lauzelle qui dominent la petite vallée de la Malaise. Cette dernière est recouverte par une dalle de béton portant les rues et les bâtiments du centre-ville parmi lesquels l'édifice central de l'Université, les **Halles universitaires**.

L'architecture contemporaine a été mise au service d'un urbanisme qui s'inspire des cités médiévales et garde une échelle humaine. Des rues étroites, de petites places, des escaliers, des bâtiments en retrait ménagent des surprises et évitent toute monotonie. Briques et petits pavés blancs dominent.

Depuis la création de la ville, plusieurs éléments décoratifs ont fait leur apparition : une fontaine (place de l'Université), œuvre d'une étudiante, et plusieurs peintures murales dont la grande fresque de R. Somville (400 m²) qui égaie de ses couleurs bleu, blanc, gris et rouge un mur des Halles universitaires, côté rue des Wallons. Dans la gare souterraine, peinture murale de Th. Bosquet représentant une ville universitaire au 16ᵉ s. et agrandissements des peintures consacrées aux gares de Paul Delvaux.

La ville est desservie par une autoroute (Bruxelles-Namur) et par le chemin de fer : une voie ferrée branchée sur une ligne Bruxelles-Namur aboutit à la gare souterraine. Dans le bâtiment d'accueil (suivre la direction REUL), on peut trouver plan et informations.

Musée de Louvain-la-Neuve (Institut supérieur d'archéologie et d'histoire de l'art de l'U.C.L.) ⊙ – *Place Blaise Pascal.*

Ses collections comprennent des antiquités égyptiennes, grecques et romaines, des sculptures et masques représentatifs des arts primitifs africains et océaniens, des œuvres d'art religieux (scuptures dont un *Christ des Rameaux* du 16ᵉ s.), des porcelaines, etc. Le **legs Charles Delsemme★**, venu enrichir le musée en 1990, représente la même universalité « par sa diversité, par sa transcendance, cette collection forme un tout voulu », écrivait le donateur dans son testament. On y remarquera : un masque théâtral japonais, une figure féminine de la Renaissance, des dessins de Picasso, des tableaux de Delvaux et Magritte.

MAASEIK

Limburg

20 214 h.

Cartes Michelin nᵒˢ 409 K 2 et 213 pli 11.

Située au bord de la Meuse, à l'extrémité Nord-Est de la Campine limbourgeoise, Maaseik serait la ville natale des frères **Van Eyck**, Jean *(voir à Brugge, Les primitifs flamand à Bruges (15ᵉ s.)* et Hubert.

Vers la mi-carême, son cortège de carnaval (halfvastenstoet) attire une foule considérable *(voir le chapitre des Renseignements pratiques en fin de volume).*

La ville conserve quelques traces de ses remparts construits en 1672 sous Louis XIV. Des **promenades en bateau** ⊙ sont organisées sur la Meuse.

CURIOSITÉS

Grote Markt (Grand-Place) – Cette vaste place carrée ombragée de tilleuls est entourée de maisons des 17ᵉ et 18ᵉ s., aux baies étroites souvent garnies de petits carreaux sertis de plomb.

Au Nord, l'hôtel de ville (stadhuis) occupe une belle demeure bourgeoise du 18ᵉ s. Au centre se dresse la statue de Jean et Hubert Van Eyck.

Museactron ⊘ – *Lekkerstraat 5.* Le Museactron regroupe trois musées. Les collections du **musée d'Archéologie régionale** (Regionaal archeologisch museum) concernent l'archéologie régionale et l'histoire de la ville : objets préhistoriques, de l'époque romaine (instruments d'un médecin romain) et du Moyen Âge. Une passerelle relie ce musée à la plus **ancienne pharmacie** de Belgique dont l'atmosphère d'antan est parfaitement restituée. Le **musée de la Boulangerie** (Bakkerijmuseum) est installé dans une cave.

Bosstraat – Cette rue est bordée de demeures anciennes.
Au n° 7, vieille maison de brique, De Verkeerde Wereld (Le Monde à l'Envers).
A l'angle de Halstraat, maison médiévale à colombage.
La maison n° 19 montre une façade blanche (1620), en saillie sur arcs, d'un type courant dans la région. Celle du 21, Stenen Huis (maison de pierre) ou Drossaardshuis (maison du Bailli), présente une façade classique plus solennelle.

St.-Catharinakerk (Église Ste-Catherine) – 19ᵉ s. Sa sacristie abrite un remarquable **trésor** (kerkschat) ⊘. Les pièces proviennent pour la plupart de l'ancienne abbaye d'Aldeneik *(ci-dessous).* Remarquer : le codex eyckensis ou évangéliaire de sainte Harlinde, qui, datant du 8ᵉ s., serait le plus ancien livre de Belgique, un reliquaire en vermeil du 10ᵉ s.

Aldeneik – *2 km à l'Est.* L'**église** ⊘ d'Aldeneik est l'ancienne abbatiale d'un monastère au 8ᵉ s. par les saintes Harlinde et Relinde. Agrandie au 12ᵉ s., augmentée au 13ᵉ s. d'un chœur gothique et restaurée au 19ᵉ s., elle conserve de l'époque romane sa nef centrale ornée de peintures murales. Elle renferme des sarcophages mérovingiens (8ᵉ s.).

MALINES★★

Voir MECHELEN

MALMÉDY★

Liège
9 972 habitants
Cartes Michelin nᵒˢ 409 L 4 et 214 Nord-Ouest du pli 9 – Schéma p. 186.

Malmédy, sur la Warche, occupe un **site★** pittoresque, à 340 m d'altitude, au centre d'un bassin entouré de collines escarpées et boisées. On pratique le ski à la **Ferme Libert** (au Nord ; ski alpin et ski de fond) et à **Ovifat** (ski alpin).
Les papeteries et tanneries de Malmédy sont connues. Les « baisers de Malmédy » sont une excellente pâtisserie locale.
Jusqu'en 1794, la ville formait avec Stavelot une principauté abbatiale. Malmédy, où l'on parle un dialecte wallon, fut prussienne de 1815 à 1925 *(voir à Eupen).* En décembre 1944, le centre de la ville fut détruit par un bombardement aérien.
Guillaume Apollinaire séjourna à Malmédy en 1899. Un monument a été élevé en 1935 sur l'ancienne route de Francorchamps.

★ **Carnaval** – *Voir le chapitre des Renseignements pratiques en fin de volume.* Très populaire, le « Cwarmê » de Malmédy est l'un des plus joyeux de Belgique. Pendant 4 jours, la ville est en ébullition. Le samedi après-midi, un cortège humoristique accompagne le « Trouv'Lê », sorte de roi du carnaval qu'on intronise à l'hôtel de ville. Le dimanche est le jour du grand cortège à la suite duquel les « banes corantes » (bandes courantes) pourchassent le public : parmi les personnages masqués traditionnels, les plus redoutés sont les **« haguètes »,** au dos blasonné de l'aigle autrichien, coiffés d'un bicorne rehaussé de plumes et porteurs d'une longue pince articulée. Le lundi, dans les rues, sont joués les « rôles », saynètes satiriques en dialecte local.

Cathédrale Sts-Pierre-Paul-et-Quirin ⊘ – Ancienne abbatiale bénédictine, cette église de 1782 présente une façade encadrée de deux hautes tours. Elle a été cathédrale du diocèse d'Eupen-Malmédy de 1921 à 1925.
L'**intérieur** est intéressant par son mobilier (chaire sculptée du 18ᵉ s., confessionnaux de la fin du 17ᵉ s.) et par ses objets d'art : Vierge de Delcour (17ᵉ s.), châsse de saint Quirin en bois, avec dorures, de 1698, bustes-reliquaires en argent de saint Géréon et de ses compagnons, soldats romains (18ᵉ s.).

ENVIRONS

Robertville – *10 km au Nord-Est.* Robertville fait partie du territoire du parc naturel Hautes Fagnes-Eifel *(p. 144).* Cette commune est connue pour son **barrage** de type poids-voûte, créé en 1928, qui domine la Warche à 55 m. Sa retenue forme un **lac★** de 62 ha qui fournit de l'eau potable à Malmédy et alimente une centrale électrique à Bévercé. Le lac, entouré d'une forêt, offre de nombreuses ressources sportives. On a une belle **vue★** sur la retenue à l'entrée de Robertville.

★ **Château de Reinhardstein**

⊘ – *Accès par un sentier partant du barrage ou par la première route gauche après le barrage (panneaux), et 800 m à pied au-delà du parking.*

Dans son cadre somptueux de forêts de conifères, le donjon entouré de murailles, se dressant sur un éperon rocheux, donne l'impression de n'avoir pas changé depuis des siècles, forteresse prête à se défendre contre les invasions. Pourtant, au début des années 60, il n'y avait que des ruines à cet endroit. Le professeur Overloop a

Château de Reinhardstein

opéré une véritable résurrection en reconstruisant ce « burg » d'après les gravures du 17e s. qui le représentaient du temps de sa splendeur ; il était alors la propriété de la famille Metternich.

A l'intérieur, les pièces aux murs et dallages de pierre sont décorées de meubles anciens, de tapisseries, d'armures, d'armes et d'œuvres d'art. La salle des Chevaliers et la chapelle retiennent l'attention.

Bütgenbach – *15 km à l'Est.* Également sur la Warche, le barrage (1928-1932) ferme une vaste retenue de 120 ha, grand centre touristique *(natation, voile, canotage, pédalos, pêche, tennis, planche à voile).*

Circuit de 13 km – *Sortir par la route de Stavelot. Avant le viaduc, prendre une petite route à gauche, puis une route à droite.*

★ **Rocher de Falize** – Magnifique aiguille dont l'à-pic surplombe la vallée de la Warche. En face, sur la hauteur, une flèche signale la présence de l'abbaye de Wavreumont, fondée en 1950 par des bénédictins venus de Louvain.

Bellevaux-Ligneuville – Dans la haute vallée de l'Amblève, ce village conserve une jolie maison à colombage, typique de la région, la Maison Maraite (1592).

On rentre à Malmédy par Hédomont.

Faymonville – *11 km au Sud-Est.* A la suite d'une légende très ancienne, les habitants de ce village sont nommés « turcs ». Cette appellation est illustrée par la grande parade carnavalesque du Lundi gras.

MECHELEN★★

MALINES - Antwerpen

69 430 habitants

Cartes Michelin nos 409 G 2 et 213 plis 6, 7.

Plan d'agglomération dans le guide Michelin Benelux.

Ville d'Église, résidence du primat de Belgique, tranquille et un peu désuète avec ses maisons anciennes bordant les places et les quais de la Dyle, Malines est dominée par l'altière et magnifique tour de St-Rombaut, aux célèbres carillons.

Dans cette cité se perpétuent de traditionnelles industries d'art : la dentelle, la tapisserie. C'est un atelier de Malines qui a exécuté la tapisserie offerte par la Belgique à l'O.N.U. en 1954, pour le Palais des Nations à New York, et celle remise en 1964 à l'O.T.A.N. à Paris. Malines est également un important centre d'industrie du meuble.

Par ailleurs, la brasserie occupe une place non négligeable parmi les activités de la ville. Enfin, la région est connue pour ses cultures maraîchères (asperges).

Les carillons de Malines – Au Moyen Âge, les fondeurs de cloches malinois sont déjà estimés. Cependant, en 1674, Malines fait appel au fondeur amstellodamois Pierre Hemony, se constituant ainsi, dans la tour St-Rombaut, un important carillon dont, à la fin du 19e s., le maître Jef Denyn, carillonneur d'une virtuosité exceptionnelle, assure la renommée. Ce dernier est le fondateur en 1922 d'une école de carillon, dont les élèves exercent dans le monde entier.

A ce premier carillon de St-Rombaut (restauré), composé de 49 cloches, a été adjoint en 1981 un second carillon possédant le même nombre de cloches ; le poids total de ces deux ensembles est de 80 t.

Des **concerts de carillon** ⊘ sont donnés à St-Rombaut, à N.-D.-au-delà-de-la-Dyle ou à l'hôtel de Busleyden *(voir ci-dessous).*

UN PEU D'HISTOIRE

Cité lacustre aux temps préhistoriques, Malines aurait été évangélisée au 8e s. par saint Rombaut venu d'Irlande. Elle appartient aux princes-évêques de Liège qui l'entourent d'une enceinte.

Grâce à sa situation sur la Dyle, la ville joue un rôle portuaire et le commerce y prospère, puis la draperie. Vers 1300, elle reçoit sa seconde enceinte.

L'âge d'or – Au 14e s., Malines appartient au comte de Flandre puis revient par succession aux ducs de Bourgogne. C'est alors le début d'une période brillante. En 1473, Charles le Téméraire installe à Malines la Cour des comptes (réunion de celles de Lille et de Bruxelles) et le Parlement des États bourguignons. Nommé **Grand Conseil** en 1503, le Parlement fait office de Cour suprême jusqu'à la fin de l'Ancien Régime.

Sous la domination de **Marguerite d'Autriche,** tante de Charles Quint, qui gouverne pendant la minorité de celui-ci, puis de 1519 à 1530, la ville connaît son apogée. Très lettrée, cette princesse goûte les arts et s'entoure des grands esprits de son temps : les philosophes Érasme et Thomas More, l'historien Lemaire de Belges, les musiciens Pierre de la Rue et Josquin Des Prés, les peintres Gossart et Van Orley.

Sous l'impulsion de Marguerite s'édifient maints hôtels. L'architecte Rombaut Keldermans, né à Malines, lui bâtit un palais.

Du 16e s. à nos jours – La cour est transférée à Bruxelles en 1531. Si le Grand Conseil demeure à Malines, c'en est fini de la prépondérance de la ville qui ne conserve que son importance religieuse : en 1559 elle est érigée en archevêché (depuis 1961, elle partage ce titre avec Bruxelles) : son prélat devient alors primat des Pays-Bas. Le premier est le cardinal de Granvelle, ministre de Philippe II.

En 1572, les Espagnols mettent la ville à feu et à sang.

Aux 17e et 18e s., cependant, la dentelle atteint sa plus grande renommée. Le mobilier baroque prolifère. Des sculpteurs malinois tels que **Luc Fayd'herbe** (1617-1697), élève de Rubens, ou **Théodore Verhaegen** (1700-1759), disciple de Fayd'herbe, affirment une virtuosité incomparable.

Durant la guerre de 1914-1918, le cardinal Mercier, archevêque de Malines, par son héroïque fermeté en face de l'envahisseur, illustre superbement la vieille cité épiscopale.

LE CŒUR DE LA VILLE *visite : 2 h*

★ **Grote Markt (Grand-Place) (ABY 26)** – *Illustration p. 176.* Dominée au Nord-Ouest par l'imposante tour de la cathédrale, elle est bordée de belles façades du 16e au 18e s. à pignons dentés ou à volutes. Au centre, la statue de Marguerite d'Autriche.

★ **Stadhuis (Hôtel de ville) (BY H)** – Il se dresse à l'Est de la place et occupe trois bâtiments contigus.

A gauche, le **Palais du Grand Conseil,** de style flamboyant, fut commencé au début du 16e s. Resté inachevé, il fut terminé à la fin du 19e s., sur les plans primitivement conçus par Rombaut Keldermans. On y reconnaît, dans une niche, l'effigie de Charles Quint. Depuis 1913, le bâtiment abrite l'hôtel de ville.

La façade centrale, surmontée de tourelles en encorbellement, est celle du **beffroi** (14e s.), inachevé.

L'ancienne **Halle aux Draps** (à droite) date également du 14e s. ; le pignon a été ajouté au 17e s.

Schepenhuis (Maison échevinale) **(AY A)** – Au Sud-Ouest, un peu en retrait et isolé, s'élève le « vieux palais », de la fin du 14e s., qui renferme les archives de la ville.

Postgebouw (Hôtel des Postes) **(AY)** – Très restauré, c'est l'ancien hôtel de ville.

★★ **St.-Romboutskathedraal (Cathédrale St-Rombaut) (AY)** ⊙ – Cet édifice gothique est remarquable par sa tour grandiose, aussi large que le vaisseau même. Les contreforts des bas-côtés sont ornés de gracieux pinacles et le chevet comporte des gâbles élégants.

Cathédrale St-Rombaut

★★★ La tour – Formant façade et porche, cette tour, la plus belle de Belgique, mesure 97 m. Commencée en 1452, elle avait été prévue pour atteindre la hauteur surprenante de 167 m, mais les travaux furent abandonnés en 1520. C'est la dynastie des Keldermans qui en dirigea la construction. Admirable de proportions avec ses lignes verticales à la fois puissantes et légères, elle laisse une impression inoubliable. Vauban disait d'elle que c'était la 8ᵉ merveille du monde. A l'intérieur sont logés les deux carillons *(concerts p. 174)*.

Intérieur – Le portail Sud, par lequel on entre, s'ouvre sous une haute verrière aux remplages flamboyants, dominée par un fronton à fine arcature. L'intérieur surprend par son ampleur (99 m de long pour 28 m de haut) mais reste harmonieux. La nef centrale remonte au 13ᵉ s. Large de 13 m, elle compte six travées que séparent de robustes piliers cylindriques où sont adossées des statues d'apôtres (17ᵉ s.). Après l'incendie de 1342, elle fut rehaussée d'une balustrade, et le chœur agrandi d'un déambulatoire et d'une abside à sept chapelles rayonnantes. De 1498 à 1502, les chapelles du bas-côté Nord furent ajoutées. La chaire du 18ᵉ s. par Michel Vervoort le Vieux présente dans le style rocaille un figuier où se cachent Adam et Ève, de nombreux animaux sculptés en plein mouvement et un grand Christ dominant la représentation de la conversion de saint Norbert.

Parmi de nombreuses **œuvres d'art**, remarquer : dans le bras droit du transept, une pathétique *Crucifixion* de Van Dyck, aux tons assourdis, où les figures douloureuses de Marie et de Madeleine, l'attitude du mauvais larron sont particulièrement expressives ; le maître-autel en marbre noir et blanc, œuvre de Luc Fayd'herbe ; au fond, près de la tour, dans la chapelle du saint-sacrement, le banc de communion en marbre blanc délicatement travaillé attribué à Artus Quellin le Jeune. Dans le bas-côté gauche, dans la chapelle près du transept, mausolée du cardinal Mercier, mort en 1926.

Sortir par le bras gauche du transept.

Remarquer auparavant à gauche un tableau représentant l'intérieur de l'église métropolitaine en 1775.

Prendre le Wollemarkt (marché aux Laines) qui conduit à un petit pont : **vue★** (**AY F**) ravissante à gauche sur l'**ancien refuge de l'abbaye de St-Trond** (**AY D**), du 16ᵉ s. Le fronton denté et le clocheton se détachent sur de grands arbres, les murs de brique rose plongent dans le canal couvert de lentilles d'eau. Au bout de la Schoutetstraat les bâtiments restaurés de l'ancien refuge de l'abbaye de Tongerlo (15ᵉ s.) abritent une manufacture de tapisseries.

★ Koninklijke Manufactuur van Wandtapijten De Wit (Manufacture royale de Tapisseries De Wit) (**AY M¹**) ☉ – Cette manufacture s'est fixé pour objectif de perpétuer la tradition de la tapisserie d'art flamande. Elle a été fondée en 1889 par Th. De Wit et porte le nom de son fils. Dessinateur, peintre et tisserand de renommée internationale, Gaspard De Wit (1892-1971) a inventé le « carton numéroté », carton noir et blanc, traçant uniquement les limites des différentes couleurs de la tapisserie à créer et identifiant ces couleurs par des numéros.

La visite guidée passe par les ateliers où les tapisseries anciennes sont restaurées et où naissent des créations modernes ; tous les travaux se font comme autrefois à la main. Plusieurs belles salles servent de décor à l'exposition d'une collection de tapisseries ; elle permet de suivre l'évolution de l'art de la tapisserie depuis 1500 environ jusqu'à nos jours et montre les particularités des différentes manufactures *(voir p. 30)*.

Retourner au petit pont et prendre en face un passage couvert.

St.-Janskerk (Église St-Jean) (**BY**) ☉ – Cette église du 15ᵉ s. renferme des bancs d'œuvre baroques et surtout un triptyque de Rubens, peint en 1619, *L'Adoration des Mages*. Le panneau central est d'une remarquable composition divisée en deux registres, l'un sombre, l'autre clair ; la finesse du coloris, le contraste entre la douceur du profil de la Vierge et la rudesse attendrie des visages des Mages tendus vers l'Enfant blond font de ce panneau une œuvre exceptionnelle. Isabelle Brant, première femme de Rubens, a posé pour la figure de la Vierge.

En suivant le flanc gauche de l'église, on atteint la Frederik de Merodestraat.

Hof van (Hôtel de) **Busleyden** (**BY M²**) – 16ᵉ s. Dominé par sa tourelle, ce palais de brique, qui s'élève au fond d'une cour ornée de pelouses et bordée d'arcades, fut construit pour un conseiller de Charles Quint. Il abrite l'école de carillon et le musée communal.

Gagner le Veemarkt (marché au bétail) et la Befferstraat.

St.-Pieter-en-Pauluskerk (Église St-Pierre-et-St-Paul) (**BY**) – Belle façade baroque, restaurée.

Palais van Margaretha van Oostenrijk (Palais de Marguerite d'Autriche) (**BY J**) – Exécuté par Rombaut Keldermans au début du 16ᵉ s., cet édifice devint palais de justice en 1796. Ses bâtiments Renaissance encore imprégnés de style gothique s'ordonnent autour d'une jolie cour à arcades.

MECHELEN

0   300 m

A - Schepenhuis	**J** - Paleis van Margaretha van Oostenrijk
D - Oude refugiehuis van de abdij van St.-Truiden	**K** - Huis De Zalm
E - Oude huizen	**M¹** - Koninklijke Manufactuur van Wandtapijten Gaspard De Wit
F - Uitzicht	**M²** - Hof van Busleyden
H - Stadhuis	

AUTRES CURIOSITÉS

IJzerenleen (Bailles de Fer) (AY) – Cette longue place servant de marché doit son nom aux balustrades (« bailles ») en fer forgé qui protégeaient l'ancien canal au 16e s. De belles façades restaurées l'encadrent.

Zoutwerf (Quai au Sel) (AZ) – On remarque sur ce quai d'intéressantes façades et en particulier celle de la **maison du Saumon (De Zalm)** (**AZ K**), bâtie au 16e s. pour la corporation des poissonniers. Au-dessus de la porte, la pierre de façade représente un saumon doré.

Brusselsepoort (Porte de Bruxelles) (AZ) – Unique vestige de l'enceinte du 14e s., cette porte est flanquée de deux tours dont les toits pointus datent du 17e s.

Kerk van O.-L.-Vrouw o/d Dijle (Église N.-D.-au-delà-de-la-Dyle) (AZ) ⊘ – Cette église abrite un triptyque de Rubens, *la Pêche miraculeuse*.

Haverwerf (Quai aux Avoines) (AY) – Face au marché aux Poissons (Vismarkt), près d'un petit pont, subsistent trois pittoresques **maisons anciennes** (**AY E**) : la maison St-Joseph, au pignon à volutes, la maison du Diable, en bois, décorée de cariatides, et la maison du Paradis, dont les tympans représentent Adam et Ève.

EXCURSIONS

Fort van Breendonk ⊙ – *12 km à l'Ouest par Willebroek.*
Ce fort (Mémorial national) fut construit entre 1906 et 1914 pour compléter la défense d'Anvers. Bombardé en 1914, il fut le dernier fort d'Anvers à se rendre aux Allemands. En mai 1940, il fut choisi par l'armée belge comme G.Q.G. (le roi Léopold III y séjourna), mais l'avance allemande ayant obligé les troupes à se replier sur le littoral, le fort dut être abandonné. De septembre 1940 à août 1944, les nazis y établirent un « camp de réception », en fait un véritable camp de concentration : y furent emprisonnés au total près de 4 000 personnes dont une partie fut déportée.
Un circuit fléché, accompagné par endroits par des témoignages enregistrés, fait traverser les chambrées de prisonniers, la salle de torture, les dortoirs installés dans les baraquements, l'enclos des exécutions d'otages et le gibet des condamnés à mort. La documentation du petit musée évoque les deux guerres mondiales, la vie dans le camp de Breendonk et dans d'autres établissements répressifs nazis.

De Malines à Elewijt – *12 km en sortant par Leuvensesteenweg* (**BZ**).

Muizen – Au Sud, le **parc zoologique de Plankendael**★★ ⊙, vaste jardin d'une quarantaine d'hectares, fleuri et planté de beaux arbres, abrite près de 1 000 animaux.
On y trouve des espèces rares ou menacées d'extinction, des volières d'oiseaux exotiques et des étangs fréquentés par des oiseaux aquatiques.

Hofstade – Immense parc récréatif de près de 150 ha aménagé autour de deux lacs et doté d'une réserve ornithologique.

Elewijt – A l'Ouest se trouve le **château Het Steen** ⊙, où Rubens passa les 5 dernières années de sa vie (1635-1640). Il conserve une jolie façade Nord, avec pignons à redans, ainsi qu'un donjon du 13ᵉ s.

Keerbergen et Tremelo – *23 km à l'Est en sortant par la Nekkerspoelstraat* (**BY 52**).

Keerbergen – Dans la Campine brabançonne, c'est un agréable centre de villégiature dont les villas luxueuses se disséminent parmi les bois de pins.

Tremelo – Le **musée du Père Damien** (Pater Damiaanmuseum) a été aménagé dans la maison natale de ce missionnaire (1840-1889) qui mourut en soignant les lépreux des îles Hawaii à Molokai. Une collection d'objets lui ayant appartenu et un montage audio-visuel en plusieurs langues évoquent sa vie.

La MEUSE NAMUROISE★★

Namur

Cartes Michelin nᵒˢ 409 H 5, 4, I 4 et 213 plis 20, 21 et 214 pli 5.

La Meuse naît en France, à 409 m d'altitude, et traverse la Belgique et le Sud des Pays-Bas, parcourant 950 km avant de se jeter dans la mer du Nord.

La Meuse namuroise – C'est lorsqu'elle traverse la province de Namur que la Meuse effectue son tracé le plus pittoresque. Son cours déjà puissant s'est frayé un sillon à quelque 300 m d'altitude et s'abaisse progressivement vers le Nord. Comme la plupart des cours d'eau belges, la Meuse suit d'abord la direction Sud-Nord. Elle forme soudain à Namur un coude prononcé : rencontrant un couloir, elle s'y est insinuée. La variété du paysage manifeste la nature du sol : les pentes de schiste boisées alternent avec les roches dures (calcaires, grès) qui, mises à nu, encadrent la rivière, formant de magnifiques escarpements, d'étroites lames, des aiguilles effilées, ou souvent de profondes grottes. Tous ces rochers sont hantés par les amateurs d'escalade. De nombreux chalands animent les eaux du fleuve rendues accessibles aux unités de 1 350 t (gabarit international) en aval de Givet et de 2 000 t de Hermalle-s/s-Huy à Liège.

Les quatre fils Aymon – Depuis la célèbre chanson de geste Renaud de Montauban, les exploits de Renaud, Alart, Guichard et Richard fuyant, sur leur magnifique **cheval Bayard,** la haine de Charlemagne, dont Renaud avait tué le neveu, ont défrayé bien des chroniques. Les quatre fils du duc Aymes de Dordogne ne se réfugient qu'un temps en Ardenne, au bord de la Meuse, à Château-Regnault, en France, mais les lieux qui évoquent leur légende y sont légion, notamment le long de la Meuse namuroise.

Promenades en bateau, voir Dinant, Huy et Namur.

★★① DE HASTIÈRE-LAVAUX A NAMUR

80 km – compter 1 journée – schéma ci-contre.

D'imposantes parois rocheuses et, perchées au sommet, les ruines de plusieurs châteaux forts donnent à ce trajet un caractère romantique. La présence de ces forteresses souligne l'importance stratégique de la vallée. Axe traditionnel de circulation Sud-Nord, elle a subi de nombreuses invasions dont l'une des plus désastreuses fut, en 1554, celle du roi de France **Henri II**, en lutte contre Charles Quint.

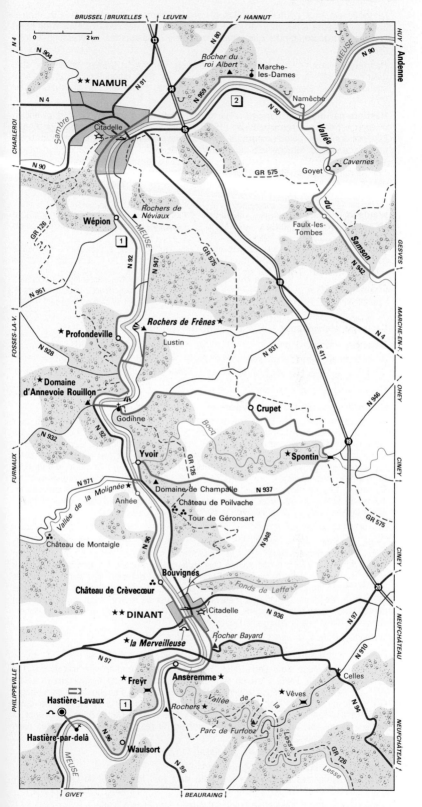

*Avec ce guide, voici les **cartes Michelin** qu'il vous faut :*
n⁰ˢ 212, 213, 214, et 215.

La vallée est plus peuplée que les plateaux d'alentour (Condroz à l'Est, Entre-Sambre-et-Meuse à l'Ouest) ; au pied du décor sauvage des roches s'étalent de nombreuses bourgades, tandis que villas, hostelleries, guinguettes se pressent le long des rives.

Hastière-Lavaux – Les **grottes du Pont d'Arcole** ⊙ *(rue d'Anthée)* possèdent cinq galeries ornées de concrétions et un puits au fond duquel coule une rivière souterraine. La galerie supérieure est ornée de fines stalactites, certaines d'un blanc très pur.

Hastière-par-delà – « Par-delà » la Meuse, l'**église Notre-Dame**, vestige d'un ancien prieuré, est de style roman mosan (1033-1035), à l'exception du chœur, gothique. Elle présente des points communs avec St-Hadelin de Celles : importante tour-porche, arcatures lombardes, nef à plafond de bois, grandes arcades sur piliers carrés.

Les stalles du 13ᵉ s. sont sculptées de motifs très variés. Les fonts baptismaux datent du 14ᵉ s. La **crypte**, romane, contient deux sarcophages mérovingiens.

Regagner la rive gauche.

Waulsort – Petit centre de villégiature dans un site agréable. De l'importante abbaye de Waulsort fondée au 11ᵉ s., il reste le château actuel, ancien palais abbatial.

Bientôt le lit du fleuve se rétrécit et sur la rive opposée apparaissent de beaux rochers gris tourmentés qui plongent leur abrupt dans la Meuse. Ce sont les célèbres **rochers de Freÿr★**, fief de l'école d'escalade du Club Alpin Belge.

★**Château de Freÿr** – *Voir à ce nom.*

On aperçoit bientôt le prieuré du Viel Anseremme qui se dresse, parmi de beaux arbres, dans la boucle du fleuve.

★**Grotte la Merveilleuse** – *Voir à Dinant.*

★★**Dinant** – *Voir à ce nom.*

Au-delà du Rocher Bayard, sur la rive droite, on atteint au Sud Anseremme.

★**Anseremme** – *Voir à Dinant, excursions.*

Revenir à Dinant et traverser la Meuse.

Bouvignes et château de Crèvecœur – *Voir à Dinant, excursions.*

Au-dessus du village de Houx, on aperçoit les ruines de la **tour de Géronsart**, puis celles du **château de Poilvache** ⊙, à 125 m au-dessus de la Meuse. Détruit par les Liégeois en 1430, le château est envahi par la végétation. La légende attribue sa construction aux quatre fils Aymon. Appelée d'abord château d'Émeraude, cette forteresse du 10ᵉ s. prit le nom de Poilvache au 14ᵉ s., à la suite d'une ruse de guerre : des assiégés, sortis en quête de bétail, avaient été capturés par les Dinantais. Ces derniers se revêtirent les uns des vêtements des prisonniers, les autres de peaux de bêtes, et, environnés de troupeaux, pénétrèrent dans la place. Après Anhée commence la **vallée de la Molignée★** *(voir à ce nom).*

Traverser la Meuse en direction d'Yvoir.

Yvoir – Ancien centre métallurgique, c'est une villégiature appréciée pour son **île** aménagée en **centre récréatif** ⊙. On pratique la spéléologie dans les environs, au Nord. Au Sud d'Yvoir, le **domaine de Champalle** ⊙, comprend les jardins botaniques et un château. Il abrite également l'Euro Butterfly Center et ses serres tropicales aux centaines de papillons exotiques, des poissons d'eau douce et de mer, et des oiseaux multicolores. La « ferme d'élevage » permet de suivre l'évolution du papillon depuis l'œuf jusqu'à la chrysalide ; dans le jardin de vision (450 m²) on peut observer les papillons dans leur milieu naturel.

Au départ d'Yvoir, prendre une route en forte montée.

★**Spontin** – *Voir à ce nom.*

Crupet – Ce village situé entre deux vallons possède un charmant **manoir** des 12ᵉ et 16ᵉ s., entouré d'eau. C'est en fait une puissante tour carrée portant bretèche sur une face, flanquée d'une tourelle d'angle et coiffée d'un hourd à colombage. Occupé jusqu'en 1621 par les Carondelet, ce château porte les armes de cette famille franc-comtoise sur le fronton du porche d'entrée. Dans l'**église** de Crupet, à l'entrée, à gauche, se trouve la pierre tombale de ces seigneurs, représentés dans leur rigide vêtement d'apparat.

A l'entrée de Godinne, traverser la Meuse.

★**Annevoie-Rouillon** – *Voir à ce nom.*

Quelques kilomètres après Annevoie, jolie **vue★** sur le prieuré de Godinne, charmante construction du 16ᵉ s. attenante à une église au chœur gothique (16ᵉ s.).

Par le pont suivant, gagner la route de Lustin.

★**Rochers de Frênes** ⊙ – Du belvédère aménagé au sommet des rochers *(accès par le café)*, belle **vue★** sur la vallée de la Meuse et Profondeville.

Revenir sur la rive gauche.

★ **Profondeville** – Charmant centre de tourisme, agréablement situé dans un méandre de la Meuse. Sur la rive opposée se dressent les rochers de Frênes.

Wépion – Face à cette localité, centre de culture de la fraise, s'observent les imposants **rochers de Néviaux.**

On arrive à Namur (voir à ce nom) par ⑤ du plan, au pied de la citadelle.

★ ② DE NAMUR A ANDENNE *35 km – schéma p. 179*

Sur ce tronçon, la Meuse s'élargit et la vallée prend de l'ampleur ; si des rochers, témoins de roches dures, subsistent çà et là, les pentes sont en général moins escarpées. De nombreuses carrières, notamment de calcaire et de dolomie, sont exploitées sur les rives.

★★ **Namur** – *Voir à ce nom.*

Quitter Namur par ② du plan et longer la rive droite de la Meuse.

Rocher du roi Albert – Sur la gauche, on peut voir des roches qui surplombent la Meuse de 70 m. C'est là que le **roi Albert I**er trouva la mort, le 17 février 1934, dans une chute lors d'une escalade. Une croix à mi-pente indique l'endroit où fut retrouvé son corps. La forêt environnante est devenue **parc national.** Un petit **musée** rassemble des présents offerts par des pèlerins.

Marche-les-Dames – L'**abbaye N.-D.-du-Vivier** a été fondée au début du 13e s. par des Cisterciennes. Elle est occupée de nos jours par les petites sœurs de Bethléem. Les bâtiments abbatiaux datent des 13e et 18e s.

A Namêche, traverser la Meuse et prendre la N 942 vers Gesves.

Vallée du Samson – C'est une vallée verdoyante et pittoresque.

Goyet – Les **cavernes** ⊙ donnent un aperçu de la vie des grottes à l'époque préhistorique ; à côté, d'autres **grottes** ⊙ présentent de belles concrétions. Un peu avant Faulx-les-Tombes apparaît un **château** (19e s.), saisissant pastiche d'une forteresse médiévale.

Faire demi-tour et revenir à la vallée de la Meuse que l'on suit jusqu'à Andenne.

Andenne – Cette petite ville a pour origine un monastère fondé vers 690 par sainte Begge, trisaïeule de Charlemagne. Au 11e s., ce monastère devint chapitre noble de chanoinesses séculières.
C'est à Andenne qu'a débuté la **guerre de la Vache.** Un paysan avait volé une vache à un bourgeois de Ciney et fut reconnu à la foire d'Andenne alors qu'il tentait de restituer la vache à son propriétaire. Il fut arrêté puis pendu par les hommes de Ciney. En représailles le comte de Namur, dont le paysan était l'un des sujets, vint, aidé des Luxembourgeois, assiéger Ciney. Le prince-évêque de Liège, souverain de Ciney, appela à l'aide les Dinantais. La guerre dura 2 ans et ravagea le Condroz.

Collégiale Ste-Begge – Édifiée au 18e s. d'après les plans de Dewez, elle a remplacé les sept églises que comptait le monastère ; elle contient le tombeau gothique de la sainte, en pierre bleue *(chapelle à gauche du chœur).* Le **musée** ⊙ de la collégiale abrite le trésor des chanoinesses : peintures, sculptures, parchemins et la châsse de sainte Begge (vers 1570-1580), finement ciselée.

Château de MODAVE★

Liège
Cartes Michelin nos 409 l 4 et 214 pli 6.

L'arrivée sur le château de Modave montre l'importance de ses bâtiments, mais ne laisse pas deviner son site en surplomb sur le Hoyoux. Ce château, dont certaines parties (le donjon) remontent au 13e s., est pour son aspect actuel l'œuvre du comte de Marchin qui le restaura et l'aménagea entre 1652 et 1673. Il fut ensuite la propriété du prince-évêque de Liège, du duc de Montmorency et d'autres familles avant d'être acquis par la Compagnie Intercommunale Bruxelloise des Eaux en 1941. Cet achat était lié au captage des eaux, qui servent à alimenter Bruxelles, sur le domaine du château. C'est à Modave que fut construite par Rennequin Sualem, en 1667, la roue hydraulique qui servit de modèle à la machine de Marly.

VISITE ⊙

La façade classique est précédée d'une vaste cour d'honneur. A l'intérieur, on visite des pièces élégamment meublées. On remarquera les extraordinaires stucs polychromes de **Jean-Christian Hansche.** Ceux de la salle des gardes représentent l'arbre généalogique des comtes de Marchin avec tous leurs blasons, ceux de l'appartement d'Hercule décrivent les travaux du héros. De la terrasse de la chambre du duc de Montmorency, belle **vue★** sur la vallée du Hoyoux en contrebas. A l'étage, chambre de la duchesse de Montmorency qui fut propriétaire du château à la fin du 18e s. Dans les caves : maquette de la roue hydraulique.

ENVIRONS

Bois-et-Borsu – *7 km au Sud-Est.*
L'**église romane de Bois** ⊙ (10ᵉ s.) a conservé sur les voûtes et les murs du chœur et de la nef principale de belles **fresques★** (fin 14ᵉ-début du 15ᵉ s.) illustrant le couronnement de la Vierge, la vie du Christ et les légendes de saint Lambert et de saint Hubert.
A 3,5 km de Bois-et-Borsu, le village d'**Ocquier** groupe ses maisons de pierre grise autour de l'église romane St-Remacle.

Vallée de la MOLIGNÉE★

Namur
Cartes Michelin nᵒˢ 409 H 5 et 214 plis 4, 5 – Schéma p. 179.

La Molignée est un petit cours d'eau qui s'écoule dans une charmante vallée champêtre et boisée avant de se jeter dans la Meuse. Les villages aux maisons de pierre bleue se succèdent. Plusieurs abbayes ont choisi ses coteaux pour s'établir.

D'ANHÉE A FURNAUX *24 km – environ 4 h*

Château de Montaigle – Les ruines de cette forteresse détruite en 1554 par Henri II se dressent sur une butte escarpée.
A l'ancienne gare de Falaën, prendre à gauche.

Château-ferme de Falaën ⊙ – Autrefois entouré de fossés et défendu par un pont-levis, ce bâtiment du 17ᵉ s. construit en brique et en pierre calcaire forme un quadrilatère fermé à chaque angle par une tour élancée. A l'intérieur, petit musée sur les confréries et expositions temporaires.

Abbaye de Maredsous ⊙ – Elle a été fondée en 1872 par des bénédictins. C'est un vaste ensemble de style néo-gothique situé sur un plateau boisé dominant la vallée. Les moines, en dehors de leurs heures de prière, ont les activités les plus diverses : enseignement, informatique, recherches théologiques mais aussi hôtellerie, fromagerie, librairie, etc.

Maredret – Ce village où se trouve également une abbaye est spécialisé dans l'artisanat.

Ermeton-sur-Biert – L'ancien château qui domine le site très boisé de ce bourg a été transformé en couvent.
Après la gare, tourner à droite et passer sous la voie ferrée.

Furnaux – L'église abrite de magnifiques **fonts baptismaux★**, exécutés vers 1135-1150. La cuve romane de style mosan supportée par quatre lions est ornée de scènes de l'Ancien et du Nouveau Testament, en particulier le Baptême du Christ.

MONS★

Hainaut Ⓟ
77 021 habitants
Cartes Michelin nᵒˢ 409 E 4 et 214 pli 2.
Plan d'agglomération dans le guide Michelin Benelux.

Mons, capitale du Hainaut, dont le beffroi marque l'importance, est, à proximité de la frontière française, le grand centre commercial du **Borinage**. Le pittoresque de ses vieilles rues pavées et montueuses, bordées d'élégantes demeures des 17ᵉ et 18ᵉ s., ne manque pas d'attrait.
Au 16ᵉ s., Mons voit naître le sculpteur et architecte **Jacques Du Brœucq** (vers 1510-1584) et le musicien **Roland de Lassus** (1532-1594).
Verlaine, emprisonné à Mons pour avoir tiré sur son ami Rimbaud *(voir à Bruxelles),* y a écrit *Romances sans paroles* et quelques fragments de *Sagesse*.
Depuis 1971, Mons est le siège d'une Université de l'État comprenant cinq facultés, dont une École d'interprètes internationaux. La ville possède également une École polytechnique et une Faculté catholique en sciences économiques appliquées (FUCAM).
Au Nord, à Péronnes-lez-Antoing, le lac Grand Large a été aménagé en centre nautique pour les loisirs.

Histoire – Mons, comme l'indique son nom, tient son origine d'une éminence. Elle se développe autour d'un monastère fondé en 650 par une noble dame, sainte Waudru, au pied des ruines d'une forteresse.
Les comtes de Hainaut firent construire un château à l'emplacement de celles-ci.

...onnut sa plus grande splendeur au Moyen Âge et sous Charles Quint grâce à ...nufactures de draps. Mais sa position stratégique, aux limites de la France, lui ...d'être plusieurs fois assiégée, surtout aux 17e et 18e s. C'est ainsi qu'en 1691 ...oupes de Louis XIV s'emparent de la ville après un siège de trois semaines qui ...particulièrement destructeur ; de ce fait, le style de la plupart des maisons date de ...e époque.

Jemappes *(5 km à l'Ouest)*, en 1792, Dumouriez remporta sur les Autrichiens une ...ctoire qui livra momentanément le pays à la France.

Mons est devenu un véritable symbole de la guerre de 1914-1918 pour l'Empire britannique. C'est sous ses murs que l'armée du général French arrêta les Allemands de Von Kluck pendant 48 h. A l'aube du 11 novembre 1918, les Canadiens libéraient la ville après trois jours de féroces combats.

Les bombardements de l'aviation de 1940-1945 causèrent la destruction de plusieurs quartiers.

En 1967, le SHAPE, commandement suprême des Forces alliées en Europe, s'est installé sur le territoire des communes de Maisières et de Casteau, au Nord-Est.

Les Festivités de la Ducasse – Chaque année, le dimanche de la Trinité (qui suit la Pentecôte), se déroule la Procession du Car d'Or, où confréries et corporations des différentes paroisses, ainsi que des groupes historiques évoquant la Renaissance, défilent à travers la ville afin d'escorter les reliquaires ou statues de leurs saints patrons. Ce défilé se termine par l'apparition du char processionnel de Sainte Waudru transportant les reliques de celle-ci.

Cette procession sera suivie du Lumeçon, vestige d'un « jeu médiéval » opposant Saint-Georges à un dragon. Le combat, mettant en scène divers personnages et animaux parfois étranges (les chinchins), se déroule au son de « l'air du doudou », et s'achève par la victoire du Bien contre le Mal.

★★ COLLÉGIALE STE-WAUDRU (Z) *visite : 1 h*

C'est à l'emplacement même du modeste monastère fondé par Sainte Waudru qu'entre 1450 et 1686 fut bâti cet imposant édifice de style gothique brabançon. Le chapitre noble des chanoinesses de Ste-Waudru confia cette tâche à **Mathieu de Layens** *(voir à Leuven)*.

Elle présente un extérieur imposant, un peu trapu, car la tour de façade prévue à l'Ouest, dont la hauteur devait atteindre 190 m, n'a jamais été terminée et ne dépasse pas la toiture de la nef. L'ensemble est bordé de 29 chapelles.

Intérieur – *Accès par le portail Sud.*

La vaste nef (108 m) s'élève sur trois niveaux et possède des piliers fasciculés atteignant d'un seul jet la voûte en brique. Un **jubé** en albâtre, exécuté au 16e s., dans le style de la Renaissance italienne par Jacques Du Brœucq, a été démoli en 1797 : les statues et bas-reliefs ayant échappé à la destruction sont dispersés dans la collégiale (chapelles, bras du transept, maître-autel et trésor).

Au revers de la façade, à l'avant de la tribune supportant les orgues (18e s.), on voit le **Car d'Or** (1781), carrosse qui porte, lors de la procession annuelle, la châsse (19e s.) de Sainte Waudru.

Le **chœur** est entouré de sept splendides **statues allégoriques★** en albâtre exécutées par Du Brœucq : les quatre vertus cardinales et les trois vertus théologales (1545) d'une grâce très étudiée, ainsi qu'un splendide Saint Barthélemy (1574).

Le Car d'Or dans la collégiale Ste-Waudru

MONS

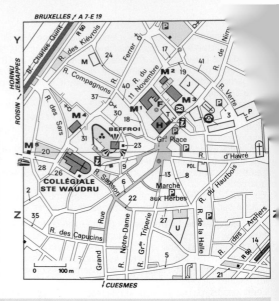

F - Jardin du Mayeur
H - Hôtel de ville
M¹ - Musées du Centenaire
M² - Musée de la Vie montoise
M³ - Musée des Beaux-Arts
M⁴ - Le Vieux Logis
M⁵ - Musée François Duesberg

Les fenêtres hautes du chœur sont ornées de beaux vitraux des 16ᵉ et 17ᵉ s. parmi lesquels les cinq « verrières impériales » offertes par Maximilien d'Autriche et réalisées par le peintre verrier montois Claix Eve.

Dans la 1ʳᵉ chapelle à droite du **déambulatoire**, « Les Féries », un retable gothique en pierre, du 16ᵉ s. (registre supérieur) ; dans la 12ᵉ chapelle, un beau retable en marbre noir et albâtre de Du Brœucq (1549) surmonté d'une harmonieuse statue de Marie-Madeleine entourée de statuettes des Évangélistes. Au mur de la 3ᵉ chapelle du bas-côté droit, un beau Christ Salvator en albâtre du même artiste.

Trésor ⊘ – Situé dans l'ancienne salle capitulaire des chanoinesses, il contient d'intéressants objets d'art religieux du 13ᵉ au 19ᵉ s., dont la plupart portent les poinçons d'orfèvres montois attitrés du Chapitre noble : ornements liturgiques, pièces d'orfèvrerie parmi lesquelles on remarque un reliquaire de saint Vincent en vermeil (13ᵉ-14ᵉ s.), un autre Saint-Éloi, orfèvrerie parisienne de 1396. Un très beau bijou ayant appartenu à sainte Waudru, appelé « Benoîte affique », date de l'époque mérovingienne. Il est constitué d'une pierre antique sur laquelle apparaissent trois rois mages stylisés en intaille. Depuis 1994, on peut également admirer une pièce remarquable : un linceul (10ᵉ s.), orné de bandes de tapisseries, qui a enveloppé le corps de la sainte.

Une petite salle annexe renferme des sculptures de petite taille de Jacques Du Brœucq.

AUTRES CURIOSITÉS

★ **Beffroi** (Y) – *Illustration p. 25.* Il est bâti au sommet de la ville dans le charmant square du Château d'où se dégagent de belles échappées et où se remarquent des vestiges des murs d'enceinte (11ᵉ-12ᵉ s.) du **Château des comtes de Hainaut** (12ᵉ s.) et de la chapelle castrale St-Calixte dont la crypte date de l'époque romane (11ᵉ s.).

Le **beffroi,** haut de 87 m, est le seul de style baroque en Belgique (1661-1674). Il est couronné de gracieux bulbes et d'une lanterne ajourée dévoilant un beau panorama. Le carillon compte 47 cloches et un gros bourdon de 5 t.

Hôtel de ville (Y H) ⊘ – Situé sur la Grand-Place, il a été édifié en 1458. A la mort de Charles le Téméraire (1477), la construction s'interrompt faute d'argent. Elle fut reprise du 16ᵉ au 19ᵉ s. La belle façade gothique surmontée d'un campanile est flanquée de deux pavillons du 17ᵉ s. à fronton à volutes.

Près de la porte principale, le « singe du Grand-Garde », figurine en fer forgé d'origine mystérieuse, a la tête polie par les caresses des personnes désirant s'assurer le bonheur. Sous le porche, remarquer les clés de voûte sculptées, du 15ᵉ s., agrémentées de scènes symbolisant les fonctions judiciaires des échevins.

A l'**intérieur**, on visite de nombreuses salles de différentes époques, ornées d'un beau mobilier, de tableaux et de tapisseries. Dans la salle gothique au 1ᵉʳ étage, les poutres s'appuient sur de belles consoles sculptées. De la pièce voisine, on découvre la voûte gothique (édifiée au 17ᵉ s.) de l'ancienne chapelle St-Georges, occupée par des expositions temporaires.

n du Mayeur (Maire) (Y F) – Derrière l'hôtel de ville, ce jardin est l'ancien ver-
t basse-cour des échevins. Il forme un joli cadre à des bâtiments anciens dont
, le Mont-de-Piété (17ᵉ s.), abrite les musées du Centenaire. La fontaine du
pieur (ou farceur), sculptée par Gobert, représente un jeune garçon aspergeant
s passants avec l'eau de la fontaine.

Musées du Centenaire (Y M¹) ⊘ – Ils se composent d'un musée de la Guerre,
d'un musée d'Archéologie préhistorique et gallo-romaine, d'un musée de Numismatique et surtout d'un **musée de Céramique** qui contient des pièces du 17ᵉ au 20ᵉ s.
Remarquer la production de Delft, St-Amand-les-Eaux (France) et Bruxelles.

★ **Musée du Folklore et de la Vie montoise (Maison Jean Lescarts) (Y M²)** ⊘ – La
maison Jean Lescarts, isolée au fond d'un jardin lapidaire et accessible par un
escalier, est un charmant édifice de 1636, ancienne infirmerie d'un couvent.
L'intérieur évoque, par son mobilier, sa décoration rustique, ses collections, sa
documentation, l'histoire et la vie traditionnelle de la région.

Musée des Beaux-Arts (Y M³) ⊘ – Des œuvres d'art du 16ᵉ s. à nos jours y sont
présentées par roulement et chaque année y sont organisées d'importantes
expositions temporaires.

Le Vieux Logis et la chapelle Sainte-Marguerite ou **musées Chanoine-Puissant**
(Y M⁴) – Avant sa mort en 1934, le chanoine Puissant, grand amateur d'art, avait
rassemblé de riches collections hétéroclites : meubles anciens, statues, orfèvrerie,
dessins, réunies dans une petite maison du 16ᵉ s., ainsi qu'à quelques pas, dans la
chapelle Ste-Marguerite, bâtiment roman du 13ᵉ s. C'est dans cette chapelle de
l'ancien cimetière paroissial de Ste-Waudru (appelé Attacat) qu'a été inhumé le
chanoine.

★ **Musée François Duesberg (YZ M⁵)** ⊘ – Installé dans les anciens bâtiments de la
Banque nationale, l'intérieur de ce musée a été sobrement aménagé afin de faire
ressortir l'éclat de la très belle collection de pendules dites « au nègre » ou « au
bon sauvage » (1795-1815) exécutées par les meilleurs fondeurs-ciseleurs pari-
siens. C'est de l'engouement pour l'exotisme d'écrivains comme Daniel Defoe
« Robinson Crusoé » (1719), Bernardin de Saint-Pierre « Paul et Virginie » (1787),
ou Chateaubriand « Atala » (1801), ainsi que sous l'influence des écrits philoso-
phiques de Jean-Jacques Rousseau que naîtra l'inspiration créatrice. Dix corps de
métiers différents devaient s'associer pour la création d'une seule pendule dont les
bronzes étaient soit patinés (noir), soit dorés. Remarquer « Paul et Virginie » qui
aurait été commandée en 1802 au bronzier parisien Pierre-Philippe Thomire par
Bonaparte pour être offerte à l'écrivain dont il admirait le roman.
Le musée se veut également didactique : deux vitrines sont consacrées à l'évolution
des techniques de l'horlogerie et les pendules sont accompagnées de tableaux,
gravures, livres,... inspirés des mêmes thèmes.

ENVIRONS

Cuesmes – *3,5 km au Sud. Partir de la Grand-Rue.*
Dans un joli site champêtre s'élève la **maison de Van Gogh** ⊘ où l'artiste habita en
1879 et 1880 parmi une famille de mineurs, les Decrucq. Il était arrivé en
décembre 1878 dans le Borinage pour pratiquer l'apostolat. A Cuesmes, il com-
mença à dessiner la campagne et la vie des mineurs. On peut voir sa chambre
reconstituée et la salle de documentation où est présenté un spectacle audio-visuel.

Le Grand-Hornu – *Voir à ce nom.*

Blaugies – *20 km au Sud-Ouest de Mons.*
L'**église** renferme un petit retable du 15ᵉ s. en bois polychrome représentant une
Mise au tombeau d'une facture mouvementée et des fonts baptismaux du 12ᵉ s. sur
une face desquels figurent des dragons mordant une grappe de raisin.

Roisin – *30 km au Sud-Ouest de Mons.*
Au Nord du village, près du **Caillou-qui-bique** s'élève la **maison de Verhaeren** *(p. 211)* où
l'écrivain vécut, en compagnie de sa femme Marthe, les dernières années de sa vie
de 1900 à 1916. Dans la cour de l'auberge du Caillou, petit **musée Verhaeren** ⊘
comprenant en particulier la reconstitution du cabinet de travail du poète.

Participez à notre effort permanent de mise à jour.
Adressez-nous vos remarques et vos suggestions :
PNEU MICHELIN BAND
33, Quai de Willebroek - Willebroekkaai 33
1000 Bruxelles - 1000 Brussel
Tél (02) 203 61 00

NAMUR ★★

Namur ⓟ – 97 845 habitants
Cartes Michelin n°s 409 H 4 et 214 pli 5 – Schéma p. 179.

Sa position au confluent de la Sambre et de la Meuse, que franchit le beau po[nt] Jambes, en a fait une place militaire de premier ordre. Dominée par son énorme [cita]delle couvrant la colline du Champeau, Namur est groupée autour de nombre[uses] églises. C'est de nos jours une prospère cité, dont commerce et administration sont [les] activités principales, et un centre touristique. Ses Facultés universitaires N.-D.-de-[la] Paix, fondées en 1831, sont réputées. Namur est actuellement la capitale politique d[e] la Wallonie ; le parlement wallon y siège.

Une ville maintes fois assiégée – L'histoire du comté de Namur est essentiellement guer-rière. Sa situation stratégique valut à la ville de subir une multitude de sièges. Dès l'époque romaine, César vint y investir les Aduatuques qui s'y étaient réfugiés. En 1577, le château est pris par Don Juan d'Autriche. A partir de la fin du 17e s., les attaques se succèdent. Le siège de 1692 dirigé par Vauban en présence de Louis XIV a un grand retentissement. La prise de la ville est célébrée par des odes pompeuses de Boileau et Racine, historiographes du Grand Roi, et par le pinceau de Van der Meulen, son peintre officiel. Vauban renforce les fortifications, mais la ville est reprise en 1695 par Guillaume III d'Orange.

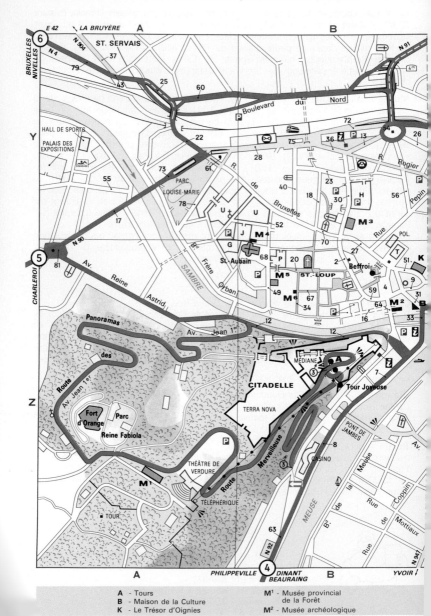

A - Tours
B - Maison de la Culture
K - Le Trésor d'Oignies
M¹ - Musée provincial de la Forêt
M² - Musée archéologique

46, ce sont les armées de Louis XV qui investissent la ville. Celle-ci en 1748 est
ue à l'Autriche et l'empereur Joseph II démolit ses fortifications.

2 : les révolutionnaires s'emparent de Namur dont ils sont chassés l'année suivante
les Autrichiens. Le dernier siège de la ville, en 1794, la rend aux Français.

n 1815, après Waterloo, l'arrière-garde du corps de Grouchy, installée à Namur, pro-
égea brillamment la retraite du gros des forces du maréchal vers la vallée de la Meuse
et de Givet-Charlemont. En 1816, les Hollandais reconstruisent la citadelle.

Pendant la guerre de 1914-1918, la ceinture de forts, construits à la fin du 19e s.,
opposa une héroïque résistance à l'ennemi. Cependant la ville fut envahie et, en outre,
pillée et incendiée en partie le 23 août 1914. Prise en mai 1940, Namur fut touchée
jusqu'en 1944 par plusieurs bombardements.

Les fêtes – Tous les ans, les **fêtes de Wallonie** *(voir le chapitre des Renseignements pratiques en fin de volume)* permettent d'admirer plusieurs groupes folkloriques traditionnels. Les **échasseurs**, dont l'existence est connue depuis le 15e s., participent, vêtus
en costumes du 17e s., à des combats sur échasses. Le bataillon des Canaris s'était dis-
tingué durant la Révolution brabançonne.

Promenades sur la Meuse ⊘ – Des promenades en bateau sont organisées sur la
Meuse vers Dinant et vers Wépion.

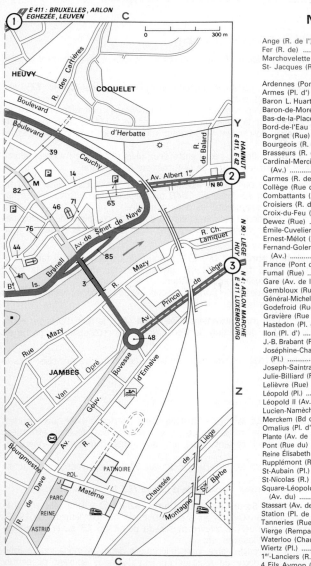

NAMUR

M³ - Musée des Arts anciens et du Namurois
M⁴ - Musée diocésain
et trésor de la Cathédrale
M⁵ - Musée de Croix
M⁶ - Musée Félicien Rops

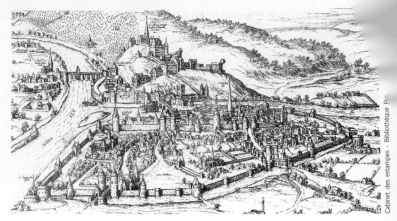

Cabinet des estampes - Bibliothèque Ro...

Namur, gravure (1575) de Frans Hogenberg

★ LA CITADELLE (BZ) *visite : 1 h 1/2*

Accès par la route Merveilleuse (1,5 km) ou par un téléphérique ☉ partant au pied de la Citadelle.

Route Merveilleuse – On découvre, à droite en montant, la **tour Joyeuse** (**BZ**), vestige de l'ancien château des comtes.

A la pointe Nord-Est de l'éperon rocheux, dans un virage, une terrasse offre un magnifique **panorama★★** sur la vallée de la Sambre et de la Meuse. Non loin, sur la gauche, un petit chemin descendant vers Namur surplombe les toits d'ardoise et les nombreux clochers.

La route atteint ensuite le **Donjon**, passe entre deux **tours** (**BZ A**) de l'ancien château et franchit le fossé isolant le Donjon de la forteresse de Mediane.

Domaine fortifié ☉ – Le bastion de Mediane, dont la construction date de la fin du 15e s. et du 16e s., fut renforcé en 1640 par celui de Terra Nova réalisé par les Espagnols. Un large fossé sépare les deux appareils.

La visite du domaine fait découvrir l'architecture défensive complexe de chacun des bastions, tant à l'extérieur *(bornes sonores)* qu'à l'intérieur, avec la traversée *(guidée)* de deux souterrains.

Musée provincial de la forêt (**AZ M¹**) ☉ – Entouré de beaux arbres, il fait découvrir la flore et la faune forestières. Un grand diorama sonorisé de la forêt d'Ardenne retiendra particulièrement l'attention.

A l'étage sont présentées des collections d'insectes exotiques, parmi lesquelles celle des papillons qui est remarquable.

Fort d'Orange – Près du **parc d'attractions Reine-Fabiola** (**AZ**), le fort d'Orange, édifié en 1691 afin de protéger le bastion de Terra Nova, fut reconstruit en partie en 1816 par les Hollandais.

Route des Panoramas (**AZ**) – Cette route sinueuse descend à travers bois, vers le centre de la ville.

★ LE CENTRE *visite : 1/2 journée*

★ **Musée archéologique** (**BZ M²**) ☉ – Installé dans l'ancienne halle aux viandes, bel édifice du 16e s., ce musée expose le produit des fouilles effectuées dans la province, particulièrement riche en antiquités romaines et mérovingiennes.

L'art de la bijouterie et de la verrerie du 1er au 7e s. y est représenté par de magnifiques spécimens.

En arrière du musée se dresse la **maison de la Culture** (**BZ B**), édifiée en 1964.

★★ **Le trésor d'Oignies aux Sœurs de Notre-Dame** (**BZ K**) ☉ – Une salle abrite le très riche **trésor** du prieuré d'Oignies qui a été sauvé des bombardements de 1940. On y voit les œuvres d'un délicat orfèvre mosan du début du 13e s., le frère **Hugo d'Oignies** : évangéliaires, reliquaires, etc.

La finesse du travail est remarquable, particulièrement dans les médaillons à fond noir, les filigranes et le décor du feuillage où l'on distingue souvent de petites ènes de chasse.

ssé le théâtre, on aperçoit à gauche la **tour St-Jacques** (**BZ**). Utilisée comme **beffroi** uis le 18e s., elle est surmontée d'un clocheton octogonal.

...usée des Arts anciens et du Namurois (BY M³) ⊘ – Ce musée, installé dans ...ôtel de Gaiffier d'Hestroy, élégante demeure du 17ᵉ s., rassemble de belles pièces ...roduites par l'art régional du Moyen Âge à la Renaissance.

La collection d'orfèvrerie est particulièrement riche ; on peut y voir notamment de beaux reliquaires d'art mosan.

De nombreuses sculptures sur pierre (fonts baptismaux, tombeau), sur bois (retables, statues), des objets de dinanderie témoignent de l'intérêt de la production artistique de la région de Namur. On admire également quatre beaux paysages de Henri Blès, du début du 16ᵉ s. *(p. 122)*.

★ **Église St-Loup (BZ)** ⊘ – Ancienne église du collège des Jésuites, actuellement Athénée royal (lycée), c'est un remarquable monument de style baroque, construit de 1621 à 1645 sur des plans de Pierre Huyssens. Des colonnes annelées, surmontées d'un entablement de marbre rouge et noir, supportent des voûtes en pierre de sable montrant un abondant décor en haut-relief. On admire également le riche mobilier.

Cathédrale St-Aubain (BYZ) – Cet édifice de style classique, surmonté d'un dôme, a été construit en 1751 par l'architecte italien Pizzoni, à l'emplacement de l'ancienne collégiale St-Aubain, fondée en 1047. L'intérieur renferme de belles œuvres d'art baroque, provenant pour la plupart d'églises ou abbayes de la région, tels les tableaux de l'école de Rubens surmontant les stalles provenant de l'église St-Loup.

En face de la cathédrale s'élève l'ancien palais épiscopal du 18ᵉ s., occupé par le Gouvernement provincial.

★ **Musée diocésain et trésor de la cathédrale (BYZ M⁴)** ⊘ – Situé à droite de la cathédrale, le musée conserve une belle collection d'objets du culte : précieuse couronne-reliquaire, avec écrin décoré de disques d'émail (vers 1210), autel portatif orné de plaques d'ivoire (11ᵉ-12ᵉ s.), bras-reliquaire de saint Adrien (vers 1235), statue de saint Blaise (vers 1280), en vermeil, Vierge mosane (vers 1220), série rare de verres (16ᵉ-18ᵉ s.), orfèvrerie, sculptures.

★ **Musée de Croix (BZ M⁵)** ⊘ – Il est installé dans un élégant hôtel du 18ᵉ s. construit dans le style Louis XV. On visite de nombreuses salles dont la décoration s'intègre parfaitement à l'architecture : plafonds garnis de stucs, boiseries (lambris, portes, escalier d'honneur), cheminées en marbre de St-Rémy.

Remarquer les nombreuses armoires à haute corniche, ornées de panneaux rapportés, de style rocaille, caractéristiques de l'ébénisterie namuroise, et d'intéressants objets d'art régional (peintures, sculptures, faïence, verrerie, orfèvrerie).

Musée Félicien Rops (BZ M⁶) ⊘ – Ce musée est consacré à l'illustre dessinateur satirique (1833-1898) : lithographies, eaux-fortes *(les Sataniques)*, dessins, peintures.

EXCURSIONS

Franc-Waret – *12 km au Nord-Est. Sortir par ② du plan.*

Entouré de douves, le **château** ⊘ est une noble et imposante construction du 18ᵉ s., flanquée de deux ailes en retour. A l'arrière se dissimulent une tourelle et une tour carrée, vestiges du 16ᵉ s. A l'intérieur, on admire l'escalier d'honneur à double révolution, des salles ornées d'un beau mobilier, de tableaux des écoles flamande et française (portrait de Largillière), des tapisseries de Bruxelles (17ᵉ s.) d'après des cartons de P. Coecke et F. Boveman, des collections de porcelaines. La visite se termine par une salle voûtée.

De Namur à Fosses-la-Ville *18 km à l'Ouest. Sortir par ⑤ du plan.*

Floreffe – Dominant la Sambre, l'**abbaye** ⊘ fut fondée en 1121 par des Prémontrés *(voir à Averbode)* et reconstruite aux 17ᵉ et 18ᵉ s. Un petit séminaire occupe actuellement ce vaste ensemble qui s'est agrandi en 1964 d'une longue construction en béton.

La cour d'honneur qui s'ouvre en terrasse est bordée de bâtiments du 18ᵉ s. Au-delà d'un jardin, on aperçoit une tour et un bâtiment à portique, du 17ᵉ s.

L'**église-abbatiale** (13ᵉ-18ᵉ s.), flanquée d'une tour, est longue de 90 m. Au 18ᵉ s., l'intérieur a été transformé par Dewez dans le style néo-classique. Le chœur, immense, comprend les **stalles★** remarquables, taillées par Pieter Enderlin de 1632 à 1648. Une quarantaine de personnages, la plupart fondateurs d'ordres religieux, sont représentés sur les panneaux supérieurs. Les huit angelots musiciens ou chanteurs surmontant les jouées des extrémités sont particulièrement admirables.

En contrebas de l'abbaye, le moulin-brasserie, qui date du 13ᵉ s., a été transformé en auberge.

Fosses-la-Ville – Cette ville d'Entre-Sambre-et-Meuse *(voir à Charleroi)*, fondée autour d'un monastère du 7ᵉ s., a subi de nombreux sièges, surtout au 17ᵉ s.

La **collégiale St-Feuillen**, reconstruite au 18ᵉ s., est encore flanquée de sa tour romane de la fin du 10ᵉ s. On peut y voir des stalles sculptées de 1524, des sculptures de la fin du 16ᵉ s. dont une *Mise au tombeau*, le buste-reliquaire de Saint Feuillen (fin du 16ᵉ s.). A l'Est de l'église, « crypte » construite hors œuvre en 1086 : c'e... la seule de ce type conservée en Belgique.

Galerie-musée. « **Le Petit Chapitre** » à côté de l'église, autrefois résidence d'é
princes-évêques de Liège. abrite une **exposition de poupées** ⊘ folkloriques.
Les costumes des 800 figurines sont faits à la main par Lilette Arnould ; on re
naît surtout des personnages du folklore belge tels que Thyl Ulenspiegel (vo
Damme), Tchantchès (voir à Liège), des Gilles de Binche, des Chinels et les part
pants de l'impressionnante marche militaire de Saint Feuillen (voir ci-dessous).
Fosses est connue pour ses fêtes (voir le chapitre des Renseignements pratiques e
fin de volume), d'une part le cortège carnavalesque des **Chinels**, sortes de
polichinelles facétieux, d'autre part la marche militaire (voir à Charleroi) de Saint
Feuillen qui a lieu tous les sept ans, le dernier dimanche de septembre (prochaine
manifestation en 1998).

NIEUWPOORT

NIEUPORT – West-Vlaanderen
9 747 habitants
Cartes Michelin n⁰ˢ 409 B 2 et 213 pli 1.

A l'embouchure de l'Yser, c'est une ancienne place forte reconstruite après 1918 dans le
style flamand. Nieuport possède une active flottille de pêche et une « minque » importante.
Comme à Ostende, le chenal du port est protégé par deux longues digues s'avançant
loin en mer et portant deux estacades. Sur l'estacade Ouest sont suspendus des filets
de pêche carrés ou carrelets (location possible).
Nieuport est aussi une station balnéaire **(Nieuwpoort-Bad)** et un centre de sports nautiques dont le port de plaisance peut accueillir 3 000 bateaux.

Bataille de l'Yser – La région de Nieuport a été le théâtre de ce terrible épisode de
la guerre. En août 1914, les Allemands envahissent la Belgique puis la France. Arrêtés
sur la Marne par Joffre, ils attaquent aussitôt Anvers (voir à ce nom) que l'armée belge
réussit à évacuer à temps, pour se retrancher à l'Ouest de l'Yser, auprès du roi Albert
(p. 200). Elle est soutenue par des troupes françaises et britanniques. Le 16 octobre,
les Allemands s'en prennent au dernier bastion du territoire belge ; ils parviennent bientôt à franchir l'Yser à Tervate, au Nord de Dixmude. Les renforts alliés n'arrivant pas,
on fait ouvrir à Nieuport, le 28 octobre, les vannes du canal de dérivation Veurne-
Ambacht : l'inondation des polders environnants permet d'arrêter immédiatement
l'avance allemande. Alors que le front se stabilise au Sud de Dixmude jusqu'à la fin de
la guerre, les Allemands se tournent vers le saillant d'Ypres (voir à Ieper).

CURIOSITÉS

O.-L.-Vrouwekerk (Église Notre-Dame) – Sa tour édifiée en 1951 abrite un **carillon** de
67 cloches, que l'on peut entendre deux fois par semaine et pendant les **concerts** ⊘.

Koning Albertmonument (Monument au roi Albert Iᵉʳ) ⊘ – Situé près du pont de
l'Yser, ce monument circulaire est un hommage au roi dont il entoure la statue
équestre. Du sommet du monument, **vue** intéressante sur Nieuport, Ostende, l'Yser,
six écluses en éventail, et l'arrière-pays de polders (table d'orientation).

Musea (Musées communaux) – L'hôtel de ville a été reconstruit après la guerre ainsi
que la **halle** (stadshalle). Au 1ᵉʳ étage de celle-ci, une grande salle à charpente apparente abrite le **musée K.R. Berquin★** (K.R. Berquinmuseum) ⊘ où l'histoire et le folklore de la région sont évoqués d'une façon attrayante. Remarquer un diptyque
attribué à Lancelot Blondeel et représentant le port à la fin du 15ᵉ s.
Au rez-de-chaussée de l'**hôtel de ville** (entrée latérale), petit **Musée ornithologique**
(Museum voor Vogels en Schaaldieren) : grand diorama avec oiseaux et crustacés
présentés dans leur cadre naturel de rivages marins.

De IJzermonding ⊘ – Cette réserve naturelle s'étend au Nord de la station, à côté
de l'embouchure de l'Yser.

NINOVE

Oost-Vlaanderen
33 534 habitants
Cartes Michelin n⁰ˢ 409 F 3 et 213 pli 17.

Ninove a été illustrée par une abbaye de Prémontrés (p. 66), fondée au 12ᵉ s. et dont
subsiste la belle **église abbatiale** ⊘ (17ᵉ-18ᵉ s.). Entrée porte latérale droite.
Elle renferme un remarquable ensemble de **boiseries★** ; au fond de l'église se dressent
deux confessionnaux somptueux dont celui de Théodore Verhaegen (18ᵉ s., côté Nord)
montre des personnages en relief d'un baroque délicat. Le même style se retrouve dans
es lambris tapissant les bas-côtés, exécutés par le même sculpteur.
s stalles, de 1635, sont, en revanche, d'une sobre élégance. Dans le chœur, on
marque également un gracieux lutrin en marbre, orné d'angelots (18ᵉ s.).

NIVELLES★

Brabant Wallon

21 883 habitants

Cartes Michelin nᵒˢ 409 G 4 et 213 pli 18.

Reconstruite après la guerre, Nivelles est une ville élégante dont la collégiale est le pôle d'attraction.

Au 12ᵉ s., la ville s'entoure de remparts ; elle en conserve encore quelques tours comme la tour Simone (rue Seutin). L'abbaye est transformée en chapitre de chanoinesses et de chanoines sous la direction d'une abbesse. Bientôt les chanoinesses, toutes d'origine noble, mèneront un train de vie fastueux. L'abbaye est très puissante jusqu'à sa suppression en 1798.

Ravagée en mai 1940, sa collégiale et plus de 500 maisons ayant brûlé, la ville a été reconstruite. Elle tire ses ressources d'industries (constructions métallurgiques, papeteries) groupées au sein d'un parc industriel.

Un peu d'histoire – Nivelles, un des berceaux de la dynastie carolingienne, s'est développée autour d'une abbaye dédiée à saint Pierre et fondée vers 650 par Itte d'Aquitaine, femme de Pépin de Landen dit « le Vieux », maire du palais des rois d'Austrasie et ancêtre de Charlemagne. Leur fille, sainte Gertrude, deviendra la première abbesse d'une communauté religieuse mixte, qui se transformera en chapitre noble de chanoinesses et de chanoines dès le 9ᵉ s.

Traditions – Au début de l'automne se déroule le **Tour de sainte Gertrude** *(voir chapitre des Renseignements pratiques en fin de volume)* institué le jour de la saint Michel (ancien patron de la ville) dès le 13ᵉ s.

Le grand tour, long de 14 km, suit le trajet à travers champs qu'empruntait chaque jour sainte Gertrude afin de se rendre de son ermitage à l'endroit où elle prenait ses repas : le char du 15ᵉ s. portant la châsse de la sainte est tiré par six chevaux.

Au retour, la procession des géants (Argayon, Argayonne, leur fils Lolô et son cheval Godet) se joignent au cortège tout comme les chanoinesses en costumes du 17ᵉ s. Le héros local est le jaquemart Jean de Nivelles, fils de Jean de Montmorency, auquel fait allusion la chanson populaire française « Cadet Rousselle ».

La spécialité locale est la « tarte al djote », succulente tarte au fromage, aux œufs, aux cardons et à la crème, servie chaude.

CURIOSITÉS

★★ **Collégiale Ste-Gertrude** ⊙ – L'abbatiale de style roman ottonien fut consacrée en 1046 par l'évêque de Liège en présence de l'empereur Henri III. Son plan à deux transepts et deux chœurs opposés est l'expression architecturale du bicéphalisme de tradition carolingienne qui existait dans le Saint-Empire, représentant la complémentarité de l'empereur et du pape.

Le chœur oriental est surélevé au-dessus d'une crypte à voûtes d'arêtes. Le chœur occidental, représentant l'autorité impériale, fait partie de l'avant-corps qui fut construit au 12ᵉ s.

L'**avant-corps** ou « Westbau » de style roman tardif se divise en cinq niveaux accessibles par deux tourelles d'escalier et frappe par son aspect massif. Il comporte une abside, deux chapelles-tribunes, une vaste salle haute (19 m), dite « salle impériale », et est couronné d'un clocher octogonal abritant un carillon.

Les deux portes de l'avant-corps sont décorées de sculptures romanes du 12ᵉ s. : saint Michel au portail de droite en entrant et l'histoire de Samson au portail de gauche.

Au Sud de l'église, le pignon du transept le plus élevé, nommé Pignon de St-Pierre, est décoré d'arcatures romanes.

Collégiale Ste-Gertrude

J. Evrard/MICHELIN

191

Intérieur – Il frappe par ses dimensions et sa simplicité. La longue nef centrale (102 m) avait été couverte de voûtes d'ogives au 17ᵉ s. et parée d'une série d'éléments décoratifs au cours du 18ᵉ s. Une restauration lui a rendu son aspect primitif tout en lui assurant une protection grâce à un plafond de béton imitant le bois.

Remarquer la gracieuse *Vierge de l'Annonciation* ★, statue en bois polychrome du 15ᵉ s., le panneau en chêne dit « de Charles-Quint », les belles stalles Renaissance, un retable du 16ᵉ s. dit « de Thonon » (artiste originaire de Dinant) en marbre et albâtre, la chaire de vérité, exécutée en chêne et en marbre, évoquant la rencontre de Jésus avec la Samaritaine au puits de Jacob, de Laurent Delvaux (18ᵉ s.), dont on peut aussi admirer différentes sculptures.

Dans le chœur oriental, un coffre-armoire en laiton (16ᵉ s.) surmonte le mausolée de sainte Gertrude. Une châsse contemporaine (1982), œuvre de Félix Roulin, a remplacé le magnifique reliquaire gothique du 13ᵉ s. (dont la « salle impériale » renferme une copie) détruit par l'incendie dû aux bombardements de mai 1940.

Crypte et sous-sol archéologique – Sous le chœur oriental, la crypte du 11ᵉ s. constituait le point d'arrivée des pèlerins qui faisaient leurs dévotions juste en dessous de la châsse de sainte Gertrude. Le sous-sol archéologique, situé sous la nef, comprend les ruines des cinq églises qui ont précédé l'église romane entre le 7ᵉ et le 10ᵉ s. La première église mérovingienne (vers 650) abrite les caveaux de sainte Gertrude et de ses parents, une autre tombe est celle de la première épouse de Charlemagne (8ᵉ s.), et la dernière église, carolingienne (10ᵉ s.), contient la tombe d'Ermentrude, petite-fille d'Huges Capet.

Cloître – 13ᵉ s. Il reliait l'église aux bâtiments monastiques dont il ne reste rien, et témoigne de l'existence d'un chapitre de chanoinesses et de chanoines ayant peu à peu remplacé les moines et moniales des premiers temps. Seule la partie Nord a gardé toute son authenticité.

A proximité de la collégiale, on peut voir le perron (19ᵉ s.) surmonté d'une effigie de saint Michel (l'un des patrons de la ville), le Palais de justice de style néo-gothique, et la **porte de Saintes** commémorant le jumelage de Nivelles avec cette ville de Charente-Maritime.

Musée d'Archéologie, d'Histoire et du Folklore ⊙ – *27, rue de Bruxelles.*
Installé dans une maison du 18ᵉ s., ce musée présente d'intéressantes collections d'art régional et complète admirablement la visite de la collégiale. On y admire en particulier quatre statues d'apôtres en calcaire provenant du jubé gothique de cette dernière *(rez-de-chaussée)*, une somptueuse tapisserie de Bruxelles (16ᵉ s.) et une belle collection de « bozetti » (projets en terre cuite) baroques du sculpteur Laurent Delvaux (1696-1778), dont les trois allégories pour la façade en hémicycle des appartements de Charles de Lorraine à Bruxelles *(voir à ce nom)*.

Au 2ᵉ étage, on découvre les salles d'archéologie s'échelonnant de la préhistoire à la civilisation gallo-romaine.

Parc de la Dodaine – *Au Sud de la ville.*
Son jardin aux parterres fleuris et orné de sculptures entourant une pièce d'eau et son grand étang composent un cadre attrayant à ce parc également doté d'une plaine de jeux pour enfants et de multiples installations sportives.

En suivant l'avenue de la Tour-de-Guet vers l'Ouest, qui mène vers l'autoroute, on peut voir sur la droite la **Tourette**, une charmante tour carrée du 17ᵉ s.

EXCURSIONS

Ronquières – *9 km à l'Ouest.*
Coquet village connu pour sa belle échappée sur le canal de Charleroi, équipé ici d'un remarquable ouvrage technique.

Réalisé en 1968, le **plan incliné de Ronquières**★ ⊙, de 1 432 m de long, permet aux bateaux de franchir aisément la dénivellation du canal (68 m). Équipés chacun d'un contrepoids de 5 200 t, deux bacs longs de 91 m, remplis d'eau, transportent d'un bief à l'autre un bateau de 1 350 t ou quatre péniches de 300 t, en roulant sur un train de 236 galets de 70 cm de diamètre. L'ensemble est complété en amont par un pont-canal de 300 m et une **tour** de 150 m de haut.

A l'intérieur de la tour, exposition thématique, film explicatif sur le plan incliné, vue sur la salle des treuils. En sortant au 3ᵉ étage, on peut approcher les installations amont. Au 2ᵉ étage, spectacle audiovisuel sur le Hainaut.

La visite peut être complétée par une **promenade en bateau-mouche** ⊙ sur le canal jusqu'à Ittre. *Départ au pied des biefs.*

Bois-Seigneur-Isaac ; Braine-le-Château – *12 km au Nord.*

Bois-Seigneur-Isaac – Dans l'**abbaye**, la chapelle du St-Sang (16ᵉ s.) est décorée dans le style baroque : on y voit au maître-autel des sculptures et un bas-relief de Laurent Delvaux *(Mise au tombeau)*. La sacristie à voûte gothique conserve un ostensoir-

...quaire contenant un corporal (linge sacré) teinté du sang du Christ ; fruit ...un miracle eucharistique en 1405 lorsque le sang coula d'une hostie consacrée sur ...le linge d'autel, c'est devenu un objet de pèlerinage. Face à l'abbaye, le château ⊙ de Bois-Seigneur-Isaac (18ᵉ s.) est un vaste édifice contenant de précieuses collections.

Braine-le-Château – Près d'un moulin à eau (expositions), le château, entouré d'eau, appartint aux comtes de Hornes.

Sur la Grand-Place voisine, le **pilori** a été érigé en 1521 par Maximilien de Hornes, chambellan de Charles Quint. L'église abrite son mausolée en albâtre, par Jean Mone.

OOSTENDE★

OSTENDE – West-Vlaanderen
67 257 habitants
Cartes Michelin nᵒˢ 409 B 2 et 213 pli 2.
Plan d'agglomération dans le guide Michelin Benelux.

Ostende présente deux aspects caractéristiques : l'un de station balnéaire élégante, l'autre de port de pêche et de tête de ligne pour la « malle » et l'hydroglisseur (hydroptère) assurant la liaison avec l'Angleterre vers Ramsgate.

La **station balnéaire** s'étend entre le **casino** (Casino-Kursaal) (**Y**), inauguré en 1953 et dont une salle a été décorée par Paul Delvaux, et le Thermae Palace Hotel, le long du promenoir (Albert I-Promenade) qui borde la plage. Celle-ci est très appréciée pour sa pratique du surf. Tout près se situent les galeries royales réalisées d'après les plans de l'architecte français Charles Girault.

A proximité du chenal du port et de l'avant-port, l'ancien **quartier des pêcheurs** forme un quadrillage de rues plus étroites, limité au Sud par les bassins du port de plaisance. Plus au Sud s'étend un grand parc, **Marie-Hendrikapark**, qui possède plusieurs étangs (canotage, pêche).

Les célèbres huîtres sont élevées à Ostende dans un bassin de 80 ha, le Spuikom, au Sud-Est de la ville.

Le siège d'Ostende, pendant la guerre de 80 ans, est resté fameux : l'archiduchesse Isabelle avait fait le vœu, dit-on, de ne pas changer de chemise tant que la ville ne serait pas prise. Le siège dura 3 ans (1601-1604), d'où le nom de couleur isabelle donné depuis à une teinte incertaine.

Les premiers souverains belges aimaient résider à Ostende ; la reine Louise-Marie s'y éteignit en 1850.

Musée des Beaux-Arts, Anvers / GIRAUDON, Paris

L'intrigue, James Ensor

James Ensor (1860-1949) – Ostendais, de père anglais et de mère flamande, ce génie solitaire, qui s'éloigna peu de sa ville natale et ne fut reconnu que tardivement par ses contemporains, est l'un des plus grands peintres de la fin du 19ᵉ s.

Ensor s'adonne d'abord à une peinture sobre, puis sa palette s'éclaircit. Entre 1883 et 1892, il use de couleurs violentes, d'empâtements, pour illustrer, avec une technique déjà expressionniste, des thèmes macabres ou satiriques peu appréciés du public. Par sa prédilection pour les personnages masqués, les squelettes, qui, dans ses tableaux, grouillent dans une atmosphère de carnaval, Ensor est le père d'un monde imaginaire et fantastique qui annonce le surréalisme.

La toile la plus représentative de son art est l'*Entrée du Christ à Bruxelles* (1888) ... se trouve au Musée de Malibu en Californie.

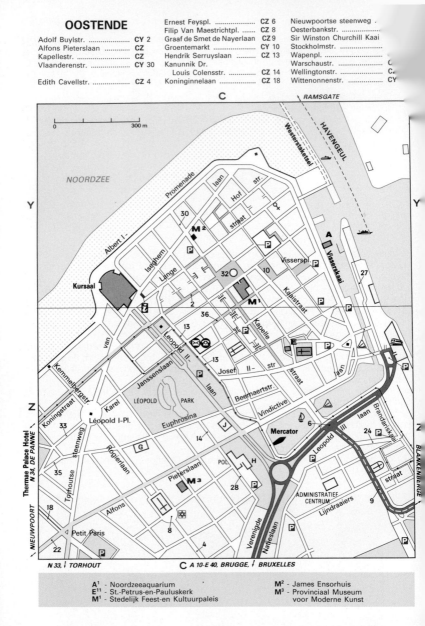

A¹ - Noordzeeaquarium
E¹¹ - St.-Petrus-en-Pauluskerk
M¹ - Stedelijk Feest-en Kultuurpaleis
M² - James Ensorhuis
M³ - Provinciaal Museum
voor Moderne Kunst

Les fêtes – James Ensor fut en 1896 un des promoteurs du « Bal du Rat Mort », nom choisi en souvenir du cabaret montmartrois « Le Rat Mort » que fréquentèrent les membres du club Cœcilia. Cette élégante manifestation philanthropique réunit chaque année *(voir le chapitre des Renseignements pratiques en fin de volume)*, un samedi, au casino, des travestis et des masques sur un thème choisi.

Parmi les autres événements annuels, il faut citer la Bénédiction de la Mer avec une procession historique, le Festival international de cerfs-volants (Belgium Kites International) et Ostend Jazz *(voir le chapitre des Renseignements pratiques en fin de volume)*.

CURIOSITÉS

Visserskaai (quai des Pêcheurs) (Y) – Il est bordé par une succession presque ininterrompue de restaurants. De là, on aperçoit le port de pêche et, au-delà du chenal, l'importante « minque » ; poissons, crustacés et fruits de mer y font l'objet de pittoresques ventes à la criée.

Westerstaketsel (Estacade Ouest) (Y) – C'est l'une des deux jetées encadrant l'entrée du port ou « havengeul ». Elle permet de contempler la plage et le mouvement des bateaux et de la « malle ». A l'extrémité, les pêcheurs installent leurs carrelets, filets de pêche carrés suspendus à un treuil.

Nordzeeaquarium (Aquarium de la mer du Nord) (**Y A**) ⊘ – Il contient de petits bassins avec poissons, crustacés, mollusques de la mer du Nord et des collections de coquillages.

Stedelijk Feest- en Kultuurpaleis (Palais des Fêtes et de la Culture) (**Y M¹**) – Dominant la Wapenplein, place principale de la ville, il comprend deux musées.

Museum voor Schone Kunsten (Musée des Beaux-Arts) ⊘ – *2ᵉ étage*. Il abrite des tableaux de peintres belges du romantisme au post-impressionnisme. On remarque les œuvres d'Ensor, Spilliaert, Musin et Van Rysselberghe.

Heemkundig Museum (Musée d'Histoire locale) **De Plate** ⊘ – *1ᵉʳ étage*. Il est consacré à l'histoire et aux traditions régionales (bannières, médailles d'anciennes sociétés ostendaises).
La vocation maritime d'Ostende est évoquée, en particulier, par la reconstitution d'un café de pêcheurs.

James Ensorhuis (Maison de James Ensor) (**Y M²**) ⊘ – L'intérieur de la maison d'Ensor a été reconstitué et converti en musée. L'entrée se fait par le magasin de coquillages qui était tenu par sa tante et son oncle. Au 2ᵉ étage, on peut voir l'atelier du peintre.

Opleidingszeilschip (Voilier-école) **Mercator** (**Z**) ⊘ – Ancien navire-école des officiers de la marine marchande belge, ce trois-mâts blanc stationne depuis 1964 dans un bassin du port de plaisance. Bien que toujours en état d'appareiller, le Mercator, qui, de 1932 à 1960, a effectué 41 croisières à travers les mers du globe, fait fonction de navire-musée. Plusieurs objets et photographies rappellent qu'il a participé à des missions scientifiques, rapporté de l'île de Pâques de gigantesques statues et ramené la dépouille mortelle du père Damien *(voir à Mechelen, Tremelo)*.

Provinciaal Museum voor Moderne Kunst (Musée d'Art moderne) (**Z M³**) ⊘ – Ce musée réunit, sur les différents étages d'une ancienne coopérative, des peintures, des sculptures, de la céramique et de l'art graphique belges ; les collections *(exposées par roulement)* donnent un aperçu des courants artistiques modernes et contemporains.
L'expressionnisme est représenté par les artistes de Laethem *(voir à Gent, Excursions)*. Parmi les mouvements les plus récents, il faut citer l'abstraction, le pop art et l'art conceptuel. Les œuvres de Panamarenko (né en 1940) et de Jan Fabre appartiennent à l'art contemporain. Le musée organise en outre des expositions temporaires à caractère national ou international.

St.-Petrus-en-Pauluskerk (Église des Sts-Pierre-et-Paul) (**Z E**) – Construite en 1905, dans le style néo-gothique, elle abrite le mausolée de la reine Louise-Marie.
A proximité se dresse le **Peperbus**, clocher d'une église du 18ᵉ s. détruite par un incendie.

EXCURSIONS

Stene – *3 km au Sud par la N 33.*
Toute blanche, l'**église Ste-Anne** (St.-Annakerk) présente à l'extérieur une pittoresque juxtaposition de volumes et, à l'intérieur, un décor rustique. Au 14ᵉ s., il n'existait que le bas-côté Nord, auquel on a ajouté au 17ᵉ s. la nef et le bas-côté Sud.
Au Sud, le presbytère (pastorie), de 1764, a été restauré.

Jabbeke – *17 km à l'Est par A 10-E 40, puis l'échangeur n° 6.*
★ **Provinciaal Museum Constant Permeke** (Musée Permeke) ⊘ – Permeke (1886-1952) fit construire en 1929 cette maison des Quatre Vents (Vier Winden) où il vécut plus de 20 ans. Aujourd'hui, elle abrite des œuvres de l'artiste depuis le début de sa carrière : périodes post-impressionniste *(Paysage)*, cubiste *(A propos de Permeke)*, expressionniste représentée par de grandes toiles et des dessins *(Semeur, Marine sombre, Maternité, Pain quotidien)* et plus récemment *Paysage inachevé* (1951). Le musée possède la presque totalité de l'œuvre sculpté de Permeke dont une partie est exposée dans le jardin *(Niobé, Le Semeur)*.

Gistel – *9 km au Sud par la N 33.*
Ce centre commercial voit chaque année se dérouler la **procession de sainte Godelieve** *(voir le chapitre des Renseignements pratiques en fin de volume)*. L'**église** abrite la sépulture de cette sainte dont le nom signifie « aimée de Dieu ». Godelieve, mariée contre son gré à Bertulf, châtelain de Gistel, fut assassinée et son corps jeté dans un puits en 1070.
L'**abbaye de Ten Putte** *(3 km à l'Ouest de Gistel)* fut fondée autour de ce puits. Dans le charmant enclos aux murs blancs et au jardin recueilli, on peut voir le puits, la cave (sous l'escalier) où la sainte aurait été emprisonnée et la chapelle aux corbeaux à l'endroit où elle aurait accompli un miracle. Dans l'église abbatiale (1962), sur un petit triptyque du 16ᵉ s., la sainte est représentée avec les quatre couronnes qui sont ses attributs.

Abbaye d'ORVAL★★

Luxembourg

Cartes Michelin n°s 409 J 7 et 214 Sud des plis 16, 17.

Retirée au milieu des bois de la Gaume *(voir à Virton)*, cette abbaye, fondée en 1C
par des bénédictins venus de Calabre, au Sud de l'Italie, devint dès le 12ᵉ s. un c
plus célèbres et des plus riches monastères cisterciens d'Europe.

La légende et l'histoire – Le nom de l'abbaye, Orval (val d'or), et ses armoiries,
d'argent et représentant un ruisseau d'azur d'où sort une bague ornée de trois diamants, rappellent la légende : la comtesse Mathilde, duchesse de Lorraine, protectrice
de l'abbaye, avait perdu dans une source son anneau nuptial. Celui-ci lui fut rendu par
une truite miraculeuse.
A la fin du 12ᵉ s. est construite, dans le style gothique mais avec des réminiscences
romanes, l'église Notre-Dame. Elle est modifiée au 16ᵉ et au début du 17ᵉ s. En
1637, l'abbaye, incendiée et pillée par les troupes du maréchal de Châtillon, doit être
reconstruite. Au 18ᵉ s., cependant, le monastère est si prospère qu'on entreprend
une nouvelle construction, confiée à l'architecte Dewez. A peine réalisée, celle-ci est
de nouveau dévastée par les soldats du général Loyson (1793). L'abbaye est vendue
en 1797.

Le nouveau monastère – La résurrection du monastère a été entreprise en 1926
par les moines cisterciens de l'abbaye de Sept-Fons, dans le Bourbonnais. Le monastère, achevé en 1948, a été construit à l'emplacement des bâtiments du 18ᵉ s.
Sobre et élégant, dans une pierre chaude et dorée, il reproduit le plan traditionnel
cistercien.
Devant la cour des retraitants se dresse la façade de la nouvelle église abbatiale, d'une
grande pureté de lignes, où s'inscrit une monumentale Vierge à l'Enfant.

LES RUINES ⏱ visite : 1h – suivre le circuit numéroté

Après une projection sur la vie au monastère *(20 mn)*, le circuit fait découvrir
les ruines du Moyen Âge et du 18ᵉ s. Près de la fontaine Mathilde, les ruines
gothiques de l'**église Notre-Dame** se dressent dans un cadre de verdure. La rosace
du bras gauche du transept, les chapiteaux romans, gothiques ou Renaissance des
piliers sont remarquables. Dans le chœur, tombeau de Wenceslas, premier duc de
Luxembourg. Le chœur à chevet plat cistercien ayant été jugé trop petit, on lui
adjoignit une abside au 17ᵉ s. On visite ensuite le cloître, rebâti au 14ᵉ s., et les
caves du 18ᵉ s. Le musée de la pharmacie des moines est précédé d'un jardin de
plantes médicinales.

OUDENAARDE★

AUDENARDE – Oost-Vlaanderen

27 012 habitants

Cartes Michelin n°s 409 D 3 et 213 pli 16.
Plan d'agglomération dans le guide Michelin Benelux.

Ville flamande bâtie sur les rives de l'Escaut et située aux confins de la Flandre et du
Brabant, Audenarde est riche de souvenirs et de monuments. En 1605 (ou 1606),
Audenarde voit naître **Adriaen Brouwer**, peintre de la vie paysanne des Flandres dont les
tableaux rappellent parfois l'œuvre de Pieter Bruegel l'Ancien.
De nos jours, la ville est un centre d'industrie textile. Sa bière brune est
réputée.

Les verdures d'Audenarde – Au 15ᵉ s., la tapisserie de haute lisse vint remplacer, à Audenarde, l'industrie du drap en déclin. La ville devait en devenir,
aux 16ᵉ et 17ᵉ s., un centre important. Elle était spécialisée dans l'exécution de
« verdures », pièces dans lesquelles la végétation représente l'élément essentiel de la
composition.

UN PEU D'HISTOIRE

Baudouin IV, comte de Flandre, y éleva au début du 11ᵉ s. un château fort. Aux
14ᵉ et 15ᵉ s., Audenarde fut en butte aux agressions des Gantois qui y perdirent leur
célèbre bombarde « Dulle Griet », aujourd'hui à Gand, près du Vrijdag Markt.
En 1521, pendant sa conquête du Tournaisis, enclave française au cœur de son
royaume, Charles Quint fait le siège d'Audenarde. Il s'y éprend de Jeanne Van den
Geenst, dont il aura une fille, **Marguerite de Parme**, qui gouvernera les Pays-Bas de 1559
à 1568.
Audenarde eut à soutenir maints sièges dont le plus dévastateur fut celui que mena,
ᵉn 1684, le maréchal d'Humières qui commandait les troupes de Louis XIV ; mais la
ᵉte la plus connue de son histoire est le 11 juillet 1708 qui vit Marlborough battre
lates coutures l'armée française.

OUDENAARDE

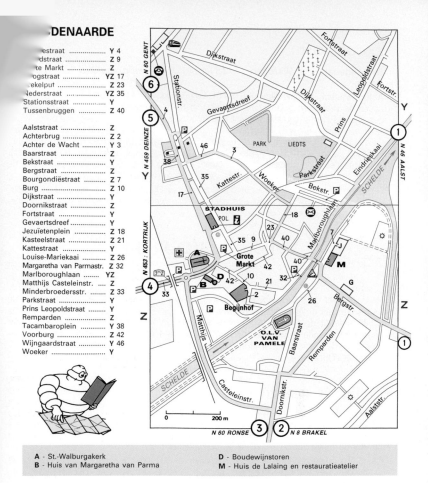

A - St.-Walburgakerk
B - Huis van Margaretha van Parma
D - Boudewijnstoren
M - Huis de Lalaing en restauratieatelier

★★★ STADHUIS (Hôtel de ville) (YZ) ⊙

Élevé de 1526 à 1530 par Henri van Pede, qui s'inspira de plusieurs hôtels du pays (Bruxelles, Louvain) avec lesquels l'édifice présente des analogies, il domine la très vaste **Grand-Place** (Grote Markt) (**Z**). Contiguë, l'ancienne halle aux draps date du 13ᵉ s. Flamboyant, déjà animé d'un esprit baroque, l'hôtel de ville séduit par ses lignes légères et son ornementation qui, malgré sa richesse, est d'un goût exquis. Des arcades supportent le beffroi en saillie surmonté de la statue d'un homme armé appelé « Jean le Guerrier » ; des clochetons effilés, d'un charmant effet, ornent les angles. Devant la façade, la fontaine décorée de dauphins a été construite avec la contri-bution financière de Louis XIV.

A l'intérieur on admire, dans la **salle du Conseil**, par Van der Schelden, une cheminée et un beau tambour de porte en bois sculpté (16ᵉ s.) ; au-dessus de celle-ci est amé-nagée une logette où s'installait un « écouteur » chargé de relever les débats des assemblées. Des peintures pittoresques d'Adriaen Brouwer sont aussi à citer.

AUTRES CURIOSITÉS

St.-Walburgakerk (Église Ste-Walburge) (Z A) – A l'Ouest de la Grand-Place se dresse le chevet de cette grande église dont la belle tour culmine à 90 m.

Huis van Margaretha van Parma (Z B) – Au Sud-Ouest de la Grand-Place, elle se dis-tingue par ses hautes lucarnes à redans ; à sa gauche, la **tour Baudouin** (11ᵉ s.) (**Z D**).

Begijnhof (Béguinage) (Z) – Il date du 13ᵉ s. Chapelle pittoresque.

★ O.-L.-Vrouwekerk van Pamele (Église N.-D.-de-Pamele) (Z) – Belle église du 13ᵉ s., construite par Arnould de Binche, typique de l'architecture gothique scaldienne *(p. 20)*. L'intérieur est à trois nefs et transept et comporte un déambulatoire, fait assez rare en Belgique. On voit deux tombeaux du début du 16ᵉ s. et du début du 17ᵉ s. au revers de la façade Ouest.

Huis de Lalaing et restauratieatelier (Maison de Lalaing et atelier de restaurati... **(Z M)** ⊙ – La Maison de Lalaing, dont la façade blanche aux décorations roc... donne sur l'Escaut, abrite en outre un atelier où les tapisseries anciennes sont... taurées et où l'on tisse des créations modernes.

EXCURSION

De Audenarde à Waregem – *15 km au Nord-Ouest. Prendre la N 459 Deinze.*

A **Kruishoutem**, la **fondation** (Stichting) **Veranneman** ⊘ *(Vandevoordeweg, 2, par route de Waregem puis à gauche)* est à la fois un musée d'art où sont présenté des œuvres contemporaines, peintures (Mathieu, Permeke, Vasarely, Hartung, Wur. derlich, Mara, Raveel, Botero, Arman, Bram Bogart, Vic Gentils) et un centre d'expositions temporaires. Dans le parc, sculptures de Dodeigne, Niki de St-Phalle, Vasarely, Gilioli, Schöffer, Antes, Rickey, Caro, Nigel Hall, Liberman, Niizuma, Vari. Entouré d'eau, le **château de Kruishoutem** ⊘, du 17ᵉ s., aux angles renforcés de quatre tours surmontées de bulbes, se dresse au milieu d'un grand parc.

Waregem – La populaire course d'obstacles des Flandres qui se déroule à l'hippo- drome du Gaverbeek connaît une grande affluence *(voir le chapitre des Renseigne- ments pratiques en fin de volume)*.

Vallée de l'OURTHE★

Liège-Luxembourg

Cartes Michelin nᵒˢ 409 J 4, 5, 213 pli 22 et 214 pli 7.

Le cours sinueux de l'Ourthe franchit les différents plissements Nord-Est-Sud-Ouest du plateau ardennais qu'elle entaille profondément, puis s'élargit dans des plaines comme la Famenne avant de rejoindre la Meuse à Liège.

Un sentier de grande randonnée (GR 57), long de 170 km, parcourt la vallée, depuis Angleur près de Liège, jusqu'à Houffalize, dans la province de Luxembourg.

La vallée de l'Ourthe se divise en deux parties : l'**Ourthe supérieure**★★ avant la Roche- en-Ardenne *(voir à ce nom)* et l'**Ourthe inférieure**★ entre la Roche et Liège.

★L'OURTHE INFÉRIEURE

De la Roche-en-Ardenne à Liège

95 km – compter 1 journée

★ **La Roche-en-Ardenne** – *Voir à ce nom. Visite : 1 h.*

De la Roche-en-Ardenne à Liège, la vallée de l'Ourthe est riante et douce, çà et là bordée de rochers escarpés, parfois creusés de grottes calcaires (Hotton, Comblain).

La route suit l'Ourthe jusqu'à Melreux. Après Hampteau, un chemin à gauche mène aux grottes de Hotton.

★★ **Grottes de Hotton** ⊘ – Une partie des grottes formées par une rivière qui s'est enfouie progressivement a été découverte de 1958 à 1964. Seule la grotte des Mille et Une Nuits constituant la fin du réseau prospecté est ouverte au public.

La succession des salles étroites (température 12-16°) offre des concrétions extrê- mement variées. La délicatesse de leurs formes, macaronis transparents, excen- triques, draperies ondulées, est remarquable, mais c'est surtout la splendeur de leurs coloris naturels qui retient l'attention : blanc pur de la calcite, rouge, orange éclatant, rose délicat des traces de fer. Dans la galerie de l'Amitié, cette féerie est accentuée par le reflet limpide des « gours ». Au terme du parcours, un balcon domine de 28 m un gouffre où gronde une lointaine chute d'eau, au fond du grand couloir du Spéléo-Club.

Hotton – Dans la plaine de Famenne *(voir à Rochefort, Excursions)*, ce bourg typique aligne ses toits d'ardoise au bord de l'Ourthe qui forme ici une île.

En amont, sur la route d'Érezée, moulin à eau du 18ᵉ s. En aval du pont, un barrage retient un plan d'eau.

★ **Durbuy** – On retrouve l'Ourthe vers Durbuy. Située dans une belle région de forêts, Durbuy est l'un des lieux de villégiature les plus agréables de l'Ardenne. Cette bourgade, qui fut érigée au titre de ville dès 1331, fut jusqu'en 1977, date à laquelle elle fusionna avec d'autres communes, la plus petite ville du monde avec moins de 400 habitants. Durbuy a conservé son caractère ancien avec son dédale de ruelles médiévales, son château du 17ᵉ s., son vieux pont, sa halle aux blés à colombage. Au charme de ses rues et de ses maisons en pierre, où de nombreux artisans et artistes se sont installés, s'ajoute la beauté du site au pied d'une paroi rocheuse présentant un plissement très spectaculaire, la Falize.

Barvaux – Autre centre touristique de la vallée de l'Ourthe qui coule, en aval, au ʙied des fameux **Rochers de Glawans**.

km après Barvaux, prendre une route à gauche vers Tohogne.

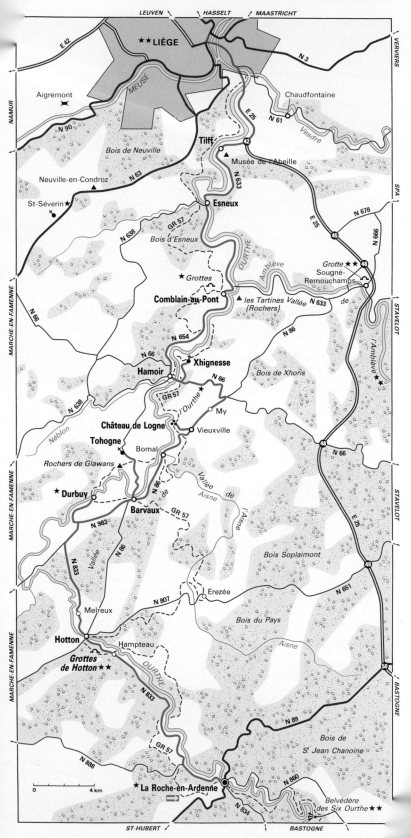

Vallée de l'OURTHE

Tohogne – Ce village possède une **église romane** bien restaurée dans laquelle o. admirer quelques œuvres d'art, dont une cuve baptismale de l'école mosar. 13ᵉ s. et un calvaire du 14ᵉ s.

Revenir à la N 86.

Au-delà de Bomal, où débouche l'Aisne *(voir à ce nom)*, jolie **vue★** sur la vallée re serrée par un bloc rocheux derrière lequel sont perchées les ruines du château d Logne.

Château de Logne ⊘ – Propriété des moines de Stavelot puis de la puissante famille de La Marck, ce « nid d'aigle » était l'un des premiers châteaux adaptés aux armes à feu. Il fut détruit en 1521 sur l'ordre de Charles Quint. Les objets trouvés lors des fouilles qui se poursuivent dans son enceinte sont exposés dans la **ferme de la Bouverie** ⊘ à Vieuxville. Le village de Logne est un important centre de tourisme sportif.

Après My, tourner à gauche.

Hamoir – Petite cité sur les bords de l'Ourthe. Sur la place centrale se dresse une statue de Jean Delcour *(voir à Liège)*, né ici en 1627. L'hôtel de ville occupe un charmant manoir du 17ᵉ s. dissimulé sur la rive gauche dans un joli parc.

Xhignesse – *4 km aller-retour depuis Hamoir.* L'église St-Pierre, de style roman mosan, est remarquable pour son abside ornée d'arcatures aveugles surmontées de niches.

Comblain-au-Pont – Cette localité est située au confluent de l'Ourthe et de l'Amblève que surplombe un imposant rocher nommé les Tartines, pour sa forme en tranches bien particulière *(voir description de la vallée de l'Amblève à ce nom)*.
A 1 km à l'Ouest se trouvent sur une petite colline les **grottes★** ⊘ de Comblain.

Esneux – Cette petite ville s'étage sur un versant contourné par une boucle de l'Ourthe.

Tilff – Tilff possède un **musée de l'Abeille** ⊘ situé dans une ancienne ferme du château. On y trouve une intéressante documentation sur l'apiculture, des collections d'instruments, de ruches (dans certaines, on peut observer des abeilles en activité), et des documents sur la biologie de l'abeille.

★★ Liège – *Voir à ce nom.*

De PANNE

La PANNE – West-Vlaanderen

9 366 habitants
Cartes Michelin nᵒˢ 409 A 2 et 213 pli 1.
Plan dans le guide Michelin Benelux.

Jouxtant la frontière, La Panne est une station balnéaire très fréquentée par les touristes français.
Sa **plage★**, dépourvue de brise-lames et dont la largeur atteint par endroit 250 m à marée basse, est particulièrement propice à la pratique du char à voile (zeilwagen). *Illustration p. 234.*
Près de la plage se dresse le **monument au roi Léopold Iᵉʳ**, rappelant l'endroit où le premier souverain de Belgique débarqua en 1831, venant d'Angleterre, après une escale à Calais.
C'est à La Panne que résida pendant la guerre de 1914-1918 la reine Élisabeth, tandis que le Q.G. du roi Albert se trouvait à Furnes.

ENVIRONS

Westhoek – Autour de la station La Panne s'étendent des dunes dont une partie forme, à l'Ouest, le Westhoek, réserve naturelle appartenant à l'État et couvrant 340 ha jusqu'à la frontière. Des **promenades guidées** ⊘ sont organisées.
Le Westhoek est traversé par cinq sentiers balisés pour des promenades de 1,6 km à 2,4 km de long.
Si les oyats ou quelques arbustes (saule rampant, argousier, sureau noir) revêtent généralement les dunes, au centre se trouve une clairière dépourvue de végétation appelée parfois le Sahara.

Oosthoek – Cette réserve naturelle communale s'étend sur 61 ha de dunes et de bois au Sud-Est de la Panne.

Adinkerke – *3 km au Sud.*
A Adinkerke se trouve le **Meli** ⊘, parc récréatif de 30 ha, dont le thème principal est l'abeille (exposition sur l'abeille, animaux, attractions, village de contes de fées).

PHILIPPEVILLE

Namur

7 206 habitants

Cartes Michelin nᵒˢ 409 G 5 et 214 pli 4.

...dée en 1555 par Charles Quint pour faire face à Mariembourg, tombée aux mains ... Français *(voir à Couvin, Mariembourg)*, cette place forte fut appelée Philippeville ... l'honneur du fils de l'empereur, le futur Philippe II. En 1659, elle revint aux Fran-...ais ; pendant la Révolution, elle se nomma « Vedette républicaine ».
Des fortifications, démantelées en 1860, il ne subsiste que les souterrains et un ancien magasin à poudre. Au Syndicat d'initiative, un spectacle audio-visuel relate l'histoire de Philippeville et de ses fortifications.

Souterrains ⊙ – L'ancienne poudrerie, devenue la **chapelle N.-D.-des Remparts**, a conservé ses murs épais où était aménagé un système de ventilation.
On peut visiter une partie des galeries souterraines des 16ᵉ et 17ᵉ s. qui s'étendent sur 10 km au-dessous de la ville.

POPERINGE

West-Vlaanderen

18 926 habitants

Cartes Michelin nᵒˢ 409 B 3 et 213 pli 13.

Poperinge, ancienne ville drapière, devenue à partir du 15ᵉ s. le centre d'une région productrice de houblon *(voir Introduction, Gastronomie)*, est fière de posséder trois belles églises gothiques.
Tous les trois ans, en septembre, la **fête du Houblon** *(voir le chapitre des Renseignements pratiques en fin de volume)* donne lieu à un pittoresque cortège. Les houblonnières se distinguent dans le paysage légèrement vallonné par leurs hauts poteaux, servant d'attache à la plante grimpante.

CURIOSITÉS

Hoofdkerk St.-Bertinus (Église St-Bertin) – *Vroonhof.*
De type halle, du 15ᵉ s., elle renferme en particulier un beau jubé du 17ᵉ s. orné de statues de Jésus et des apôtres, une chaire du 18ᵉ s., un confessionnal baroque richement sculpté.

Nationaal Hopmuseum (Musée national du Houblon) ⊙ – *Gasthuisstraat 71.*
Ce musée est installé dans l'ancien poids public (stadsschaal) où, jusqu'en 1968, le houblon était pesé, sélectionné, séché et pressé. Outils, machines, photos et montages audio-visuels illustrent la culture et le travail du houblon.

O.-L.-Vrouwekerk (Église Notre-Dame) – *Casselstraat.*
Dans cette église du 14ᵉ s., également de type halle et flanquée d'une haute tour à flèche de pierre, on peut voir un banc de communion aux remarquables sculptures de bois.

St.-Janskerk (Église St-Jean) – *St.-Janskruisstraat.*
Cet édifice, dont la tour massive rappelle le clocher de St-Bertin, contient de belles boiseries du 18ᵉ s. et la statue vénérée d'une Vierge portée en procession chaque année, le 1ᵉʳ dimanche de juillet.

Weeuwhof – *St.-Annastraat, par Gasthuisstraat.*
Cet hospice du 18ᵉ s. ou « cour des veuves », dont les pittoresques maisonnettes s'ordonnent autour d'un jardin fleuri, s'ouvre par un petit porche surmonté d'une statue de la Vierge.

ENVIRONS

Lyssenthoek Military Cemetery – *3 km au Sud.*
Plus de 10 000 soldats de la Première Guerre mondiale, parmi lesquels de nombreux Britanniques, reposent dans cet impressionnant enclos fleuri.

Haringe – *11 km au Nord-Ouest.*
L'intérieur de l'**église St-Martin** (St.-Martinuskerk) possède un charme rustique. Les orgues ont été fabriquées en 1778 par le Gantois Van Peteghem.

En fin de volume figurent d'indispensables renseignements pratiques :
– Organismes habilités à fournir toutes informations ;
– Manifestations touristiques ;
– Conditions de visite des sites et des monuments...

REDU-TRANSINNE

Luxembourg

Cartes Michelin nᵒˢ 409 I 5 et 214 pli 16.

Dans une magnifique région vallonnée et boisée, le village de Redu a accueilli il y a quelqu...
années une station spatiale européenne de télémesure et de télécommande de satellit...

Le village des bibliophiles – Redu est un paradis pour les amateurs de livres anciens. Un...
trentaine de bouquinistes y ont ouvert boutique. Le village vit à l'heure du livre ; en été e...
pendant les week-ends, il y a affluence. Quelques antiquaires et restaurateurs ont suivi.

★ **Euro Space Center** ☾ – *Situé au bord de l'autoroute E 411 à la sortie 24.*
Les techniques audiovisuelles les plus récentes ont été utilisées pour présenter la
grande aventure de l'espace : projection de films sur les missions spatiales dans
l'auditorium, explications sur le futur laboratoire Columbus dans l'holorama, évocation de l'histoire astronomique et des trous noirs dans le planétarium, visite de plusieurs vaisseaux et lanceurs, dont Ariane 4 et 5, reproduits grandeur nature, et,
pour terminer, des sensations fortes dans le Space Show qui vous entraîne au
moyen de sièges mobiles dans une terrible bataille de vaisseaux de l'espace.
Ce centre sert aussi d'entraînement pour des jeunes qui veulent s'initier à l'espace
(stages de plusieurs jours).

RENAIX

Voir RONSE

REULAND

Liège

Cartes Michelin nᵒˢ 409 L 5 et 214 pli 9 – 15 km au Sud de St-Vith.

Au Sud de la province de Liège, dans la vallée de l'Ulf, c'est un village pittoresque. Il
est dominé par les ruines de son « Burg » du 11ᵉ s. Du donjon, **vue**★ ravissante sur
les maisons blanches aux lourdes toitures d'ardoise, groupées autour du clocher à
bulbe. Reuland se trouve dans les limites du parc naturel Hautes Fagnes-Eifel *(p. 114)*.

La ROCHE-EN-ARDENNE★

Luxembourg

3 879 habitants

Cartes Michelin nᵒˢ 409 J 5 et 214 pli 7 – Schémas p. 199 et 203.
Plan dans le guide Michelin Benelux.

De longues croupes boisées séparées par des vallées profondes convergent vers ce
centre touristique réputé dont le **site**★★, dans une bouche de l'Ourthe, est très pittoresque. La rivière y forme un plan d'eau *(canotage, pédalos)*. Aux alentours de la Roche
sont aménagées de nombreuses promenades balisées (120 km).
Détruite en 1944, la ville a été reconstruite.
Une spécialité, les baisers de la Roche, meringues fourrées de crème, rivalise avec les
excellentes tartes aux fruits ou au sucre. La poterie de grès bleu est réputée.

La Roche-en-Ardenne - Le site

CURIOSITÉS

Château ⊙ – *Accès par un escalier en face de l'hôtel de ville.*
A l'extrémité de l'éperon rocheux du **Deister,** les ruines romantiques de cet imposant château du 11e s., hérissées de sapins centenaires, dominent la ville.
Après le siège de 1680 par Louis XIV, les fortifications furent renforcées. Le château fut démoli sur ordre de Joseph II, au 18e s.

Poterie de grès bleu ⊙ – *Rue Rompré, par la place du Bronze.*
Cette fabrique produit des objets en grès, au décor gravé rehaussé de bleu, spécialité de la Roche.
On découvre l'ancien four à bois, puis on visite des ateliers de tournage et de décoration ainsi que le musée de la fabrique.

Chapelle Ste-Marguerite – *Suivre l'Ourthe vers Houffalize et prendre une route en montée à gauche.*
La chapelle est accrochée à la colline de Deister, au-dessus du château.
Plus haut, un belvédère accessible par un petit sentier suivant la crête de l'éperon offre un superbe **panorama**★★ sur la ville.

Parc « Nature et Santé » de Deister – *Poursuivre la route au-delà de la chapelle Ste-Marguerite jusqu'au sommet de la côte.*
Sur le plateau du Deister s'étend, sur 15 ha, le **Parc Forestier** aménagé pour la promenade.

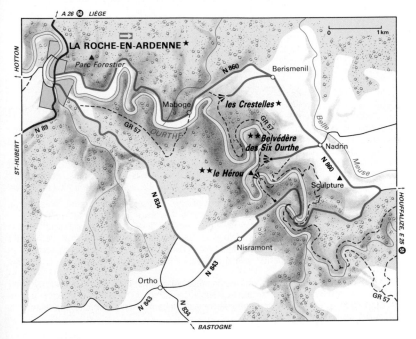

EXCURSIONS

★★ **L'Ourthe supérieure** – *Circuit de 36 km – 4 h – schéma ci-dessus.*
L'Ourthe est le résultat de la réunion, vers Nisramont, de deux cours d'eau : l'Ourthe orientale, née près du village d'Ourthe à la frontière luxembourgeoise, et l'Ourthe occidentale, venue d'Ourt, village situé au Sud de St-Hubert. En amont de la Roche-en-Ardenne, c'est une rivière torrentueuse s'écoulant dans des paysages sauvages d'une grande beauté.
Quitter la Roche-en-Ardenne en direction de Bastogne au Sud-Est.
La route gravit les pentes du plateau d'où l'on a des vues dégagées sur la campagne vallonnée.
Tourner à gauche vers Nisramont. Franchir le pont sur l'Ourthe et prendre à gauche vers Nadrin.
A gauche de la route s'élève une **sculpture en marbre** représentant un portique stylisé en forme de menhir. Cette œuvre du sculpteur portugais Joao Charters de Almeida fut réalisée en 1991 à l'occasion d'Europalia Portugal.

★★ **Belvédère des Six Ourthe** – Une **tour** ⊙ a été construite à la racine du Hérou, éperon schisteux de 1 400 m de longueur. Du sommet de la tour *(120 marches)* on contemple un grandiose panorama d'une beauté sauvage, un des plus caractéristiques de l'Ardenne.

Autour des éperons boisés, l'Ourthe a creusé une vallée aux méandres compliqués. s'y engage, disparaît derrière les buttes, puis réapparaît scintillante en plusieur endroits, ce qui a valu au belvédère son nom de Six Ourthe.

★★ Le Hérou – D'agréables sentiers de promenade balisés, dont le GR 57, parcouren cette masse formidable dont le sol rocheux, masqué par une abondante végétation, apparaît dans l'abrupt qui plonge dans la rivière à l'Est *(compter 1/2 h AR pour être en vue de l'abrupt)*. Au pied du Hérou, la rivière s'écoule dans un paysage sauvage. Cet endroit est fréquenté par les écoles d'escalade.

Regagner Nadrin puis prendre à gauche vers Berismenil. La 2e route à gauche dans Berismenil, prendre la direction des Crestelles.

★ Point de vue des Crestelles – Un point de vue étonnant s'offre sur un méandre de l'Ourthe 200 m plus bas. C'est un point de départ pour les deltaplanes et les parapentes.

Regagner la N 860. On traverse Maboge (jolie vue du pont) puis l'on revient à la Roche-en-Ardenne.

★ L'Ourthe inférieure – *Voir à ce nom.*

Houffalize – *25 km à l'Est par la N 860.*
Au cœur de l'Ardenne, à 370 m d'altitude, ce centre de villégiature animé occupe un joli **site★** dans la verdoyante vallée de l'Ourthe orientale. Détruit en 1944 pendant la bataille des Ardennes *(voir à Bastogne)*, le bourg a été reconstruit. Les routes qui viennent du Sud et de l'Ouest offrent de beaux points de vue sur ses toits d'ardoise.

ROCHEFORT★

Namur

11 208 habitants

Cartes Michelin n°s 409 I 5 et 214 pli 6.

Cette petite ville, située en bordure du parc national de Lesse et Lomme *(voir à Han-sur-Lesse)*, est un centre de villégiature et d'excursions.
A 2 km, les moines de l'abbaye de St-Rémy, fondée au 13e s., fabriquent une bière fameuse, la trappiste de Rochefort ; à proximité étaient exploitées les célèbres carrières de marbre de St-Rémy (15e s.).
En août 1792, La Fayette, menacé pour avoir défendu Louis XVI, quitte l'armée et prend la fuite. Il est hébergé, avec Chateaubriand, au 8, rue Jacquet, avant d'être arrêté par les Autrichiens. A côté, un monument a été élevé en l'honneur de La Fayette.

★ Grotte ⊘ – Découverte en 1865, cette grotte, creusée par la Lomme, présente un aspect plus sauvage celle de Han ; sa température est plus fraîche : 8°.
Après un couloir de marbre non poreux, percé artificiellement, apparaissent les pre-mières concrétions. Sur un fond musical, un jeu de lumière fait surgir de l'ombre un chaos étonnant. Plus bas, on aperçoit le cours actuel de la rivière souterraine et ses lits successifs. La petite salle des Arcades est creusée à 80 m sous le château de Beauregard.
La **salle du Sabbat** est la plus impressionnante par ses dimensions : 60 m sur 125 m ; une montgolfière lumineuse lâchée jusqu'au sommet permet d'en apprécier la hau-teur (85 m). On revient par une galerie artificielle s'ouvrant sur une jolie vue de la vallée de la Lomme.

EXCURSIONS

Grupont – *10 km au Sud-Est.*
Grupont conserve une pittoresque **Maison espagnole** dite aussi Maison du bourg-mestre, à colombage et encorbellement, datée de 1590.

Chevetogne – *15 km au Nord-Ouest.*

Monastère de Chevetogne – En 1939 s'installe, dans un château du 19e s., une communauté œcuménique célébrant la liturgie dans les rites latin et byzantin. Construite dans le style byzantin de Novgorod, l'**église orientale** (1957) est un édifice de brique, carré, précédé d'un vaste narthex et surmonté d'une petite coupole sur tambour. A l'intérieur, murs et voûtes sont couverts de fresques : dans le narthex, scènes de l'Ancien Testament ; dans la nef, scènes de la vie du Christ. Au sommet de la coupole domine l'effigie du Christ Pantocrator. L'iconostase, dont la fonction est d'isoler le sanctuaire, est ornée d'icônes : les principales, représentant le Christ et la Vierge à l'Enfant, figurent de chaque côté des Portes royales. De l'église on descend à la salle de vente : belle exposition de copies d'objets d'art religieux ortho-doxe anciens.

★ Domaine provincial Valéry Cousin ⊘ – Autour d'un château et d'un chapelet d'étangs, ce vaste parc récréatif, boisé et fleuri, est remarquablement équipé pour les sports, les distractions et les promenades *(circuits fléchés)*.

.ive – *6 km au Sud-Ouest, par Eprave.*

site boisé au Sud du petit village de Lessive a été choisi pour l'installation de la **tion terrienne belge de télécommunications spatiales** ⊙. Cette station, équipée de trois .ntennes et d'une tour hertzienne aux dimensions impressionnantes, joue, depuis 1972, le rôle d'échangeur entre le secteur spatial et le réseau de télécommunications national.

La visite guidée des installations est complétée par une exposition consacrée aux techniques de communication actuelles et futures, un musée du télégraphe et du téléphone d'autrefois et un film sur le lancement d'un satellite.

De Rochefort à Marche-en-Famenne – *12 km au Nord-Est par la N 86.*

Hargimont – Le **château de Jemeppe** a été construit au 17e s. autour d'un donjon massif du 13e s.

Waha – Ce village possède une charmante **église romane** en grès dédiée à saint Étienne et consacrée en l'an 1050. Sa tour (12e s.) est surmontée d'un élégant clocher du 16e s. dont les plans carrés se superposent d'une manière originale. L'intérieur, sobre, aux piliers massifs, conserve d'intéressants objets d'art. Sous le porche se remarquent plusieurs pierres tombales. Au-dessus de l'arc triomphal, beau calvaire de la fin de l'époque gothique (16e s.). Dans le bas-côté droit, fonts baptismaux (1590) portant quatre têtes sculptées. Près de l'entrée du chœur se trouve, scellée à la paroi de l'un des piliers, la pierre dédicatoire de l'église, de 1050. Une vitrine renferme des reliquaires, des livres et missels anciens, des chasubles, etc. L'église contient également de belles statues d'art populaire : Saint Nicolas (15e s.), Madame Sainte Barbe (16e s.), Saint Roch, en bois polychrome (17e s.).

Marche-en-Famenne – C'est la capitale de la Famenne. En 1577, Don Juan d'Autriche, gouverneur des Pays-Bas, y signat l'Édit Perpétuel qui confirmait la Pacification de Gand *(voir à ce nom)*, libérant le pays des troupes espagnoles.

Château de Jannée ⊙ – *19 km au Nord par les N 949, N 929 et N 4.*

Le château de Jannée, entouré de son parc, remonte au 12e s. ; des reconstructions aux 17e et 19e s. lui ont donné son aspect actuel. Les 18 pièces ouvertes aux visites évoquent la vie d'antan. Dans la cuisine, ustensiles anciens et cuivres. Les pièces de séjour du rez-de-chaussée et les chambres ont été aménagées avec goût ; parmi les meubles se remarquent les armoires Louis XV et un secrétaire Louis XV mosan. Les porcelaines et des portraits de membres de la famille du propriétaire retiendront l'attention.

RONSE

RENAIX – Oost-Vlaanderen

22 672 habitants

Cartes Michelin n°s 409 D 3 et 213 pli 16.

Renaix est située parmi les collines des « **Ardennes flamandes** », près de la frontière linguistique.

Le samedi qui suit l'Épiphanie ont lieu les festivités du **lundi des fous**, grande fête populaire dont les vedettes sont les personnages masqués appelés « bonmoss ». Le dimanche de la Trinité se déroule le **Fiertel**, procession en l'honneur de saint Hermès : le reliquaire est porté sur un parcours de 32,6 km.

St.-Hermes Collegiaal (Collégiale St-Hermès) – L'église actuelle date des 15e et 16e s.; le bras droit du transept est voué au culte de saint Hermès.

Elle est édifiée sur une belle **crypte★** ⊙ (1089), d'origine romane; très vaste, celle-ci compte 32 piliers. Malgré une restauration au 13e s. et une extension orientale dans le style gothique (16e s.), l'ensemble est très harmonieux. Deux portes latérales, murées, rappellent la vocation première du lieu : au Moyen Âge les pèlerins tournaient autour des reliques de saint Hermès, exposées ici. A Ronse ce saint était invoqué contre les maladies mentales.

La belle maison (17e-18e s.) voisine de la collégiale était celle du chanoine du chapitre de Saint-Hermès (musée de folklore).

EXCURSION

De Renaix au mont de l'Enclus (Kluisberg) – *15 km à l'Ouest.*

Du jardin situé au Nord de Renaix (Park de l'Arbre), jolie vue sur la ville.

Prendre la N 60 vers Audenarde puis, au sommet de la côte, tourner à gauche vers Kluisberg.

A droite de la route, près d'une auberge, se dresse sur un mont de 150 m d'altitude le **moulin du Hotond** ⊙, édifice tronqué dont le sommet offre un vaste panorama sur la région et le mont de l'Enclus *(table d'orientation)*.

Kluisberg (Mont de l'Enclus) – A 141 m d'altitude, ce mont à cheval sur la frontière linguistique et sur les provinces de Flandre-Orientale et de Hainaut, couvert pinèdes, est un centre de villégiature apprécié.

ST-HUBERT★

Luxembourg
5 690 habitants
Cartes Michelin n⁰ˢ 409 J 5 et 214 plis 16 et 17.

A 435 m d'altitude, sur un plateau au centre des forêts d'Ardenne, les maisons de
St-Hubert se groupent autour de la basilique, siège de grands pèlerinages à saint
Hubert, patron des chasseurs ainsi que des bouchers. On a une belle **vue** sur le chevet
de la basilique en arrivant de l'Est.
St-Hubert est la ville natale du peintre **Pierre Joseph Redouté** (1759-1840), « le Raphaël
des Roses ». Un musée lui est consacré au Fourneau-St-Michel *(voir à ce nom)*.
Chaque été dans le cadre du Festival de la Wallonie, le **Juillet Musical** organise des
concerts dans la ville et ses environs.

Le saint et sa légende – Un Vendredi saint de l'an 683, **Hubert**, gendre du comte de
Louvain, chassait dans les forêts. Les chiens lancèrent un grand cerf dix cors. Sur le
point d'être forcée, la bête se retourna et dans sa ramure apparut une image éblouissante du Christ en croix. Une voix reprocha alors à saint Hubert sa passion immodé-
rée pour la chasse et lui enjoignit d'aller trouver son ami Lambert, évêque de Tongres-
Maastricht, pour être instruit dans la prière et le sacerdoce.
A Rome, Hubert apprend le martyre de Lambert dont le pape lui propose la succession. Hubert refuse, alléguant son indignité. Un ange descend alors du ciel et lui remet
l'étole blanche, insigne de l'épiscopat, tissée d'or par la Vierge elle-même.
Hubert, devenu évêque de Maastricht, transfère à Liège le siège épiscopal *(voir p. 162)*.

La ville des chasseurs – Chaque année, le premier week-end de septembre, ont lieu
les **journées internationales de la chasse et de la nature**. Dès le samedi après-midi les sonne-
ries de trompes de chasse retentissent. Le dimanche, après la messe solennelle et la
bénédiction des animaux, a lieu l'après-midi un grand cortège historique qui raconte la
vie de saint Hubert et l'histoire de l'abbaye. Plus de 500 personnes en costume y participent. Le **3 novembre**, jour de la Saint-Hubert, la grand-messe solennelle est suivie par
la bénédiction des animaux et des animations diverses.

★ BASILIQUE ST-HUBERT *visite : 1/2 h*

C'est l'ancienne église de l'abbaye bénédictine fondée au 7ᵉ s. Les reliques de saint
Hubert transférées ici au 9ᵉ s. attirèrent de tout temps de nombreux pèlerins. Plusieurs
bâtiments se sont succédé à cet emplacement et de l'église romane subsiste la crypte.
L'église actuelle, de style gothique brabançon, a été reconstruite en 1526 à la suite d'un
incendie (en contournant l'église par la droite, on peut voir cet ensemble flamboyant),
mais la façade a été modifiée au 18ᵉ s. : ainsi les deux tours et la façade, au fronton
sculpté d'une scène évoquant le miracle de saint Hubert, sont de style baroque.

★★ **Intérieur** – Imposant avec ses 25 m de haut, l'intérieur à cinq nefs présente le plan
des églises de pèlerinage avec son déambulatoire et ses chapelles rayonnantes. On
est d'abord frappé par les coloris de l'appareil où se mêlent pierre rose, gris et
ocre sous des voûtes en brique qui datent de 1683.
Dans le transept gauche, le mausolée de saint Hubert par Guillaume Geefs (1847)
est une majestueuse figure un peu hautaine. Dans le chœur sont disposées de belles
stalles (1733) délicatement travaillées dont les panneaux évoquent la vie de saint
Hubert *(à droite)* et celle de saint Benoît *(à gauche)*. La Vierge du maître-autel est
de l'école du sculpteur liégeois Delcour. Dans le transept droit, sur l'autel de saint
Hubert, se trouve la sainte Étole tissée de fils d'or au 10ᵉ s. Dans la 1ʳᵉ chapelle
du déambulatoire, à droite, un retable, aux 24 émaux peints (Limoges) d'après la
Passion de Dürer, a subi la fureur des Huguenots.
La **crypte** romane, sous le chœur, contient des tombes d'abbés dont le visage a été
poli par les pèlerins. Les voûtes sont du 16ᵉ s.
Avant de sortir, admirer les orgues baroques.

Le palais abbatial – *Sur le côté gauche de la place quand on fait face à la basilique.*
Construit en 1728, ce palais à la façade élégante, au fronton décoré de rinceaux,
abrite le service des Affaires culturelles de la province. Des expositions y sont organisées. A l'intérieur très belles boiseries.

ENVIRONS

★★ **Fourneau St-Michel** – *Voir à ce nom.*

Parc à gibier ⊘ – *2 km au Nord.* Chevreuils, mouflons, sangliers, etc., peuvent être
observés le long de trois circuits fléchés. La route traverse de belles forêts de hêtres
et de résineux ; la forêt du roi Albert puis le bois de St-Michel.

Val de Poix – *9 km jusqu'à Smuid.* C'est une vallée tranquille et agreste où coule
⊪n petit ruisseau, affluent de la Lomme. A 3 km de St-Hubert à gauche de la route,
⊪ès d'un petit étang, se dresse une maison à colombage.

Vallée de la SEMOIS★★

Luxembourg-Namur

Cartes Michelin n°s 409 J 7, H 6 et 214 plis 15, 16.

...ent de la Meuse, la Semois (en France : Semoy) prend sa source près d'Arlon, .gage dans une dépression marneuse de la « Lorraine belge », puis s'aventure -delà de Florenville, dans les schistes du massif ardennais, en des replis sinueux.

★ ① DE CHINY A BOUILLON

65 km – environ 1/2 journée – schéma ci-dessous

Chiny – La Semois, en contournant Chiny, s'insinue momentanément dans le massif ardennais boisé. La vallée prend un aspect plus encaissé et plus sauvage, qu'il n'est possible d'apprécier qu'en bateau.

★ **Descente en barque de Chiny à Lacuisine** ⊙ – *8 km. Embarcadère à l'Ouest du village, en aval du pont St-Nicolas.*
Le parcours en bateau *(durée : 1 h 1/4)* suit le défilé du Paradis en laissant la côte de l'écureuil et le rocher du Pinco à droite, et le rocher du Hât à gauche.
On peut revenir à pied *(3/4 h)* par des pistes balisées à travers bois (promenade n° 8).

Lacuisine – Ici le cours bouillonnant s'est assagi ; l'eau coule, calme, entre les rives bordées de prairies ; on peut voir un ancien moulin à eau.

★ **Point de vue sur le défilé de la Semois** – *2 km au Nord. Route de Neufchâteau puis, à 800 m au Nord de la bifurcation vers Martué, juste après avoir passé un chemin à gauche, prendre un sentier à droite.*
En suivant dans les bois les balises blanc et orange, on arrive, après un quart d'heure de marche, à un promontoire équipé d'un banc ; le site procure une **vue** plongeante sur le méandre boisé et sauvage où coule la rivière souvent couverte de fleurs blanches.

Florenville – Proche de la frontière, et perché sur une « côte » gréseuse *(p. 15)* dominant la vallée de la Semois, c'est un centre de villégiature et d'excursions.
Derrière le chevet de l'église se trouve une terrasse, équipée d'une table d'orientation. Cet endroit permet de découvrir la vallée de la Semois qui trace une très large courbe dans une vaste plaine dont les terres servent à l'agriculture.
L'église, dévastée en 1940, a été reconstruite. La tour a été dotée en 1955 d'un carillon de 48 cloches. Du **belvédère** ⊙ au sommet, **vue** sur les toits d'ardoises, la large vallée de la Semois et la campagne environnante *(220 marches)*.

★ **Point de vue sur Chassepierre** – A 5 km de Florenville, un belvédère (où se trouve un globe métallique symbolisant la paix) offre une belle vue sur les toits d'ardoises du village dont les maisons se serrent sur un bloc rocheux, près de l'église à bulbe (1702) ; non loin, la Semois serpente dans la plaine.

Au-delà de Ste-Cécile, on tourne à droite vers Herbeumont.
Avant de traverser la rivière, on aperçoit à droite de la route l'ancien prieuré de Conques (18ᵉ s.), qui était au Moyen Âge une dépendance de l'abbaye d'Orval. Il est actuellement occupé par un hôtel.

Herbeumont – Les ruines de son château fort du 12ᵉ s. se dressent au sommet d'une butte. Il a été détruit par les troupes de Louis XIV. Du sommet, **vue★★** magnifique sur un double méandre de la rivière encerclant le **Tombeau du Chevalier.**

Herbeumont - Le Tombeau du Chevalier

Ainsi nommé en raison de sa forme évoquant les tombes médiévales, c'est u̶̶ ron boisé très allongé autour duquel la Semois trace une boucle dans un p̶̶ magnifique. *Illustration p. 207.*

En arrivant sur Mortehan, on suit la rivière. Puis, en montant, avant un virag̶ droite, jolies vues sur un paysage vallonné et sauvage, et, à 2 km d'un belvéd̶̶ situé à la pointe des **roches de Dampiry, vue★** sur une belle boucle de la Semois.

2 km après Dohan, prendre à droite la route des Hayons.

Juste après les Hayons, beau **coup d'œil★** sur la Semois dont la vallée se dessine dans un ample paysage boisé.

Saut des Sorcières – C'est en fait une suite de petites cascades entre des étangs.

Revenir à la N 865. Par Noirefontaine, on gagne Botassart.

Botassart – A 2 km au-delà du hameau, un belvédère aménagé, avec télescope, offre un **point de vue★★** remarquable sur un site des plus célèbres et des plus caractéristiques de la Semois : la rivière forme une magnifique boucle autour d'une longue colline boisée nommée **Tombeau du Géant** car ses pentes rappellent, comme celles du Tombeau du Chevalier, les parois d'un sarcophage ; ses bords sont soulignés d'une couronne de pâturages d'un vert plus pâle.

Revenir sur ses pas pour descendre à Bouillon.

Bouillon – *Voir à ce nom. Visite : 1 h.*

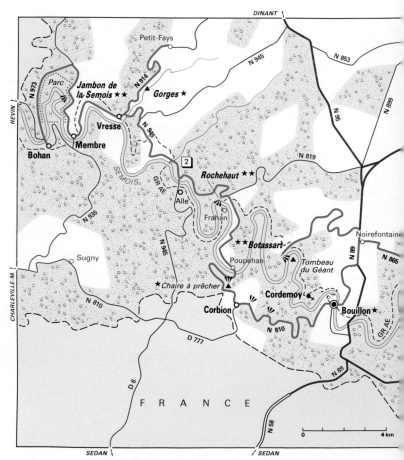

★★ ② DE BOUILLON A BOHAN

53 km – environ 1/2 journée – schéma ci-dessus.

Bouillon – *Voir à ce nom. Visite : 1 h.*

Quitter Bouillon par la route de Corbion, au-delà du tunnel.

A 5 km, belvédère avec vue sur l'abbaye de Cordemoy *(voir à Bouillon, Abbaye de Cordemoy).* Puis, 3 km plus loin, panorama sur les crêtes boisées entaillées par la vallée, ̶tamment le Tombeau du Géant.

orbion – Accessible par un sentier, la **Chaire à prêcher** *(signalée)* est un belvédère naturel. La **vue★** embrasse un vaste panorama sur Poupehan, village dominant la Semois.

Rochehaut – De ce village perché, très jolie **vue★★** : la rivière enserre un promontoire ourlé de prairies ; les maisons du village de Frahan s'étagent sur les pentes. Sur la rive opposée, **Alle** est situé à la racine d'un méandre coupé.

Prendre à droite la route du Petit-Fays.

★**Gorges du Petit-Fays** – La route grimpe en longeant ces gorges très sauvages et noyées dans la végétation.

Vresse-sur-Semois – Ici on retrouve la Semois où vient se jeter le ruisseau du Petit-Fays. Vresse était autrefois un important centre de la culture du tabac. C'est aujourd'hui un rendez-vous pour les vacanciers et pour de nombreux artistes. Dans le centre touristique et culturel, le **musée du Tabac et du Folklore** ⊙ évoque cette culture. Il subsiste çà et là jusqu'à Bohan de typiques **séchoirs à tabac** en bois.

Membre – Près de cette localité commence le **parc de Bohan-Membre**. Il s'étend sur 177 ha, traversé par la Semois et encerclé par une route pittoresque.

Dans Membre, tourner à droite.

A 3 km, beau **point de vue★★** sur le site nommé **Jambon de la Semois**, échine étroite et boisée.

Bohan – Ce petit centre touristique est situé à proximité de la frontière.

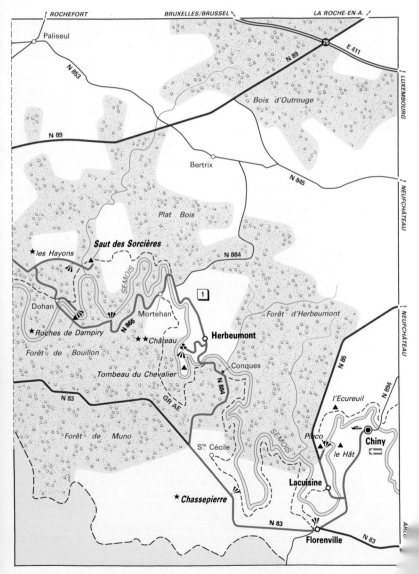

SINT-NIKLAAS

ST-NICOLAS – Oost-Vlaanderen

65 096 habitants

Cartes Michelin n°s 409 F 2 et 213 plis 5, 6 – Plan dans le guide Michelin Benelux.

La capitale du **pays de Waas** est un centre commercial et industriel spécialisé dans le textile (bonneterie). Un marché important s'y tient le jeudi depuis le 16ᵉ s.

CURIOSITÉS

Grote Markt – C'est la plus vaste de Belgique, elle couvre 3,19 ha. A l'Est se dressent quelques maisons de style Renaissance flamande : de gauche à droite **Parochiehuis** (1663), jadis maison paroissiale, puis hôtel de ville, **Cipierage** (1662), ancienne prison, et, à côté de la poste, **Landhuis** (1637), autrefois gouvernement du pays de Waas.
En retrait se trouve l'**église St-Nicolas** (St.-Niklaaskerk) ⊙ (13ᵉ au 18ᵉ s.). Elle renferme des statues de Luc Fayd'herbe et un Christ attribué à Duquesnoy.
L'hôtel de ville actuel est de style néo-gothique (1876).
L'avenue Parklaan mène au beau **parc communal** dont l'étang entoure un château du 16ᵉ s., très remanié.

Stedelijk Museum (Musée municipal) – Celui-ci expose à différentes adresses des collections variées.

Historisch Museum van het Land van Waas (Musée historique du pays de Waas) ⊙ – *Zamanstraat 49.* Les sections histoire régionale, folklore et artisanat sont installées dans une vieille demeure patricienne.
Un édifice moderne a été ajouté pour abriter les autres sections. Une grande salle est consacrée au géographe **Mercator**, né à Rupelmonde *(12 km au Sud-Est de St-Nicolas)* en 1512, et inventeur d'une nouvelle technique de représentation cartographique, dite « projection de Mercator » : la surface de la terre est projetée sur un cylindre, les méridiens devenant entièrement parallèles. On y voit les deux globes terrestre et céleste qu'il réalisa pour Charles Quint en 1541 et 1551, la première édition de son Atlas (1585) et une seconde édition de l'Atlas édité à Amsterdam par le géographe flamand Hondius, d'après les cartes de Mercator. Une deuxième salle est consacrée à la section paléontologie et archéologie.

★ **Afdeling « Van Muziekdoos tot grammofoon »** (Section « de la boîte à musique au gramophone ») ⊙ – *Regentiestraat 61-63.* Remarquable collection comprenant une grande variété de phonographes à cylindre, à disque et de divers instruments de musique mécanique. La visite guidée permet de comprendre l'évolution de ces instruments et d'en écouter certains.

Cultuurhistorische collecties (Collections historiques) ⊙ – *Regentiestraat 61-63.* Le « Barbierama » conserve quatre salons de coiffure du début du siècle (style Art nouveau, style classique), ainsi que de nombreux objets utilisés autrefois par les barbiers, les chirurgiens et les coiffeurs.

Centre international de l'ex-libris ⊙ – *Regentiestraat 61.* Comparable à une bibliothèque, ce centre possède une collection de près de 120 000 ex-libris (16ᵉ-20ᵉ s.), dessinés par 5 500 différents artistes d'origines très diverses.

Salons voor Schone Kunsten (Salons des Beaux-Arts) ⊙ – *Stationsstraat 73.* Les salons d'un hôtel particulier (1928) ayant appartenu à un fabricant de textile abritent des tableaux (Artans, Rops, Evenepoel), des sculptures, du mobilier et des objets d'art du 16ᵉ au 20ᵉ s.

EXCURSION

Escaut et Vieil Escaut – *Circuit de 35 km. Environ 2 h (visite du château de Bornem non comprise). Quitter St-Nicolas au Sud-Est par la N 16.*

Temse (Tamise) – Au bord de l'Escaut, c'est une petite ville spécialisée dans la construction navale. Du quai proche de l'église, on peut voir le large fleuve dont la rive opposée est endiguée.
Un pont métallique – le plus long de Belgique (365 m) – franchit l'Escaut.
Suivre la N 16 et 5 km plus loin tourner à droite vers Bornem. Dans le village suivre les panneaux indiquant Kasteel Bornem.

Kasteel van Bornem (Château Bornem) ⊙ – Cet imposant château néo-gothique (1883-1895) a été réalisé par l'architecte. H. Beyaert, à l'emplacement d'un château fort dont l'origine remonterait au 11ᵉ s. Les pièces ouvertes à la visite renferment des portraits de famille, de la porcelaine chinoise, du mobilier ancien. L'aile droite est habitée par le comte de Bornem, John de Marnix de Sainte-Aldegonde. Le membre le plus illustre de la famille Marnix fut **Philippe de Marnix de Sainte-Aldegonde** (vers 1538-1598), écrivain et diplomate calviniste, et ardent défenseur de Guillaume le Taciturne *(voir à Diest).* Il serait l'auteur de l'hymne national néerlandais. Dans les dépendances du château un musée expose une belle collection d'attelages européens et américains.
On atteint St.-Amands en passant par Zavelberg et Mariekerke.

mands – Une terrasse surplombe l'Escaut qui forme ici un large coude aux ges verdoyantes. Tout près, derrière l'église, dont la tour « se mire parmi les ux bourrues » repose, aux côtés de son épouse Marthe, le poète **Émile Verhaeren** (1855-1916), dans une tombe de marbre noir.

C'est à Rouen, en France, où il venait de donner une conférence, que Verhaeren mourut, écrasé par un train. Né à St.-Amands, l'auteur de *Toute la Flandre* a toujours chanté l'Escaut. Quelques vers, extraits notamment de son *Hymne à l'Escaut*, sont gravés sur sa tombe, tandis qu'on a élevé une statue au *Passeur d'eau* qui lui inspira un poème. Sur l'esplanade a été reconstruite l'ancienne maison du passeur (Het Veerhuis). Au n° 69 de la rue principale, E. Verhaerenstraat, se trouve la maison natale de l'écrivain.

Reprendre la route vers Mariekerke et suivre les bords de l'Escaut en direction de Weert.

Bientôt la **route★** longe le Vieil Escaut (Oude Schelde), un ancien bras de l'Escaut, et on aperçoit sur la rive opposée le château de Bornem *(voir à St.-Niklaas)*. Ici s'étend une pittoresque zone marécageuse sillonnée de canaux qui entourent des vergers ou des prés couverts de peupliers, de saules, de roseaux. La culture des asperges et la vannerie sont les principales activités des habitants de cette région aquatique. Le centre en est **Weert**, très fréquenté par les touristes du dimanche.

La route débouche sur la N 16 qui ramène à St-Nicolas.

SINT-TRUIDEN

ST-TROND – Limburg

36 724 habitants

Cartes Michelin n⁰ˢ 409 I 3 et 213 pli 21.

Au centre de la région fruitière de la **Hesbaye** (Haspengouw) dont les cerises sont réputées, St-Trond se développa autour d'une abbaye fondée au 7ᵉ s. par saint Trudon (ou saint Trond). Bien située sur la grande voie de Cologne à Bruges, c'était au 13ᵉ s. une prospère ville commerçante. La floraison des vergers, en avril, est l'occasion de festivités.

CURIOSITÉS

Grote-Markt (Grand-Place) (B) – Très vaste, elle est dominée par l'hôtel de ville et la collégiale Notre-Dame, gothique, surmontée d'une tour du 19ᵉ s.

Oud Stadhuis (Ancien hôtel de ville) **(B H)** – Imposant mais gracieux édifice dont la façade en brique est rayée de bandes de pierre blanche, il est flanqué d'un beffroi (17ᵉ s.) abritant un carillon de 41 cloches *(concerts)*. Au pied du beffroi, le perron date de 1596.

En arrière de l'hôtel de ville se dresse le massif clocher roman de l'ancienne abbaye de St-Trond.

Abdij (Ancienne abbaye) (A) – Les bâtiments abbatiaux ont abrité des bénédictins jusqu'en 1794 ; de 1839 à 1972, le petit séminaire de l'évêché de Liège y était installé. De nos jours, les édifices sont essentiellement occupés par des écoles. Un porche du 18ᵉ s. (au fronton : saint Trond guérit une femme aveugle) donne accès à la cour d'honneur ; à gauche, dans un bâtiment Louis XVI, on peut voir la salle impériale (Keizerszaal) dont les fresques du plafond datent du 18ᵉ s. La décoration des murs ainsi que l'escalier sont le résultat de transformations ultérieures.

Begijnhof (Béguinage) (A) ⊘ – Il a été fondé en 1258. Ses maisons de style mosan des 16ᵉ, 17ᵉ et 18ᵉ s. entourent une place rectangulaire où se dresse l'église.

Église – Transformée en musée d'art religieux, cette église des 13ᵉ et 15ᵉ s. renferme 38 peintures murales restaurées dont l'exécution s'est échelonnée du 13ᵉ au 17ᵉ s. Parmi les collections variées sont à signaler la chaire, le confessionnal, des sculptures et des ornements liturgiques.

Studio Festraets (A M¹) ⊘ – Il contient en particulier une **horloge astronomique** construite par un horloger de la ville. Quand sonne l'heure apparaît la Mort et défile un cortège de métiers du Moyen Âge.

Brustempoort (Porte de Brustem) (B) ⊘ – Ce sont des vestiges souterrains (15ᵉ s.) des anciennes fortifications rasées par les troupes de Louis XIV.

St.-Pieterskerk (Église St-Pierre) (B) – Remarquable, comme l'église St-Gingol (St.-Gangulphuskerk), par ses murs aux teintes contrastées (ocre et brun), édifice de la fin du 12ᵉ s. est un bon exemple de style roman mosan, cédé d'un large portail à clocheton et terminé par trois absides, la prin portant une galerie à colonnettes. A l'intérieur, les trois nefs sont v d'arêtes.

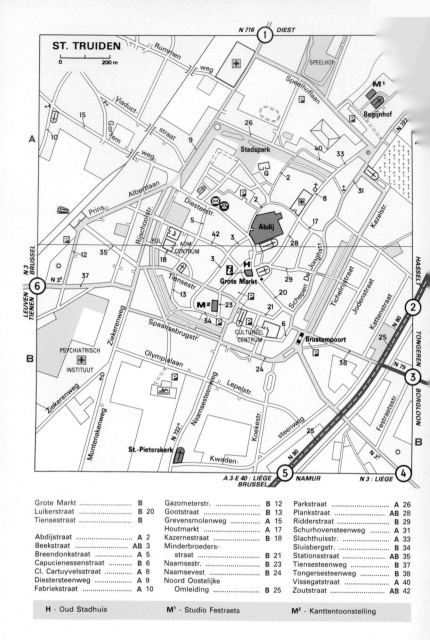

H - Oud Stadhuis	**M¹** - Studio Festraets	**M²** - Kanttentoonstelling

Kanttentoonstelling (Exposition de dentelle) (B M²) ⊙ – Dans le couvent des Ursulines, ancien refuge de l'abbaye d'Averbode, exposition de dentelle au fuseau de St-Trond dont la technique est remise à l'honneur depuis 1964 avec une grande originalité.

Stadspark (Parc municipal) (A) – Joli parc aux nombreuses pièces d'eau.

ENVIRONS

Borgloon et Klooster van Kolen (Abbaye de Colen) – *12 km à l'Est. Sortir par* ③ *du plan.*

Borgloon – L'ancienne capitale du comté de Loon, dont elle portait le nom, possède un charmant hôtel de ville de style Renaissance mosane (17ᵉ s.) à arcades, flanqué d'une tour ; remarquer dans une niche, au coin, une statue de la Vierge.

Prendre la route de Kerniel au Nord-Est et, avant Kerniel, tourner à gauche.

Klooster van Kolen (Abbaye de Colen) ⊙ – Cet ancien couvent de Croisiers, dont ordre fut fondé en Belgique au 13ᵉ s., est occupé par des Cisterciennes.

sacristie renferme la **châsse de sainte Odile** (1292), dont les panneaux de bois ts, d'école mosane, narrent la légende de la sainte, qui est une réplique de celle sainte Ursule *(p. 81)*. Les panneaux ont été malheureusement recoupés au 19ᵉ s. e mobilier liégeois de la sacristie, de style Louis XV, est d'une élégance remarquable. On visite également l'église, décorée au 18ᵉ s.

Kortenbos – *6 km au Nord-Est. Sortir par* ② *du plan.*
La basilique Notre-Dame possède un intérieur baroque richement décoré. La nef est tapissée de lambris de chêne (17ᵉ s.) dans lesquels s'intègrent des confessionnaux aux lourdes colonnes torsadées.

Zepperen – *3 km à l'Est par* ② *du plan.*
L'**église Ste-Geneviève** (Sint-Genoveva), des 15ᵉ et 16ᵉ s., précédée d'une tour du 12ᵉ s., renferme, dans le bras droit du transept, plusieurs peintures murales datées de 1509 et représentant le Jugement dernier, saint Christophe et la vie de sainte Geneviève.

SOIGNIES★

Hainaut

22 087 habitants

Cartes Michelin nᵒˢ 409 F 4 et 213 pli 17.

La ville s'est fondée autour d'une abbaye fondée vers 650 par Vincent Madelgaire (époux de Ste-Waudru de Mons), saint en l'honneur duquel se déroule le lundi de la Pentecôte *(voir chapitre des Renseignements pratiques en fin de volume)* le Grand Tour, importante procession parcourant 15 km et qui se termine par un cortège historique illustrant sa vie.
La cité, formée de rues étroites et sinueuses dont les quatre principales convergent vers la collégiale, s'est développée autour de cette dernière.

★★ COLLÉGIALE ST-VINCENT

Commencée vers 965 par les deux extrémités, narthex et chœur, de style encore carolingien, elle fut continuée dès le 11ᵉ s. dans le style roman scaldien *(voir Introduction, L'Art)*, et s'acheva au 13ᵉ s. par la construction de la tour occidentale en style gothique. C'est un édifice sévère, principalement construit en moellons de grès extrait des carrières avoisinantes, et sobrement décoré d'arcatures lombardes. Son plan en croix latine s'ordonne autour de la cour carrée du transept, ornée de clochetons d'angle. Au cours des siècles s'y sont greffés différents appendices dont la chapelle gothique de St-Hubert (15ᵉ s.) et les vestiges d'un cloître du début du 13ᵉ s. avec charpente apparente, tous deux situés sur le flanc Sud de l'église.
A l'**intérieur** *(entrée par le bas-côté Nord)*, la nef (28 m de haut et 78 m de long), comparable à celle de Tournai, est impressionnante par l'alternance de ses piliers ronds et tréflés, ses vastes tribunes s'ouvrant sur des arcades cintrées de même dimension, et sa charpente romane venue remplacer la voûte gothique lors de la restauration de 1898 qui visait à restituer à l'édifice son aspect roman primitif. Les seules voûtes d'origine sont celles des bas-côtés et de la travée carrée du chœur. Le mobilier date essentiellement du 17ᵉ s. et est marqué par les styles Renaissance et baroque, comme c'est le cas pour l'ambon, sorte de jubé masquant le chœur et pris entre les massifs piliers antérieurs de la croisée du transept : sa conception architecturale formée de trois arcades surbaissées portant une tribune procède de la Renaissance, tandis que sa statuaire et sa décoration sont marquées par le baroque. Dans la niche de l'autel de droite, remarquer la belle Vierge allaitant en pierre blanche polychromée du 14ᵉ s. Après avoir traversé la porte ajourée, on atteint le chœur et l'on découvre, au revers de la tribune de l'ambon, un grand bas-relief en marbre blanc représentant la Résurrection du Christ. Derrière le maître-autel s'ouvre une armoire où sont exposées la châsse de Saint-Vincent et son chef reliquaire du 19ᵉ s. qui peuvent descendre sur la table du maître-autel par le biais d'un ingénieux mécanisme (18ᵉ s.).
Dans le couloir longeant le chœur au Sud, on peut voir dans un enfeu une **Mise au tombeau** (15ᵉ s.) en pierre, aux figures expressives se détachant sur les restes d'un fond de peinture à la détrempe illustrant une scène de la Passion.

Trésor ⊙ – Environ 250 pièces : châsses, reliques, calices, ostensoirs, orfèvrerie et vêtements liturgiques sont exposés dans le cloître et l'ancien espace administratif du chapitre, transformés en musée.

A proximité de la collégiale, l'enclos du **Vieux Cimetière** *(accès par la rue Henry-Leroy)*, devenu jardin public, renferme une chapelle à la fois romane et gothique qui abrite les collections du Cercle archéologique. Parce qu'il servait de lieu de repos aux anciens sonégiens, ce cimetière est jalonné de pierres tombales et de monuments funéraires dont les plus anciens remontent au 14ᵉ s. A remarquer le calvaire (17ᵉ s.), et la porte baroque (au fond du cimetière) ayant fait part de l'ornementation de la collégiale durant deux siècles.

ENVIRONS

Horrues – *4 km au Nord-Ouest.* L'**église St-Martin,** joli petit édifice roman du 12ᵉ dont le chœur a été construit au 13ᵉ s., a été bâtie en grès local tout comme collégiale. Dans le bas-côté droit, un élégant retable en pierre, sculpté au 15ᵉ dans le style gothique, illustre la vision de Saint-Hubert.

Ecaussinnes-Lalaing – *15 km à l'Est.* Un imposant **château fort** ⊘, perché sur le rocher, domine le bourg et la Sennette. Il a été fondé au 12ᵉ s., mais par la suite en partie transformé et agrandi de tours carrées et circulaires.
Ses vastes salles aux cheminées sculptées et armoriées constituent un musée et abritent des meubles de style, des œuvres d'art, des collections de porcelaines et de verres.
Dans la chapelle, Vierge à l'Enfant attribuée au Valenciennois Beauneveu (14ᵉ s.). La cuisine conserve son aspect du 15ᵉ s.
Le lundi de la Pentecôte, depuis 1903, a lieu sur la Grand-Place d'Ecaussinnes, au pied du château, un goûter de célibataires dit goûter matrimonial.

Le Rœulx – *8 km au Sud.* Héritier fastueux d'une forteresse du 15ᵉ s., le **château** ⊘ des princes de Croÿ présente une façade classique du 18ᵉ s. en brique et pierre. Il vit passer des hôtes illustres comme Philippe le Bon, Charles Quint, Philippe II, Marie de Médicis. A l'intérieur quelques salles voûtées en ogive subsistent des constructions des 15ᵉ et 16ᵉ s. Les collections sont intéressantes : mobilier ancien, souvenirs historiques, objets d'art, porcelaines, toiles de maîtres (Van Dyck, Van Loo). Le parc, très vaste, possède des arbres magnifiques et une belle roseraie.

SOUGNÉ-REMOUCHAMPS

Liège

Cartes Michelin nᵒˢ 409 K 4 et 213 Sud du pli 23 – Schéma p. 46-47.

Remouchamps est un centre de villégiature agréable sur les bords de l'Amblève, où l'on fête la marguerite le dernier week-end de juin.

★★ **Grotte** ⊘ – Découverte en 1828, aménagée en 1912, elle offre un parcours intéressant avec retour en barque, à travers les galeries creusées par le Rubicon, affluent de l'Amblève, et dont les 80 derniers mètres ont dû être creusés à la dynamite. L'entrée circulaire servit d'abri préhistorique ; un large couloir mène à un précipice où l'on descend les escaliers pour rejoindre la rivière.
Cascade figée, gours pétrifiés de la Grande Galerie haute de 20 m, descente vers le Rubicon sous une voûte de stalactites étincelantes, « Cathédrale », de 40 m avec de belles cascades de cristaux aux trois couleurs se succèdent jusqu'au pont des Titans. C'est alors que s'amorce la descente vers l'embarcadère où les barques vont glisser au fil de l'eau sur 1 km jusqu'à la salle du Précipice, sous des voûtes étranges aux parois colorées.

Grotte de Remouchamps

EXCURSION

De Sougné-Remouchamps à Tancrémont – *11 km au Nord.*

Deigné-Aywaille – A Deigné a été aménagé le **parc safari du Monde Sauvage** ⊘. La partie de ce parc où hippopotames, zèbres, chameaux, girafes, buffles, rhinocéros et gazelles vivent en liberté se visite en voiture ou en petit train *(toutes les heures à côté de la ferme).* La section composée d'enclos et d'îlots se parcourt à pied. Le parc comprend en outre un bassin avec des otaries, une ferme pour enfants avec plaine de jeux, une volière exotique et une salle de projection pour films en trois dimensions.

Banneux-Notre-Dame – C'est un lieu international de pèlerinage à la Vierge des Pauvres depuis les huit apparitions faites à Mariette Beco, âgée de 11 ans, pendant l'hiver de 1933. La source miraculeuse, les chemins de croix, les chapelles sont dispersés dans la forêt de pins avoisinante.

Tancrémont – Une chapelle, lieu de pèlerinage, abrite une belle **statue★** du Christ en bois, fort vénérée. Découverte dans la terre vers 1830, cette effigie couronnée, vêtue d'une robe à manches traduisant une influence orientale, remonterait au 12ᵉ s.

SPA ★

Liège

9 953 habitants

Cartes Michelin n°s 409 K 4 et 213 pli 23 – Schéma p. 46-47.
Plan dans le guide Michelin Benelux.

..tuée dans une des plus belles régions de l'Ardenne, parmi les collines boisées qui pren-
..ent des tonalités somptueuses à l'automne, Spa est une **station thermale★★** renommé. Ses
..eaux ferrugineuses, bicarbonatées, limpides et gazeuses sont employées essentiellement
en bains et boissons pour soigner les affections cardiaques, rhumatismales et les troubles
respiratoires. La ville a la spécialité des « jolités », bibelots de bois peint.

Un long passé – Les eaux de Spa sont connues depuis l'époque romaine. A partir du
16e s., les bobelins (curistes, de « bibulus » en latin, grand buveur) ne se comptent
plus : têtes couronnées comme Marguerite de Valois (la reine Margot), Christine
de Suède, Pierre le Grand dont le nom a été donné à la plus ancienne source ou
« pouhon », écrivains comme Marmontel et Victor Hugo.
Pendant la Première Guerre mondiale, le Kaiser Guillaume II vint s'y installer avec son
état-major et c'est ici qu'il abdiqua en 1918. Deux ans plus tard, la conférence de Spa
réunissait les Alliés et les Allemands pour une commission d'armistice.

La station thermale aujourd'hui – Spa possède de nombreuses sources : outre le
Pouhon Pierre-le-Grand et le Pouhon Grand-Condé, citons la Géronstère, la Sauvenière,
Groosbeek, Barisart, le Tonnelet et Spa-Reine fournissant de l'eau non gazeuse.
L'**architecture thermale** de la fin du 19e s. et du début du 20e s. y est particulièrement
bien représentée. Succès des styles néo-classique, rocaille, utilisation des armatures
métalliques, grandes fresques peintes. Les plus beaux exemples en sont l'**Établissement
des bains** construit de 1862 à 1868, le **Pouhon Pierre-le-Grand** ⊙ abrité sous un pavillon
néo-classique (1880), le **Casino** dont le bâtiment actuel (1919) a remplacé la
« Redoute » construite au 18e s.

Spa, station de villégiature – Ses multiples distractions sportives, artistiques et
culturelles, ses agréables promenades balisées et ses **circuits guidés** ⊙, ses intéressantes excursions aux environs font aussi de Spa un excellent lieu de villégiature. Le
lac de Warfaaz *(2,5 km au Nord-Est)* est apprécié pour les sports nautiques. En outre,
l'hiver, le ski et la luge sont pratiqués au Thier des Raihons *(au Sud)*.
Parmi d'innombrables manifestations sont à signaler la **saison musicale d'automne**, le **festival de Spa du Théâtre national** *(voir le chapitre des Renseignements pratiques en fin de
volume)* et d'importantes expositions temporaires.

CURIOSITÉS

Musée de la Ville d'eau ⊙ – *Avenue Reine Astrid 77 B.*
Il est situé dans le bâtiment central de la villa royale qui appartenait à la reine
Marie-Henriette, princesse des Habsbourg et seconde reine des Belges qui mourut en
1902. Une riche **collection de « jolités »★** évoque par sa décoration l'histoire de la station.
Les boîtes peintes montrent en effet les différents bâtiments de la station depuis le 17e s.

Musée du Cheval ⊙ – *Dans les écuries de la villa Marie-Henriette.*
Ce musée remémore à travers ses collections le prestigieux « passé équestre » de Spa
qui vit passer les plus beaux équipages d'Europe et organisa les premières courses.

★ **Promenade des Artistes** – *Sortir par la route de la Sauvenière (N 62).*
A gauche se trouve le faubourg de Neubois où l'empereur Guillaume II installa en
1918 son quartier général. Au carrefour où est située la **source de la Sauvenière,**
prendre à droite le chemin des Fontaines. La **source de la Reine** se dissimule dans les
bois, à gauche. A 1,3 km du carrefour, un petit ruisseau, la Picherotte, descend
vers Spa. Le sentier qui longe ce vallon escarpé, parsemé de rochers, ombragé de
magnifiques arbres, a été baptisé Promenade des Artistes.
En continuant le chemin des Fontaines, on gagne la **source de la Géronstère.**

ENVIRONS

Musée de la Forêt ⊙ – *6 km au Sud à Berinzenne.*
Situé en plein cœur de la forêt spadoise, ce musée installé dans une ancienne ferme
restaurée introduit aux différents aspects de la nature : végétation, flore, présentation des arbres locaux (des différents bois), exposition géologique, métiers de la
forêt. La faune y est aussi présentée dans de grands dioramas reproduisant le milieu
naturel des animaux de l'Ardenne (cervidés, lynx, loups, renards, etc.).

Sart – *5 km au Nord-Est par la N 629.*
Dominée par l'église flanquée d'une tour du 15e s., entourée d'austères maisons de
pierre, la place du Marché s'orne d'un perron, symbole des libertés en pays liégeois.

Château de Franchimont et Theux – *8 km au Nord-Est par la N 62.*

Château de Franchimont ⊙ – Sur une butte dominant la vallée de la Hoëgne, les ruines du château de Franchimont (mont des Francs) rappellent le souvenir des princes-évêques de Liège qui résidèrent là en été à partir du 16e s. et des 600 braves qui furent massacrés en 14..
par les troupes de Charles le Téméraire, en tentant de défendre les approches de Liège.

Les altières murailles du donjon sont protégées par une enceinte pentagonale munie de casemates à chaque angle.

Suivre le circuit numéroté (plaques explicatives).

De la chapelle, jolie vue sur Theux.

Dans le bâtiment du salon de thé-restaurant : musée historique.

Theux – Un hôtel de ville des 17e et 18e s. et de vieilles maisons entourent la place où se dresse un perron *(p. 163)* du 18e s. surmonté d'une pomme de pin.

Non loin s'élève l'**église Sts-Hermès-et-Alexandre**, restaurée. A l'emplacement d'une chapelle mérovingienne et d'une église carolingienne dotée d'une tour occidentale dont on a retrouvé les vestiges, furent édifiées vers l'an 1000 une nef romane, et peu après, au Nord, une tour fortifiée, actuellement surmontée d'un hourd. Le chœur est gothique (vers 1500).

On remarque sous le porche des bénitiers gothiques sculptés. L'intérieur est particulier : avec ses trois nefs séparées par de hautes arcades sur piliers, c'est la seule église-halle à plafond plat d'époque romane, subsistant entre la Loire et le Rhin. Le plafond de la nef centrale a été orné au 17e s. de 110 caissons peints de personnages et de scènes de la vie du Christ. Dans une chapelle à gauche du chœur, *Vierge de Theux* (fin 15e s.) et fonts baptismaux romans intéressants, à quatre têtes d'angle et dragons.

La Reid – *5 km à l'Ouest par la N 62 puis la N 697.*
A l'Ouest du village a été aménagé le **parc à gibier★ ☉** . Dans un beau cadre forestier, on peut y voir les principales espèces de la faune ardennaise, ainsi que quelques spécimens de provenances diverses : cerfs Dabowsky (Pologne), yacks du Tibet, ratons laveurs d'Amérique.

★ **Circuit autour de Spa** – *75 km – environ 2 h. Sortir au Sud-Est par la N 62 en direction de Malmédy. Carte Michelin n° 214 pli 8.*

Francorchamps – Le village est connu pour son circuit national de vitesse de 7 km, au Sud de la localité. Chaque année s'y déroulent des épreuves importantes. Une petite église moderne est à signaler.

Emprunter le circuit de vitesse pour gagner Stavelot.

Le **parcours★** traverse un magnifique paysage.

★ **Stavelot** – *Voir à ce nom.*

De Stavelot à Malmédy on suit de nouveau le circuit de Francorchamps, dans un cadre très agréable. A gauche, les collines où est situé le village de **Rivage** portent encore de vieilles fermes traditionnelles, à colombage.

★ **Malmédy** – *Voir à ce nom.*

Robertville et château de Reinhardstein★ – *Voir à Malmédy.*

La route, après Robertville, pénètre sur le plateau des Hautes-Fagnes, décrit p. 144. A Jalhay, tourner à droite pour atteindre le barrage de la Gileppe (voir p. 232).

On rentre à Spa par la N 629 au Nord et **Balmoral**, banlieue dont les villas luxueuses ⸱e disséminent dans la verdure des collines.

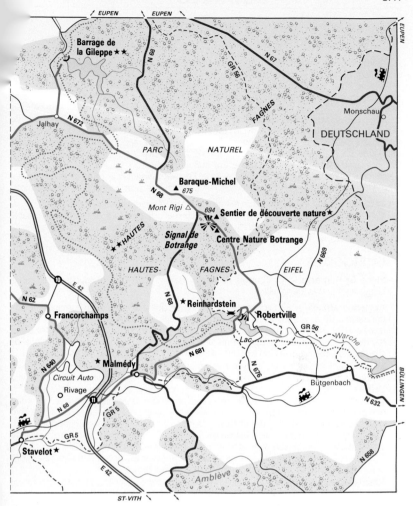

*Pour tout ce qui fait l'objet d'un texte dans ce guide
(villes, sites, curiosités isolées, rubriques d'histoire ou de géographie, etc.)
reportez-vous à l'index.*

SPONTIN ★

Namur

Cartes Michelin n⁰ˢ 409 I 5 et 214 pli 5 – Schéma p. 179.

Situé dans la vallée du Bocq, Spontin est connu pour son château et ses sources miné-
rales. Ces dernières alimentent une usine d'embouteillage qui produit annuellement
30 millions de bouteilles d'eau minérale gazeuse et non gazeuse, de limonades et de
sirops de fruits.

★ **Château** ⊙ – Entouré d'eaux vives (le Bocq), c'est un des témoignages remarquables de l'architecture du Moyen Âge en Belgique. Il montre l'évolution d'un logis
seigneurial du 12ᵉ au 17ᵉ s. Simple donjon au 12ᵉ s., agrandi en château fort au
14ᵉ s., il fut restauré à la fin du 16ᵉ s. dans le goût de la Renaissance et rehaussé
de briques roses et de toits en poivrière. Les communs, qui furent ajoutés en 1622
en dehors des douves, ferment l'actuelle cour d'honneur. Dans la cour d'armes,
ornée d'une élégante armature de puits en fer forgé par Van Boeckel (19ᵉ s.), apparaît l'ancien donjon. Les salles du vieux logis, aux murs énormes, aux cheminées
gothiques et boiseries Louis XIII, au pavement de grès, contrastent par leur austérité avec les appartements.
La partie Sud a été décorée au 19ᵉ s. dans le style néo-gothique.

STAVELOT★

Liège

6 241 habitants

Cartes Michelin n°ˢ 409 K 4 et 214 pli 8 – Schémas p. 46-47 et 216-217.

Au centre d'une magnifique région de l'Ardenne, Stavelot conserve des maisons anciennes, certaines à colombage.

A l'origine de la ville se trouve une abbaye fondée au 7ᵉ s., en même temps que celle de Malmédy, par **saint Remacle** et qui suivit bientôt la règle bénédictine. Stavelot devint avec Malmédy, sa rivale, le siège d'une principauté ecclésiastique. A l'instar des princes-évêques de Liège, les princes-abbés vivent dans une parfaite indépendance et ne relèvent que de l'Empire. Cependant, en 1795, Stavelot est incorporée au département de l'Ourthe.

Apollinaire passa l'été 1899 à Stavelot : un médaillon est apposé sur la façade latérale de l'Hôtel du Mal Aimé qu'il habita au n° 12, rue Neuve.

En décembre 1944 *(p. 66)*, la ville a été endommagée.

Deux manifestations, Vacances-Théâtre et le Festival de musique de chambre, ont lieu l'été dans l'abbaye *(voir le chapitre des Renseignements pratiques en fin de volume)*.

★★ **Carnaval** – Chaque année *(voir le chapitre des Renseignements pratiques en fin de volume)*, Stavelot voit défiler plus de 1 500 participants lors du carnaval endiablé du Laetare. Le cortège aux très nombreux chars est animé par des centaines de **Blanc Moussis** au long nez rouge et au très grand habit blanc à capuchon.

CURIOSITÉS

Place St-Remacle – La **Fontaine du Perron**, datant de 1769, symbolise, comme à Liège, les libertés de la ville.

Ancienne abbaye – Elle conserve de son église abbatiale une tour romane avec un porche du 16ᵉ s. Entourant la cour d'honneur, les bâtiments conventuels, réaménagés au 18ᵉ s., sont occupés par l'hôtel de ville et les musées. L'ancien réfectoire des moines (18ᵉ s.) orné de stucs fournit un cadre élégant aux concerts de musique de chambre du festival ; les caves sont utilisées pour les spectacles de théâtre.

Musée ⊘ – Il est situé dans l'aile des communs. Le **Musée religieux régional** ⊘ contient d'intéressantes œuvres d'art (14ᵉ au 19ᵉ s.) : sculpture du Christ gisant attribuée à Delcour, statue polychrome (16ᵉ s.), objets d'orfèvrerie et vêtements liturgiques.

L'histoire régionale est évoquée par des pièces provenant de fouilles pratiquées sur l'emplacement de l'ancienne abbatiale, des taques de cheminée, des maquettes (abbatiale, château de Logne), des sceaux, des portraits, la reconstitution d'un atelier d'imprimerie.

Au grenier, la **section des Tanneries★** constitue une documentation plaisante *(commentaire enregistré)* sur cette activité locale éteinte depuis 1947.

Trois salles, aménagées pour des expositions temporaires, présentent des collections d'art belge moderne et contemporain (Degouve de Nuncques).

Musée Guillaume Apollinaire ⊘ – Au 1ᵉʳ étage de l'hôtel de ville, un petit musée est consacré au poète dont on a reconstitué la chambre à Stavelot.

Musée du Circuit de Spa-Francorchamps ⊘ – Dans les caves voûtées de l'ancienne abbaye, une exposition présente l'histoire du circuit de vitesse de Spa-Francorchamps *(p. 216)* de 1896 à nos jours. Modèles de voitures et motos victorieuses, photos et affiches rappellent les grands moments du fameux circuit.

Église St-Sébastien – Construite au 18ᵉ s., elle abrite un intéressant **trésor** ⊘.

La monumentale **châsse de saint Remacle★★** (13ᵉ s.), d'école mosane, longue de 2,07 m, en métal doré rehaussé de filigranes et d'émaux, est entourée de statuettes : saint Remacle, saint Lambert, les apôtres, d'une facture plus archaïque, et, aux extrémités, le Christ et la Vierge ; sur le toit, scènes du Nouveau Testament.

Remarquer le buste-reliquaire (17ᵉ s.) de saint Poppon, ancien abbé de Stavelot ; sur le socle figurent des scènes de la vie du saint.

Rue Haute – *Au fond de la place St-Remacle, en haut à droite.*

C'est une des rues les plus pittoresques de Stavelot. Elle mène à une charmante placette où l'on peut voir une vieille fontaine et plusieurs maisons anciennes à colombage ou revêtues de bois.

La châsse de saint Remacle (détail)

TERMONDE★
Voir DENDERMONDE

THUIN

Hainaut

13 994 habitants

Cartes Michelin n°ˢ 409 F 4 et 214 pli 3.

Dominée par son haut beffroi carré (17ᵉ-18ᵉ s.), ancienne tour de la collégiale, la capitale de la **Thudinie** s'étage sur une butte qui sépare la Sambre de la Biesmelle, dans un joli **site★**. Possession de l'abbaye de Lobbes *(voir à Charleroi, Environs)*, Thuin fut remise en 888 à la principauté de Liège : l'évêque Notger la fit fortifier au 10ᵉ s. En mai se déroule à Thuin la marche militaire de St-Roch *(voir le chapitre des Renseignements pratiques en fin de volume)* qui remonte à 1654. Thuin a pour spécialité les spantôles, biscuits portant le nom d'un canon pris aux Français en 1554.

CURIOSITÉS

Place du Chapitre – Intéressant **panorama** sur la sinueuse vallée de la Sambre, la ville basse, avec son port et ses péniches, et la pittoresque cité de Lobbes dont la collégiale se dresse au sommet d'un piton.
Non loin de la place, dans la Grand-Rue, le bureau de poste occupe l'ancien refuge de l'abbaye de Lobbes (16ᵉ s.), restauré.

Remparts du Midi – Dans la Grand-Rue, suivre la pancarte « Panorama », puis la petite rue pittoresque qui longe les remparts (15ᵉ s.) et le chevet de l'église.
A gauche, on aperçoit la **tour Notger**, seul vestige des remparts construits par le prince-évêque.

Jardins suspendus – *Sortir de la ville en voiture en direction de Biesme.*
Du jardin public (parc du Chant des oiseaux), situé à droite, jolie **vue** sur les jardins en terrasses de Thuin, les remparts et le beffroi, surplombant la vallée de la Biesmelle.

TIENEN

TIRLEMONT – Vlaams-Brabant

31 153 habitants

Cartes Michelin n°ˢ 409 H 3 et 213 pli 20 – Plan dans le guide Michelin Benelux.

Dans la région agricole du **Hageland** ou « pays des haies », Tirlemont est une ancienne cité drapière. De nos jours ville commerçante et nœud de communications, elle possède un important centre d'industrie sucrière.

CURIOSITÉS

★ O.-L.-Vrouw-ten-Poelkerk (Église N.-D.-au-Lac) ⊘ – Sur la vaste Grand-Place s'élève ce monument en pierre, de style gothique brabançon, dont la nef n'a jamais été construite. Le chœur du 13ᵉ s. est sobre et harmonieux avec sa rangée de chapelles à pignons décorés. Le transept du 14ᵉ s. est surmonté d'une tour carrée à clocher à bulbe. Elle s'élevait jadis près d'un étang, d'où son nom. L'étang a été asséché, mais l'une des sources qui l'alimentaient est restée lieu de pèlerinage.
Les beaux **portails★** très profonds exécutés par Jean d'Orsy datent de 1360 ; remarquer les amusants petits personnages sculptés sur le socle des niches. La Vierge du 14ᵉ s. qui ornait le portail central est placée à l'intérieur de l'église, au-dessus du maître-autel.

Stedelijk Museum Het Toreke (Musée communal) ⊘ – Il occupe, dans la cour de la Justice de Paix, une ancienne prison du 16ᵉ s. Ses collections (céramique, orfèvrerie, archéologie) illustrent l'histoire de la ville.

Wolmarkt – On admire en montant à droite, aux n°ˢ 19 et 21, les **maisons Van Ranst**, de style Renaissance flamande, restaurées.

St.-Germanuskerk (Église St-Germain) – Bâtie au haut de la colline, elle est située au centre du noyau primitif de la ville près du Veemarkt (marché aux Bestiaux).
C'était au 12ᵉ s. une basilique romane à quatre tours.
Vers 1225 furent construites les deux tours de l'avant-corps, caractéristiques de l'art roman mosan. Depuis le 16ᵉ s., elles encadrent une tour massive, elle-même dotée au 18ᵉ s. d'un carillon de 54 cloches que l'on peut écouter lors de **concerts** donnés en été. L'intérieur est gothique. On peut voir, près de l'autel central, moulage des fonts baptismaux romans exposés au musée du Cinquanten à Bruxelles ; dans le chœur, un beau lutrin en bronze ; dans la chapelle orientée droite, *Le Christ miraculeux des Dames Blanches* (15ᵉ s.) ; dans la chapelle de gauche, une Pietà au sein percé de sept glaives.

EXCURSION

De Tienen à Jodoigne – *13 km au Sud-Ouest.*

Hoegaarden – Ce bourg est connu pour sa bière blanche.
Un petit musée folklorique (Bier- en Streekmuseum) est installé dans le grenier d'une maison du 17e s. nommée **'t Nieuwhuys** ⊙ *(Ernest Ourystraat 2)* qui fut une auberge du temps des Romains. Il renferme des objets concernan l'histoire locale. On visite également l'ancienne cave à bière (kelder).

Jodoigne – Ancienne place forte, sur un versant de la vallée de la Gette, Jodoigne est un important marché agricole.
L'**église St-Médard**, bâtie à la fin du 12e s. dans un style de transition, est flanquée à l'Ouest d'une tour carrée massive. L'**abside** est harmonieuse, avec sa double rangée de baies dont les arcades s'appuient sur des colonnettes. Elle est encadrée de deux absidioles isolées du chœur. A l'intérieur, le chœur montre des colonnettes à chapiteaux. On remarque, dans une niche du bras gauche du transept, derrière une grille, la châsse de saint Médard.

Avec votre **guide Michelin** *il vous faut des* **cartes Michelin.**

TONGEREN★

TONGRES – Limburg

28 947 habitants

Cartes Michelin n°s 409 J 3 et 213 pli 22.

C'est avec Tournai la ville la plus ancienne de Belgique et l'une des plus riches en vestiges du passé. Elle est située dans la **Hesbaye** (Haspengouw), région légèrement vallonnée et couverte de vergers.

Une grande cité romaine – Tongres doit son origine à un camp établi par les lieutenants de César, Sabinus et Cotta, dont les légions furent massacrées à proximité par

Statue d'Ambiorix

Ambiorix, chef des Éburons, qui souleva une partie de la Gaule belgique contre les armées de César en 54 av. J.-C. Sous l'occupation ro-maine, Tongres, alors appelée **Atuatuca-Tungrorum,** se développe ; elle est alors une étape sur la grande voie romaine de Bavay à Cologne et occupe un emplacement sensiblement plus étendu qu'actuellement, comme le prouvent les restes d'une enceinte de la fin du 1er s. mis au jour sur 4 km : on peut voir des traces sur la Legioenenlaan à l'Ouest. A la fin du 3e s., les invasions barbares éprouvent la cité qui se resserre au début du 4e s., dans une enceinte plus petite dont on conserve des vestiges. Au 4e s., saint Servais est le premier évêque de Tongres mais, par mesure de sécurité, le siège épiscopal est transféré à Maastricht. Peu à peu, sous la protection de la principauté de Liège, Tongres reprend son essor ; elle s'organise administrativement et, au 13e s., se bâtit une troisième enceinte.

★★O.-L.-VROUWEBASILIEK (BASILIQUE NOTRE-DAME) (Y) ⊙

Visite : 2 h

De la Grand-Place où s'élèvent la statue d'Ambiorix (1866) et l'hôtel de ville du 18e s., admirer la silhouette imposante de l'ancienne collégiale Notre-Dame, bel édifice gothique (13e-16e s.) précédé par une impressionnante tour-façade, inachevée (carillon).

ntérieur – *Longer le flanc droit de l'église et pénétrer par le petit portail.*
us le porche, beau Christ roman en bois polychrome du 11e s. La nef
e s.) s'appuie sur des piliers cylindriques, à chapiteaux à crochets. Son
nt triforium est surmonté d'une galerie de circulation. A l'Ouest sous
, belle porte en cuivre de 1711 ; au-dessus, orgue du 18e s., restauré.

H - Stedelijk Museum   **M¹** - Gallo-Romeins Museum

Dans le chœur sont rassemblés les objets d'art les plus intéressants. Au maître-autel, **retable★** anversois en bois du début du 16ᵉ s. représentant la vie de la Vierge ; grand chandelier pascal et lutrin, dinanderies exécutées en 1372 par un orfèvre de Dinant.
Dans le bras Nord du transept, **statue★** polychrome en noyer, de N.-D.-de-Tongres (1479).
Des **concerts** ⊙ sont donnés dans la basilique.

★★**Schatkamer (Trésor)** – Parmi les pièces exposées, on remarquera un évangéliaire couvert d'une plaque d'ivoire du 11ᵉ s. (calvaire), un diptyque en ivoire du 6ᵉ s. (St Paul), une agrafe mérovingienne en or (6ᵉ s.), un ostensoir-reliquaire de sainte Ursule (14ᵉ s.) au socle garni d'émaux, le reliquaire-triptyque de la Sainte-Croix (12ᵉ s.), en argent doré rehaussé d'émaux, une tête de Christ en bois du 11ᵉ s., la châsse des Martyrs de Trèves (13ᵉ s.), la châsse de saint Remacle du 15ᵉ s., ornée de peintures.
Tous les sept ans *(voir chapitre des Renseignements pratiques en fin de volume)*, une centaine de prêtres vêtus d'ornements liturgiques anciens portent en procession les châsses et reliquaires du trésor.

★**Cloître** – Charmant cloître où alternent colonnettes simples et colonnettes jumelées ; intéressants chapiteaux dans la rangée près de l'entrée. Aux murs sont apposées des dalles funéraires.

AUTRES CURIOSITÉS

Gallo-Romeins Museum (Musée gallo-romain) (Y M¹) ⊙ – Situé à l'emplacement d'une villa romaine, ce tout nouveau musée pas comme les autres incite à entreprendre une véritable expédition archéologique.
Un espace d'attraction rappelant le monde étrange de Piranesi fut conçu autour du mystérieux dodécaèdre, objet gallo-romain, dont on ignore l'usage exact. Au sous-sol, les collections ayant trait à la préhistoire ; la section gallo-romaine est particulièrement évocatrice de l'important passé de la ville. Remarquer la belle sculpture de Jupiter écrasant deux hommes à queue de serpent. La visite se termine par l'époque des Mérovingiens.

Moerenpoort (YZ) – Cette porte (14ᵉ s.) de l'enceinte médiévale qui marque l'accès Est du béguinage est aménagée en **musée de l'Histoire militaire de la ville** ⊙. Une salle est consacrée aux milices communales. Du sommet, vue sur le béguinage, la ville et sa collégiale.

Begijnhof (Béguinage) (Z) – Fondé au 13ᵉ s., il a été supprimé à la Révolution française.
A l'Ouest, la cour Onder de Linde conserve un certain cachet avec ses jardins précédés d'une porte en plein cintre. Au centre du béguinage s'élève l'église gothique dont le mobilier est intéressant.

Stedelijk Museum (Musée communal) (Y H) ⊙ – Peintures, gravures, sculptures, documents concernant l'histoire de Tongres.

ENVIRONS

Alden Biesen – *10 km par* ① *du plan.*
Au Nord de Rijkhoven, **l'ancienne commanderie Alden Biesen** (les Vieux Joncs) fut fondée par l'ordre Teutonique en 1220. Les bâtiments actuels ont été élevés ou modifiés entre le 16e et le 18e s. Le château est un imposant édifice en quadrilatère,
flanqué de tours et entouré de douves. Dans l'église, Louis XV assista, en 1747, à
un Te Deum chanté en remerciement de la victoire de Lawfeld (Lafelt) remportée
sur les Autrichiens.
Dans la galerie à côté de l'église, petite exposition.

TONGERLO

Antwerpen

Cartes Michelin n°s 409 H 2 et 213 pli 8.

A l'Ouest de la localité, la célèbre **abbaye** de Prémontrés *(p. 66)* se retranche derrière
ses fossés. Fondée vers 1130, elle fut abandonnée à la fin du 18e s. puis en partie
détruite. Occupée de nouveau en 1840, elle a été reconstruite.
Passé le porche surmonté de trois niches (14e s.), le **préau** apparaît avec la ferme
(1640) et la grange aux dîmes (1618) qui abrite une exposition sur l'histoire de
l'abbaye et ses occupants. A droite, la **Prélature** montre une belle façade classique de
1725.
Dans l'**église abbatiale** du 19e s., une châsse d'ébène (1619) recèle les reliques de saint
Siard invoqué par les cultivateurs, les jeunes mères et les enfants – pèlerinage *(voir le
chapitre des Renseignements pratiques en fin de volume).*

★ **Museum Leonardo da Vinci** ⊙ – *Accès par la Prélature.*
Un bâtiment de béton, à verrière, abrite une immense toile, copie de **la Cène** que
Léonard de Vinci peignit sur un mur du couvent de Ste-Marie-des-Grâces à Milan,
entre 1495 et 1498. Cette réplique fidèle, étonnante, fut exécutée moins de 20 ans
après. Achetée en 1545, *la Cène* occupa longtemps l'église abbatiale. Elle connut
bien des vicissitudes et fut déchirée lors d'un incendie en 1929. Restaurée avec soin
en Belgique, elle procure toujours la même émotion esthétique. Une musique
ancienne et un commentaire choisi soulignent l'intensité dramatique de cet instant
où le Christ dit : « L'un de vous me trahira » ; seul Judas est en dehors du rayonnement doré qui irradie chaque visage.
Dans le jardin devant le musée, belle vue sur la façade arrière de la Prélature et
sur l'élégante tourelle de 1479, ancienne tour de guet.

TONGRES★

Voir TONGEREN

TORHOUT

West-Vlaanderen

18 346 habitants
Cartes Michelin n°s 409 C 2 et 213 pli 2.

Torhout (ou Tourhout) était au 12e s. une ville prospère dont la foire était réputée.

St.-Pietersbandenkerk (Église St-Pierre) ⊙ – Reconstruite après avoir été bombardée en 1940, elle possède une jolie tour romane à clocher octogonal abritant un
carillon.
A l'intérieur, des maquettes montrent l'évolution de l'église.

Stadhuis (Hôtel de ville) – Datant de 1713, c'est un harmonieux édifice dont les
larges baies séparées par des pilastres s'alignent sous une haute toiture.
A 3 km à l'Ouest de Torhout s'élève le **château de Wijnendale**, édifice composite
(11e-19e s.) entouré de douves circulaires. Construit par Robert le Frison au 11e s.,
il devint la résidence favorite des comtes de Flandre.
Dans les bois environnants, Marie de Bourgogne, en 1482, fit une chute de cheval
qui lui coûta la vie.

*Cet ouvrage tient compte des conditions du tourisme
connues au moment de sa rédaction.
Certains renseignements perdent de leur actualité en raison de l'évolution incessante
des aménagements et des variations du coût de la vie.
Nos lecteurs sauront le comprendre.*

TOURNAI★★

Hainaut

64 206 habitants

Cartes Michelin n°s 409 D 4 et 213 pli 15.

Dominée par les cinq tours de sa cathédrale, la ville de Tournai s'est développée le long de l'Escaut qui la sépare en deux parties presque égales. Située au centre d'une région essentiellement agricole, elle a connu un passé prestigieux. C'est la plus vieille cité de Belgique avec Tongres. Tour à tour romaine, franque, anglaise, française, autrichienne, elle fut un foyer d'art important. Malheureusement, elle a été ravagée par le bombardement de mai 1940 qui a détruit bon nombre de ses maisons anciennes. Des promenades sont organisées sur l'Escaut afin de découvrir la ville, mais aussi des excursions d'une journée dans la région.

UN PEU D'HISTOIRE

Le berceau de la monarchie française – Tournai est déjà une cité importante au temps des Romains. Au 3e s. saint Piat évangélise la ville qui passe au 5e s. sous la domination des Francs Saliens. C'est le berceau de la dynastie mérovingienne : Childéric y meurt en 481 et **Clovis**, son fils, y est né en 465. Ce dernier fait de Tournai le siège d'un évêché.

Les rois de France ont toujours considéré Tournai comme le berceau de leur monarchie et la ville porte le lys royal dans ses armes. Quant à l'insigne de Childéric, l'abeille, il sera repris comme emblème par Napoléon. C'est au cours du 9e s. qu'un chapitre de chanoines vint s'installer dans la ville, et que son siège épiscopal fut uni à celui de Noyon (jusqu'en 1146).

Philippe Auguste visita la ville en 1187 et acquit à sa politique l'évêque suzerain. Le 12e s. et le 13e s. sont de grandes époques de construction dont il subsiste des maisons romanes, des édifices religieux et certaines parties de la deuxième enceinte.

Tournai reste fidèle à la France pendant la guerre de Cent Ans. La ville, qui a reçu le titre de « Chambre du Roy », est isolée dans une Belgique gagnée à la cause anglaise. Les Tournaisiens sont conviés par Jeanne d'Arc à venir assister au sacre de Charles VII à Reims (1429) en tant que « gentilz loiaux Franchois ». Lorsque Jeanne sera faite prisonnière, Tournai lui enverra une escarcelle remplie d'or pour adoucir sa captivité.

Un intense rayonnement artistique – Déjà connue pour son orfèvrerie à l'époque mérovingienne, la ville devint à la fin du Moyen Âge un centre artistique de grande importance. Avec la châsse de saint Éleuthère (13e s.), les orfèvres tournaisiens se distinguent de nouveau dans l'art des métaux ; au 15e s., les dinandiers de Tournai concurrencent ceux du pays mosan.

Dès le 12e s., l'emploi de la pierre locale dans l'architecture a donné naissance à une florissante école de sculpture : au 15e s, fonts baptismaux, monuments funéraires sont taillés de façon magistrale dans cette pierre au grain très fin et à la couleur gris bleuté, voire dans une pierre blanche importée.

Au 15e s., **Robert Campin** (mort à Tournai en 1444), contemporain de Van Eyck, et que certains identifient avec le **maître de Flémalle**, est l'auteur anonyme d'un groupe d'œuvres découvertes dans cette localité vers 1900. Les œuvres de cet artiste charment par leur coloris, par la précision avec laquelle sont dépeints les intérieurs et les objets, et par leur sérénité.

Dans les sujets les plus graves apparaît une expression plus dramatique, qui a fait rapprocher Robert Campin de son élève **Rogier de La** (ou **Le**) **Pasture**. Connu également sous le nom de **Van der Weyden**, ce dernier, né à Tournai (1399-1464), devint peintre de la ville de Bruxelles en 1436. Ses compositions pathétiques sont imprégnées de mysticisme, tandis que son dessin net et précis donne des portraits remarquables. Le visage de ses Vierges au doux ovale et au large front fut beaucoup imité.

Né à Tournai en 1855, le poète belge Georges Rodenbach s'installera à Paris dès 1887. La **tapisserie** de haute lisse de Tournai supplante celle d'Arras sa rivale et des autres ateliers flamands. Ses réalisations sont appréciées dans toute l'Europe. Elles se caractérisent par de vastes compositions sans bordure aux nombreux personnages et au dessin très stylisé (*voir Introduction, L'art*).

Une place forte disputée – De 1513 à 1518, Tournai passe à Henri VIII, roi d'Angleterre, qui y fait construire un quartier fortifié par un donjon, actuelle **tour Henri VIII**.

Puis la ville passe sous la tutelle de Charles Quint et perd nombre de privilèges.

En proie à des troubles religieux, Tournai résiste deux mois, en 1581, à Alexandre Farnèse sous le commandement héroïque de **Christine de Lalaing**.

Sous le règne de Louis XIV, de 1667 à 1709, la ville est rattachée à la France. Ses fortifications sont renforcées et les remparts du 13e s. bastionnés par Vauban. De cette époque datent de nombreuses maisons en brique et chaînage de pierre à grandes baies et toits débordants.

Malgré les bombardement de 1940, il en subsiste par endroits, notamment sur le quai Notre-Dame. Tournai est alors le siège du Parlement de Flandre, représentant la justice du souverain. Tombée aux mains des Autrichiens après le traité d'Utrecht (1713), elle revient aux Français après la bataille de **Fontenoy** (1745) *(8 km à l'Est)*, puis de nouveau aux Autrichiens en 1748.

Au 18ᵉ s., Tournai se signale par la renaissance de son industrie du cuivre et de la fabrication de la tapisserie.

Sa manufacture de porcelaine, fondée en 1751 par François-Joseph Peterinck, connaît une vogue exceptionnelle. On y fabrique une porcelaine tendre aux riches coloris et aux décors les plus variés, où le style chinois intervient pour une large part. La manufacture disparaît en 1891.

Folklore et traditions – Tournai figure parmi les villes belges où les traditions restent très en honneur.

Lors de la fête de la Nativité de Notre-Dame *(2ᵉ dimanche de septembre, 15 h)* qui a pour origine la grande peste de 1090, la châsse de saint Éleuthère *(p. 227)* et les pièces du trésor de la cathédrale sont portées en procession.

Les journées des quatre cortèges *(voir le chapitre des Renseignements pratiques en fin de volume)* associent la publicité et le folklore avec des géants comme Childéric ou Louis XIV qui ont marqué l'histoire de la cité, un défilé carnavalesque, un corso fleuri et un festival de musiques militaires.

★★★ CATHÉDRALE NOTRE-DAME (AZ) *visite : 1 h 1/2*

En plein centre de Tournai, non loin du beffroi, s'élève le plus imposant, le plus original monument religieux de la Belgique. Il a influencé de nombreuses églises de la ville puis, le diocèse de Tournai couvrant jadis la plus grande partie de la Flandre, s'est répandu dans toute la vallée de l'Escaut, donnant naissance à l'art scaldien *(p. 23)*. Extérieurement, les proportions gigantesques de l'édifice (134 m de longueur, 66,5 m de largeur au transept) et les silhouettes massives de ses cinq célèbres tours produisent un effet impressionnant.

Les cinq **tours**, toutes différentes, se dressent à la croisée du transept ; la plus ancienne, au centre, repose sur les piliers de la croisée qu'elle devait éclairer *(Ill. p. 21)*.

La nef et le transept aux extrémités en hémicycle datent du 12ᵉ s. Plus élevé que la nef et presque aussi long, un chœur gothique très élancé a remplacé au 13ᵉ s. le chœur roman. Cette différence de style est perceptible tant à l'extérieur qu'à l'intérieur de l'édifice.

De la place P.E. Janson on a une des meilleures vues d'ensemble de la cathédrale.

Porte Mantile – Située au Nord, elle doit son nom à Mantilius, un aveugle guéri par saint Éleuthère en ces lieux. Ce portail latéral conserve de remarquables sculptures romanes

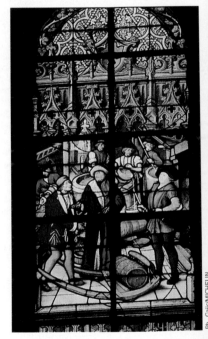

Ph. Galic/MICHELIN

Détail d'un vitrail : l'impôt sur la bière

principalement sur le bandeau encadrant le sommet de la porte (lutte entre les rois et frères mérovingiens Sigebert et Chilpéric) et les montants (combat des vices et des vertus).

Contourner ensuite l'église par le chevet.

Porte du Capitole – De style roman, semblable à la porte Mantile, elle est malheureusement très détériorée, et l'on devine à peine le cycle de la fin du monde sculpté sur le bandeau. L'archivolte est soutenue par deux chevaliers munis d'un haut bouclier.

Passer sous la « Fausse Porte » surmontée de la chapelle St-Vincent : arche reliant la cathédrale au palais épiscopal.

Façade principale – Elle est entourée d'une part de l'Hôtel des Anciens Prêtres (18ᵉ s.) et de l'autre par l'Évêché. Remaniée au 14ᵉ s., elle est masquée par un **porche** (modifié au 16ᵉ s.), sous lequel se superposent trois registres sculptés : en bas, du 14ᵉ s. des hauts-reliefs ont trait au drame du paradis terrestre ; au milieu, du 16ᵉ s., des bas-reliefs, à gauche la procession de Tournai *(voir ci-dessus)*, à droite la lutte entre Sigebert et Chilpéric ; au sommet, du 17ᵉ s., une rangée de statues d'apôtres et de saintes. Au pilier central, une belle statue de la Vierge (14ᵉ s.), patronne de la cathédrale, est vénérée sous le nom de Notre-Dame-des-Malades.

Intérieur – Vaste vaisseau de dix travées, la nef centrale s'élève sur quatre étages : ses grandes arcades à triples rouleaux sont supportées par de courts piliers aux beaux chapiteaux sculptés. Au-dessus, les tribunes sont surmontées d'un triforium à arcatures en plein cintre abritant une baie aveugle en leur centre. Le dernier étage est percé de fenêtres hautes. Les voûtes du 18ᵉ s. ont remplacé un plafond de bois. Un jubé, exécuté en 1572, coupe la perspective de la nef centrale.

Le mur du **collatéral droit** est orné d'épitaphes.

Remarquer les **chapiteaux** jadis polychromés des piliers de la nef : décoration végétale (**1** : grappes de raisin), animale (**2** : chevaux), figures humaines, souvent fantaisistes (**3** : l'homme qui tombe).

Dans la chapelle St-Louis ou chapelle du St-Sacrement, *Crucifixion* de Jordaens et panneaux en bois finement sculptés au 18ᵉ s., provenant d'une abbaye (scènes de la vie de saint Benoît et de saint Ghislain). A remarquer, le 2ᵉ panneau qui nous permet d'imaginer un réfectoire d'abbaye au 18ᵉ s.

Dominé par une haute lanterne (influence anglo-normande), le **transept** est d'une majesté et d'une ampleur imposantes ; c'est une « cathédrale au travers d'une cathédrale ».

Son plan est très original : les croisillons se terminent par un hémicycle qu'entoure un déambulatoire. L'ordonnance à quatre étages superposés reprend celle de la nef. Le transept contient des vestiges de fresques (12ᵉ s.) et de précieux vitraux du 16ᵉ s.

Dans le **bras droit du transept**, les vestiges d'une fresque (**4**) représentent la Jérusalem céleste au-dessus de l'autel de Notre-Dame de Tournai. Les vitraux racontent la lutte entre Sigebert et son frère Chilpéric, qui est à l'origine du pouvoir temporel de l'évêque (à l'étage supérieur, privilèges épiscopaux, comme l'impôt sur la bière).

Le **jubé**, œuvre de l'artiste Cornelis Floris de Vriendt *(voir à Anvers)*, est une pièce magnifique de la Renaissance anversoise aux marbres polychromes et à la riche décoration, sculptée d'un ciseau souple : des médaillons et des panneaux en albâtre mettent en parallèle des épisodes de l'Ancien et du Nouveau Testament, par exemple Jonas avalé par la baleine et la Mise au tombeau du Christ (à droite). Très long, le **chœur** (1243), à sept travées, contraste par sa légèreté avec la robustesse un peu austère de la nef. L'influence française est manifeste (Soissons).

Le **déambulatoire** appelé « carolle » (du vieux français caroler, signifiant se promener en rond) est terminé à son extrémité par cinq chapelles rayonnantes. Sont à signaler dans la première chapelle latérale droite (**5**) la châsse *dite des Damoiseaux* (1572), puis dans une petite chapelle (**6**), une *Résurrection de Lazare* par Pourbus le Vieux et une peinture de Coberger ; dans la chapelle axiale (**7**), des *Scènes de la Vie de la Vierge*, par Martin de Vos, offrant un décor italianisant. A l'arrière du jubé, la première partie du chœur est occupée par des stalles des chanoines (18ᵉ s.), et le sanctuaire proprement dit par un maître-autel (1727) de style classique. Dans les chapelles du déambulatoire Nord sont conservés des monuments et dalles funéraires de l'école tournaisienne des 14ᵉ et 15ᵉ s. Au-dessus de la porte donnant accès à la salle d'accueil ou « chauffoir des pèlerins », le *Purgatoire* (1635) (**8**) de Rubens, et lui faisant face, trois tableaux superposés en grisaille de Piat Sauvage (18ᵉ s.).

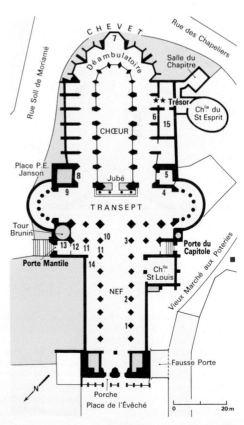

TOURNAI

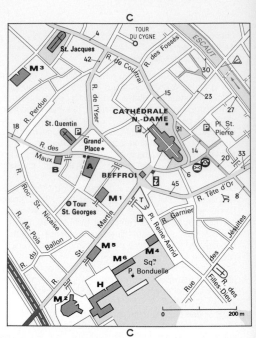

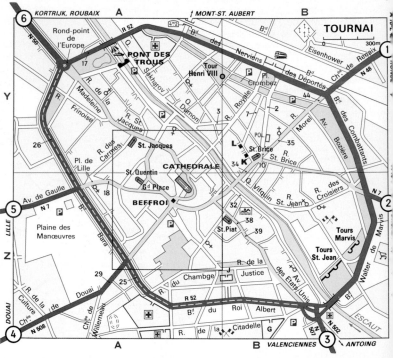

A - Halle aux draps
B - Grange des dîmes
K - Maisons romanes
L - Maison gothique
M¹ - Musée du Folklore
M² - Musée des Beaux-Arts
M³ - Musée d'Histoire et d'Archéologie
M⁴ - Musée de la Tapisserie
M⁵ - Musée des Arts décoratifs
M⁶ - Musée d'Histoire naturelle

Dans le **bras gauche du transept,** les restes de fresques (**9**) narrent la vie et le martyre de sainte Marguerite. Ici les vitraux représentent la séparation du diocèse de Tournai de celui de Noyon en France auquel il avait été rattaché au 7ᵉ s.

Parmi les chapiteaux du **collatéral gauche,** on remarque des cygnes (**10**) ; des animaux fantastiques (**11**) ; une femme dévorée par un monstre (**12**), au verso (**13**), visible seulement sous le porche), Frédégonde et Chilpéric ; des oiseaux buvant (**14**).

★★ **Trésor** ⊙ – La salle voûtée (15ᵉ s.) est dominée par les deux grands coffres reliquaires du 13ᵉ s. : la **châsse de Notre-Dame** (1205) en argent et cuivre doré, œuvre de Nicolas de Verdun, ornée de sujets en relief au superbe modelé, placés sous de riches arcatures et des médaillons évoquant la vie et la Passion du Christ. La **châsse de saint Éleuthère** (1247) est décorée avec une profusion et une finesse extraordinaires de statues d'apôtres ressortant sur un fond de filigrane, d'émaux et de pierres précieuses ; aux pignons on voit le Christ et saint Éleuthère portant dans sa main la cathédrale. Parmi de nombreuses œuvres d'art de valeur se distinguent : les *Sept Joies de Marie* (vers 1546) de Pierre Pourbus ; le reliquaire de la vraie croix dit « croix byzantine » d'origine orientale du 5ᵉ ou 6ᵉ s. (or, perles, pierres précieuses et lame de cristal laissant entrevoir la relique) ; un coffret à reliques en ivoire dit « de Cologne » (13ᵉ s.) gardant des traces de polychromie ; un fermail de chape avec jeune femme symbolisant la ville fortifiée de Tournai (15ᵉ s.) ; le manteau impérial porté dans la cathédrale par Charles Quint en 1531.

Dans la chapelle du St-Esprit (17ᵉ s.), une longue **tapisserie** illustre la légende de saint Piat, apôtre du Tournaisis, et de saint Éleuthère, premier évêque de la ville ; tissée à Arras, elle fut offerte en 1402 par un ancien chapelain du duc de Bourgogne. Dans la **salle du chapitre**, les lambris en chêne d'époque Régence (18ᵉ s.) ont été ciselés avec élégance et minutie et retracent la vie de saint Ghislain.

AUTRES CURIOSITÉS

★ **Beffroi** (**C**) ⊙ – C'est le plus ancien de Belgique. Le soubassement date du 12ᵉ s. ; en 1294, la base est renforcée par des tourelles polygonales et les parties hautes ont été reconstruites en 1391 après un incendie. Jusqu'en 1817, plusieurs salles servirent de prison. Dès le 1ᵉʳ étage, on a une **vue** intéressante sur la cathédrale. Du sommet (70 m de hauteur, 256 marches), belle **vue** sur la ville. Un carillon de 44 cloches donne de beaux **concerts** ⊙.

Pour rejoindre le musée des Beaux-Arts, il est conseillé de remonter la rue des Jésuites. Au coin, l'**église St-Piat** (**BZ**) (12ᵉ s.) a été édifiée à l'emplacement d'une basilique mérovingienne (6ᵉ s.). Elle doit son nom à saint Piat, premier missionnaire chrétien à Tournai, qui fonda la première église de la ville, dont l'évêque sera saint Éleuthère *(voir Cathédrale)*.

Remonter la rue jusqu'au séminaire épiscopal (n° 28) dont on peut admirer la cour intérieure. Traverser ensuite le Parc communal vers le musée des Beaux-Arts.

★ **Musée des Beaux-Arts** (**C M²**) ⊙ – Ce musée (1928) fut conçu par le célèbre architecte Art Nouveau **Victor Horta** *(voir Introduction, L'art)* qui lui donna un plan en étoile dont les salles rayonnantes convergent vers le hall de sculptures. Ce plan central, recouvert de larges verrières, est délimité par une façade aux formes souples, surmontée d'un groupe en bronze de Guillaume Charlier, « La Vérité, impératrice des Arts ». Devant le flanc gauche du musée, une sculpture féminine de Georges Grard (20ᵉ s.). Il abrite des œuvres du 15ᵉ s. à nos jours, et en particulier les **collections impressionnistes** du mécène bruxellois Henri Van Cutsem *(voir à Bruxelles, Musée Charlier)*.

Parmi la série de **peintures anciennes** se distinguent *La Vierge et l'Enfant* de Rogier de La Pasture (Van der Weyden), le *Saint Donatien* de Gossaert, et de délicats paysages du Bruegel de Velours.

Une section didactique présente, avec des photographies du format des originaux, tout l'œuvre peint de Rogier de La Pasture à travers le monde.

Du 17ᵉ s., des toiles de Jordaens, ou nature morte de Snyders ; et du 18ᵉ s., deux petites pastorales de Watteau. Une salle entière est réservée aux tableaux romantiques, historiques et sombres du Tournaisien Louis Gallait (1810-1887).

La peinture belge des 19ᵉ et 20ᵉ s. est bien représentée : Henri De Braekeleer et son intimisme réaliste, Charles De Groux, Meunier, Joseph Stevens (peintre animalier), Hippolyte Boulenger (paysagiste), Ensor et Émile Claus ; tout comme la sculpture (Charlier, Rousseau, Van der Stappen).

Les œuvres impressionnistes sont dominées par deux compositions célèbres de **Manet** : *Argenteuil* (1874) et *Chez le Père Lathuille* (1879). Dans la même salle figurent aussi des œuvres de Monet, Fantin-Latour et Seurat.

Le musée possède également une importante collection de dessins (Van Gogh, Toulouse-Lautrec, Khnopff).

En face du musée, on pénètre dans la Cour d'honneur de l'**hôtel de ville** (**C H**) qui occupe l'emplacement de l'ancienne abbaye St-Martin (11ᵉ s.), dont il subsiste la crypte romane. L'ancien **palais abbatial** (1763), édifié sur les plans de Laurent Dewez *(voir à Bruxelles)*, présente de belles façades néo-classiques.

Musée d'Histoire naturelle (**C M⁶**) – Donnant dans la Cour d'honneur de l'hôtel de ville, son architecture intérieure néo-classique est celle des cabinets d'histoire naturelle propres au 19ᵉ s. Les collections sont réunies dans les diverses vitrines (parfois didactiques) entourant la grande galerie. La salle carrée du fond est occupée par une série de dioramas, et l'on terminera volontiers la visite par l'observation de certaines espèces vivantes (lézards, serpents, poissons, tortues,...) regroupées au sein d'un vivarium. Des expositions temporaires y sont fréquemment organisées.

Traverser le square Bonduelle pour arriver à la place Reine Astrid.

Musée de la Tapisserie (**C M⁴**) ⊘ – Derrière une élégante façade donnant sur la place Reine Astrid, ce musée évoque une activité qui fut florissante à Tournai du 15ᵉ au 18ᵉ s. L'apogée de la tapisserie tournaisienne se situe entre 1450 et 1550, et les quelques tapisseries de cette période exposées ici en montrent les principales caractéristiques : les thèmes variés (histoire, mythologie, héraldique) sont traités avec des coloris éclatants et une grande élégance de trait. De nombreux personnages en costume du 15ᵉ s., rivalisant de magnificence, se pressent dans des compositions très animées où plusieurs scènes se superposent comme dans la **Bataille de Roncevaux** ou la **Famine à Jérusalem.**

Une large part est aussi laissée à la tapisserie moderne avec le groupe « Force murale » des années 40 (Louis Delfour, Edmond Dubrunfaut et Roger Somville), ainsi qu'à la tapisserie contemporaine où les jeux de texture évoquent souvent la sculpture. Des expositions temporaires complètent cette présentation de la tapisserie.

Ce musée possède aussi un atelier où l'on peut voir des liciers au travail.

Grand-Place (**C**) – Triangulaire, elle est dominée par les tours de la cathédrale. Au centre, une statue de Christine de Lalaing. A une extrémité se dresse le beffroi, à l'autre l'**église St-Quentin**, complètement restaurée, qui abrite, dans sa chapelle circulaire gauche, un tombeau au gisant (14ᵉ s.) orné de pleurants et surmonté d'une statue en argent de Notre-Dame-de-la-Treille, portée en procession lors de la fête de la Nativité.

Détruite en 1940, la place a retrouvé quelques belles maisons, réédifiées, telles la **halle aux draps** (1610) (**C A**), d'un style composite allant du gothique au baroque, et plus loin, à droite, une belle demeure baroque de briques, ancienne grange des dîmes (**C B**).

Des promenades en **calèche** et en petit **train touristique** sont organisées au départ de la Grand-Place.

Musée du Folklore (**C M¹**) ⊘ – *De la Grand-Place, on y accède par le Réduit des Sions.*

Présentées dans la « Maison tournaisienne » (façades de 1673), caractéristique de l'architecture espagnole, les collections évoquent les arts et traditions populaires de la ville et du Tournaisis, ainsi que la vie quotidienne. Au rez-de-chaussée, on voit d'intéressantes reconstitutions : estaminet, atelier du « balotil » (avec sa machine à tricoter), et la salle des métiers dont les mannequins nous font revivre la multiplicité des métiers artisanaux d'autrefois. Au 1ᵉʳ étage, on remarquera la salle du carnaval et la pharmacie. Au 2ᵉ étage, la maquette de Tournai au 17ᵉ s. est la reproduction de celle exécutée pour Louis XIV.

Non loin se dresse la **tour St-Georges** (**C**), élément de la première enceinte communale (11ᵉ-12ᵉ s.).

Musée des Arts décoratifs (**C M⁵**) ⊘ – Il possède une importante collection de porcelaines provenant de la manufacture impériale et royale établie à Tournai au 18ᵉ s. Remarquer le service aux oiseaux d'après Buffon, commande du duc d'Orléans. Au 1ᵉʳ étage, une collection de monnaies de Tournai, et de remarquables pièces d'argenterie, dont une soupière et sa rarissime doublure en vermeil datant de 1787.

Musée d'Archéologie (**C M³**) ⊘ – Il occupe l'ancien Mont-de-Piété construit par Coberger au 17ᵉ s. Au rez-de-chaussée, l'époque gallo-romaine est évoquée par des objets trouvés lors des fouilles : on y remarquera un riche ensemble de céramique, de verrerie dont un biberon (4ᵉ s.), et un **sarcophage en plomb★** du 3ᵉ-4ᵉ s. découvert en 1989 dans une rue voisine du musée, ainsi qu'un **puits romain** creusé dans un tronc de chêne évidé. Au premier, la section mérovingienne présente des objets découverts autour de la tombe royale de Childéric découverte en 1653, dont le squelette d'un des chevaux sacrifiés lors des funérailles. Au 2ᵉ étage, préhistoire et protohistoire.

★ **Pont des Trous** (**AY**) – Porte d'eau, vestige de l'architecture militaire, il faisait partie de la seconde enceinte communale (13ᵉ s.) et défendait l'entrée de la ville par l'Escaut, qui la traverse. Du pont voisin (boulevard Delwart), on a une belle **vue★** sur cet ouvrage qui présente de ce côté les faces arrondies de ses tours (plates du côté de la ville) et la silhouette de la cathédrale qui se détache au loin. En 1948, il a été réhaussé de 2,40 m pour faciliter la circulation fluviale.

Maisons romanes (**BY K**) – Près de l'église St-Brice, deux maisons ont conservé leur façade de la fin du 12ᵉ s., restaurée. Avec leurs fenêtres à colonnette centrale, alignées entre deux cordons de pierre, elles sont un des rares exemples d'architecture civile romane scaldienne *(p. 23)*.

Plus loin, une maison gothique (13ᵉ-15ᵉ s.) (**BY L**) développe les principes innovés dans les maisons romanes.

Tours Marvis (**BZ**) **et tours St-Jean** (**BZ**) – Sur le boulevard Walter de Marvis ces quatre tours, vestiges de l'enceinte du 13ᵉ s., dominent de jolis jardins.

Tour Henri VIII (**ABY**) ⊙ – Cette puissante tour du 16ᵉ s. construite sous Henri VIII a été aménagée en **musée d'armes.**

Église St-Jacques (**C**) ⊙ – C'est un édifice de transition entre le roman et le gothique dont le porche est surmonté d'une épaisse tour carrée à tourelles. A l'extérieur de la nef court une galerie à arcades ; à l'intérieur, cette galerie forme, au-dessus de la croisée du transept, un pont ajouré d'un gracieux effet et se prolonge dans la nef par un triforium.

ENVIRONS

Château d'Antoing ⊙ – *6 km au Sud-Est par la N 502.*
Quelques vestiges de l'enceinte du 12ᵉ s., le donjon du 15ᵉ s. et la façade Renaissance rappellent l'origine ancienne de ce château reconstruit au 19ᵉ s. dans le style néo-gothique. Une partie des communs fut prêtée aux Jésuites lorsqu'ils durent quitter la France ; Charles de Gaulle y fut leur élève en 1907-1908. La **chapelle** conserve une riche collection de pierres tombales sculptées, notamment celles des de Melun (début du 15ᵉ s.). Du haut du **donjon**, dont on visite les salles (meubles gothiques), s'offre une belle **vue** sur la région.

Mont-St-Aubert – *6 km au Nord.*
Cette butte s'élevant à 149 m d'altitude est devenue un centre de villégiature.
Du cimetière près de l'église, on a un beau **panorama★** sur la plaine des Flandres. On distingue, au Sud derrière les arbres, Tournai et sa cathédrale, à l'horizon à l'Ouest, l'agglomération de Roubaix-Tourcoing.

Pierre Brunehault – *10 km par ③ du plan ; à la sortie de Hollain, tourner à droite.*
Près de l'ancienne voie romaine ou « chaussée Brunehault », allant de Tournai à Bavay, la pierre Brunehault est un menhir de 4,50 m en forme de trapèze comme la pierre de Zeupire *(voir à Charleroi, Gozée).*

Leuze-en-Hainaut – *13 km à l'Est par ② du plan.*
La vaste **collégiale St-Pierre** a été édifiée en 1745 à l'emplacement de l'ancienne église gothique détruite par un incendie.
A la sobriété de sa façade s'oppose la majesté de son intérieur. On y admire en particulier de belles boiseries du 18ᵉ s. : les lambris de style Louis XV où s'incorporent les confessionnaux, et qui sont sculptés de motifs tous différents, la chaire sous laquelle est représenté un Saint Pierre enchaîné, le buffet d'orgue.

TROIS-PONTS

Liège
2 183 habitants
Cartes Michelin nᵒˢ 409 K 4 et 214 pli 8.

Bien situé au confluent de la Salm et de l'Amblève, c'est un village pittoresque, point de départ d'agréables promenades.

EXCURSIONS

Vallée de la Salm – *13 km jusqu'à Vielsam.*
Cette agreste vallée constituait autrefois une principauté sur laquelle régnaient les princes de Salm et qui dépendait du duché de Luxembourg. La Salm, sinueuse et rapide, dans une vallée encaissée, est longée par la route bordée de beaux arbres.
Grand-Halleux – A proximité se trouve le **domaine de Monti** ⊙.
En sortant de Grand-Halleux, prendre un chemin à gauche en suivant la signalisation.
Ce domaine présente dans un vaste cadre forestier la faune de l'Ardenne luxembourgeoise (cerfs, daims, chevreuils, sangliers) ainsi que des mouflons.
Vielsalm – Le 20 juillet le sabbat des Macralles (sorcières) se déroule le soir dans un bois proche de la localité. Il est suivi, le lendemain, de la fête des Myrtilles.

★ **Circuit des panoramas** – *44 km.* Cet itinéraire touristique balisé est formé de deux boucles et serpente à travers les collines, offrant des panoramas étendus, des vues tantôt sur l'Amblève, tantôt sur la Salm. Au Sud-Est, la **« boucle de Wanne »** *(23 km)* suit la Salm dans son cours inférieur *(ci-dessus)*. La route quitte la forêt aux abords de Henumont avant de descendre puis remonter à Wanne parmi d'agréables paysages. On gagne ensuite Aisomont ; avant ce village a été aménagée à droite une piste de ski (Val de Wanne). Puis on descend sur Trois-Ponts.
A l'Ouest, par la **« boucle de Basse-Bodeux »** *(21 km),* on s'élève entre les vallées de la Salm et du Baleur (direction Basse-Bodeux), puis on tourne à gauche vers Mont-de-Fosse. Après St-Jacques, Fosse et Reharmont, traverser la nationale pour gagner Haute-Bodeux. Un peu avant d'atteindre Basse-Bodeux, tourner à gauche. La route traverse une belle forêt près des deux bassins supérieurs de la centrale d'accumulation par pompage *(p. 115)*. On redescend sur Trois-Ponts en traversant le hameau de Brume.

TURNHOUT

Antwerpen

36 547 habitants

Cartes Michelin nᵒˢ 409 H 2 et 213 Nord du pli 8.

Principale agglomération de la Campine anversoise, Turnhout est une ville industrielle et commerçante.

Elle appartint au Brabant du 12ᵉ au 18ᵉ s. et Charles Quint en fit une seigneurie qu'il offrit à sa sœur Marie de Hongrie.

Après le traité de Münster en 1648, Turnhout devint un fief tenu par les Orange-Nassau jusqu'en 1753.

La bataille de Turnhout en octobre 1789 est restée célèbre. Elle permit à la **Révolution brabançonne** de chasser provisoirement du pays les Autrichiens. A la fin de 1790, ceux-ci occupent de nouveau le pays.

La ville a pour spécialité la fabrication des cartes à jouer.

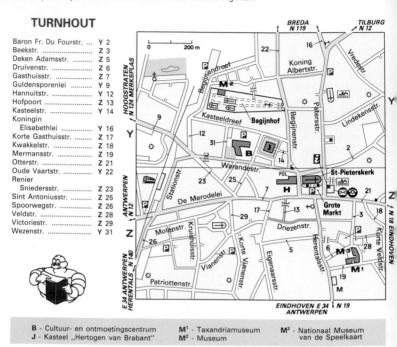

TURNHOUT

Baron Fr. Du Fourstr. ...	Y 2
Beekstr.	Z 3
Deken Adamsstr.	Z 5
Druivenstr.	Z 6
Gasthuisstr.	Z 7
Guldensporenlei	Y 9
Hannuitstr.	Y 12
Hofpoort	Z 13
Kasteelstr.	Y 14
Koningin Elisabethlei	Y 16
Korte Gasthuisstr.	Z 17
Kwakkelstr.	Z 18
Mermansstr.	Z 19
Otterstr.	Z 21
Oude Vaartstr.	Y 22
Renier Sniedersstr.	Z 23
Sint Antoniusstr.	Z 25
Spoorwegstr.	Z 26
Veldstr.	Z 28
Victoriestr.	Z 29
Wezenstr.	Y 31

B - Cultuur- en ontmoetingscentrum
J - Kasteel „Hertogen van Brabant"
M¹ - Taxandriamuseum
M² - Museum
M³ - Nationaal Museum van de Speelkaart

CURIOSITÉS

Grote Markt (Grand-Place) (**Z**) – Au centre se dresse l'**église St-Pierre** (St.-Pieterskerk) ⊘ des 15ᵉ et 18ᵉ s. Elle contient une intéressante chaire du 19ᵉ s., des stalles datant de 1713 et provenant de l'ancien prieuré de Corsendonk (à Oud-Turnhout, à l'Est de la ville), et des confessionnaux baroques de 1740. L'hôtel de ville, néo-classique, a été inauguré en 1961.

Kasteel « Hertogen van Brabant » (Ancien château des ducs de Brabant) (**Y J**) – Datant du 13ᵉ au 17ᵉ s., cette solide construction en quadrilatère entourée d'eau était, au Moyen Âge, le pavillon de chasse des ducs de Brabant attirés par le gibier des forêts de Campine. Marie de Hongrie, qui partageait son temps entre Turnhout et Binche, en fit une somptueuse résidence. Le château est occupé par le palais de justice.

A proximité a été édifié en 1972 un **centre culturel** (**Y B**) moderne, De Warande.

Taxandriamuseum (Musée) (**Z M¹**) ⊘ – Installé dans une maison patricienne du 16ᵉ s., ce musée est consacré à l'archéologie, à l'art local et au folklore de la Campine, appelée dans l'Antiquité Taxandrie.

Il renferme de riches collections (remarquer les boucles mérovingiennes) et une intéressante reconstitution d'une cuisine campinoise.

Begijnhof (Ancien béguinage) (**Y**) – Fondé au 14ᵉ s. et reconstruit aux 16ᵉ et 17ᵉ s. à la suite d'un incendie, c'est un charmant enclos dont les maisons s'ordonnent autour d'une petite place triangulaire où se dresse l'église baroque. Dans la maison du nᵒ 56, un petit **musée** (**Y M²**) ⊘ est consacré à la vie dans le béguinage.

Nationaal Museum van de Speelkaart (Musée de la Carte à jouer) (Z M³) ⊘ – Une ancienne usine de cartes à jouer abrite le musée consacré à cette industrie exercée à Turnhout depuis 1826. Outre d'anciennes machines ayant servi à fabriquer ou à imprimer les cartes, il présente une riche collection de jeux de cartes de tous pays, les plus anciens datant des environs de l'an 1500.

Windmolen (Moulin à vent) *(par Otterstraat)* **(Z 21)** – Ce joli moulin édifié en 1848 a été restauré. Il est dénommé « De Grote Bentel ».

EXCURSIONS

Hoogstraten – *18 km au Nord-Ouest.* Carte Michelin n° 212 pli 16.
Une grande avenue plantée de tilleuls traverse cette localité dominée par la magnifique tour-porche de son **église Ste-Catherine** (St.-Catharinakerk) ⊘, en brique, rayée de bandes de pierre blanche. Reconstruite après sa destruction en 1944, elle reste imposante avec ses 105 m de haut.
L'église est l'œuvre de Rombaut Keldermans au 16ᵉ s.
A l'intérieur, on voit en particulier, dans le chœur, de pittoresques stalles du 16ᵉ s. et le tombeau d'Antoine de Lalaing et de son épouse Élisabeth de Culembourg par Jean Mone. On admire également 14 vitraux du 16ᵉ s. et une série de tapisseries (16ᵉ s.).

Begijnhof (Béguinage) – Fondé probablement à la fin du 14ᵉ s., il fut reconstruit après avoir été incendié en 1506.
C'est un enclos modeste avec ses maisons basses, simples, entourant une pelouse ombragée. L'église baroque du 17ᵉ s. est précédée d'un gracieux portail.

Baarle-Hertog (Baerle-Duc) – *14 km au Nord.* Carte Michelin n° 212 pli 16.
Baarle-Hertog est un village enclavé en territoire néerlandais. Au 12ᵉ s. le village de Baarle fut divisé en deux. Une partie revint au duc de Brabant (Baerle-Duc ou Baarle-Hertog), l'autre, rattachée à la seigneurie de Breda, fut nommée **Baarle-Nassau** lorsque Breda, au début du 15ᵉ s., devint le fief de la famille de Nassau.
De nos jours, chacun possède sa mairie, son église, sa police, son école, son bureau de poste. La frontière établie en 1831 a scrupuleusement respecté les limites des communes. A l'exception de la Grand-Place où se tient le marché, qui est située aux Pays-Bas, le territoire des deux communes est très enchevêtré.
Si l'on reconnaît l'église belge à son bulbe bien caractéristique, le pays auquel appartiennent les maisons n'apparaît que sur les plaques portant leur numéro : les couleurs nationales y figurent.

La légende en p. 2 donne la signification
des signes conventionnels employés dans ce guide.

VERVIERS

Liège

46 997 habitants

Cartes Michelin nᵒˢ 409 K 4 et 213 pli 23.

Plan d'agglomération dans le guide Michelin Benelux.

Dans la vallé de la Vesdre, à proximité des Fagnes, Verviers est une importante ville industrielle jadis spécialisée dans l'industrie textile.
Reconnue comme ville en 1651 seulement, Verviers renferme peu de monuments anciens. Au Sud la ville haute forme un quartier aisé aux maisons cossues dispersées dans la verdure.
Verviers est la ville natale du violoniste **Henri Vieuxtemps** (1820-1881). Henri Pirenne, auteur d'une *Histoire de la Belgique* en sept volumes, naquit également à Verviers (1862-1935).
Le pain d'épice de Verviers est renommé.

Hôtel de ville (D H) – 18ᵉ s. Situé sur une butte, cet élégant édifice aux nombreuses fenêtres rehaussées d'une discrète décoration est précédé d'un **perron** *(voir à Liège, Le perron).*

★ **Musée des Beaux-Arts et de la Céramique (D M¹)** ⊘ – Installé dans un ancien hospice du 17ᵉ s., il abrite de riches collections de porcelaines, faïence belge et étrangère, grès anciens de Raeren, des peintures et sculptures du 14ᵉ au 19ᵉ s. : de Corneille de Vos, *Portrait d'enfant*, auréolé de dentelles, panneau de Pierre Pourbus aux nombreux personnages. Des gravures liégeoises du 16ᵉ s. à nos jours sont classées dans un meuble à tiroirs. A l'étage, collection d'œuvres contemporaines (Tytgat, Magritte) et de non-figuratifs.

VERVIERS

H - Hôtel de ville   M¹ - Musée des Beaux-Arts et de la Céramique   M² - Musée d'Archéologie et de Folklore

Musée d'Archéologie et de Folklore (D M²) ⊙ – Situé dans un hôtel du 18ᵉ s., aux meubles de styles variés (Louis XIII et Charles X), il renferme un ensemble hollandais (Grand Salon) et des souvenirs du violoniste Henri Vieuxtemps ; au 1ᵉʳ étage, un salon Louis XV liégeois ; au 2ᵉ étage, des objets provenant des fouilles de la région. Une intéressante section de **dentelles**★ est présentée par tiroirs, des agrandissements photographiques permettent d'apprécier la finesse du travail.

Musée de la Laine ⊙ – 8, route Séroule ; par chaussée de Heusy (**D**).
Trois salles de l'Institut supérieur industriel de l'État ont accueilli des métiers, outils, gravures et autres documents évoquant le travail de la laine, du fil et du tissu avant 1800.

Église Notre-Dame (C) – Reconstruite au 18ᵉ s., elle est depuis le 17ᵉ s. le siège d'un pèlerinage à la Vierge Noire des Récollets, dont la statue, lors d'un tremblement de terre (1692), se retrouva dans une attitude étrangement modifiée.

EXCURSIONS

★★**Barrage de la Gileppe** – *13 km à l'Est par la N 61.*
Il a été édifié sur cet affluent de la Vesdre, de 1869 à 1876, et surélevé de 1967 à 1971. Haut de 62 m, long de 320 m sur une base rocheuse de 235 m, il a vu sa capacité doubler et s'élever à 27 millions de m³. Il alimente la région en eau potable et industrielle.
Du belvédère, **vue**★★ splendide sur ce vallon boisé, le lion qui domine la crête du barrage, la retenue de plus de 120 ha *(activités sportives interdites sur le lac et ses rives).*

Limbourg – *7,5 km à l'Est par N 61.*
Perchée sur un rocher au-dessus de Dolhain qui s'étale dans la vallée de la Vesdre, Limbourg fut la capitale d'un duché jusqu'au 13ᵉ s. : après la bataille de **Worringen,** en 1288, le Limbourg est rattaché au Brabant dont il partage le destin jusqu'à la fin du 18ᵉ s. Importante place forte, Limbourg fut maintes fois assiégée, notamment par Louis XIV.
Ses remparts, sa vieille église St-Georges, de style gothique, ses ruelles tranquilles et sa place centrale pavée et plantée de tilleuls forment un ensemble très pittoresque.

De Verviers à Val-Dieu – *15 km au Nord. Sortir par la E 42. A Battice, prendre la N 627 puis à droite vers Charneux. A Charneux, se diriger vers Thimister et tourner à gauche 1 km après un petit pont.*

Croix de Charneux – Cette grande croix, en béton, a été édifiée sur une colline de 269 m d'altitude d'où la vue est belle sur la région. A côté subsiste la coupole d'un poste d'observation (1932-1935) du fort de Battice qui défendait Liège.

En continuant vers le Nord, gagner le Val-Dieu.

Abbaye du Val-Dieu – Située dans la charmante vallée de la Berwinne, cette abbaye, fondée vers 1216, est occupée par des Cisterciens depuis 1844. La vaste cour de la ferme abbatiale précède l'ancien quartier des hôtes de 1732, à gauche duquel s'étendent les bâtiments abbatiaux et l'église. Reconstruite en 1934, celle-ci conserve un chœur gothique. A l'intérieur, belles stalles Renaissance.

En fin de volume figurent d'indispensables renseignements pratiques :
- *Organismes habilités à fournir toutes informations ;*
- *Manifestations touristiques ;*
- *Conditions de visite des sites et des monuments...*

VEURNE★

FURNES – West-Vlaanderen

11 232 habitants

Cartes Michelin nos 409 B 2 et 213 pli 1.

Furnes groupe ses monuments autour d'une magnifique Grand-Place où le luxe de la décoration flamande est tempéré par une dignité un peu solennelle et tout espagnole. C'est, en effet, pendant le règne des archiducs Albert et Isabelle, période de prospérité, que furent construits la plupart des monuments. Place forte au 9e s., Furnes s'agrandit et s'entoura d'une enceinte au 14e s. Vauban aménagea ses fortifications qui furent rasées en 1783 par l'empereur Joseph II. Elle fut le quartier général de l'armée belge en 1914, lors de la bataille de l'Yser. Elle fut bombardée pendant les deux guerres mondiales.

Chaque année ont lieu, le lundi de Pentecôte, un grand marché aux fleurs et, en août *(voir le chapitre des Renseignements pratiques en fin de volume)*, la Fête « Anno 1900 » avec des représentations en costumes anciens et des démonstrations d'artisanats d'antan.

La Procession des Pénitents★★ – *Voir le chapitre des Renseignements pratiques en fin de volume.* Tous les ans, la confrérie de la Sodalité, fondée en 1637, organise dans la ville un défilé de chars où des groupes représentent la vie et la mort du Christ, suivi d'un cortège d'environ deux cents pénitents, vêtus d'une sombre robe de bure, coiffés d'une cagoule, allant pieds nus et portant une lourde croix. Georges Rodenbach les évoque dans *Le Carillonneur*. La confrérie de la Sodalité participe également à un chemin de croix dans les rues tous les vendredis soir pendant le carême, tous les soirs pendant la Semaine sainte et le Jeudi saint à minuit.

La Procession des Pénitents

J. Evrard, Bruxelles

★★GROTE MARKT (GRAND-PLACE) *visite : 2 h*

Très vaste, la Grand-Place de Furnes s'entoure de beaux monuments et de maisons anciennes, surmontées d'imposant pignons, frontons et corniches, et datant pour la plupart du début du 17ᵉ s.

Stadhuis (Hôtel de ville) (**H**) ⊙ – Construit en 1596 (partie gauche) et 1612 (partie droite), dans le style Renaissance flamande, avec une façade à deux frontons précédée d'une élégante loggia, il possède à l'arrière-plan une tourelle d'escalier se terminant par un petit bulbe.
A l'intérieur, on voit des murs tendus de magnifiques **cuirs**★ de Cordoue (salle de réception) ou de Malines (salle du conseil et des mariages).
La salle du collège est garnie de velours bleu d'Utrecht.
Des meubles du 18ᵉ s., des tableaux parmi lesquels une nature morte attribuée à Paul de Vos *(p. 28)* sont aussi à signaler. On visite également, en général, la salle d'audience de l'ancien palais de justice qui communique avec l'hôtel de ville.

Landhuis (Ancien palais de justice) – Jadis châtellenie (1618), ce bâtiment est inspiré de l'hôtel de ville d'Anvers. Derrière l'ancien palais de justice se dresse le **beffroi** (1628) (**A**), gothique mais surmonté d'un couronnement baroque.

St.-Walburgakerk (Église Ste-Walburge) ⊙ – *Accès par une ruelle à droite de l'ancien palais de justice.*
La première église, détruite par les Normands, fut reconstruite au 12ᵉ s., dans le style roman. Un nouvel édifice, entrepris au 13ᵉ s. sur des plans ambitieux, ne fut jamais terminé. Seuls furent réalisés le chœur, particulièrement impressionnant avec ses 27 m de haut et ses multiples arcs-boutants, et, au 14ᵉ s., la base d'une tour (**E**), située dans le square voisin. La partie romane de l'église a été refaite au 20ᵉ s.
A l'intérieur, les proportions sont harmonieuses et imposantes. On remarque les stalles Renaissance flamande (1596), une chaire de H. Pulinx (1727) représentant la vision de saint Jean à Patmos, des orgues et un jubé du 18ᵉ s. ; peintures flamandes du 17ᵉ s.
Dans le square à l'Ouest de l'église se trouvait le château fort construit par le comte Baudouin Bras de Fer.
Au Nord de la Grand-Place, remarquer un ensemble de **cinq maisons** (**F**) à beaux pignons agrémentés de lourdes fenêtres à pilastres.

A - Belfort   F - Vijf huizen
B - Klein monument   H - Stadhuis
E - Basis van een toren

Noordstraat (Rue du Nord) – Dans l'ancienne auberge de la Noble Rose, Die Nobele Rose (1572), transformée en banque, logea en 1906 l'écrivain autrichien Rainer Maria Rilke. En face, un petit monument (**B**) a été érigé à la mémoire de l'éclusier de Nieuport qui provoqua des inondations en 1914 *(p. 190)*.

Spaans Paviljoen (Pavillon espagnol) – A l'angle de la Grand-Place et de la rue de l'Est (Ooststraat), ce bâtiment, élevé au 15ᵉ s., servit d'hôtel de ville jusqu'en 1586. C'était le quartier général des officiers espagnols au 17ᵉ s.

Oud Vleeshuis (Ancienne boucherie) – Cette halle aux viandes, édifiée en 1615, présente une jolie façade. Restaurée, elle est occupée par la bibliothèque municipale.

Hoge Wacht (Grand'Garde) – Au fond de la Grand-Place, au Sud, une maison à arcades construite en 1636 abritait l'ancien corps de garde. Sa façade latérale donne sur le marché aux pommes (Appelmarkt) où s'élève l'église St-Nicolas.

St.-Niklaaskerk (Église St-Nicolas) – Elle est dominée par une belle **tour** ⊙ massive en brique, du 13ᵉ s., gardienne d'une des plus anciennes cloches flamandes, la Bomtje (1379). L'intérieur est du type halle, avec trois vaisseaux d'égale hauteur. Sur le maître-autel, un intéressant triptyque (1534), attribué par certains à Van Aemstel, beau-frère de Pieter Coecke, par d'autres à Van Orley, représente la Crucifixion.

EXCURSIONS

Lo – *15 km au Sud-Est.* Cette petite ville a gardé de ses remparts du 14ᵉ s. une porte flanquée de tourelles. Sa belle **église** du 14ᵉ s., de type halle, surmontée d'une flèche à crochets, a été en partie reconstruite en 1924. Elle abrite un intéressant mobilier des 17ᵉ et 18ᵉ s.

De Veurne à Izenberge – *12 km au Sud.*

Wulveringem – Le **château Beauvoorde** ⊘ a été construit aux 16ᵉ s. et 17ᵉ s. C'est un charmant édifice à pignons à redans, entouré d'eau et dissimulé derrière les grands arbres d'un parc. L'intérieur renferme des boiseries du 17ᵉ s., de riches collections de meubles anciens et d'objets d'art.

Izenberge – Le **musée de plein air Bachten de Kupe** ⊘ comprend plusieurs sections où ont été reconstitués des bâtiments ruraux abritant du matériel agricole ancien, provenant de la province de West-Vlaanderen. L'église gothique, dont l'intérieur s'agrémente de boiseries anciennes, est intéressante, de même que la petite chapelle de pèlerinage du 17ᵉ s. située à proximité.

VILLERS-LA-VILLE★★

Brabant Wallon
8 192 habitants
Cartes Michelin nᵒˢ 409 G 4 et 213 pli 19.

Les admirables **ruines de l'abbaye** de Villers-la-Ville sont les plus importantes de Belgique.

★★ **Ruines de l'abbaye** ⊘ – Dès 1147, saint Bernard avait posé les fondations de l'abbaye. Mais c'est seulement de 1198 à 1209 que furent construits église et cloître. Le couvent, ravagé au 16ᵉ s. par les Espagnols et les Gueux, s'entoura d'une enceinte fortifiée en 1587. En 1789, les Autrichiens mirent à sac les bâtiments qu'occupèrent les Français en 1795.

Face à l'entrée des ruines se trouve, sur la Thyle, l'ancien **moulin** à eau du 13ᵉ s. transformé en restaurant.

Suivre le circuit fléché.

Cour d'honneur – Elle est bordée de bâtiments du 18ᵉ s., en ruine : à droite, palais abbatial.

Cloître – Immense, remanié au 14ᵉ s. puis au 16ᵉ s., il est d'une élégance robuste avec ses arcades surmontées d'un oculus.

Les bâtiments qui l'entourent sont disposés suivant la formule presque immuable des maisons cisterciennes : à l'Est, la **salle capitulaire** refaite au 18ᵉ s., non loin

Roland / EUREKA SLIDE, Bruxelles

Ruines de l'abbaye de Villers-la-Ville : le réfectoire

de laquelle se voit le gisant de Gobert d'Aspremont (13ᵉ s.) ; au-dessus, les dortoirs également refaits au 18ᵉ s. ; au Sud, le chauffoir, le réfectoire, perpendiculaire au cloître, et la cuisine ; à l'Ouest, les celliers au-dessus desquels se trouvent les dortoirs des convers dont le nombre s'élevait à 300 au 13ᵉ s.

Église – Du début du 13ᵉ s., elle s'est effondrée en 1884. Elle est d'une sobriété à la fois robuste et émouvante, tout à fait cistercienne. L'abside et le transept étaient éclairés par des oculi de l'école d'Ile-de-France, d'un effet original.

Sortant de l'église par la façade, on visite la **brasserie** (13ᵉ s.), puis on contourne le chevet pour traverser le **quartier abbatial** des 17ᵉ et 18ᵉ s.

Église de la Visitation ⊘ – Elle abrite en particulier deux beaux **retables** brabançons des 15ᵉ et 16ᵉ s. ; une chaire du 17ᵉ s. ; un Christ au tombeau de 1607 ; des portraits des abbés de Villers ; le monument funéraire des seigneurs de Marbais (17ᵉ s.). Les onze vitraux modernes sont signés F. Crickx et G. Massinon.

VIRTON

Luxembourg

10 109 habitants

Cartes Michelin nᵒˢ 409 J 7 et 214 pli 11 (cartouche).

Tout au Sud de la Belgique, Virton est une localité pittoresque, capitale de la **Gaume**, région dont le climat est plus doux que dans le massif ardennais voisin.
Contrairement aux zones situées à l'Est, on parle en Gaume un dialecte roman.

Musée gaumais ⊙ – *Rue d'Arlon*. Installé dans l'ancien couvent des Récollets, qui possède un jaquemart, ce musée régional est consacré à l'archéologie et à l'ethnographie locales. On peut y voir des reconstitutions d'intérieurs (cuisine gaumaise) et d'ateliers d'artisans. Parmi les collections d'art populaire industriel, on remarquera celle des pièces de fonte ornementales (taques, chenets), rappelant que la Gaume était jadis connue pour ses forges.

ENVIRONS

Montauban – *10 km au Nord. Prendre la route d'Arlon, puis, dans Ethe, une route à gauche vers Buzenol.*
Au Sud de Buzenol, près d'anciennes forges installées au bord du ruisseau, ce promontoire boisé de 340 m d'altitude a été occupé pendant les époques préhistorique et romaine et au Moyen Âge. On y voit les vestiges des différentes fortifications.
Musée des Sculptures romaines – Il renferme de nombreux bas-reliefs gallo-romains découverts sur le site. Le plus célèbre représente la partie avant du « vallus », moissonneuse celtique décrite par Pline l'Ancien. Sa reconstitution, grandeur nature, a pu être effectuée d'après un bas-relief du Musée luxembourgeois d'Arlon où figure le conducteur d'un « vallus ».

De Virton à Torgny – *9 km au Sud par la route de Montmédy. Tourner à droite à Dampicourt.*
Montquintin – Le village est perché sur une crête à plus de 300 m d'altitude. Près de l'église, une ferme de 1765 abrite le **musée de la Vie paysanne** ⊙. Ce témoin de l'architecture rurale traditionnelle évoque la vie d'antan en Gaume. Outre l'habitation, on visite la grange et l'étable surmontée du fenil abritant des véhicules ruraux et des instruments agricoles.

Rejoindre la route de Montmédy puis prendre à gauche vers Torgny.
Torgny – C'est la localité la plus méridionale de Belgique.
Très fleuries, ses maisons en pierre un peu dorée, parfois crépies, au toit de tuiles romaines, s'alignent sur le versant bien exposé d'une vallée dont le climat, particulièrement doux, permet la culture de la vigne.

WALCOURT

Namur

15 523 habitants

Cartes Michelin nᵒˢ 409 G 5 et 214 pli 3.

Cette petite cité, vieux bourg pittoresque, est une ancienne place forte.
Chaque année *(voir le chapitre des Renseignements pratiques en fin de volume)* se déroule une procession célèbre en l'honneur de N.-D.-de-Walcourt ; elle accomplit un périple autour de la ville, appelé **« Le Grand Tour »**. Elle est rehaussée d'une escorte ou **« marche militaire »** *(voir à Charleroi)*, comprenant des soldats de l'époque napoléonienne et des zouaves, accompagnés de fifres et de tambours.
Au milieu de la journée, autour d'un bouleau, le « Jeu scénique du Jardinet » commémore le miracle de la statue de la Vierge qui, fuyant la basilique incendiée au 13ᵉ s., aurait été retrouvée sur un arbre.

★ **Basilique St-Materne** – Située sur une butte, à l'emplacement d'un édifice roman mosan dont il subsiste les parties basses de l'avant-corps, l'église, gothique, a été édifiée du début du 13ᵉ s. au début du 16ᵉ s.
Elle est surmontée d'un amusant clocher à bulbe du 17ᵉ s. (reconstruit en 1926).
L'**intérieur** sobre, à cinq vaisseaux en pierre grise et brique, possède un riche mobilier. Le remarquable **jubé★** en pierre blanche (1531), offert, dit-on, par Charles Quint, est de structure gothique, mais sa décoration Renaissance prodigue des statues, des médaillons, des rinceaux ; il est surmonté par un Calvaire du 16ᵉ s.
Les stalles, très simples, sont sculptées aux miséricordes de motifs satiriques ; elles datent du 16ᵉ s. Dans le bras gauche du transept se trouve la statue de N.-D.-de-Walcourt. Cette Vierge en majesté du 10ᵉ s. est l'une des plus anciennes de Belgique. En bois, elle est recouverte de plaques d'argent.

★ **Trésor** ⊙ – Conservé au presbytère, il contient de précieux objets d'art : ostensoir du 15ᵉ s., Vierge en argent du 14ᵉ s., petit reliquaire-tourelle du 13ᵉ s., et surtout croix-reliquaire (13ᵉ s.) à la délicate décoration, caractéristique du style du célèbre orfèvre Hugo d'Oignies *(voir à Namur, Le trésor d'Oignies)*.

WATERLOO ★

Brabant Wallon
22 660 habitants
Cartes Michelin n°s 409 G 3 et 213 pli 18.

« Waterloo ! Waterloo ! Waterloo ! morne plaine ! ... »
Comme a si bien su l'exprimer Victor Hugo dans ses *Châtiments*, c'est le 18 juin 1815 que les Alliés Anglo-Hollandais commandés par Wellington et les Prussiens dirigés par Blücher mirent un terme à l'épopée napoléonienne.

La Bataille – Menacée d'encerclement par le traité de Vienne du 25 mars, la France voyait le danger se préciser, surtout au Nord où deux armées alliées étaient déjà présentes. Napoléon, à marches forcées, s'avance à leur rencontre et conçoit le plan audacieux de les écraser séparément. Le 14 juin, il s'arrête à Beaumont *(voir à ce nom)*. Le 16, l'Empereur remporte sa dernière victoire sur Blücher, à **Ligny** *(au Nord-Est de Charleroi)*. Le maréchal Ney s'est battu sans succès contre les Anglais aux Quatre-Bras. Le 17, Napoléon part à la rencontre de Wellington, arrive dans la plaine du mont St-Jean et, la nuit tombée, occupe la **ferme du Caillou**. Wellington a installé son quartier général au village de **Waterloo**. Le 18 juin, le mauvais temps ayant retardé l'arrivée de certaines troupes françaises, le combat ne s'engage que vers midi.
Tandis que près du relais de la **Belle Alliance** sont installés l'artillerie française et le poste d'observation de Napoléon, la ferme au Goumont dite **Hougoumont** est le lieu d'une rencontre meurtrière entre les Anglais et les Français, qui durera jusqu'à la nuit. Puis c'est le tour de la ferme de la **Haie-Sainte**, remportée par les Français après des combats acharnés, et de la ferme de la **Papelotte**. Enfin, vers 16 h, sous un soleil de plomb, les Français s'engagent dans le fameux **« chemin creux »** où se brisent les furieuses charges de cavalerie conduites par Ney et Kellerman. Napoléon attend le renfort de 30 000 hommes de Grouchy, devant arriver de Wavre à l'Est. Mais Blücher, ayant regroupé ses troupes et échappant à Grouchy, tourne la droite française pour opérer sa jonction avec l'armée anglaise : les premières troupes prussiennes s'emparent alors de **Plancenoit**. Napoléon, cerné, envoie la Vieille Garde à la rencontre des troupes anglaises. Au passage du chemin creux, c'est le massacre. A la nuit tombante, dans un champ de bataille jonché de 49 000 morts et blessés, s'effectue la retraite des troupes françaises, en déroute malgré les efforts héroïques de Ney. Dans la nuit, Napoléon disparaît vers Genappe et Wellington rencontre Blücher à la Belle Alliance.

LE CHAMP DE BATAILLE

En 1861, Victor Hugo séjourna à l'hôtel des Colonnes à Mont-St-Jean, aujourd'hui disparu, pour écrire le chapitre des *Misérables* concernant la bataille, déjà évoquée par Stendhal dans les premières pages de *La Chartreuse de Parme* (1839).
Le paysage du champ de bataille a subi de nombreuses transformations depuis 1815 (une autoroute et une nationale le traversent), il est constellé de bâtiments historiques et de monuments commémoratifs. Tous les cinq ans a lieu une reconstitution à laquelle participent plus de 2 000 figurants.

La butte du Lion ⊘ – Haute de 45 m, elle a été élevée en 1826 par le royaume des Pays-Bas, à l'endroit où le prince d'Orange fut blessé en combattant la Vieille Garde. La butte est surmontée d'un lion de fonte pesant 28 t. Une légende erronée veut que celui-ci ait été coulé avec les canons ramassés sur le champ de bataille.

La butte du Lion

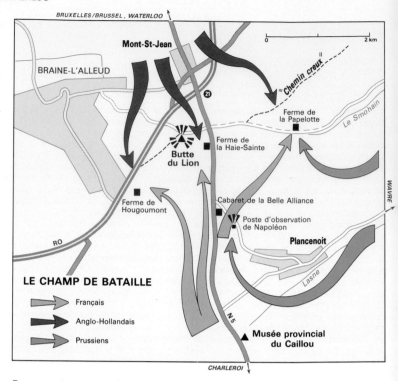

BRUXELLES/BRUSSEL, WATERLOO

Mont-St-Jean

BRAINE-L'ALLEUD

Chemin creux

Ferme de
la Papelotte

Le Smohain

Ferme de
la Haie-Sainte

Butte
du Lion

Ferme de
Hougoumont

Cabaret de la Belle Alliance

Poste d'observation
de Napoléon

Plancenoit

RO

Lasne

WAVRE

LE CHAMP DE BATAILLE

Français

Anglo-Hollandais

Prussiens

N 5

Musée provincial
du Caillou

CHARLEROI

Du sommet, on a une bonne vue d'ensemble du site. Au pied, au Sud, le fameux chemin creux a été fortement nivelé, la terre environnante ayant servie à constituer la butte.

Le centre du visiteur ⊘ – Installé au pied de la butte du Lion, ce centre offre au public un programme audiovisuel plongeant le spectateur au cœur des événements du 18 juin 1815. Une maquette de 10 m² situe les lieux stratégiques de la bataille et en évoque les phases majeures. La seconde partie consiste en un film d'agrément.

Panorama de la bataille ⊘ – Au pied de la butte, cet édifice circulaire construit en 1912 abrite une toile de 110 m de circonférence et 12 m de hauteur réalisée par Louis Dumoulin, peintre français, en collaboration avec cinq autres artistes. Elle représente quelques épisodes saisissants de la bataille au moment où Ney engage la cavalerie dans le chemin creux.

Au rez-de-chaussée, une salle d'exposition permanente complète la visite par la présentation de divers costumes, armes et autres documents.

Musée de Cire ⊘ – En face du Panorama, c'est un petit musée où quelques personnages en cire évoquent le dernier conseil tenu par Napoléon et son état-major dans la ferme du Caillou ; on peut également y voir les trois commandants des Forces Alliées : le prince d'Orange, Wellington et Blücher.

Musée provincial du Caillou ⊘ – Située tout au Sud du champ de bataille, la ferme du Caillou fut le quartier général de Napoléon à la veille des combats. La chambre de l'Empereur conserve un de ses lits de camp et quelques souvenirs lui ayant appartenu. Les autres salles abritent des autographes de généraux français relatifs à la campagne de 1815, des cartes, un masque mortuaire en bronze de l'Empereur à Ste-Hélène et des reliques du champ de bataille. Dans le jardin, outre un ossuaire datant de 1912, on remarquera la présence du véritable balcon de l'hôtel des Colonnes où séjourna Victor Hugo en 1861. Dans le verger, un monument rappelle l'ultime veillée du bataillon de la Garde Impériale.

LA VILLE

Du 15ᵉ au milieu du 17ᵉ s., ce hameau se forme le long de la voie reliant Genappe à Bruxelles.

Wellington Museum (Musée Wellington) ⊘ – L'auberge où Wellington avait installé son quartier général a été transformée en musée comprenant trois sections : le Q.G. proprement dit, un musée illustrant l'histoire de Waterloo et une bibliothèque. Dans une succession de petites salles dont la chambre de Wellington, des gravures, des armes, des tableaux, des documents et autres souvenirs évoquent l'histoire de l'Europe en 1815.

Après avoir traversé le jardinet, la grande salle des plans lumineux retrace l'évolution de la bataille, à côté de pièces historiques comme « La Suffisante », canon fabriqué à Douai (1813) et pris à Waterloo.

Église Saint-Joseph – A l'origine, cette église située en face du musée n'était qu'une chapelle forestière (1690) de plan central. Toujours debout, elle sert d'entrée à la nouvelle église qui renferme de nombreuses dalles commémoratives d'officiers et de soldats tombés à Waterloo.

WAVRE

Brabant Wallon **P**

27 162 habitants

Cartes Michelin nᵒˢ 409 G 3 et 213 pli 19.

Wavre (prononcer « ouavre »), située parmi les collines, dans la vallée de la Dyle, est un important nœud routier. Devant l'hôtel de ville, installé dans une ancienne église, la statuette du Maca, gamin rieur, symbolise l'esprit frondeur des habitants.

Walibi ⊘ – *2 km au Sud-Ouest par la N 238 en direction d'Ottignies.*
Ce grand parc récréatif de 50 ha, réalisé en 1975, est le plus fréquenté du pays. Il offre une multitude d'attractions (le vertigineux Tornado, la grande roue haute de 50 m, le palais d'Ali Baba) et de spectacles (dauphins savants, etc.).
En 1987 a été inauguré le vaste complexe de piscines à ambiance tropicale, du nom d'**Aqualibi** ⊘.

YPRES★

Voir IEPER

Dans ce guide,
les plans de villes indiquent essentiellement
les rues principales et les accès aux curiosités.
Les schémas mettent en évidence les grandes routes et l'itinéraire de visite.

ZEEBRUGGE

West-Vlaanderen

Cartes Michelin nᵒˢ 409 C 1 et 213 pli 3 – Plan dans le guide Michelin Benelux.

Zeebrugge ou Bruges-sur-Mer est le seul port côtier belge en eau profonde. Inauguré en 1907, il est relié à Bruges par le canal Baudouin.
C'est aussi une agréable station balnéaire dotée d'un petit port de plaisance. Zeebrugge servit de base aux sous-marins allemands au cours de la Première Guerre mondiale. Elle fut rendue célèbre par l'opération anglaise dont elle fut l'objet dans la nuit du 22 au 23 avril 1918 et qui, bloquant le canal, rendit le port inutilisable.

Un port polyvalent – L'**avant-port** est accessible aux très grands navires. Comme Ostende, il possède des services réguliers pour passagers, desservant l'Angleterre (car-ferries pour Felixstowe et Hull).
C'est un port de conteneurs et de roll on-roll off en relation avec l'Angleterre, la Norvège, l'Australie, l'Amérique du Nord, la Nouvelle-Zélande, l'Afrique occidentale, l'Afrique du Sud. Il fonctionne également comme port d'escale de croisières et comme port de plaisance. C'est enfin le premier port de pêche de Belgique, pour la quantité du poisson pêché et pour la valeur de la pêche.
Par une écluse, l'avant-port communique avec l'**arrière-port** équipé de trois bassins situés entre le canal Baudouin et les canaux de dérivation Léopold et Schipdonk.

L'extension du port – De nouvelles installations sont destinées à compléter l'avant-port sur une distance de 3 km au large. A l'Est se situe un terminal d'arrivée et de stockage pour le gaz naturel provenant d'Algérie.
La construction du nouveau « Môle Ouest » est suivie par la création de deux bassins conteneurs et de roll on-roll off.
Le nouvel arrière-port, dont une partie est terminée depuis 1984, s'étendra sur une surface de 1 300 ha.
La zone d'industries de ce port comprend des terminaux destinés au transbordement de fruits et légumes, voitures, bois, charbon, minerai de fer, etc.

CURIOSITÉ

Vissershaven (Port de pêche) – Il est précédé du port de plaisance. On peut y observer le mouvement des bateaux de pêche, spectacle pittoresque.

ENVIRONS

Lissewege – *4 km par ② du plan.*
Près du canal Baudouin, le coquet village de Lissewege est dominé par l'imposante **tour** en brique de son église. Édifiée au 13ᵉ s., reconstruite aux 16ᵉ-17ᵉ s., celle-ci conserve son allure d'origine (chœur tournaisien, triforium).
De **Ter Doest** *(1 km au Sud de Lissewege)*, filiale de l'abbaye des Dunes à Coxyde, il ne reste que la chapelle, la ferme à tourelle (une partie est aménagée en restaurant) et la vaste et belle **grande abbatiale★** (13ᵉ s.), ornée de moulures en briques de style gothique et surmontée d'une admirable charpente de chêne.

ZOUTLEEUW★

LÉAU – Vlaams-Brabant
7 686 habitants
Cartes Michelin nᵒˢ 409 13 et 213 pli 21.

Léau, petite ville flamande silencieuse et pittoresque, jadis place forte protégée par de puissantes murailles (14ᵉ et 17ᵉ s.) et centre drapier, se groupe autour d'une intéressante église.
Léau fut pillée en 1678 par les troupes de Louis XIV ; au 18ᵉ s. ses fortifications furent démolies. Depuis, la cité s'est endormie sur son passé.

★★ ST.-LEONARDUSKERK (ÉGLISE ST-LÉONARD) ⊘ visite : 3/4 h

C'est un bel édifice dont la construction s'est étalée sur plusieurs siècles : au 13ᵉ s. sont édifiés le chevet, qu'entoure un passage extérieur à colonnettes, et le bras Nord du transept, au 14ᵉ s. la nef et le bras Sud du transept.
Au 15ᵉ s., Mathieu de Layens construit la charmante sacristie flamboyante qui fait face à l'hôtel de ville. Le clocher du 16ᵉ s., reconstruit en 1926, abrite un carillon de 39 cloches.
L'intérieur qui a échappé aux iconoclastes du 16ᵉ s. est un véritable **musée★★** d'art religieux.
Dans la nef centrale est suspendu un « marianum » (**1**) de 1530, statue de la Vierge à deux faces.
Dans le **bas-côté droit** on trouve, dans la 2ᵉ chapelle, le retable de sainte Anne (**2**), en bois, à volets peints (1565) ; en face, un triptyque, du 16ᵉ s., en bois doré, à volets peints, dont le sujet est la Glorification de la Sainte-Croix (**3**). Dans la 3ᵉ chapelle, triptyque peint par Pieter Aertsen en 1575 : les médaillons représentent les Sept Douleurs de la Vierge (**4**). Un intéressant Christ roman du 11ᵉ s. (**5**) surmonte la porte de la sacristie.

Le **bras droit du transept** conserve le plus beau retable (**6**) sculpté par le Bruxellois Arnould de Maeler, vers 1478, œuvre qui conte la vie de saint Léonard : une statue du saint plus ancienne (1300) a été placée au centre. L'ancienne chapelle Saint-Léonard (**7**), à l'extrémité du transept, renferme une belle collection de statues des 16ᵉ et 17ᵉ s. ainsi qu'un intéressant **trésor** : orfèvrerie, dinanderie, ornements liturgiques.
Le long du **déambulatoire** est disposée une exceptionnelle série de statues du 12ᵉ au 16ᵉ s. On y voit également un superbe chandelier pascal (**8**) à 6 branches en cuivre, exécuté par Renier de Tirlemont en 1483 et au sommet duquel figure un Calvaire aux personnages d'une émouvante sobriété.

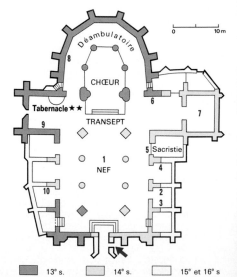

13ᵉ s.   14ᵉ s.   15ᵉ et 16ᵉ s

Dans le **bras gauche du transept** se trouve le magnifique **tabernacle**★★ d'Avesne qui fait l'orgueil de Léau.

Ce chef-d'œuvre a été réalisé en 1551 par l'Anversois Corneille Floris. 18 m et à 9 étages, il est orné de groupes comprenant 200 statuettes sonnages remarquables par la vérité de leur expression et la spontanéité (attitudes. Si la facture pittoresque de celles-ci atteste encore l'art gothic décoration et la composition marquent l'influence italienne.

A la base sont représentées des offrandes de l'Ancien Testament, au-dessus scènes du Paradis terrestre, puis, surmontant la niche du tabernacle, la Cène des épisodes de l'Ancien Testament. Aux étages supérieurs, qui se superposent forme de pyramide, figurent une multitude de personnages (Vertus, Pères (l'Église) ; au sommet, la Vierge.

Frans Floris, frère de Corneille, est l'auteur présumé d'un triptyque (**9**), Baptême du Christ, faisant face au tabernacle.

Dans les chapelles du **bas-côté gauche**, on remarque des statues et, dans l'avant-dernière chapelle (Notre-Dame), des médaillons peints représentant les Sept Joies de la Vierge (**10**), par Pieter Aertsen (1554).

AUTRE CURIOSITÉ

Stadhuis (Hôtel de ville) – Construit sous Charles Quint (1530), sur des plans attribués au Malinois Rombaut Keldermans, c'est un charmant édifice Renaissance : précédée d'un perron ouvragé, la façade surmontée d'un pignon à redans s'ouvre par de hautes baies en anse de panier. L'hôtel de ville abrite les bureaux de l'Office de tourisme.

A droite, **la halle aux draps**, dont la façade de brique est striée de bandes de pierre blanche, date du 14e s.

Château de Vianden

Grand-Duché de Luxembourg

BERDORF

860 habitants
Cartes Michelin n°s 409 M 6 et 215 pli 3 – Schéma p. 259.

Au cœur de la Petite Suisse luxembourgeoise, c'est un centre d'excursions situé sur un plateau dont les rebords en « côtes » *(p. 14)* dominent la vallée de la Sûre et le Mullerthal. Une école d'escalade s'y exerce.
Dans l'église, le maître-autel a pour socle un bloc sculpté romain où sont représentées quatre divinités : Minerve, Junon, Apollon, Hercule.

PROMENADES A PIED

De nombreux sentiers de promenade peuvent être empruntés au départ de Berdorf. Ils sont indiqués sur un panneau installé au Centre récréatif près du mini-golf.

Promenade B – Ce sentier *(voir aussi p. 259)*, qui au Nord-Ouest de Berdorf suit le rebord de la « côte » puis descend vers Grundhof, est ici particulièrement remarquable. Il relie des points de vue qu'on peut atteindre également par des routes venant de Berdorf :

★★ **Île du Diable** – *Laisser la route de Mullerthal à gauche et continuer vers le cimetière. Au-delà, prendre à gauche un chemin pédestre longeant à droite le terrain de camping.*
En traversant à pied d'agréables pinèdes, on atteint *(5 mn)* le rebord de la « côte » : **vues magnifiques** sur le Mullerthal et un arrière-pays boisé et sauvage où se situe Beaufort.

★ **Sieweschluff** (Les Sept Gorges) – *Prendre la route de Hammhof (ferme de Hamm) au Nord puis à gauche.*
Suivre la promenade F 2 puis le sentier menant au plateau *(10 mn)* : magnifique **point de vue** sur la vallée de la Sûre et ses abords boisés.

★ **Kasselt** – Au Nord des Sept Gorges, c'est un promontoire de 353 m d'altitude offrant une **vue** étendue sur la vallée de la Sûre, qui forme ici un méandre à son confluent avec l'Ernz Noire, et sur le site du Grundhof.

★ **Werschrumschluff** – *2 km au Sud par la route de Mullerthal.*
A gauche un rocher surplombant la chaussée porte le nom de **chaire à prêcher** (Predigsthul). Au-delà, on peut parcourir la **Werschrumschluff★**, immense crevasse entre deux hautes parois rocheuses.

CLERVAUX★

1 680 habitants
Cartes Michelin n°s 409 L 5 et 215 pli 10.

Clervaux est un important centre touristique, bâti dans un **site★★** remarquable au cœur d'une région très boisée de l'Oesling *(p. 14)*. Ses toits d'ardoise se groupent sur un promontoire formé par la Clerve, autour de son château féodal et de l'église paroissiale, construite en 1910 dans le style roman rhénan. A l'Ouest, sur la colline, l'abbaye de St-Maurice domine la vallée de ses toits enfouis dans les arbres.

Clervaux est intégré dans le parc naturel germano-luxembourgeois *(p. 15)*.

★★ **Points de vue** – De la route venant de Luxembourg, deux belvédères offrent de bonnes vues d'ensemble sur le site de la ville.

CURIOSITÉS

★ **Château** ⊙ – C'est une forteresse du 12e s. remaniée au 17e s. et flanquée de plusieurs tours : au Sud, tour de Bourgogne, surmontée d'un petit clocheton, et tour de Brandebourg, plus trapue, à droite.
Dans l'aile Renaissance *(au Nord)*, restaurée, **exposition de maquettes★** des manoirs et forteresses du Grand-Duché.
Au 2e étage, exposition des photographies d'Edward Steichen, artiste américain d'origine luxembourgeoise : **The Family of Man.**
Dans l'aile Sud se trouve une exposition de souvenirs de la bataille des Ardennes *(voir à Bastogne)*.

Abbaye St-Maurice et St-Maur – Fondée en 1909 par des bénédictins de Solesmes, abbaye française de la vallée de la Sarthe, c'est un vaste ensemble en schiste brun reconstruit en 1945.
L'**église abbatiale**, rebâtie dans un style assez différent de l'église primitive rhénane, est précédée d'une belle tour hexagonale d'aspect roman bourguignon, rappelant la tour de l'Eau-Bénite de l'ancienne abbaye de Cluny.

L'intérieur, qui a la sobriété caractéristique des édifices romans, s'éclaire de vitraux chatoyants. A gauche, près de l'entrée, retable de la Pietà (15e s.) aux dais finement ajourés. Le maître-autel, dû au sculpteur français Kaeppelin, est orné de quatre sujets ailés. Dans les croisillons, deux retables rhénans du 16e s., mais encore gothiques, finement travaillés, se font face.

Dans la crypte, une exposition fait connaître la vie monastique au 20e s.

EXCURSIONS

Vallée de la Clerve – *11 km au Sud jusqu'à Wilwerwiltz.*
Agréable vallée où la rivière qui a donné son nom à Clervaux coule parmi les prairies au pied de collines boisées.

De Clervaux à Troisvierges par Hachiville – *23 km au Nord-Ouest par la N 18, la N 12 puis une route à gauche.*
Hachiville – Près de la frontière belgo-luxembourgeoise, Hachiville est un village typique de l'Oesling *(p. 14).*
Dans l'église paroissiale, on verra le **retable** sculpté au début du 16e s. dans le style brabançon. Il représente, en des scènes d'une facture pittoresque, les joies et les souffrances de la Vierge.
A 2 km au Nord-Ouest, dans les bois, la **chapelle-ermitage,** construite près d'une source, est, depuis 500 ans, un lieu de pèlerinage à la Vierge.
De Hachiville rejoindre la N 12 et la prendre vers Troisvierges.
Troisvierges – Située sur le plateau à plus de 400 m d'altitude, traversée par la Woltz (qui devient la Clerve à Clervaux), la localité est dominée par une **église** à bulbe, édifiée par les récollets au 17e s. L'intérieur est orné d'un beau mobilier baroque : chaire, confessionaux. La nef est séparée du chœur par deux autels monumentaux. Dans le retable de gauche, des niches abritent les statues de trois Vierges – l'Espérance, la Foi, la Charité – que l'on vénère lors d'un pèlerinage. Au maître-autel, *Érection de la Croix,* de l'école de Rubens.

DIEKIRCH

5 510 habitants
Cartes Michelin nos 409 L 6 et 215 pli 3.

Diekirch, centre culturel et commercial, s'allonge dans la basse vallée de la Sûre, aux confins du Gutland et de l'Oesling *(p. 14)* dont le Herrenberg (394 m d'alt.) dominant la ville représente le premier contrefort.
Elle est connue pour sa brasserie produisant la fameuse bière de Diekirch.
C'est aussi un agréable centre touristique doté d'un quartier réservé aux piétons. Les berges de la Sûre ont été aménagées en parc. Quant aux environs de Diekirch, ils comptent de nombreuses promenades balisées *(dépliant disponible au Syndicat d'initiative).*

CURIOSITÉS

Musée ⊘ – *Place Guillaume, où se dresse l'église décanale.*
Ce petit musée situé derrière le kiosque renferme en particulier des **mosaïques romaines** du 3e s. Le plus remarquable de ces pavements (3,50 m sur 4,75 m) montre au centre une tête de Méduse, à deux faces.

Église St-Laurent ⊘ – *Accès à pied au départ de l'église décanale par l'Esplanade et la 4e rue à droite.*
Dans les vieux quartiers, cette petite église se dissimule derrière une couronne de maisons. Dès le 5e s. se trouvait ici un lieu de culte.
La nef droite, romane, est construite sur un édifice romain ; la nef gauche, gothique, renferme des fresques des 15e s. (au-dessus de l'autel) et 16e s. (dans le chœur).
On a découvert dans le sous-sol de l'église, en 1961, lors de fouilles, une trentaine de sarcophages, datant pour la plupart de l'époque mérovingienne.

ENVIRONS

Deiwelselter (Autel du Diable) – *2 km au Sud par la route de Larochette.*
Après un virage en épingle à cheveux et avant la route de Gilsdorf, emprunter à droite le sentier de la promenade D. Il mène, à travers bois, à ce petit monument dont les pierres proviendraient d'un ancien dolmen.
En dehors du bois, on a de belles vues sur la ville.

Brandenbourg – *9 km par la route de Reisdorf à l'Est et la première à gauche.*
Dans la vallée de la Blees, affluent de la Sûre, c'est une pittoresque localité dominée par les ruines d'un château du 12e s. qui couronnent une colline.
Un petit musée rural a été aménagé dans la **maison Al Branebuurg** ⊘ : documents sur la région et collection d'objets de la vie quotidienne d'autrefois.

ECHTERNACH★

4 360 habitants

Cartes Michelin n⁰ˢ 409 M 6 et 215 pli 3 – Schéma p. 259.

Situé dans la basse vallée de la Sûre, Echternach, centre touristique réputé, est la capitale de la Petite Suisse luxembourgeoise. Elle est dominée par son abbaye, fondée en 698 par **saint Willibrord.** Cet Anglo-Saxon, nommé par le pape archevêque des Frisons, résida à Utrecht aux Pays-Bas, puis se retira à Echternach où il mourut en 739. La ville conserve au Sud (rue des Remparts près de l'hospice) quelques tours de ses remparts du 13ᵉ s.

Echternach est renommé pour sa procession dansante qui se déroule depuis le haut Moyen Âge en l'honneur de saint Willibrord, guérisseur de la « danse de St-Guy » (chorée). Les danseurs traversent la ville en sautillant, reliés entre eux par des mouchoirs blancs, sur un air de marche-polka.

Au début de l'été, pendant le Festival international d'Echternach, des manifestations musicales se déroulent dans la basilique ou dans l'église Sts-Pierre-et-Paul.

La Place du Marché

★ **Place du Marché** – Sur l'un des côtés de cette pittoresque place bordée de maisons traditionnelles aux balcons fleuris se dresse l'ancien palais de justice ou **Denzelt**, charmant édifice du 15ᵉ s., avec arcades et tourelles d'angle.

★ **Abbaye** – Ce monastère bénédictin, qui eut un grand rayonnement culturel au Moyen Âge grâce à son célèbre scriptorium, fut abandonné en 1797. Les bâtiments abbatiaux (1727-1731), en forme de quadrilatère, constituent, avec la basilique qui les borde, un ensemble majestueux, circonscrit par les dépendances.

La **basilique St-Willibrord** fut édifiée au 11ᵉ s. à l'emplacement d'une église carolingienne, dont elle conserve la crypte, et agrandie au 13ᵉ s. Détruite en décembre 1944, elle a retrouvé, après sa reconstruction, son allure d'origine. Dans la crypte, une tombe néo-gothique en marbre surmonte le sarcophage en pierre contenant les reliques de saint Willibrord.

Musée de l'Abbaye ⊘ – Il évoque le riche passé d'Echternach depuis l'époque romaine et surtout le rôle du scriptorium de l'abbaye dont les moines réalisèrent de très beaux manuscrits enluminés du 9ᵉ au 11ᵉ s. Une exposition montre les différentes étapes de l'élaboration de ces manuscrits dont on peut voir quelques reproductions. Le plus célèbre était le « Codex Aureus », célèbre évangéliaire d'or d'Echternach (11ᵉ s.), conservé aujourd'hui au Musée germanique de Nuremberg.

Au Nord-Est de l'abbaye un joli parc s'étend jusqu'à la Sûre, près de laquelle s'élève un élégant pavillon de style Louis XV.

Villa romaine – *1 km par la E 29, direction Luxembourg. A la sortie de la ville tourner à gauche sur un grand parking.*
On peut voir les vestiges d'une importante villa romaine, dont la construction date du 1ᵉʳ s. La villa, d'aspect symétrique à l'origine, a été agrandie et modifiée au cours des trois siècles suivants.

ENVIRONS

★★ **Wolfschlucht (Gorge du Loup)** – *Promenade à pied (3/4 h AR). En voiture suivre la rue André Duscher qui part de la place du Marché, après le cimetière tourner à droite vers Troosknepchen. Accès à pied par un sentier partant de la rue Emersinde près de la gare des autobus.*
Le sentier suit le tracé de la promenade B. Il monte au pavillon du **belvédère de Troosknepchen** : belles **vues★** sur Echternach dans sa vallée. En suivant les indications de la promenade B, on atteint, à travers la forêt de hêtres, la Gorge du Loup. A l'entrée à gauche se dresse un grand roc pointu surnommé l'aiguille de Cléopâtre. Un escalier traverse de part en part cette crevasse impressionnante et sombre, découpée entre deux parois rocheuses ruiniformes de 50 m de haut. A la sortie de la gorge, à droite, un escalier conduit au **belvédère de Bildscheslay** d'où l'on a une jolie vue sur la Sûre qui coule dans un paysage verdoyant.

Vallée de l'EISCH★

Cartes Michelin nos 409 K 6-L 6 et 215 plis 4 et 12.

La rivière déroule ses replis sinueux au milieu des prairies, des forêts et de hautes murailles rocheuses boisées. La route longe la rivière, permettant de découvrir les six **châteaux** qui subsistent dans cette vallée appelée aussi Vallée des Sept Châteaux. Un sentier pédestre la parcourt également de Koerich à Mersch.

DE KOERICH A MERSCH *26 km – environ 1 h 1/2*

Koerich – Sur la colline, l'**église** possède un beau mobilier baroque, en particulier dans le chœur. Près de la rivière se dressent les ruines du **château** féodal remanié à la Renaissance (remarquer la cheminée).

Septfontaines – Pittoresque localité accrochée aux pentes qui dégringolent vers l'Eisch et dominée par les ruines de son **château** (13e-15e s.).
L'**église** abrite une intéressante Mise au Tombeau.
Dans le **cimetière** autour de l'église ont été placées plusieurs stèles d'un chemin de croix baroque élégamment sculpté *(illustration ci-contre)*. Au pied du château coulent les sept fontaines qui ont donné leur nom au village.

Septfontaines - Chemin de croix

Ansembourg – Le bourg possède deux **châteaux** : sur la colline, celui du 12e s. a été remanié aux 16e et 18e s. ; dans la vallée, le château du 17e s., ancienne demeure d'un maître de forges, est précédé d'un portail à tourelles et entouré de beaux jardins du 18e s. On aperçoit ensuite, au sommet d'une crête, le **château de Hollenfels**, agrandi au 18e s. autour d'un donjon du 13e s. Il est occupé par une Auberge de jeunesse.

Hunnebour – *Après le pont sur l'Eisch, prendre un chemin à droite.*
Au pied d'un haut rebord rocheux, le Hunnebour est une source située dans un **cadre★** ombragé reposant.

Mersch – Son **château** féodal, très restauré, est un haut édifice carré précédé d'un portail flanqué de petites tourelles. A proximité se dresse la **tour St-Michel**, à bulbe, vestige d'une église disparue.

ESCH-SUR-ALZETTE

23 890 habitants
Cartes Michelin nos 409 K 7 et 215 pli 14. Plan dans le guide Michelin Benelux.

Deuxième ville du Grand-Duché, Esch-sur-Alzette est également le grand centre sidérurgique du pays. Grâce à l'importante usine ARBED, sa principale activité est la fabrication d'acier. Cette ville cosmopolite – plus de 30 % de ses habitants sont des étrangers – connaît aussi une importante activité commerciale.

Parc de la ville – *Par la route de Dudelange, puis par la première rue à droite après le tunnel.*
Ce vaste parc fleuri de 57 ha est étagé sur la colline qui domine la ville à l'Est de la gare. Au sommet (alt. 402 m), dans le centre de plein air **Galgenberg**, petit parc à gibier.

Musée de la Résistance ☉ – *Place du Brill.*

Ce petit musée a été édifié en 1956, au cœur de la ville, pour commémorer l'héroïsme des Luxembourgeois face à l'occupant (1940-1944) : le travail dans les mines et les usines, la grève générale de 1942, la lutte des maquisards, les déportations sont évoqués par des bas-reliefs, des fresques, des statues et des documents.

ENVIRONS

Rumelange – *6 km à l'Est. Prendre la route de Dudelange, puis à droite.*
Près de la frontière, cette cité minière possède un intéressant **musée national des Mines** ☉. Une partie des mines de fer exploitées jusqu'en 1958 dans la colline traversée par la frontière est accessible au public. La visite de 900 m de galeries (par 12° de température), qui se fait partiellement en petit train, documente sur les différentes opérations d'extraction et sur l'évolution des techniques et du matériel utilisés depuis l'origine de la mine.

LAROCHETTE★

1 420 habitants
Cartes Michelin nᵒˢ 409 L 6 et 215 pli 4.

Dans la vallée de l'Ernz blanche dominée par de hautes parois rocheuses en grès de Luxembourg dont l'une porte les ruines de deux châteaux, Larochette est un centre de villégiature.

Châteaux ☉ – *Accès par la route de Nommern.*
Sur le plateau se dressent les ruines de deux édifices : dominant le bourg, le palais des Créhange, gothique, du 14ᵉ s., et, à proximité, au-dessus de la route de Mersch, le palais des Hombourg, plus ancien.

EXCURSION

Circuit de 12 km – *Environ 1/2 h. Prendre la direction de Nommern.*
En sortant des forêts de conifères, on trouve à gauche une réserve naturelle : dans les landes à genêts se dissimule, à environ 150 m de la route, le **Champignon**, beau rocher en grès de Luxembourg. En descendant sur **Nommern** (770 h), vues sur la localité.
A Nommern, prendre la route de Larochette.
Dans un virage à gauche s'amorce le sentier du circuit auto-pédestre n° 2. Il permet d'atteindre, dans la forêt, les magnifiques roches dites **Nommerlayen★**, murs de grès aux formes les plus variées dispersés parmi les arbres.
On rentre à Larochette par la N 8.

LUXEMBOURG★★

74 400 habitants
Cartes Michelin nᵒˢ 409 L 7 et 215 pli 5.

Établie sur un plateau entrecoupé de ravins franchis par une multitude de ponts, Luxembourg donne une curieuse impression : elle apparaît citadine, campagnarde ou militaire selon l'angle d'où on la découvre. Cette ville où les places ressemblent à des décors de théâtre, avec leurs élégantes façades peintes de couleurs pastel, où l'on a sans cesse des points de vue sur des vallées verdoyantes, cache sous son air tranquille toutes les activités et l'animation qui vont de pair avec son rôle de capitale, de place financière et sa fonction de siège d'institutions européennes.
Luxembourg est aussi le siège de RTL, l'une des plus grandes sociétés de radiodiffusion européennes.

★★ **Un site exceptionnel** – La ville et les fortifications occupent le sommet d'un rocher de grès aux bords escarpés, que contournent deux rivières, l'Alzette et la Pétrusse. La vieille ville est séparée de la nouvelle au Sud par la profonde entaille du ravin de la Pétrusse que franchissent des ponts tel le fameux **pont Adolphe** (1899-1903) **(F)**, d'une hardiesse impressionnante. Au Nord, elle est reliée au plateau de Kirchberg par le **pont Grande-Duchesse Charlotte** (1964) **(DY)**, peint en rouge, qui enjambe l'Alzette. Trois quartiers occupent les vallées : Grund, Clausen et Pfaffenthal. Au détour des corniches se révèlent de magnifiques **points de vue** sur les différents aspects de la ville.
En saison le site est mis en valeur par les illuminations nocturnes.

Les fêtes – La fête populaire ancestrale de l'Emais'chen, où les jeunes amoureux s'échangent des objets en terre cuite vendus à cette occasion, se déroule tous les ans sur l'ancien Marché-aux-Poissons (place du Musée). A partir de la fin août a lieu la grande kermesse du Luxembourg ou Schueberfouer qui remonte à l'an 1340.

Vue sur la vieille ville et Saint-Jean-du-Grund

UN PEU D'HISTOIRE

L'histoire de la ville se confond avec celle du pays.

A l'époque romaine, Luxembourg est situé à l'intersection de deux voies romaines, l'une allant de Trèves à Reims par Arlon (actuelle Grand-Rue), l'autre reliant Metz à Aix-la-Chapelle. Le rocher du Bock est déjà fortifié. Au 10e s. un château est édifié près de la ville haute, sur le Bock, par le comte mosellan Sigefroi qui s'intitule comte de Luxembourg. La ville haute reçoit sa première enceinte qui sera doublée au siècle suivant.

Au 12e s., la ville passe avec le comté de Luxembourg sous la domination de Henri V l'Aveugle, comte de Namur. Son petit-fils **Henri VII** devient **empereur germanique** en 1308. La maison de Luxembourg occupe le trône impérial jusqu'en 1437. En 1346, le fils de l'empereur Henri VII, **Jean l'Aveugle**, roi de Bohême et comte de Luxembourg, est tué à la bataille de Crécy, dans les rangs français. Au 14e s., une troisième enceinte est construite autour de la ville haute tandis que les villes basses sont fortifiées.

Un territoire convoité – Au 15e s., le Luxembourg passe à la maison de Bourgogne. Il échoit ensuite à Charles Quint (1555) qui fortifie la ville, puis à Philippe II.

La ville devient française en 1684, après le siège savamment conduit par **Vauban** qui en consolide les fortifications. Retombée en 1698 aux mains des Espagnols, elle est occupée de nouveau en 1701 par les Français qui à leur tour sont remplacés par les Autrichiens de 1714 à 1795. Malgré le renforcement considérable des fortifications et le creusement des casemates, la ville se rend à Carnot en 1795 et fait partie du département des Forêts jusqu'en 1814. Après la défaite napoléonienne, le traité de Vienne érige le duché en **Grand-Duché**, relevant de la Confédération germanique, mais appartenant à la maison d'Orange-Nassau et gouverné par Guillaume Ier, roi des Pays-Bas. La ville est alors occupée par une garnison prussienne qui quitte Luxembourg seulement en 1867 : le traité de Londres ayant proclamé la neutralité du pays, les trois ceintures de fortifications sont démantelées.

En 1914 comme en 1940, le Luxembourg, bien que neutre, fut envahi par les armées allemandes, puis libéré le 10 septembre 1944 par l'armée américaine du général Patton.

Les institutions européennes – Luxembourg devient en 1952 le siège de la C.E.C.A., Communauté européenne du charbon et de l'acier, premier organisme devant ouvrir la voie à une fédération européenne. L'homme d'État français **Robert Schuman** (1886-1963), né à Luxembourg, en est le promoteur, **Jean Monnet** (1888-1979) l'animateur. Six nations y participent : Belgique, Luxembourg, Pays-Bas, Allemagne, Italie, France.

Depuis la signature du traité de Rome en 1957, Luxembourg héberge le **Secrétariat du Parlement européen** dont les sessions se tiennent à Strasbourg et à Luxembourg.

En 1966 est inauguré sur le Kirchberg le Centre Européen, édifice destiné à réunir les divers services du Secrétariat du Parlement européen.

Depuis 1967, date de la fusion des exécutifs des trois communautés – C.E.C.A., Euratom, U.E. – en une Commission siégeant à Bruxelles, de nombreuses institutions se sont installées sur le plateau du Kirchberg : Banque européenne d'investissement, services de la Commission de l'Union Européenne (notamment l'Office de statistique), école européenne, Cour de justice (créée en 1952) et Cour des comptes de l'Union Européenne. L'Office des publications officielles de l'Union Européenne est quant à lui implanté à Luxembourg-Gare.

Depuis 1965, le Conseil des ministres, organe suprême de décision de l'Union Européenne, tient ses sessions à Luxembourg trois mois par an (avril, juin, octobre). Aujourd'hui Luxembourg compte environ 7 000 fonctionnaires européens.

★★ LA VIEILLE VILLE *visite : 1/2 journée*

Partir de la place d'Armes.

Place d'Armes (**F**) - Carrée et ombragée, c'est le centre animé de la ville. En saison elle est garnie de terrasses de café. A l'arrière du kiosque, une colonne en l'honneur de Michel Lentz, auteur du texte de l'hymne national, et d'Edmond de la Fontaine, auteur et compositeur luxembourgeois. La place est dominée par le **palais municipal** (**F N**), élevé en 1907, qui abrite le bureau du Syndicat d'initiative. Au coin sur la rue du Curé, dans un bâtiment est présentée la **maquette** ⊘ de la forteresse de Luxembourg.

Place d'Armes

En empruntant la rue du Curé, un agréable passage donne accès à la place Guillaume.

Place Guillaume (**F**) – Ici se dresse la statue équestre de Guillaume II des Pays-Bas (1792-1849), grand-duc de Luxembourg. L'**hôtel de ville** (**F H**) a été édifié à partir de 1830 dans le style régional.

Place de la Constitution (**F**) – De cet ancien bastion Beck où s'élève un obélisque (monument du souvenir) s'offrent des **vues★★** remarquables sur le ravin de la Pétrusse, aménagé en jardins, et sur le pont Adolphe. C'est là que se situe l'entrée des casemates de Pétrusse (*p. 255*).

Par le boulevard Roosevelt, gagner le plateau St-Esprit.

Sur le boulevard Roosevelt, on longe les bâtiments de l'**ancien Collège des jésuites** (**F V**) comprenant la nouvelle partie de la cathédrale Notre-Dame.

Plateau St-Esprit (**G**) – Sur cette formidable citadelle dessinée par Vauban se trouve le monument de la Solidarité nationale. De la crête de la citadelle, **vues★★** sur les vallées de la Pétrusse et de l'Alzette ainsi que sur le plateau de Rham et la ville basse de Grund avec l'église St-Jean.

Du plateau St-Esprit, descendre vers le parking. Là, prendre l'escalier ou, dans un bâtiment moderne, l'ascenseur qui rejoint le niveau du chemin de la corniche et le faubourg du Grund.

★★ **Chemin de la corniche** (**G**) – Appelée « le plus beau balcon d'Europe » pour ses **vues★★**, cette promenade passe d'abord devant la vieille bâtisse abritant les Archives de l'État, puis atteint ensuite le chemin qui suit les anciens remparts, en bordure de l'escarpement de l'Alzette, et atteint l'immense **porte de Grund** (1632) (**G E**). Ce chemin est bordé d'élégantes façades de maisons nobiliaires faisant face à la vallée où se situe la ville basse du Grund avec la flèche de l'église St-Jean.

Le Bock (**G**) – Cet éperon rocheux relié jadis à la ville par un pont-levis (actuel Pont du château) a été un peu aplani par la création de la montée de Clausen.

Il supporte les ruines du château de Luxembourg, édifié au 10e s., démoli en 1555 et transformé en fortin au 17e s. Détruit en 1684, lors du siège de la ville par les Français, il fut reconstruit par Vauban.

En 1745, les Autrichiens entreprirent l'aménagement des fortifications et creusèrent des casemates. Le Bock a été rasé en 1875 : il ne subsiste en surface que la tour nommée **« Dent Creuse »** (**G A**).

Du sommet des ruines, **vues**★★ sur le plateau du Rham où était située une villa gallo-romaine. A gauche, la massive porte carrée est la **tour Jacob** (**G B**) ou Dinselpuert, ancienne porte de Trèves, qui faisait partie de l'enceinte du 14e s. Les bâtiments à droite sont des casernes construites par Vauban (hospices). Au pied du Bock, côté Nord, s'étend l'ancien couvent du St-Esprit (17e s.).

★★ **Casemates du Bock** ⊘ – On peut parcourir une section de ce labyrinthe défensif creusé en 1745 dans le grès constituant le sol de la ville. C'est l'infime partie d'un réseau de 23 km qui permettait la communication entre les différents ouvrages de la forteresse. Ces couloirs servirent aussi d'abri pendant la Seconde Guerre mondiale. Dans la crypte archéologique, des vestiges, ainsi qu'un montage audiovisuel retracent l'histoire du site. Certaines ouvertures offrent des vues sur le ravin et sur le quartier du Rham.

A l'entrée de la ville haute à droite, un **monument** a été érigé en l'honneur de plusieurs célébrités qui séjournèrent à Luxembourg, notamment Goethe en 1792. A proximité se trouve le bâtiment à portique du **Conseil d'État** (**G D**).

Place du Marché (**G 64**) – Jadis carrefour de voies romaines, cette place, ancien Marché-aux-Poissons, est entourée de demeures anciennes. La maison dite « Sous les piliers » présente, au-dessus d'un portique Renaissance, des baies de style gothique flamboyant et une niche de même style abritant une statue de sainte Anne, la Vierge à l'Enfant. Plus à gauche se trouve une pittoresque maison à tourelle en encorbellement.

★ **Musée national d'Histoire et d'Art** (**G M¹**) ⊘

★ **Section gallo-romaine** – Installée principalement au rez-de-chaussée, elle est extrêmement riche. Les fouilles effectuées dans le Sud du pays (Dalheim, Titelberg) ont révélé une intense occupation à l'époque romaine. Les objets sont bien mis en valeur : bronzes, terres cuites, verreries délicates. De nombreux monuments funéraires sont à comparer avec ceux de Trèves et d'Arlon. Les petites stèles en forme de maison, qui abritaient peut-être des urnes et les pierres sculptées de quatre divinités, étaient très répandues au Sud du Luxembourg. L'époque mérovingienne a laissé en particulier des armes et de beaux bijoux. La **salle des médailles** ou trésor présente des pièces rares de toutes les époques et le remarquable **masque en bronze de Hellange** datant du 1er s.

Section des Beaux-Arts – Une série de sculptures religieuses (11e au 18e s.) se trouvent réparties dans diverses salles de cette section, ainsi que dans la section gallo-romaine et dans la section de la Vie luxembourgeoise.

Musée national d'Histoire et d'Art, Luxembourg

Une taque de cheminée de 1586

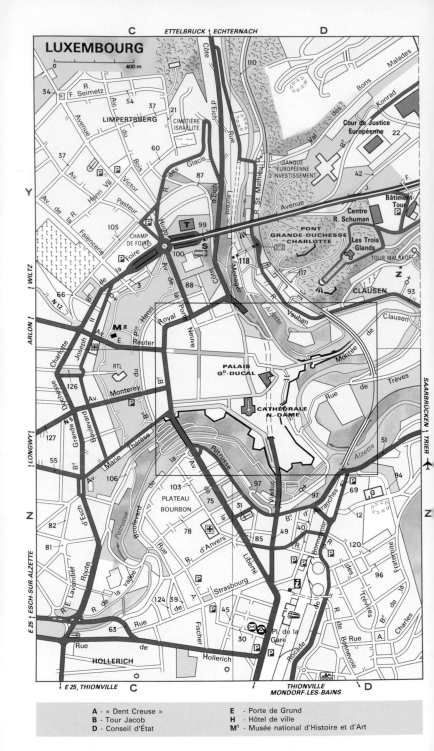

A - « Dent Creuse »	**E** - Porte de Grund
B - Tour Jacob	**H** - Hôtel de ville
D - Conseil d'État	**M¹** - Musée national d'Histoire et d'Art

L'art ancien *(3ᵉ étage)* est représenté essentiellement par les œuvres provenant de trois collections : la collection Edmond Reiffers (peintures italiennes du 13ᵉ au 16ᵉ s.), la collection Wilhelmy-Hoffmann (écoles du Nord et œuvres flamandes des 16ᵉ et 17ᵉ s. ; remarquer une *Charité* de Cranach l'Ancien et une copie du retable de Hachiville) et la collection Bentinck-Thyssen (exposée temporairement).

L'art moderne *(1ᵉʳ et 2ᵉ étage)* comprend, outre quelques sculptures (Rodin, Maillol, Lobo, Hadju), des toiles, des tapisseries figuratives ou abstraites de l'école de Paris (Bertholle, Bissière, Borès, Chastel, Estève, Fautrier, Gilioli, Lurçat, Pignon, Soulages, Tàpies, Vieira da Silva) et des œuvres du peintre expressionniste luxembourgeois Joseph Kutter (1894-1941).

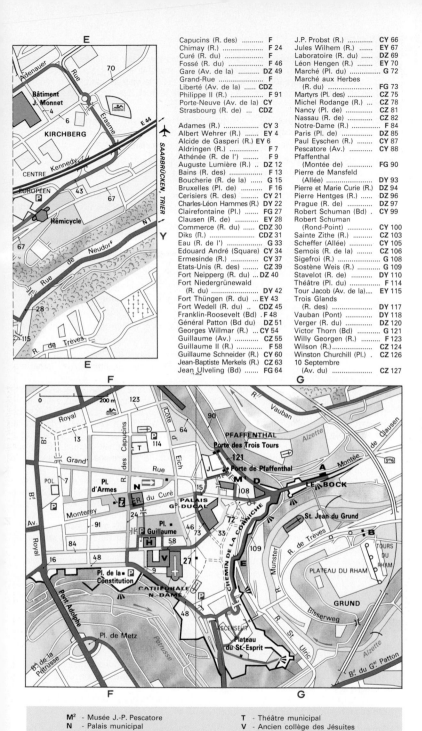

M²	- Musée J.-P. Pescatore	T	- Théâtre municipal
N	- Palais municipal	V	- Ancien collège des Jésuites
S	- Monument Robert Schuman	Z	- Maison natale de R. Schuman

★★ **Section Vie luxembourgeoise (arts décoratifs, arts et traditions populaires)** – *Accès par le 1ᵉʳ étage du musée d'Histoire et d'Art.*

Une partie des salles peut être fermée pour des raisons de personnel.

Cette section remarquable, aménagée dans quatre anciennes maisons bourgeoises, évoque la vie au Luxembourg du 17ᵉ au 19ᵉ s. : intérieurs ornés d'un beau mobilier, faïence Boch (Septfontaines) et poteries de Nospelt, étains, importante collection de peintures sous verre.

Dans les caves voûtées sont exposées des taques de cheminée *(illustration p. 251)*. Une partie des caves est consacrée à la viticulture mosellane réputée pour son vin blanc, ses vins mousseux et ses crémants.

Boulevard Victor Thorn (G 121) – Il offre des **vues★** sur la vallée de l'Alzette où se blottit le faubourg de Pfaffenthal et que franchit le pont Vauban (**DY 106**). Au-dessus, le pont Grande Duchesse Charlotte relie la ville au plateau de Kirchberg où se dresse le Centre Européen ; on aperçoit le fort des Trois Glands dans une trouée dans les bois.

Porte des Trois Tours (G) – Située à l'emplacement de la deuxième enceinte de la ville, elle est composée en fait d'une porte flanquée de deux tours.

On entre ensuite en ville par la première **porte de Pfaffenthal** (17ᵉ s.).

★ **Palais Grand-Ducal** (**G**) ⊘ – L'aile gauche, ancien hôtel de ville, remonte au 16ᵉ s. Sa façade flanquée de gracieuses tourelles est décorée de bas-reliefs aux motifs géométriques.
L'aile droite, ou « la Balance », a été ajoutée en 1741 et l'aile arrière, donnant sur le jardin, en 1891. L'édifice situé à droite de la Balance (1859) abrite la Chambre des députés.
Depuis 1895 une grande partie des activités officielles se déroulent dans ce palais. Dans la salle des gardes sont conservées de belles armes. L'escalier d'honneur, dont l'élégante balustrade s'orne du monogramme d'Adélaïde-Marie, épouse du grand-duc Adolphe, mène aux appartements.
L'ancienne salle des Nobles ou **salon des Rois**, où sont exposés les portraits des grands-ducs du passé, est utilisée pour les audiences officielles. Dans la salle à manger, quatre tapisseries, offertes par Napoléon après son séjour au palais en 1804, illustrent l'histoire de Télémaque.

Place Clairefontaine (**FG 27**) – Sur cette jolie place s'élève le monument dédié à la grande-duchesse Charlotte.

★ **Cathédrale Notre-Dame** (**F**) ⊘ – Avec ses fines flèches du 20ᵉ s., cette ancienne église des jésuites date du 17ᵉ s. et s'ouvre au Nord par un intéressant **portail** aux motifs Renaissance et baroque.
Ses trois nefs de la même hauteur sont un bon exemple d'église-halle. L'ensemble reste gothique, mais les piliers sont ornés d'originales arabesques en relief et la tribune au-dessus de l'entrée est finement travaillée dans un style mi-Renaissance mi-baroque. A gauche de la nef, on remarque la tribune réservée à la famille grand-ducale. Le chœur, de style néo-gothique, a été ajouté au 20ᵉ s. La statue miraculeuse de la Consolatrice des Affligés (patronne nationale depuis 1678) fait l'objet d'une dévotion toute particulière, et un grand pèlerinage a lieu pendant la troisième semaine après Pâques.
En sortant par la porte à droite du chœur, on a accès à la chapelle du Trésor et à la **crypte**. La première contient le cénotaphe de Jean l'Aveugle, mort à Crécy en 1346. Ce tombeau réalisé en 1688 représente une Mise au tombeau. La crypte abrite d'intéressantes œuvres d'art moderne. C'est à Notre-Dame qu'eut lieu, en avril 1953, le mariage de Joséphine-Charlotte de Belgique avec Jean de Luxembourg, devenu grand-duc en 1964 à la suite de l'abdication de sa mère la grande-duchesse Charlotte.
Le collège des jésuites contigu à la cathédrale est devenu Bibliothèque nationale.
De la cathédrale on rejoint la place d'Armes.

LE KIRCHBERG *visite : 1/2 h*

Sur le plateau de Kirchberg, traversé par une autoroute, se sont installées les institutions européennes *(voir ci-dessous)*, ce qui a entraîné un important mouvement d'urbanisation (hôtel, école européenne, etc.). Au-delà, à l'extrémité de l'autoroute, se trouve le parc des Expositions.
Avant d'emprunter le pont conduisant au Kirchberg, remarquer à gauche le **Théâtre municipal** (**CY T**). Construit en 1964, il présente une longue façade dont les baies forment une composition géométrique.
A l'entrée du pont à droite, le monument érigé en l'honneur de Robert Schuman a été réalisé par l'architecte Robert Lentz (**CY S**).

★ **Pont Grande-Duchesse Charlotte** (**DY**) – En acier, symbole de la C.E.C.A., hardiment peint en rouge, il a été inauguré en 1966. Il franchit l'Alzette sur 300 m.
Prendre à la sortie du pont la deuxième route à droite vers le Centre Européen.

Centre Européen du Kirchberg (**DEY**) – Le **bâtiment-tour** de 22 étages, inauguré en 1965, est occupé par le Secrétariat du Parlement européen ; le Conseil des ministres y siège trois mois par an. Il a été doublé d'un bâtiment plus petit, le **Centre Robert Schuman**. Une troisième construction, l'**Hémicycle**, terminée en 1979, sert de centre de conférences.
Par la route qui s'enfonce dans le bois derrière le Centre Européen, gagner les Trois Glands.

Les Trois Glands (**DY**) – C'est, dans un bois, l'ancien fort Thungen, aux tours surmontées de pierres en forme de gland.

A l'extrémité de la pelouse, obliquer vers la gauche.

Un petit belvédère domine Clausen et son église : sur la gauche, une maison à tourelle est celle où naquit Robert Schuman (**DY Z**). A droite, vue★ sur la ville de Luxembourg, le Bock, le quartier du Rham avec ses tours.

Revenir vers le Centre Européen et passer sous l'autoroute pour gagner la Cour de justice.

Cour de justice de l'Union Européenne (**DY**) – Le bâtiment à quatre étages de la C.J.C.E., construit en 1970, étale ses structures d'acier peint en marron foncé sur une vaste terrasse où se remarquent deux sculptures de Henry Moore et Lucien Wercollier.

A proximité, le **bâtiment Jean Monnet**, aux parois de verre fumé, abrite des services administratifs.

AUTRES CURIOSITÉS

Casemates de la Pétrusse ⊘ – *Entrée place de la Constitution* (**F**).
Créé en 1746 par les Autrichiens pour améliorer les défenses sur le flanc Sud du plateau, c'est un important réseau souterrain ouvrant sur la vallée de la Pétrusse.

Musée J.-P. Pescatore (**CY M²**) ⊘ – Il rassemble, dans l'intérieur raffiné du 19ᵉ s. de la villa Vauban, trois legs de collectionneurs concernant la peinture belge, hollandaise et française du 17ᵉ s. à nos jours.
Après quelques tableaux attribués à Canaletto (salle 3), on remarque parmi les toiles flamandes des œuvres de David Teniers le Jeune, du 17ᵉ s. *(Scène d'intérieur, le Fumeur)*.
La riche collection hollandaise du 17ᵉ s. comprend plusieurs scènes de genre (*l'Empirique* de Gérard Dou, *la Fête des Rois* de Jan Steen), une marine de Van de Capelle. La peinture française du 19ᵉ s. est représentée notamment par un Delacroix *(Jeune Turc caressant son cheval)*, un Courbet *(Marine)*.
Le musée organise également des expositions temporaires.

Promenade dans les faubourgs – Une promenade en voiture en longeant la rive droite de l'Alzette, à travers les faubourgs du bas Grund, Pfaffenthal, Clausen, permet de découvrir un tout autre aspect de la ville avec ses quartiers les plus populaires, ses maisonnettes, ses brasseries où sont encore confectionnées les bières locales. De ces quartiers installés au fond des ravins, des points de vue très différents s'offrent sur la ville ancienne et ses fortifications.

Église St-Jean du Grund (**G**) – Cette église appartint jusqu'à la Révolution française à l'abbaye bénédictine de Munster. L'édifice actuel date de 1705. L'intérieur est rehaussé par les trois retables du chœur, de style baroque flamand. Sont à signaler également : un chemin de croix en émail de Limoges du 16ᵉ s., signé Léonard Limosin, des orgues du 18ᵉ s., des fonts baptismaux gothiques, et, dans une chapelle à gauche de la nef, une gracieuse Vierge Noire à l'Enfant, de l'école de Cologne, sculptée vers 1360 et objet d'une grande vénération.

EXCURSIONS

Cimetières militaires – *5 km à l'Est. Sortir par le bd du Général Patton* (**DZ 51**).
Parmi les treize cimetières américains de la Seconde Guerre mondiale aménagés outre-Atlantique, celui de **Hamm** (Luxembourg American Cemetery), aux portes de la capitale, rappelle la gratitude du Grand-Duché pour ses libérateurs. Au milieu des bois, cet ensemble impressionnant de 20 ha, dominé par une chapelle-mémorial érigée en 1960, groupe 5 076 tombes. Face aux croix blanches alignées en arc de cercle, celle du général Patton, mort en décembre 1945, se dresse identique aux autres.
Plus à l'Est *(accès par la route de Contern)*, le **cimetière allemand de Sandweiler**, inauguré en 1955, se découvre au détour d'une allée forestière. Sur 4 ha s'ouvrent de vastes pelouses plantées d'arbres où des groupes de cinq croix trapues, en granit sombre de la Forêt-Noire, sont disséminés. Une croix monumentale surmonte la fosse commune où reposent 4 829 soldats sur les 10 885 inhumés dans cette nécropole.

De Luxembourg à Bettembourg – *15 km au Sud, direction Thionville.*

Hespérange est un pittoresque bourg situé au bord de l'Alzette et dominé par les ruines de son château des 13ᵉ et 14ᵉ s. entre lesquelles se sont édifiées de petites habitations précédées de jardinets.

Bettembourg possède un important parc récréatif, le **Parc Merveilleux** ⊘.
Des animaux, de nombreuses attractions pour enfants, en particulier des reconstitutions de contes de fées, animent ce vaste jardin de 30 ha.

De Luxembourg à Junglinster – *13 km au Nord, direction Echternach.*
Par une belle route tracée au cœur d'une épaisse forêt, on atteint Eisenborn, sur l'Ernz Blanche, et à droite **Bourglinster**, pittoresque village au pied d'un vieux château restauré.

Junglinster possède une charmante **église** du 18ᵉ s. en pierre crépie de beige, rehaussée de peintures aux tons pastel. Elle est entourée d'un ancien **cimetière** dont les croix, pour la plupart du 19ᵉ s., conservent un aspect archaïque.

MONDORF-LES-BAINS★

2 830 habitants
Cartes Michelin nᵒˢ 409 L 7 et 215 pli 5.

Près de la frontière, c'est une ville d'eaux fréquentée dont les deux sources, Kind et Marie-Adélaïde, forées respectivement en 1846 et 1913 et sortant à 24°, conviennent surtout aux affections hépatiques, intestinales et rhumatismales. Son établissement thermal est équipé d'installations modernes.
La station est édifiée à l'Est de l'ancien village.

★ **Parc** – Près de l'établissement thermal, ce parc de 36 ha aux belles frondaisons et aux parterres fleuris *(roseraie en juin)* s'étend sur le versant d'une colline, offrant quelques échappées sur la campagne. Au centre se trouve le nouveau pavillon de la source Kind (1963).

Église St-Michel ☉ – Sur une colline dominant le vieux bourg, cette église au crépi rose, élevée en 1764 et entourée d'un cimetière, possède un riche **mobilier**★ Louis XV. Orgues sur balcon sculpté d'emblèmes musicaux, confessionnaux, autels, chaire étonnante sont en harmonie avec les stucs et fresques peints en trompe l'œil par Weiser (1766), originaire de Bohême.

*Avec ce guide, voici les **cartes Michelin** qu'il vous faut :*
nᵒˢ 212, 213, 214 et 215.

Vallée de la MOSELLE LUXEMBOURGEOISE★

Cartes Michelin nᵒˢ 409 M 6-M 7 et 215 plis 4, 5, 6.

Depuis la frontière française jusqu'à Wasserbillig, la Moselle (du romain Mosella, petite Meuse), dont la largeur atteint une centaine de mètres, sépare le Luxembourg de l'Allemagne.
Faisant suite à une convention internationale signée par la France, l'Allemagne fédérale et le Grand-Duché de Luxembourg, des travaux de canalisation, achevés en 1964, ont considérablement amélioré la navigabilité de la rivière. Elle est ainsi devenue accessible aux bateaux de 3 200 t entre Thionville et Coblence.
Les deux barrages de Grevenmacher et de Stadtbredimus, équipés chacun d'une écluse et d'une centrale hydro-électrique, interrompent le cours de la rivière. Afin de ne pas défigurer les sites, ils ont été construits au ras de l'eau.
Un paysage lumineux et, sur la rive gauche, des coteaux plantés de vignes aux échalas très hauts (jusqu'à 2 m) sont les principaux attraits du parcours.
Dans les principales caves coopératives on peut déguster les crus de la Moselle luxembourgeoise : vins blancs (Rivaner, Auxerrois, Pinot blanc, Pinot gris, Riesling, Traminer, Elbling) et vins mousseux.

Promenades à pied – Le sentier de la Moselle longe sur 40 km environ le cours de la rivière, du Stromberg, colline située au Sud de Schengen, à Wasserbillig.

Promenades en bateau ☉ – Une descente de la Moselle entre Wasserbillig et Schengen permet d'admirer le paysage paisible de cette région parsemée de villages viticoles.

La Vallée de la Moselle luxembourgeoise

DE SCHENGEN A WASSERBILLIG *46 km – environ 1/2 journée*

Schengen – C'est dans ce village-frontière, première localité viticole de la Moselle luxembourgeoise (caves), que, le 14 juin 1985, se réunirent à bord du bateau de plaisance « Marie-Astrid » les représentants des gouvernements luxembourgeois, allemand, français, belge et néerlandais. Ils signèrent alors **la Convention de Schengen** reconnaissant l'abolition progressive des frontières intérieures entre ces États. En 1990, l'Italie s'est jointe à cette convention.

Remerschen – Un peu à l'écart de la rivière, ce bourg est situé au pied des coteaux du Kapberg, couverts de vignes sur échalas, dont un calvaire, desservi par un escalier raide, escalade la pente.

Schwebsange – A droite de la route, dans un jardin, a été installé un pressoir du 15e s. et un broyeur à fruits.
Quelques pressoirs sont à signaler également face à l'église. Devant l'église, charmante **Fontaine des Enfants aux raisins** où se déroule chaque année *(voir le chapitre des Renseignements pratiques en fin de volume)* la fête du vin.
Schwebsange possède l'unique port de plaisance du Grand-Duché.

Bech-Kleinmacher – Les anciennes maisons de vignerons « A Possen » (1617) et « Muedelshaus » ont été transformées en **Musée folklorique et viticole** ⊙.
De petites pièces au mobilier rustique (cuisine à feu ouvert) y évoquent la vie d'antan. Les activités traditionnelles sont présentées dans des ateliers, une laiterie, un musée viticole, une cave conservant une cuve à fouler le raisin.
Prendre la route de Wellenstein qui passe devant le musée.

Wellenstein – A l'entrée du village, entouré de 70 ha de vignobles, se trouvent les **caves coopératives** ⊙. Les impressionnantes installations permettent d'emmagasiner jusqu'à 10 millions de litres dans d'énormes fûts en acier inoxydable et de stocker 1,5 million de bouteilles.
La route gravit le **Scheuerberg** (vues sur les vignobles) puis descend sur Remich : vues sur la Moselle.
A Remich, regagner la Moselle.

Remich – La ville de Remich possède plusieurs caves. A la sortie Nord de la ville, les **caves St-Martin** ⊙ creusées dans le roc sont consacrées à l'élaboration d'un vin champagnisé. Ici, la rive de la Moselle, aménagée, constitue une longue promenade pour piétons.

Stadtbredimus – Importantes caves coopératives.
Peu après Stadtbredimus, prendre à gauche la route de Greiveldange.
Elle offre, à la montée, de belles **vues★** sur le méandre de la Moselle, le coteau luxembourgeois abrupt couvert d'échalas, et la rive allemande, vers Palzem, plus adoucie mais également plantée de vignobles.
Après le village de **Greiveldange** qui possède une grande cave coopérative, revenir dans la vallée.

Ehnen – Ce village de vignerons cerné par les échalas conserve un quartier ancien aux rues pavées, au centre duquel se dresse une église de plan circulaire, construite en 1826, et flanquée d'une tour romane.
Une maison vigneronne a été aménagée en **musée du Vin** ⊙. Des outils, en usage jusqu'aux années 60, et des photos illustrent agréablement les travaux de la vigne et du vin mosellans d'autrefois. Les métiers annexes (tonnelier) sont également évoqués et la visite se termine par une dégustation.

Wormeldange – C'est la capitale du Riesling luxembourgeois. A la sortie à gauche se situent ses grandes **caves coopératives** ⊙.
Au sommet du plateau, au lieu-dit **Koeppchen,** à l'emplacement d'un ancien burg, se dresse la chapelle St-Donat.

Machtum – Petite localité située dans un coude de la rivière. Sur une pelouse sont disposés un pressoir et un broyeur à fruits.
A la fin du méandre se trouve le grand **barrage-écluse** de Grevenmacher, doté d'une centrale électrique.

Grevenmacher – Entourée de vignobles et de vergers, cette petite ville est un important centre viticole doté de caves coopératives et d'une cave privée. Les **caves coopératives** ⊙ sont situées au Nord de la localité *(rue des Caves)*. Au Sud du pont, les **caves Bernard-Massard** ⊙, fondées en 1921, produisent du vin mousseux méthode champenoise. La visite des caves inférieures est complétée par la projection d'un film documentaire sur le Grand-Duché, la Moselle, le travail de la vigne et l'élaboration du vin mousseux.

Mertert – Actif port fluvial, relié à Wasserbillig par un sentier pour piétons bien aménagé au bord de la Moselle.

Wasserbillig – Au confluent de la Moselle et de la Sûre *(voir à ce nom)*, ce nœud routier international est aussi un centre touristique. C'est le point de départ des promenades en bateau.

PETITE SUISSE LUXEMBOURGEOISE★★★

Cartes Michelin nᵒˢ 409 L 6-M 6 et 215 plis 3, 4.

La région, qu'on nomme Petite Suisse luxembourgeoise à cause de son paysage accidenté et verdoyant, est riche en beautés naturelles. Ses rochers et sa végétation constituent un de ses principaux attraits.
La Petite Suisse appartient au parc naturel germano-luxembourgeois *(p. 15)*.

Des paysages romantiques – Forêts touffues de hêtres, charmes, pins, bouleaux, chênes, aux sous-bois couverts de fougères, bruyères, myrtilles, mousses, torrents bouillonnants dévalant leur lit encombré de rochers, pâturages humides, telle est la physionomie de la Petite Suisse luxembourgeoise.

Des rochers multiformes – La présence de rochers étranges, dissimulés au cœur de la forêt, ajoute au charme du paysage.
Le grès de Luxembourg, conglomérat de sable et de calcaire, appartenant à l'une des principales « côtes » du Gutland *(voir p. 14)*, a été sculpté par la nature de façon étonnante.
Striées par l'érosion, les roches présentent souvent l'aspect d'une muraille ruiniforme. Lorsque, désagrégé par l'eau, le plateau gréseux s'est fendu, formant des « diaclases », d'énormes blocs se sont détachés et se sont mis à glisser sur leur assise argilocalcaire vers la vallée.
La nappe d'eau qui s'est formée à la partie inférieure du grès a donné naissance à des sources nombreuses. Entre les parois du bloc peut apparaître alors une sorte de gorge ou de crevasse dite **« Schluff »** ; si les parois sont inclinées, il se crée une véritable grotte (schlucht).
Une quinzaine de promenades pédestres balisées permettent de parcourir la Petite Suisse en tous sens et d'en découvrir les plus beaux recoins.

Ph. Gajic / MICHELIN

Rochers de la Petite Suisse luxembourgeoise

VISITE *circuit de 34 km au départ d'Echternach – compter 1 journée*

★ **Echternach** – *Page 212. Visite : 3/4 h.*
Sortir d'Echternach en direction de Diekirch.
La route, qui longe la Sûre, passe à proximité de la Gorge du Loup *(p. 247)*.
Prendre bientôt à gauche vers Berdorf.

À 1 km de la bifurcation, la route est longée par le sentier de la **promenade B** *(voir aussi p. 244)* qui, descendant de la Gorge du Loup, s'engage dans la vallée de l'Aesbach.

Le Perekop – C'est un rocher ruiniforme d'environ 40 m de haut surplombant la route à droite. Un escalier aménagé dans une crevasse mène au sommet : vue sur les bois.

★★ **Promenade à pied** – Au Perekop, le sentier de la **promenade B** (d'Echternach à Grundhof) se retrouve au niveau de la route. Le parcours vers l'Ouest le long du ruisseau Aesbach jusqu'à l'endroit où le sentier s'en éloigne *(1/2 h)* est des plus pittoresques. On remarque des rochers travaillés par l'érosion : la tour Malakoff, puis le Chipkapass.
La route, émergeant des bois, fait découvrir Berdorf, sur le plateau.

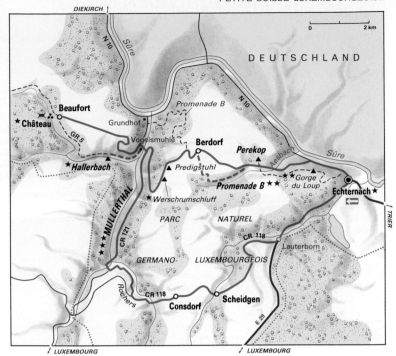

Berdorf – *Voir à ce nom.*

A Berdorf, prendre la direction du Mullerthal.

A gauche de la route apparaît bientôt le **Predigsthul**, rocher en arrière duquel se dissimule en particulier la **Werschrumschluff★** *(p. 244).*

La route descend rapidement vers le Mullerthal.

A Vugelsmullen (ou Vogelsmuhle) dans le Mullerthal (voir ci-dessous), prendre à droite puis aussitôt après à gauche vers Beaufort.

Beaufort – Située sur une éminence, c'est une petite localité où est fabriquée une liqueur au cassis nommée Cassero.

★ Château de Beaufort ⊙ – Dans un vallon boisé, près d'un étang, s'élèvent les ruines romantiques de ce château fort (12e-16e s.) dont Victor Hugo écrivait en 1871 : « Il apparaît à un tournant, dans une forêt, au fond d'un ravin ; c'est une vision. Il est splendide. » Le château ancien est une énorme tour-donjon se rattachant à une forteresse. Une restauration en 1930 en a dégagé les abords et consolidé les accès. Le château voisin a été construit en 1647 par le seigneur de Beaufort.
Le sentier pédestre qui s'amorce à l'Ouest de l'étang conduit vers le Hallerbach *(ci-dessous).*

Revenir en voiture à Vogelsmuhle. Peu avant d'atteindre ce hameau s'embranche à droite une petite route longeant le Mullerthal.

A 300 m laisser la voiture et prendre le sentier du Hallerbach.

★ Hallerbach – A travers les bois, ce torrent dévale parmi les éboulis moussus où s'égrènent de charmantes cascatelles *(1/2 h AR environ).*

Revenir à Vogelsmuhle et tourner à droite.

★★★ Mullerthal (Vallée des Meuniers) – C'est le nom donné à la **vallée de l'Ernz Noire.** La rivière y coule, coupée de cascades, entre deux rives tapissées de prairies, et encaissées entre des versants boisés où surgissent de spectaculaires amoncellements de grès.

A 200 m du Mullerthal, tourner à gauche vers Consdorf.

Pour remonter sur le plateau, la route emprunte une petite vallée bordée de part et d'autre par un pittoresque alignement de rochers.

Consdorf – A l'orée du bois, c'est une localité touristique fréquentée l'été.

Scheidgen – Centre de villégiature.

Par Lauterborn on regagne Echternach (voir à ce nom).

RINDSCHLEIDEN★

Cartes Michelin n°s 214 pli 18 et 215 pli 11 – Schéma p. 262-263.

Ce hameau se niche au creux d'un vallon, autour de son église paroissiale dont l'intérieur est remarquable pour ses peintures murales.

★ÉGLISE PAROISSIALE

Elle est d'origine romane. Le chœur a été modifié à l'époque gothique tardive. La nef fut agrandie au 16ᵉ s. et pourvue de trois voûtes d'égale hauteur.

A l'intérieur, toutes les voûtes, ainsi que les parois du chœur, sont couvertes de **fresques**. Datant de la première moitié du 15ᵉ s. (chœur) et du 16ᵉ s. (nef), elles représentent, dans des teintes claires, rehaussées d'un contour noir, une multitude de personnages, saints ou personnages royaux, et des scènes religieuses.

On remarque également des statues en bois des 17ᵉ et 18ᵉ s., et quelques sculptures en pierre : l'armoire eucharistique surmontée d'un oculus (15ᵉ s.), des clefs de voûte, des chapiteaux et des statues à la retombée de la voûte (16ᵉ s.).

Dans un petit jardin proche de l'église, le puits miraculeux de saint Willibrord est le but d'un pèlerinage annuel. A côté ont été placés d'anciens fonts baptismaux, datés du 15ᵉ s.

Actualisée en permanence,
*la **carte Michelin** bannit l'inconnu de votre route.*
*Équipez votre voiture de **cartes Michelin** à jour.*

RODANGE

Cartes Michelin n°s 409 K 7 et 215 pli 13 – 3 km à l'Ouest de Pétange.

Près des frontières belge et française, c'est une petite localité industrielle.

Train touristique ⊘ – *A 2 km au Sud de l'église par la rue de Lasauvage jusqu'à « Bois de Rodange ».*

Ce train, remorqué par des locomotives à vapeur du début du siècle, parcourt environ 6 km dans la vallée de **Fond de Gras**, que domine le Titelberg *(voir musée national d'Histoire et d'Art, p. 251)*. Un autorail assure la navette entre la route et l'ancienne gare de Fond de Gras : jadis centre d'extraction de minerai de fer, celle-ci est devenue le point de départ du trajet ferroviaire.

ENVIRONS

Bascharage – *6 km au Nord-Est par la route de Luxembourg.*

La **Brasserie nationale**, installée dans cette localité, fabrique de la bière blonde, distribuée principalement dans le Grand-Duché.

Dans la **Taillerie luxembourgeoise de pierres précieuses** ⊘ *(rue de la Continentale, à l'Est de la gare)* sont traitées un grand nombre de pierres précieuses venues de tous les continents. On peut voir les tailleurs de pierre et une riche exposition de minéraux et de bijoux.

Vallée de la SÛRE★★

Cartes Michelin n°s 409 K 6-L 6-M 6 et 215 plis 3, 4 – Schéma p. 259.

La Sûre, née en Belgique entre Neufchâteau et Bastogne, traverse le Grand-Duché jusqu'à la Moselle et la frontière allemande dont elle marque les limites de Wallendorf à Wasserbillig.

Une grande partie de la vallée peut être parcourue en suivant des sentiers pédestres balisés.

★★1 LA HAUTE VALLÉE

Du Hochfels à Erpeldange

68 km – environ 1/2 journée – schéma p. 262-263

C'est la partie la plus spectaculaire où la rivière entaille profondément le massif ancien de l'Oesling.

La vallée, dans laquelle s'enfonce la route, est suivie également par le sentier pédestre de la Haute-Sûre qui relie Martelange, à la frontière, à Ettelbruck, 60 km plus loin.

★ **Hochfels** – Des abords du chalet situé sur cette crête de 460 m d'altitude, on a une **vue plongeante** sur la vallée sinueuse aux versants boisés.

Par Boulaide, on gagne Insenborn en traversant la Sûre à **Pont-Misère** dans un joli paysage.

En remontant sur le plateau, on découvre de jolies **vues** sur une partie du lac de la Haute-Sûre, en aval du pont, puis sur la rivière en amont, au pied du Hochfels, avec Boulaide à l'horizon.

Insenborn – Située sur le **lac de la Haute-Sûre**★, cette localité est un centre de sports nautiques *(voile, planche à voile, canotage, baignade, pêche, plongée sous-marine)* qui y sont autorisés en amont de Lultzhausen.

D'Insenborn à Esch-sur-Sûre, la route longe le lac de la Haute-Sûre : **points de vues**★ remarquables sur ses rives sinueuses et verdoyantes couvertes de genêts et hérissées de sapins.

Barrage d'Esch-sur-Sûre – Haut de 48 m, d'une capacité de 62 millions de m^3, il comprend une usine hydro-électrique située à la base ; il se complète de deux barrages secondaires : celui de Bavigne *(au Nord-Ouest)* et celui de Pont-Misère *(en amont)*, destinés à régulariser les crues de la rivière.
On a une bonne **vue**★ sur le lac depuis la route de Kaundorf, dans un virage à 800 m au-delà du barrage.

Ph. Gajic / MICHELIN

Esch-sur-Sûre

★ **Esch-sur-Sûre** – C'est une localité accueillante dont les maisons étagées, couvertes d'ardoise, composent un joli site à l'intérieur d'un méandre presque recoupé, autour d'un promontoire portant les ruines d'un château. Un tunnel a été creusé à la racine du méandre.
Depuis la tour de guet circulaire au sommet de la colline, **vue**★ intéressante sur le site avec, au premier plan, le donjon et la chapelle du château. Celui-ci remonte au 10e s. et fut démoli en 1795. Le bourg conserve quelques vestiges de son enceinte médiévale.

D'Esch-sur-Sûre à Göbelsmuhle, on retrouve la Sûre par endroits, dans des gorges très boisées.

Après avoir pénétré dans le parc naturel germano-luxembourgeois *(p. 15)* et avoir traversé Göbelsmuhle, on arrive en vue du château de Bourscheid, perché sur la hauteur.

Prendre la route à gauche au départ de Lipperscheid.

★★ **Point de vue de Grenglay** – *1/4 h à pied AR par un chemin à travers champs signalé « Point de vue ».*
Du haut de cet escarpement impressionnant, un belvédère permet d'admirer un beau **point de vue** sur le site du château de Bourscheid, perché sur un long promontoire contourné par un méandre de la Sûre.

Revenir à la N 27 puis prendre à droite la route vers le château de Bourscheid.

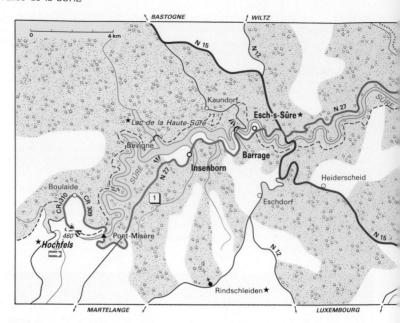

★ **Château de Bourscheid** ⊘ – A 155 m au-dessus de la Sûre se dressent les **ruines**★ du château de Bourscheid, en schiste brun. Du vieux burg ou château supérieur, il subsite un donjon du 11ᵉ s. et une cheminée gothique. Le château inférieur comprenant la maison de Stolzembourg a été édifié au 14ᵉ s. et maintes fois remanié jusqu'au 18ᵉ s. Au 19ᵉ s. la maison tombait en ruine ; restaurée depuis 1972, elle abrite un musée qui présente les résultats des fouilles du château (poteries, fragments architecturaux) et des expositions temporaires. Au rez-de-chaussée se remarquent deux copies de dessins du château (1871) par Victor Hugo ; les originaux se trouvent à la Bibliothèque Nationale à Paris.

Des tours d'enceinte, **points de vue**★ harmonieux et variés sur la vallée et le plateau. A 800 m au-delà du château, on peut gagner à droite, à l'entrée d'un terrain de camping, une terrasse aménagée procurant un joli **coup d'œil**★★ sur les ruines et la vallée.

Regagner la vallée.

La rivière descend désormais vers le Sud en direction d'Erpeldange. Le **cadre**★ de bosquets et de prairies est ravissant.

★ ② LA BASSE VALLÉE

D'Erpeldange à Wasserbillig

57 km – environ 1/2 journée

La basse Sûre est moins austère et plus champêtre. Au sortir du massif ardennais, les versants de la Sûre s'adoucissent et les prairies se font plus larges. La route longe presque continuellement la rivière jusqu'à son confluent avec la Moselle.

Après Erpeldange, on remarque au-delà du pont sur la Sûre, vers Ettelbruck, le monument au général Patton.

Ettelbruck – Au confluent de la Sûre et de l'Alzette, c'est un nœud routier et fer- roviaire, ainsi qu'un centre commercial et agricole.

Diekirch – *Voir à ce nom.*

Reisdorf – Ce coquet village est bâti au débouché de la jolie vallée de l'Ernz Blanche.

Peu après, l'Our se joint à la Sûre, près de Wallendorf.

★ **Echternach** – *Voir à ce nom.*

Barrage de Rosport – En aval de Rosport *(voir à ce nom)*, la Sûre forme une gigantesque boucle. Elle est retenue par un important barrage équipé d'une centrale hydro-électrique alimentée par une conduite forcée installée à la racine du méandre. Le cours de la rivière est ainsi accéléré par une dénivellation artificielle.

A **Wasserbillig** *(p. 257)* la Sûre se jette dans la Moselle.

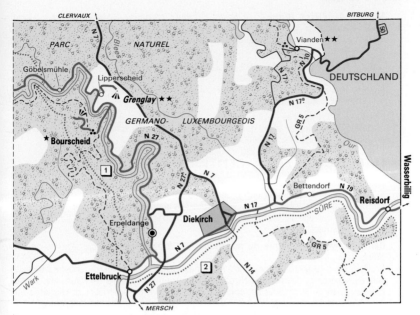

Les guides Verts Michelin sont périodiquement révisés.
L'édition la plus récente assure la réussite de vos vacances.

VIANDEN★★

1 460 habitants
Cartes Michelin n⁰ˢ 409 L 6 et 215 pli 3.

Les vieilles maisons de cette charmante petite ville sont accrochées aux pentes qui dégringolent du château à l'Our. Le **site**★ est splendide.

★★ Points de vue – Les collines dominant la ville à l'Ouest offrent de belles vues sur le site de Vianden. Ainsi, par la route du mont St-Nicolas *(p. 264)*, on atteint un intéressant belvédère. D'autre part, le **télésiège** ⊘ mène également à un belvédère *(accessible en outre par un sentier partant du château)* : vaste **panorama**★★ sur la ville, le château et la vallée.

CURIOSITÉS

★★ Château ⊘ – *Illustration p. 242.* Il domine la ville de sa silhouette romantique. Construit par les comtes de Vianden, il fut propriété de la famille d'Orange-Nassau de 1417 à 1977, excepté un court intermède, de 1820 à 1827, pendant lequel il fut racheté par un spéculateur qui le dévasta.
En 1977, le grand-duc Jean le céda à l'État luxembourgeois, et depuis il a fait l'objet d'une remarquable restauration lui rendant son aspect à la fin du 18ᵉ s.
Les fouilles ont permis de découvrir la présence d'un fortin construit sous le Bas-Empire (5ᵉ s.) et une première enceinte médiévale carolingienne élevée au 9ᵉ s. L'apogée de la famille des comtes de Vianden se situe du 12ᵉ au 13ᵉ s., et c'est de cette période, transition entre roman et gothique, que datent la plupart des bâtiments du château.

Visite – *Durée 1 h 1/2. Un parcours fléché où les salles sont numérotées conduit le visiteur dans le dédale de couloirs, d'escaliers et de terrasses du château.*
Le château comprend le Petit Palais (13ᵉ s.), édifice roman avec des fenêtres en ogive gothique (salle d'armes et salle byzantine), et le Grand Palais avec la gigantesque **salle des Chevaliers** et au-dessus de la salle des Comtes.
A l'extrémité Est se dresse la **chapelle** romane. Sa base à dix pans, d'époque carolingienne, est prolongée par le chœur et surmontée d'un étage hexagonal à colonnettes.
Une exposition archéologique évoque les différentes étapes de la construction du château.
Du chemin de ronde et du jardin, **vues**★ sur la vallée de l'Our et sur la ville.

Pont sur l'Our – De ce pont protégé par une statue de saint Jean Népomucène, protecteur des ponts, la **vue** est agréable sur l'étagement de la ville et du château.

Maison de Victor Hugo ⊘ – Après plusieurs passages à Vianden, Victor Hugo, exilé, séjourna ici en 1871 du 8 juin au 22 août. Transformée en musée, la demeure présente des dessins, des lettres autographes du grand écrivain. En face de la maison, buste de Victor Hugo par Rodin.

Musée d'Art rustique ⊘ – *98, Grand-Rue.*
Dans une vieille maison bourgeoise, c'est un ravissant intérieur régional garni d'un mobilier rustique. On y voit une belle collection de « taques » de cheminée et une collection de poupées.

Église des Trinitaires – *Grand-Rue.*
Ancienne abbatiale, de style gothique, à deux nefs, elle date du 13ᵉ s. et possède un joli cloître du 13ᵉ s. également, restauré.

LE BARRAGE ET SA CENTRALE *visite : 2 h*

Barrage de Lohmühle – *1 km au Nord.*
Il constitue le bassin inférieur d'une importante installation hydro-électrique. La retenue, d'une capacité de 10 millions de m³, s'allonge sur 8 km. Sur la rive droite au pied du barrage se blottit l'**église Neuve**, construite en 1770 dans l'ancien quartier des pestiférés.

Centrale hydro-électrique de pompage – *5 km au Nord du barrage, au-delà de Bivels.*
Creusée dans la roche, la salle des machines assure la liaison souterraine entre les bassins supérieurs du mont St-Nicolas et la retenue inférieure de l'Our. Aux heures creuses, l'eau de la retenue est pompée dans les bassins supérieurs et réutilisée aux heures de pointe.
La production annuelle d'énergie peut atteindre 1 600 millions de kWh.
La **galerie des visiteurs** abrite des maquettes et des tableaux lumineux explicatifs.

Bassins supérieurs du mont St-Nicolas – *5 km à l'Ouest par la route de Diekirch, puis à droite.*
Après le carrefour, on jouit d'une belle **vue★★** sur le château et sur les toits de la ville.
Entourés de 4,6 km de digue, les **bassins supérieurs** forment un lac artificiel étranglé en son milieu. Profond de 14 à 35 m, il a une capacité de 6,6 millions de m³. On accède par un escalier à une section de la digue : **vue** sur le bassin et sa tour de prise d'eau, reliée au bord par une passerelle.
Du pied des bassins, **vue★** sur la vallée de l'Our, creusée dans le plateau cultivé de l'Oesling et sur les collines en Allemagne.

EXCURSION

★★ Vallée de l'Our – *20 km jusqu'à Dasburg en Allemagne.*
Des environs d'Ouren en Belgique à Wallendorf, l'Our forme frontière entre l'Allemagne et le Grand-Duché. Il creuse dans le massif ancien une vallée profonde et sinueuse, parfois resserrée entre des rochers abrupts.
Quiter Vianden par le Nord
La route passe d'abord sur la crête du **barrage de Lohmühle** *(ci-dessus).*

Bivels – Ce village occupe un **site★** remarquable au centre d'une gigantesque boucle de l'Our.

Centrale hydro-électrique de pompage – *Voir ci-dessus.*

Stolzembourg – Au-dessus du village se perchent les ruines romantiques d'un château.

Dasburg – Bourg coquet, agréablement situé sur le versant allemand.

LES GUIDES VERTS MICHELIN

Paysages
Monuments
Routes touristiques
Géographie
Histoire, Art
Itinéraires de visite régionaux
Plans de villes et de monuments

Un choix de guides pour vos vacances en France et à l'étranger.

WILTZ

3 880 habitants

Cartes Michelin nᵒˢ 409 K 6 et 215 plis 10, 11.

Situé à 315 m d'altitude, sur le plateau de l'Oesling *(p. 14)*, Wiltz est une localité commerçante et industrielle (matières plastiques, cuivre, brasserie), un centre touristique et une cité scoute internationale : douze chalets et une quinzaine de camps sont disséminés dans les bois alentour.

La ville basse s'allonge sur les rives de la Wiltz, tandis que la ville haute forme un quartier pittoresque serré sur un éperon rocheux, entre son église et le vieux château. Les jardins du château servent de cadre, chaque année *(voir le chapitre des Renseignements pratiques en fin de volume)*, à un festival européen de Théâtre en plein air et de Musique.

CURIOSITÉS

Église décanale – Dans la ville basse, cette église du 16ᵉ s. a été agrandie et restaurée au 20ᵉ s.

Ses deux nefs de style gothique abritent les pierres tombales des seigneurs de Wiltz. Une belle grille de style Louis XV ferme la chapelle comtale.

En montant vers la ville haute, on remarque au passage à gauche un **monument** rappelant que c'est à Wiltz que débuta la première grève générale contre l'occupant allemand en septembre 1942.

Château – Le château des comtes de Wiltz conserve une tour carrée du 13ᵉ s., remaniée en 1722. L'aile principale date de 1631. Elle a été transformée en maison de retraite. Au pied de l'escalier d'honneur ajouté en 1727 a été aménagé en 1954 un amphithéâtre où se déroulent les représentations du festival.

Croix de justice – Du 16ᵉ s., elle s'est substituée à la croix érigée au Moyen Âge pour symboliser les droits obtenus par la ville (justice, franchise, marché).

On y voit les statues de la Vierge et de saint Jean Népomucène, qui aurait sauvé la ville d'un incendie.

Monument N.-D.-de-Fatima – 1952. *Accès par la route de Noertrange, à l'Ouest, CR 329.*

On passe devant une brasserie dont les chaudières en cuivre sont visibles. Du monument, **vue** intéressante sur la ville blanche aux toits d'ardoise étagés sur le versant de la colline.

Le sanctuaire est un lieu de pèlerinage des immigrés portugais.

EXCURSION

Vallée de la Wiltz – *11 km à l'Est jusqu'à Kautenbach.*
Agréable vallée sinueuse, encaissée entre des collines boisées.

Cage d'escalier du Musée Horta à St-Gilles

Renseignements
pratiques

J. Évrard, Bruxelles

Avant le départ

Offices de Tourisme et Fédérations du Tourisme

On peut consulter l'**Office Belge de Tourisme :**

à Paris : 21, bd des Capucines – ☎ 47.42.41.18. Les bureaux des Chemins de Fer belges se trouvent à la même adresse – ☎ 47.42.40.41.

à Bruxelles : 61, rue du Marché-aux-Herbes – ☎ (02) 504 02 00.

L'**Office National du Tourisme luxembourgeois** se trouve :

à Paris : 21, bd des Capucines – ☎ 47.42.90.56.

au Luxembourg : Air Terminus – place de la Gare – Luxembourg ☎ 48.11.99. Luxembourg-Findel Aérogare – ☎ 40.08.08.

à Bruxelles : 104, avenue Louise – ☎ 646.03.70.

On peut s'adresser à la **Fédération de Tourisme** de chaque province belge :
– Antwerpen : Karel Oomstraat 11, 2018 Antwerpen, ☎ (03) 216 28 10.
– Brabant Wallon : 218, chaussée de Bruxelles, 1410 Waterloo, ☎ (02) 351 12 00.
– Hainaut : Rue des Clercs 31, 7000 Mons, ☎ (065) 36 04 64.
– Liège : Bd de la Sauvenière 77, 4000 Liège, ☎ (041) 22 42 10.
– Limburg : Universiteitslaan 1, 3500 Hasselt, ☎ (011) 23 79 80.
– Luxembourg : Quai de l'Ourthe 9, 6980 La Roche-en-Ardenne, ☎ (084) 41 10 11.
– Namur : Rue Notre-Dame 3, 5000 Namur, ☎ (081) 22 29 98.
– Oost-Vlaanderen : P.A.C. Het Zuid, Woodrow Wilsonplein 3, 9000 Gent, ☎ (09) 267 70 20.
– Vlaams-Brabant : Diestsesteenweg 52-54, 3010 Leuven, ☎ (016) 26 76 20.
– West-Vlaanderen : Kasteel Tillegem, 8200 Brugge, ☎ (050) 38 02 96.

En Belgique et au Luxembourg, les Offices de Tourisme et Syndicats d'Initiative sont signalés par 🛈 (information). En néerlandais, ils sont nommés Dienst voor Toerisme ou VVV (soit Vereniging voor Vreemdelingen Verkeer, Association pour la circulation des étrangers). Leur adresse et leur numéro de téléphone figurent dans la dernière partie de ce chapitre intitulé « Conditions de visite ».

Comment se rendre en Belgique ?

En avion – La plupart des compagnies aériennes desservent l'aéroport de Bruxelles-National à Zaventem. Se renseigner auprès de son agence de voyages afin de connaître les conditions en vigueur, les vols charters et les vols à prix réduits.
Sabena, Aéroport de Bruxelles-National, 1930 Zaventem, réservations ☎ (02) 723 23 23 ; heures de départ ☎ (02) 723 23 45 ; récupération des bagages ☎ (02) 723 60 11. Sabena, 19, rue de la Paix, 75002 Paris, ☎ 44 94 19 19.

En train – Le TGV reliera bientôt Bruxelles et Paris en une heure et demie. La SNCB propose plusieurs formules à tarif réduit (Go-Pass, Multi-Pass, le Billet Week-End, etc.). Info ☎ (02) 203 36 40.

En voiture – Pour choisir l'itinéraire entre votre point de départ en France et Bruxelles, utiliser :
– le **Minitel 3615 code Michelin** : ce service définit un itinéraire et donne le coût des péages sur le parcours français, le kilométrage total ainsi que la sélection Michelin des hôtels, restaurants et campings.
– les **cartes Michelin** : n° 970 Europe, n° 989 France, n° 427 Suisse, n° 215 Grand-Duché de Luxembourg, n° 409 Belgique et les cartes détaillées n⁰ˢ 212, 213, 214 sur la Belgique.

Formalités d'entrée

Papiers d'identité – Un passeport en cours de validité ou une carte d'identité suffisent pour visiter la Belgique et le Grand-Duché.

Santé – En cas d'accident ou de maladie au cours du séjour, les ressortissants de l'Union Européenne bénéficient de la gratuité des soins sur présentation du formulaire E 111. Les Français doivent s'adresser auprès de leur centre de Sécurité sociale.

Conducteurs – Permis de conduire français à 3 volets ou permis international.

Documents pour la voiture – Papiers du véhicule (carte grise) et carte verte internationale d'assurance.

Vie pratique

Cartes de crédit – Les chèques de voyage et les principales cartes de crédit internationales (Visa, Eurocard, American Express) sont acceptés dans presque tous les commerces, hôtels et restaurants. Les distributeurs de billets fonctionnent parfois avec les cartes de crédit internationales. Les Français titulaires de la carte C.C.P. 24-24 peuvent utiliser les distributeurs automatiques de billets Postomat.

Devises – L'unité monétaire est le franc. Pièces : 0,5, 1, 5, 20 et 50 francs ; billets : 100, 200, 500, 1 500, 2 000 et 10 000 francs.

Assistance – Diverses compagnies d'assurances proposent des assurances fournissant des garanties spéciales d'assistance en pays étranger, en particulier en cas d'accident.

Horaires et jours fériés

Belgique

– **Banques** : 9 h-12 h 30 et 14 h-15 h 30 (vendredi 16 h ou 18 h près des grands centres commerciaux) ; au centre des villes : 8 h 30-15 h 30 (vendredi 16 h) ; fermé samedi et dimanche.
– **Bureaux de poste** : 9 h-12 h et 14 h 30-16 h; au centre des grandes villes : 9 h-17 h ; fermé samedi et dimanche. En Belgique poste (PTT) et téléphone (RTT) n'occupent pas toujours le même bâtiment. Consulter le plan de ville *(voir légende p. 2)* ou l'annuaire.
– **Magasins** : 9 h-18 h environ; fermé le dimanche.
– **Jours fériés** : 1er janvier, lundi de Pâques, 1er mai, Ascension, lundi de Pentecôte, 21 juillet (fête nationale), 15 août, 1er novembre, 11 novembre, 25 décembre. La célébration d'une fête locale peut avoir pour conséquence la fermeture de certains services publics.

Luxembourg

– **Banques** : 8 h 30 - 12 h 30 et 13 h 30 - 16 h 30 ; fermé samedi et dimanche.
– **Poste et téléphone** : au Luxembourg poste (PTT) et téléphone (RTT) n'occupent pas toujours le même bâtiment. Consulter le plan de ville *(voir légende p. 2)* ou l'annuaire.
– **Jours fériés** : au Luxembourg les jours fériés sont les mêmes qu'en Belgique *(voir ci-dessus)*, sauf le jour de la fête nationale (23 juin) et le 11 novembre qui n'est pas férié.

Communications téléphoniques

Des cartes de téléphone, pour appeler à partir des cabines publiques un abonné dans le pays ou à l'étranger, sont disponibles dans les bureaux de poste, les gares et souvent chez les marchands de journaux. Certaines cabines téléphoniques fonctionnent avec des pièces de 5 FB, 20 FB et 50 FB.
Le bureau de Belgacom au 17, boulevard de l'Impératrice (près de la Gare centrale) est ouvert tous les jours de 8 à 22 h.
Pour téléphoner de l'étranger à la Belgique, composer le 32, le 352 pour le Luxembourg, suivi de l'indicatif téléphonique de la zone sans le 0, puis le numéro de l'abonné.
Pour appeler la France depuis la Belgique, composer le 00 + 33 + l'indicatif téléphonique de la région sans le 0 (à partir d'octobre 1996) et le numéro de l'abonné ; pour appeler le Luxembourg : 00 + 352, la Suisse 00 + 41.
Les communications sont moins chères entre 18 h 30 et 8 h.

Quelques numéros utiles :	Belgique	Luxembourg
Renseignements :	1307	017
Police :	101	012
Pompiers et ambulance :	100	012
Prévisions météorologiques :	1703	18

Hébergement

Hôtels et restaurants – Pour faire étape ou choisir un lieu de séjour, le complément indispensable de cet ouvrage est le guide Rouge Michelin Benelux (hôtels et restaurants). Édité chaque année, il propose un choix d'établissements avec indication de leur classe et de leur confort, de leur situation, de leur agrément, de leurs prix.

Réservations – On peut réserver une chambre par l'intermédiaire du **BTR** (Belgian Tourist Reservations), 111, bd Anspach, 1000 Bruxelles, ☎ 513 74 84 ; fax 513 92 77.
Nous vous conseillons vivement de réserver votre chambre, notamment lors d'un week-end, si vous devez vous rendre à Bruges ou lorsqu'une fête a lieu dans la localité.

Bed & Breakfast – Ce sont des chambres d'hôtes qui offrent la chambre et le petit déjeuner pour une somme très raisonnable. Il est possible de se procurer la brochure Bed & Breakfast auprès de **Taxistop** 28/1, rue Fossé-aux-Loups, 1000 Bruxelles, ☎ 223 23 10 ; fax 223 22 32.

Stations vertes de vacances – Ces localités peuvent constituer un lieu de séjour. Elles disposent d'un minimum de ressources (site, hébergement, sports, loisirs) et sont signalées par un panonceau. Elles sont très nombreuses en Ardenne.

Camping – La Belgique possède plus de 350 terrains aménagés ; répartis en 4 catégories. Ils sont très chargés en juillet et août. Au Grand-Duché, il existe plus de 100 terrains aménagés. Le camping libre est autorisé en Belgique et au Luxembourg ; il est cependant nécessaire de demander l'autorisation au propriétaire du terrain.

Location – Le mieux est de s'adresser à l'Office de Tourisme local.

Auberges de jeunesse – Voici les adresses des fédérations belges :
– Les Auberges de Jeunesse, rue Van Oost 52, 1030 Bruxelles, ☎ (02) 215 31 00.
– Vlaamse Jeugdherbergcentrale, Van Stralenstraat 40, 2060 Antwerpen,
☎ (03) 232 72 18.
Centrale des Auberges de Jeunesse Luxembourgeoises : 18, place d'Armes, B.P. 374,
2013 Luxembourg, ☎ 22 55 88.

Vacances à la ferme – Les organismes suivants peuvent fournir des renseignements
et faire des réservations : Fetourag, Fédération du Tourisme Agricole de l'Alliance
Agricole Belge, rue de la Science 23-25, 1040 Bruxelles, ☎ (02) 230 72 95 ; UTRA,
Fédération du Tourisme des Unions Professionnelles Agricoles de Belgique, rue
A.-Dansaert 94-96, 1000 Bruxelles, ☎ (02) 511 07 37.
Pour la région flamande, s'adresser à : Vlaamse Federatie voor Plattelandstoerisme,
Minderbroedersstraat 8, 3000 Leuven, ☎ (016) 24 21 58 ; cette fédération édite
une brochure avec des adresses. Pour la Flandre occidentale, s'adresser à V.Z.W.,
Hoevevakantie Kraaiehof, Proostdijk 28, 8480 Furnes, ☎ (058) 31 16 42.
A Tielt, s'adresser au VVV, Stadhuis, 8800 Tielt, ☎ (051) 40 10 11.
Pour l'Ardenne, s'adresser à la **Fédération du Tourisme** de la Province de **Liège**, de
Luxembourg, de **Namur** (adresses p. 268).

Circulation

Vitesses limites – En Belgique comme au Luxembourg, la vitesse est limitée à
120 km/h sur les autoroutes, à 90 km/h sur les autres routes, à 50 km/h dans les
agglomérations. Dans les deux pays, le port de la ceinture de sécurité est obligatoire,
y compris dans les villes.

Autoroutes – Elles sont gratuites. Leurs échangeurs portent un numéro qui est
mentionné sur les cartes Michelin.

Accidents – En cas d'accident grave, téléphoner de jour ou de nuit au 100 (ambu-
lance) ou 101 (gendarmerie) en Belgique ou au 012 au Luxembourg. Des postes
d'appel téléphonique, signalés par des panonceaux, sont à la disposition des automobi-
listes en détresse sur les grands axes.

Dépannage – En Belgique, en cas de panne ou d'accident, on peut faire appel jour
et nuit aux services du Touring-Secours de Belgique. Sur les autoroutes, utiliser les
postes d'appel téléphonique. Sur les autres routes, appeler le (070) 344 777.
Le Royal Automobile Club de Belgique porte également assistance en cas de panne :
☎ (02) 287 09 00. En Flandre, on peut également contacter le VTB-VAB, ☎ (03) 253 63 63.
Au Grand-Duché de Luxembourg, s'adresser à l'Automobile Club du Grand-Duché de
Luxembourg, ☎ 45 00 45.

Météorologie, état des routes – Se renseigner auprès de l'Institut Royal Météo-
rologique, ☎ (0900) 27 003, du Touring Club, ☎ 233 22 36 (7 h-23 h), du Royal
Automobile Club, ☎ 287 09 80.

Itinéraires touristiques – Plus de soixante itinéraires touristiques, balisés de panneaux hexagonaux portant le nom du circuit, sillonnent la Belgique. De 30 à 130 km
de longueur, ils relient les principaux centres d'intérêt d'une région en empruntant
des routes pittoresques. L'accent est mis sur un thème, qu'il soit géographique
(Schelderoute ou route de l'Escaut), historique (Route 14-18), littéraire (Pallieter-
route) ou simplement en rapport avec la caractéristique de la région (Molenlan-
droute, route des moulins, Druivenroute, route du raisin). De nombreux ouvrages et
dépliants disponibles en librairie ou dans les Offices de Tourisme donnent des détails
sur ces circuits.

Signalisation – Dans les Flandres les villes françaises sont souvent indiquées en
langue néerlandaise : Parijs pour Paris, Rijsel pour Lille.

Bicyclette – Les régions les moins vallonnées, notamment les provinces de Flandres
occidentale ou orientale, sont particulièrement bien équipées en pistes cyclables. Un
sentier cyclable, Grote Route 5, balisé par la Vlaamse Jeugdherbergcentrale, relie
Bokrijk à Bergen op Zoom aux Pays-Bas. Plusieurs brochures (la plupart en
néerlandais) proposent de nombreux itinéraires pour cyclistes. On peut louer une
bicyclette (fiets) dans une trentaine de gares et la restituer dans une centaine de
gares ; il est conseillé de réserver. Une réduction est consentie aux possesseurs d'un
titre de transport ainsi qu'à ceux qui louent la bicyclette pour 3 jours et plus.

Sentiers pédestres

Tant la Belgique, en particulier l'Ardenne, que le Luxembourg sont parcourus par
d'excellents sentiers pédestres balisés. Les sentiers de Grande Randonnée ou GR apparaissent sur les cartes Michelin n°s 212, 213, 214 et 215.

Belgique – Le réseau de sentiers pédestres balisés atteint 4 750 km. Les principaux
sentiers sont : GR 5 (Hollande-Méditerranée) reliant Nice (Côte d'Azur) à Rotterdam
aux Pays-Bas en traversant le Grand-Duché, puis la province de Liège (Spa, Liège) ; le
GR AE (Ardenne-Eifel, tronçon du sentier européen n° 3), traversant l'Ardenne d'Ouest

en Est en empruntant la vallée de la Semois ; le GR 12 (Paris-Bruxelles) ; le GR 56 (Cantons de l'Est, Hautes-Fagnes, Vallée de la Helle) ; le GR 57 (sentier de l'Ourthe, reliant Liège au réseau grand-ducal) ; le GR 129 (Escaut-Meuse) qui relie Bruges à la vallée de la Meuse ; le GR 126 reliant Bruxelles à la vallée de la Semois. Sont également à signaler une série de GR circulaires et les sentiers campinois.

Les associations « Sentiers de Grande Randonnée » (BP 10, 4000 Liège) et « Grote Routepaden » (Van Stralenstraat 40, 2060 Antwerpen, ☎ (03) 232 72 18) éditent chacune un périodique trimestriel (GR Infos Sentiers et Wandelen GR) et disposent de topoguides et de documentations sur tous les sentiers.

Par ailleurs, les bois publics, les centres récréatifs sont souvent équipés de sentiers signalés par un panonceau spécial représentant des promeneurs. A l'entrée de quelques réserves naturelles *(p. 15)*, des circuits sont proposés, avec l'indication de la longueur du parcours et des poteaux peints de couleurs vives servant de balises.

Grand-Duché de Luxembourg – Le réseau de sentiers pédestres nationaux, signalés en jaune (environ 720 km), est particulièrement dense au départ des principaux centres touristiques : Diekirch, Echternach, Clervaux.

Le pays est traversé par le GR 5 *(voir ci-dessus)*.

Des dépliants ou de petites cartes sont édités par les Offices de Tourisme.

Des cartes topographiques au 20 000e sont en vente dans les librairies ou à la Centrale des Auberges de Jeunesse *(voir p. 270)*.

Il existe également 171 **circuits auto-pédestres** et 25 **circuits train-pédestres.** Longs de 5 à 15 km, ils permettent de laisser la voiture dans une localité et d'entreprendre une promenade dans les bois ou dans des sites particulièrement choisis pour leur intérêt, grâce à des sentiers balisés ramenant au point de départ. Un guide avec les circuits auto-pédestres est en vente en librairie ; la brochure avec les circuits train-pédestres peut être obtenue à la Centrale des Auberges de Jeunesse ou en librairie.

Sports

Kayak – Plusieurs rivières se prêtent, sur une partie de leur parcours, à la descente en kayak ou en canoë. Sur l'Ourthe, la Semois, la Sûre et l'Amblève, des organisations louent des kayaks. La descente de la Lesse en barque ou en kayak est une excursion classique *(p. 122)*. Fédération royale belge de canoë : Geerdegemvaart 79, 2800 Mechelen, ☎ (015) 41 54 59.

Ski nautique – On le pratique notamment sur la Haute-Meuse (à Wépion, Profondeville, Yvoir et Waulsort), à Liège, à Mons, Manage et Ronquières, sur le lac de l'Eau d'Heure et sur le canal Albert. Fédération francophone du ski nautique belge, rue de Tervaete 11, 1040 Bruxelles, ☎ (02) 734 93 73.

Plaisance – La côte possède quelques ports de plaisance : Zeebrugge, Blankenberge, Ostende, Nieuport. Ligue régionale du yachting belge, av. du Parc d'Armée 90, 5100 Jambes, ☎ (081) 30 49 79. Landelijke Bond van Watersportverenigingen in België, IJzerweglaan 72, 9050 Gent/Ledeberg, ☎ (09) 231 26 35. Vlaamse Vereniging voor Watersport, Beatrijslaan 25, 2050 Antwerpen, ☎ (03) 219 69 67.

Descente de la Lesse en kayak

J. Evrard, Bruxelles

Chasse – On trouve le petit gibier et le gibier d'eau principalement au Nord du sillon Sambre et Meuse, le gros gibier (sanglier, cerf, chevreuil) en Ardenne. Il faut posséder, soit un permis de chasse, soit une licence de chasse. Pour plus de renseignements s'adresser au Royal St-Hubert Club, place Jean Jacobs 1, 1000 Bruxelles, ☎ (02) 511 89 75.

Pêche – On pratique en Belgique toutes sortes de pêches. Il faut posséder un permis valable un an, que l'on se procure dans un bureau de poste. Fédération sportive des pêcheurs francophones de Belgique : 33, rue Wynants, 1000 Bruxelles, ☎ (02) 511 68 48. Une brochure « La Pêche en Luxembourg belge » peut être obtenue à l'Office Belge de Tourisme à Paris *(voir page 268)*.

Équitation – On la pratique dans tous le pays. Certaines agences organisent des week-ends d'équitation. Des courses hippiques ont lieu à Ostende, Groenendael, Watermael-Boitsfort, Kuurne et Sterrebeek (trotteurs), Waregem (steeple-chase). Fédération royale belge des sports équestres : av. Houba de Strooper 156, 1020 Bruxelles, ☎ (02) 478 50 56. Toute information concernant les courses peut être obtenue auprès du Jockey Club de Belgique, avenue des Ombrages 16, 1200 Bruxelles, ☎ (02) 771 42 86.

Alpinisme – Quelques rochers surplombant les rivières ardennaises sont assez escarpés pour permettre la pratique de l'escalade *(p. 152)*. Club alpin belge, rue de l'Aurore 19, 1050 Bruxelles, ☎ (02) 648 86 11.

Sports d'hiver – Le climat ardennais est suffisamment rigoureux pour qu'à faible altitude se produisent parfois d'abondantes chutes de neige entre décembre et mars. Dans les provinces de Liège et de Luxembourg, des pistes ont été aménagées pour la luge ou le ski. On trouve alors à proximité le matériel nécessaire en location. Pour tous renseignements, s'adresser à la Fédération du Tourisme de la Province de Liège ou de Luxembourg *(voir p. 268)*.

Autres sports – La renommée du cyclisme belge n'est plus à faire. Parmi d'autres sports couramment pratiqués en Belgique, citons la natation, le tennis, le bowling, le tir aux pigeons d'argile nommé tir aux clays, et la **balle-pelote,** jeu fréquent en Wallonie.
Pour le Grand-Duché, une brochure éditée par l'O.N.T. (Office National de Tourisme) donne tous les renseignements utiles.

Chars à voile

Spectacles

Les **films** sont projetés généralement en version originale avec sous-titres dans les Flandres et en version doublée en français en Wallonie. A Bruxelles et en Wallonie, on peut assister à des pièces de **théâtre** en français.
Pour les spectacles au Luxembourg, consulter l'Agenda Touristique édité 6 fois par an par l'Office National de Tourisme et le chapitre Manifestations *(p. 273)*.
Les Belges sont de grands amateurs de musique ; de nombreux **concerts** ont lieu toute l'année, et spécialement pendant les festivals. De septembre à mai, on peut entendre de l'**opéra** à Anvers, Bruxelles, Gand, Liège, Mons, Verviers, Charleroi, villes qui possèdent un opéra, ainsi qu'à Namur, Tournai.
En été et à l'automne ont lieu deux grands **festivals** : le Festival de Flandre et le Festival de Wallonie. Ce sont des manifestations artistiques variées (opéra, concerts, récitals, ballets) qui se déroulent dans différentes villes du pays, souvent dans le cadre prestigieux d'un édifice religieux (église, cathédrale) ou d'un château.
Pour tous renseignements sur le Festival de Flandre, s'adresser au Secrétariat du Festival de Flandre, 60, rue Ravenstein, 1000 Bruxelles, ☎ (02) 548 95 95, ou Kleine Gentstraat 46, 9051 St-Denijs-Westrem, ☎ (09) 243 94 94.
Des informations concernant le Festival de Wallonie peuvent être obtenues au ☎ (041) 22 32 48.
Consacré à la culture d'un pays, le festival **Europalia** a lieu tous les deux ans avec de très nombreuses manifestations à travers le pays (théâtre, musique, littérature, expositions, cinéma, ballet). Pour tous renseignements sur le programme, s'adresser à la Fondation Europalia International, ☎ (02) 507 85 94, ou à l'Office belge de Tourisme, 21, bd des Capucines, 75002 Paris, ☎ 47 42 41 18.
Enfin, on trouve en Belgique 8 **casinos** ouverts toute l'année : Blankenberge, Knokke, Ostende, Middelkerke sur la côte, et Dinant, Chaudfontaine, Spa, Namur.
Pour les spectacles organisés au Luxembourg, consulter la brochure éditée par l'Office National de Tourisme et le chapitre Manifestations.

Manifestations touristiques

Parmi de très nombreuses manifestations, nous citons les plus importantes. D'autres figurent au texte des localités. Enfin, des listes détaillées sont diffusées par les Offices de Tourisme belges et luxembourgeois.

Belgique

Sam., dim. et lundi après Épiphanie
Renaix .... Fête des fous *(p. 205)*.

Jeudi, vendredi, sam., dim., lundi, Mardi gras
Eupen .... Carnaval★★ *(p. 125)* et Rosenmontag.

Sam., dim., lundi, Mardi gras
Blankenberge .... Carnaval *(p. 71)*.
Malmédy .... Carnaval★ *(p. 173)*.

Dimanche, lundi, Mardi gras
Alost .... Carnaval *(p. 46)*.
Binche .... Carnaval★★★ *(p. 69)*.

Tous les dim. de Carême
Ligny *(p. 237)*............................... Représentation de la Passion à 15 h 30. *(Réservation recommandée ; s'adresser au Syndicat d'Initiative ☎ (071) 88.80.57.*

Dimanche de la mi-carême
Hal .... Carnaval *(p. 140)*.
Fosses-la-Ville .... Cortège carnavalesque avec les « Chinels »*(p. 190)*.
Maaseik .... Cortège carnavalesque *(p. 172)*.
Stavelot.. Cortège carnavalesque★★ avec les Blancs Moussis *(p. 218)*.

Dernier dimanche de février
Grammont .... Cortège folklorique et jet des craquelins *(p. 139)*.

1er samedi de mars
Ostende.. Bal du Rat mort *(p. 193)*.

Vendredi saint
Lessines .... Procession des Pénitents à 20 h *(p. 157)*.

Lundi de Pâques
Hakendover..................................... Procession du Divin Rédempteur à 11 h *(p. 140)*.

2e dimanche de mai
Ypres.. Fête des Chats (tous les trois ans : 1997) *(p. 149)*.

Dimanche précédant l'Ascension
Malines .... Procession Notre-Dame de Hanswijk.

Ascension
Bruges .... Procession du Saint-Sang★★★ *(p. 76)*.

Week-end après l'Ascension
Blankenberge.................................. Fêtes du port *(p. 71)*.

3e dimanche de mai
Thuin.. Marche militaire St-Roch *(p. 219)*.

Mai : dernier week-end
Arlon.. Fêtes du Maitrank *(p. 62)*.

Sam., dim. et lundi de Pentecôte
Écaussines-Lalaing......................... Goûter matrimonial *(p. 214)*.

Dimanche de Pentecôte
Hal .... Procession à 15 h *(p. 140)*.

Lundi de Pentecôte
Gerpinnes....................................... Marche militaire *(p. 113)*.
Solgnies .... Le Grand Tour et cortège historique *(p. 213)*.

Luxembourg

La Procession Notre-Dame de Hanswijk à Malines

(1) Pour les localités non décrites dans le guide, nous indiquons le n° de la carte Michelin et le n° du pli.

Lexique *Voir aussi : Langues, p. 10.*

Voici quelques aspects de la prononciation dans les Flandres :

h : h aspiré *(het, le ou la)*
j : ye *(kindje, petit enfant)*
s : ss *(sauf dans museum)*
g : entre ge et gue *(Gent, weg)*
g : dans ng ; le g n'est presque pas prononcé *(Tongeren)*
ch : gue guttural *(Mechelen)*
sch : s + ch ci-dessus *(schilder : peintre, Aarschot)*
sch : à la fin d'un mot *(toeristisch, touristique)*

aa, ae : a *(Laarne, St.-Niklaas, Verhaeren)*
ee, é *(meer, beek : ruisseau, zee)*
ie, i *(Tienen, Diest, Lier, Ieper)*
oo : o *(Oostende)*

ij : eil *(Kortrijk, Bokrijk)*
oe : ou *(Ter Doest)*
ou : aou *(Oudenaarde, Turnhout)*
ui : euil *(huis, Diksmuide, St-Truiden)*

Mots usuels

Pour les termes employés à l'hôtel et au restaurant, voir le lexique plus complet du guide Michelin Benelux.

U	vous	goedemorgen	bonjour
mijnheer	monsieur	goedemiddag	bonjour (après-midi)
mevrouw	madame	goedenavond	bonsoir
juffrouw	mademoiselle	tot ziens	au revoir
toegang, ingang	entrée	alstublieft	s'il vous plaît
uitgang	sortie	hoeveel ?	combien ?
rechts ; links	droite ; gauche	dank u (wel)	merci (bien)
koffiehuis	cafétéria	postliggend	poste restante
ja ; nee	oui ; non	zegel	timbre

Termes touristiques

abdij	abbaye	kunst	art
beeld	statue	kursaal	casino
beiaard	carillon	lakenhalle	halle aux draps
begijnhof	béguinage	meer ; zee	lac ; mer
belfort	beffroi	molen	moulin
beurs	bourse	museum	musee
bezienswaardigheid	curiosité	natuurreservaat	réserve naturelle
bezienswaardigheden	curiosités	O.L.- Vrouw	Notre-Dame
burcht	château, forteresse	oost ; west	Est ; Ouest
eeuw	siècle	oud, oude	vieux
gesloten	fermé	pastoor	curé
gevel	façade	paleis	palais
gids	guide	plein	place, square
grote markt	grand marché, grand-place	poort	porte (de ville)
		schilder ; schilderij	peintre ; peinture
haven	port	sleutel	clé
hof	cour, d'où palais	stadhuis	hôtel de ville
huis	maison	stedelijk	municipal
kaai	quai	straat	rue
kapel	chapelle	toren	tour
kasteel	château	tuin	jardin
kerk	église	uitzicht	vue, panorama
kerkschat	trésor	verdieping	étage
koninklijk	royal	vleeshuis	halle aux viandes
koster	sacristain	wandeling	promenade

Lexique routier

doorgaand verkeer	voie de traversée	uitgezonderd plaatselijk verkeer	excepté circulation locale
fiets ; fietsen	bicyclette ; bicyclettes	uitrit	sortie
ijzel	verglas	weg	chemin
let op	attention	wegomlegging	déviation
moeilijke doorgang	passage difficile	werken	travaux
schijf verplicht	disque obligatoire		

Quelques expressions belges

Voici quelques indications concernant la prononciation en Wallonie :

w : ou *(Wavre, Wallonie, wagon)*
xh : h *(Xhoffrais, Xhignesse)*
ui : oui *(huit, puits, Huy)*

sch : sk *(Aarschot, Schaerbeek)*
h : aspiré, dans le pays liégeois

Dans « Bruxelles », x : ss ; dans « Anvers », on prononce toujours le « s » final.

bourgmestre	maire	nonante	quatre-vingt-dix
ça vous a goûté ?	vous avez aimé ?	pensionné	retraité
carte-vue	carte postale	quartier	deux-pièces
chaire de vérité	chaire (à prêcher)	renseigner (quelque chose)	indiquer, signaler
chicon, chicorée	endive		
contournement	déviation	ring	périphérique, rocade
dîner	déjeuner (à midi)	savoir	pouvoir (on ne sait pas entrer)
ducasse	fête *(voir Ath)*		
échevin	adjoint au bourgmestre	septante	soixante-dix
écolage	auto-école	s'il vous plaît	je vous en prie ; plaît-il ?, comment ?
estacade	jetée		
friture	baraque à frites	vidange	bouteille consignée
minque	criée (aux poissons, aux crevettes)	zoning	zone industrielle

La fameuse expression « une fois » (signifiant : donc, un peu) est typiquement bruxelloise.

Liste bilingue des localités

Noms officiels en caractères gras : en bleu *pour le français,*
en **noir** *pour le néerlandais.*
Un lexique plus complet figure sur la carte Michelin n° 409

Aalst	Alost	**Lier**	Lierre
Aarlen	Arlon	Lombeek-N.-D.	**O.-L.-V.-Lombeek**
Aat	**Ath**	Louvain	**Leuven**
Alost	**Aalst**	Luik	Liège
Antwerpen	Anvers	Malines	**Mechelen**
Arlon	Aarlen	Mons	Bergen
Ath	Aat	Montaigu	**Scherpenheuvel**
Audenarde	**Oudenaarde**	Mont-St-Amand	**Sint-Amandsberg**
Auderghem	**Oudergem**	Namen	Namur
Baarle-Duc	**Baarle-Hertog**	Nieuport	**Nieuwpoort**
Bastenaken	Bastogne	Nijvel	Nivelles
Bergen	Mons	N.-D.-au-Bois	**Jezus-Eik**
Braine-le-Château	Kasteelbrakel	**O.-L.-V. Lombeek**	Lombeek N.-D.
Bruges	**Brugge**	**Oostende**	Ostende
Brussel	Bruxelles	**Oudenaarde**	Audenarde
Le Coq	**De Haan**	**Oudergem**	Auderghem
Courtrai	**Kortrijk**	**De Panne**	La Panne
Coxyde	**Koksijde**	Renaix	**Ronse**
Dendermonde	Termonde	Rhode St-Pierre	**Sint-Pieters-Rode**
Diksmuide	Dixmude	**Roeselare**	Roulers
Doornik	Tournai	Ronse	Renaix
Edingen	Enghien	Roulers	**Roeselare**
Ellezelles	Elzele	St-Nicolas	**Sint-Niklaas**
Elsene	Ixelles	St-Trond	**Sint-Truiden**
Elzele	**Ellezelles**	**Scherpenheuvel**	Montaigu
Enghien	Edingen	**Sint-Amandsberg**	Mont-St-Amand
Forest	Vorst	**Sint-Lambrechts- Woluwe**	Woluwe- St-Lambert
Furnes	**Veurne**	**Sint-Niklaas**	St-Nicolas
Gand	**Gent**	**Sint-Pieters-Rode**	Rhode St-Pierre
Geldenaken	Jodoigne	**Sint-Truiden**	St-Trond
Gembloers	**Gembloux**	Soignies	Zinnik
Gent	Gand	Tamise	**Temse**
Geraardsbergen	Grammont	Terhulpen	La Hulpe
De Haan	Le Coq	Termonde	**Dendermonde**
Hal	**Halle**	**Tienen**	Tirlemont
Hoei	Huy	**Tongeren**	Tongres
La Hulpe	Terhulpen	Tournai	Doornik
Huy	**Hoei**	Uccle	**Ukkel**
Ieper	Ypres	**Veurne**	Furnes
Ixelles	**Elsene**	**Vilvoorde**	Vilvorde
Jezus-Eik	N.-D.-au-Bois	**Vorst**	Forest
Jodoigne	Geldenaken	**Watermaal-Bosvoorde**	Watermael-Boitsfort
Kasteelbrakel	Braine-le-Château	Wavre	Waver
Koksijde	Coxyde	Woluwe- St-Lambert	**Sint-Lambrechts- Woluwe**
Kortrijk	Courtrai	Ypres	**Ieper**
Léau	**Zoutleeuw**	Zinnik	Soignies
Lessen	Lessines	**Zoutleeuw**	Léau
Leuven	Louvain		
Liège	Luik		

Les provinces : **Oost-Vlaanderen**, Flandre-Orientale ; **West-Vlaanderen**, Flandre-Occidentale.
Les villes françaises : **Paris**, Parijs ; **Lille**, Rijsel.

... ET A GAUCHE LA PETITE RUE DES BOUCHERS

... EN LINKS DE KORTE BEENHOUWERSSTRAAT

Conditions de visite

En raison du coût de la vie et de l'évolution incessante des horaires d'ouverture de la plupart des curiosités, nous ne pouvons donner les informations ci-dessous qu'à titre indicatif.

Ces renseignements s'appliquent à des touristes voyageant isolément et ne bénéficiant pas de réduction. Pour les groupes constitués, il est généralement possible d'obtenir des conditions particulières concernant les horaires ou les tarifs, avec un accord préalable.

Les églises ne se visitent pas pendant les offices ; elles sont ordinairement fermées de 12 h à 14 h. Les conditions de visite en sont données si l'intérieur présente un intérêt particulier.

Des visites-conférences sont organisées de façon régulière, en saison touristique, à Anvers, Bruges, Gand, Liège, Malines, Namur, Tournai et Luxembourg.

S'adresser à l'Office de tourisme ou au Syndicat d'initiative.

Dans la partie descriptive du guide, p. 37 à 228, les curiosités soumises à des conditions de visite sont signalées au visiteur par le signe ⊙.

Belgique

Les prix sont indiqués en francs belges. Indicatif téléphonique de la Belgique : 32.

A

AALST
🅱 Grote Markt - 9300 - ☎ (053) 73 22 62 - fax : (053) 78 21 99

Ancien Hôpital – Visite de 10 h à 12 h et de 14 h à 17 h (19 h le mercredi) du mardi au vendredi, de 14 h à 17 h les samedis et dimanches. Fermé le lundi, et les jours fériés légaux. Entrée gratuite. ☎ (053) 70 26 60.

AARSCHOT
🅱 Grote Markt - 3200 - ☎ (016) 56 97 05

Collégiale Notre-Dame – Visite tous les jours de 9 h à 12 h (jusqu'à 12 h 30 le dimanche). Possibilité de visite accompagnée sur demande préalable auprès de Mme Brems, Bogaardenstraat 4, 3200 Aarschot, ☎ (016) 56 62 07.

ADINKERKE
🅱 Gemeentehuis - 8478

Parc récréatif de Meli – Visite tous les jours de 10 h à 18 h de début avril à mi-septembre, et le mercredi, le samedi et le dimanche de mi-septembre à début octobre. Le parc reste ouvert jusqu'à 19 h de début juillet à début septembre. 575 F (enfants : 475 F). ☎ (058) 42 02 02.

AIGREMONT

Château – Visite tous les jours (sauf le lundi) de 10 h à 12 h et de 14 h à 18 h de début juin à fin août ; et le week-end de début avril à fin mai, en septembre et en octobre. Possibilité de visite accompagnée, s'adresser à Mme Renard, ☎ (041) 36 16 87. Fermé le lundi, en janvier, et le 25 décembre. 120 F.

AISNE (Vallée)

Tramway touristique de l'Aisne – Il circule à 10 h 30, 11 h 30, 14 h, 15 h et 16 h les dimanches et jours fériés de mi-avril à début juillet et de début septembre à mi-octobre, et tous les jours (sauf le lundi) aux mêmes heures en juillet et en août. 150 F AR (enfants : 80 F). ☎ (041) 84 42 97.

ALDENEIK

Église – Visite sur demande préalable auprès de l'Office de tourisme de Maaseik, ☎ (089) 56 63 72.

AMAY
🅱 Chaussée Freddy Terwagne 13 - 4540

Musée communal d'archéologie et d'art religieux – Visite obligatoirement accompagnée (1 h) uniquement sur demande préalable auprès de M. J. Willems, ☎ (085) 31 37 62 ou de M. E. Davin, ☎ (085) 31 11 44. Fermeture annuelle de début novembre à fin mars. 100 F (enfants : gratuit).

ANDENNE　　　　　　　　🄿 Place du Perron - 5300 - ☎ (085) 84 36 40

Collégiale Ste-Begge : musée – Visite de 14 h 30 à 18 h les 1er dimanches du mois en mai, juin, septembre et octobre, ainsi que le dimanche de mi-juillet à mi-août. Possibilité de visite accompagnée, pour les groupes, de mai à octobre. Fermée de fin octobre à fin avril. 75 F. ☎ (085) 84 13 44.

ANDERLECHT Voir à Bruxelles.

ANNEVOIE-ROUILLON

Parc – Visite tous les jours de 9 h 30 à 18 h 30 de début avril à fin novembre (en outre obligatoirement accompagnée de début mai à fin août). Fermeture annuelle de début novembre à fin mars. 170 F (billet combiné incluant la visite du parc et du château : 200 F). ☎ (082) 61 15 55.

Château – Visite obligatoirement accompagnée (20 mn) le samedi, le dimanche et jours fériés (en semaine uniquement pour les groupes sur demande préalable) de mi-avril à fin juin, ainsi qu'en septembre ; et tous les jours de 9 h 30 à 13 h et de 13 h 30 à 18 h en juillet et août. 100 F (enfants : 70 F). Billet combiné : château et jardins au prix de 200 F (enfants : 140 F). ☎ (082) 61 15 55.

ANTOING　　　　　　　🄿 Place Bara 18 - 7640 - ☎ (069) 44 17 29 - fax : (069) 44 45 72

Château – Visite obligatoirement accompagnée (2 h) à 14 h 30, 15 h 30, et 16 h les dimanches et jours fériés de mi-mai à fin septembre. Fermeture annuelle de début octobre à mi-mai. 120 F (enfants : 100 F). ☎ (069) 44 17 29.

ANTWERPEN　　　　🄿 Grote Markt 15 - 2000 - ☎ (03) 232 01 03 - fax : (03) 231 19 37

Hôtel de ville – Visite obligatoirement accompagnée à 11 h, 14 h et 15 h en semaine (sauf le jeudi), et à 14 h et 15 h le samedi. Fermé le jeudi, le dimanche, ainsi que les jours fériés. 30 F. ☎ (03) 221 13 33.

Cathédrale – Visite de 10 h à 17 h du lundi au vendredi, de 10 h à 15 h le samedi, et de 13 h à 16 h le dimanche et jours fériés. Le dépliant distribué à l'entrée contient un plan indiquant l'emplacement des œuvres. Fermée pendant les offices. ☎ (03) 231 30 33.

Concerts de carillon – Concerts de 11 h 30 à 12 h 30 le vendredi tout au long de l'année ; de 15 h à 16 h le dimanche après-midi de début mai à fin septembre ; et de 21 h à 22 h le lundi soir en juillet et août. ☎ (03) 232 01 03 (Office de tourisme).

Ancienne Bourse du commerce – Visite de 8 h 30 à 16 h 30 du lundi au vendredi tout au long de l'année. Fermée le samedi et le dimanche, ainsi que les jours fériés légaux.

Maison des Bouchers – Visite tous les jours (sauf le lundi) de 10 h à 16 h 45. Fermée le lundi, ainsi que les 1er et 2 janvier, 1er mai, à l'Ascension, les 1er et 2 novembre, 25 et 26 décembre. 75 F (enfants : gratuit). ☎ (03) 233 64 04.

Musée de la Marine Steen – Visite tous les jours (sauf le lundi) de 10 h à 16 h 45. Fermé le lundi, ainsi que les 1er et

Proverbe flamand, Bruegel l'Ancien, Anvers, Musée Mayer Van den Bergh

2 janvier, à l'Ascension, les 1er et 2 novembre, 25 et 26 décembre. 75 F (enfants : gratuit). ☎ (03) 232 08 50.

Musée d'Ethnographie – Visite tous les jours (sauf le lundi) de 10 h à 17 h. Fermé le lundi, ainsi que les 1er et 2 janvier, 1er mai, à l'Ascension, les 1er et 2 novembre, 25 et 26 décembre. 75 F. ☎ (03) 232 08 82.

Musée du Folklore – Visite tous les jours (sauf le lundi) de 10 h à 16 h 45. Fermé le lundi, ainsi que les 1er et 2 janvier, 1er mai, 1er et 2 novembre, 25 et 26 décembre. 75 F (enfants : 30 F). ☎ (03) 220 86 66.

Musée Plantin-Moretus – Visite tous les jours (sauf le lundi) de 10 h à 17 h. Fermé le lundi, ainsi que les 1er et 2 janvier, à l'Ascension, les 1er mai, 1er et 2 novembre, 25 et 26 décembre. 75 F. ☎ (03) 234 12 83.

Musée Mayer Van den Bergh – Mêmes conditions de visite que le Musée Plantin-Moretus. ☎ (03) 232 42 37.

Maagdenhuis – Visite de 10 h à 17 h en semaine (sauf le mardi), et de 13 h à 17 h le week-end. Fermée le mardi et les jours fériés légaux et locaux. 75 F. ☏ (03) 223 56 20.

Maison de Rubens – Visite tous les jours (sauf le lundi) de 10 h à 16 h 45. Fermée le lundi, ainsi que les 1er et 2 janvier, à l'Ascension, les 1er mai, 25 et 26 décembre. 75 F (enfants : gratuit). ☏ (03) 232 47 47.

Église St-Jacques – Visite tous les jours de 14 h à 17 h de début avril à fin octobre. Fermée le dimanche, ainsi que les jours fériés (sauf le lundi de Pentecôte et le 15 août : de 14 h à 18 h). 50 F. ☏ (03) 232 10 32.

Bourse de Commerce – Visite de 8 h à 15 h du lundi au vendredi. Fermée le samedi et le dimanche, ainsi que les jours fériés légaux. ☏ (03) 232 43 10.

Église St-Charles-Borromée – Visite de 11 h 30 à 12 h 30 et de 14 h à 16 h 30 le lundi (toute l'année), de 9 h 45 à 12 h 30 et de 17 h 30 à 19 h (de 14 h 30 à 17 h 30 en été) le mardi, de 9 h 45 à 12 h 30 et de 14 h à 16 h 30 le mercredi et le jeudi, de 9 h 45 à 12 h 30 et de 14 h à 16 h 30 le vendredi, de 10 h à 12 h 30 et de 14 h 30 à 19 h 15 le samedi, et de 9 h 30 à 12 h 30 (de 14 h 30 à 17 h 30 uniquement en été) le dimanche et jours fériés. 40 F. S'adresser à M. Filipé ☏ (03) 233 02 29.

Maison Rockox – Visite tous les jours (sauf le lundi) de 10 h à 17 h. Fermée le lundi, ainsi que les 1er et 2 janvier, à l'Ascension, les 1er mai, 1er novembre, 25 et 26 décembre. Entrée gratuite. ☏ (03) 231 47 10.

Église St-Paul – Visite tous les jours de 14 h à 17 h de début mai à fin septembre. ☏ (03) 232 32 67 ou (03) 232 33 21.

Chapelle Sainte-Élisabeth – Visite toute l'année sur demande préalable, ☏ (03) 232 56 20.

Musée royal des Beaux-Arts – Visite tous les jours (sauf le lundi) de 10 h à 17 h. Fermé le lundi, ainsi que les 1er janvier, 1er mai, à l'Ascension et le 25 décembre. 150 F (gratuit pour les enfants jusqu'à 12 ans). ☏ (03) 238 78 09.

Musée de la Photographie – Visite tous les jours (sauf le lundi) de 10 h à 17 h. Fermé le lundi, ainsi que les 1er et 2 janvier, 25 et 26 décembre. Entrée gratuite. ☏ (03) 216 22 11.

Musée d'Art contemporain – Visite tous les jours (sauf le lundi) de 10 h à 17 h uniquement durant les expositions. Fermé le lundi, ainsi que du 25 décembre au 1er janvier. 150 F (enfants jusqu'à 12 ans : gratuit). ☏ (03) 238 59 60.

Mini-Anvers – Visite tous les jours de 10 h à 18 h. Fermé le 1er janvier et le 25 décembre. 160 F (enfants : 130 F). ☏ (03) 237 03 29.

Jardin zoologique – Visite tous les jours de 9 h à 16 h 45 en janvier, de 9 h à 17 h en février, de 9 h à 17 h 30 de début à mi-mars, de 9 h à 18 h de mi-mars à fin juin, de 9 h à 18 h 30 en juillet et août, de 9 h à 18 h en septembre, de 9 h à 17 h 30 de début à mi-octobre, de 9 h à 17 h de mi-octobre à fin novembre, et de 9 h à 16 h 45 en décembre. 400 F (enfants : 245 F). ☏ (03) 202 45 40.

Musée de Sculpture en plein air Middelheim – Visite tous les jours (sauf le lundi) de 10 h à 17 h de début octobre à fin mars, de 10 h à 19 h en avril et septembre, de 10 h à 20 h en mai et août, et de 10 h à 21 h en juin et juillet. Fermé le lundi, ainsi que les 1er et 2 janvier, 1er mai, à l'Ascension, les 1er et 2 novembre, 25 et 26 décembre. Entrée gratuite. ☏ (03) 827 15 34.

Musée provincial du Diamant – Visite tous les jours de 10 h à 17 h. Fermé les 1er et 2 janvier, 25 et 26 décembre. Entrée gratuite, sauf durant les grandes expositions d'été. ☏ (03) 202 48 90.

Béguinage – Visite tous les jours de 9 h à 17 h. Entrée gratuite. ☏ (03) 232 01 03 (Office de tourisme).

Maison des Brasseurs – Visite tous les jours (sauf le lundi) uniquement sur demande préalable, ☏ (03) 232 08 50. Fermée le lundi ainsi que les 1er et 2 janvier, 1er mai, à l'Ascension, les 1er et 2 novembre, 25 et 26 décembre. 75 F.

Musée Smidt van Gelder – Visite sur demande préalable, ☏ (03) 239 06 52.

Musée provincial Sterckshof – Visite tous les jours (sauf le lundi) de 10 h à 17 h 30. Fermé le lundi, ainsi que les 1er et 2 janvier, 25 et 26 décembre. Entrée gratuite. ☏ (03) 360 52 50.

Promenade en bateau sur l'Escaut – Tous les jours de 11 h à 17 h de début mai à fin septembre. Fermeture annuelle de début octobre à fin avril. 240 F (enfants : 160 F). ☏ (03) 231 31 00.

Visite en bateau des bassins portuaires – Ouverture continue de fin avril à début octobre, ainsi que le week-end de début octobre à fin avril. Fermeture annuelle de début octobre à fin avril. Départ : quai (kaai) no. 13, Londenbrug. Renseignements : SA Flandria, Steenplein, Antwerpen, ☏ (03) 231 31 00. 375 F (enfants : 250 F).

ARLON ▤ Rue Faubourgs 2 - 6700 - ☎ (063) 21 63 60 - fax : (063) 21 63 60

Belvédère – Momentanément fermé pour cause de travaux.

Musée luxembourgeois – Visite de 9 h à 12 h et de 14 h à 17 h du lundi au samedi tout au long de l'année, et de 10 h à 12 h et de 14 h à 17 h le dimanche et jours fériés de mi-septembre à mi-juin. 100 F. ☎ (063) 22 61 92.

Tour romaine – Pour visiter, s'adresser au café d'Alby, Grand-Place 1, ☎ (063) 21 64 47. Fermée le lundi. 10 F.

Thermes romains ; basilique – Pour visiter toute l'année, téléphoner au (063) 22 61 92 ou au (063) 22 12 36. Entrée gratuite.

Victory Memorial Museum – Visite tous les jours de 10 h à 17 h d'octobre à mars, de 9 h 30 à 18 h en avril, de 9 h à 18 h en mai, juin et septembre, et de 8 h 30 à 19 h en juillet et août. Fermeture annuelle du 10 janvier aux congés de Carnaval. 345 F (enfants : 195 F). ☎ (063) 21 99 88.

ATH ▤ Rue Nazareth 2 - 7800 - ☎ (068) 28 01 41 - fax : (068) 28 23 22

Musée d'Histoire et de Folklore – Visite de 14 h à 18 h le dimanche de début avril à fin septembre, et sur réservation le reste de l'année. 70 F (enfants : 50 F). ☎ (068) 28 01 41.

ATTRE

Château – Visite obligatoirement accompagnée (1 h) de 10 h à 12 h et de 14 h à 18 h le week-end de début avril à fin juin et de début septembre à fin octobre, et tous les jours (sauf le mercredi) en juillet et en août. 120 F. ☎ (068) 45 44 60.

AUBECHIES

Archéosite – Visite de 9 h à 17 h du lundi au vendredi tout au long de l'année, et de 14 h à 18 h le samedi, le dimanche et jours fériés de mi-avril à fin octobre. Fermé du 24 décembre au 2 janvier, ainsi que le week-end de la Toussaint, à Pâques, et les 1er et 11 novembre. 100 F (enfants : 50 F). ☎ (069) 67 11 16.

AULNE

Abbaye – Visite de 10 h 30 à 12 h et de 13 h 30 à 18 h du mardi au vendredi (de 10 h 30 à 12 h et 13 h à 19 h les dimanches et jours fériés) de début avril à fin septembre, et uniquement sur rendez-vous (pour les groupes) de début octobre à fin mars. Fermé le lundi. 40 F. ☎ (071) 51 98 22.

AVERBODE

Abbaye : bâtiments conventuels – Visite tous les jours de 9 h 30 à 11 h 30 et de 13 h 30 à 18 h 45 (de 13 h 30 à 17 h 30 le samedi). ☎ (013) 77 29 01.

B

BASTOGNE ▤ Place Mac Auliffe 24 - 6600 - ☎ (061) 21 27 11

Bastogne Historical Center – Visite tous les jours de 10 h à 17 h d'octobre à mars, de 9 h 30 à 18 h en avril, de 9 h à 18 h en mai, juin et septembre, et de 8 h 30 à 19 h en juillet et août. Fermeture annuelle du 10 janvier aux congés de Carnaval. 245 F (enfants : 185 F). ☎ (061) 21 14 13.

BEAUMONT ▤ Grand-Place 10 - 6500 - ☎ (071) 58 81 91

Tour Salamandre – Visite obligatoirement accompagnée (3/4 h) de 9 h à 17 h en semaine et de 10 h à 18 h tous les week-ends et jours fériés en mai, juin et septembre, de 10 h à 18 h en semaine et de 10 h à 19 h les week-ends et jours fériés en juillet et août, ainsi que de 10 h à 18 h le dimanche en octobre. 50 F. ☎ (071) 58 81 91.

BEERSEL

Château fort – Visite tous les jours (sauf le lundi) de 10 h à 18 h de début mars à mi-novembre, et de 10 h à 18 h le week-end de février à décembre. Possibilité de visite accompagnée, se renseigner auprès de M. Cornelis, ☎ (02) 331 00 24. Fermé le lundi et en janvier. 100 F (enfants : 40 F).

BELLEWAERDE

Parc – Ouvert de 10 h à 18 h les 8, 9, 15, 16, 17 et du 22 au 30 avril, tous les jours de 10 h à 18 h en mai et juin, tous les jours de 9 h 30 à 19 h en juillet et août, et de 10 h à 18 h du 1er au 4, ainsi que les week-ends de septembre et les 1er, 7 et 8 octobre. Fermé en hiver. 610 F (enfants : 560 F). ☎ (057) 46 86 86.

BELŒIL

Château et parc – Visite tous les jours de 10 h à 18 h de début avril à fin octobre. Fermeture annuelle de début novembre à fin mars. Visite complète du domaine (château et parc) : 280 F (enfants : 140 F). ☎ (069) 68 94 26.

BERINZENNE

Musée de la Forêt – Visite tous les jours (sauf le lundi) de 14 h à 17 h en juillet et août, ainsi que le mercredi, le samedi, le dimanche et les jours fériés de début mars à fin juin et de début septembre à mi-novembre. Fermé le lundi. 80 F (enfants : 60 F). ☎ (087) 77 33 20.

BINCHE
🏛 Grand'Place - 7130 - ☎ (064) 33 40 73

Chapelle St-André – Visite obligatoirement accompagnée, s'adresser à l'Office de tourisme de la ville de Binche, ☎ (064) 33 40 73.

Collégiale St-Ursmer – Visite toujours accompagnée uniquement en juillet et août. S'adresser à l'Office de tourisme, ☎ (064) 33 40 73.

Musée international du Carnaval et du Masque – Visite de 9 h à 12 h et de 14 h à 18 h du lundi au jeudi, de 14 h à 18 h le samedi, de 10 h à 12 h et de 14 h à 18 h le dimanche et jours fériés de début avril à fin octobre ; de 9 h à 12 h et de 13 h à 17 h du lundi au jeudi, et de 14 h à 18 h le samedi, dimanche et jours fériés le reste de l'année. Fermé le vendredi, ainsi que du 20 décembre au 7 janvier, le Mardi gras, le mercredi des Cendres et le 1er novembre. 150 F (enfants : 75 F). ☎ (064) 33 57 41.

BLÉGNY-TREMBLEUR

Charbonnage – Visite obligatoirement accompagnée (2 h) tous les jours de 10 h à 16 h 30 (18 h 30) de mi-avril à mi-septembre, et de 10 h à 16 h 30 le week-end de début avril à fin octobre. 280 F (enfants : 185 F). ☎ (041) 87 43 33.

Train touristique – Balades à 14 h 30 et à 16 h 30 les week-ends et jours fériés de début avril à fin octobre, et tous les jours (aux mêmes heures) en juillet et août. 105 F (enfants : 70 F). ☎ (041) 87 43 33.

BOIS-ET-BORSU

Église – Visite de 11 h à 17 h le samedi, le dimanche et jours fériés de début avril à fin octobre, et sur demande préalable auprès de Monsieur le Curé, rue de l'Abattoir 11, 4560 Bois-et-Borsu, ☎ (086) 34 41 02 le reste de l'année.

BOIS-SEIGNEUR-ISAAC

Château – Visite de 14 h à 18 h les deux derniers dimanches de juin et le premier dimanche de juillet, ainsi que le week-end des journées du Patrimoine (en septembre), et toute l'année uniquement pour les groupes sur demande préalable, ☎ (067) 21 38 80 ou (067) 21 22 27. 150 F.

BOKRIJK

Musée de plein air – Visite tous les jours de 10 h à 18 h de début avril à fin septembre, et de 10 h à 17 h en octobre. Fermeture annuelle de fin octobre à fin mars. 200 F (enfants : 100 F). ☎ (011) 22 45 75.

Musée de plein air de Bokrijk

BONNE-ESPÉRANCE

Abbaye – Visite tous les jours de 8 h à 19 h. ☎ (064) 33 96 75.

BORNEM

Château – Visite obligatoirement accompagnée (2 h) pour les groupes de mi-avril à fin octobre, uniquement sur rendez-vous. 160 F. Téléphoner à 9 h (du matin ou du soir) au ☎ (03) 889 90 09 ou (03) 889 01 79.

BOUILLON
🖪 Porte de France (Pavillon) - 6830 - ☎ (061) 46 62 57 - fax : (061) 46 82 85

Château – Visite de 10 h à 17 h le week-end en janvier, de 13 h à 17 h (de 10 h à 17 h le week-end) en semaine en février et décembre, tous les jours de 10 h à 17 h en mars, octobre et novembre, tous les jours de 10 h à 18 h en avril, mai, juin et septembre, tous les jours de 9 h 30 à 19 h en juillet et août, et également tous les jours de 10 h à 17 h pendant les vacances de Noël et de Carnaval. Fermé le 1er janvier et le 25 décembre. 140 F (enfants : 70 F). Visite nocturne du château à la torche. Renseignements, ☎ (061) 46 62 57 ou (061) 46 62 89.

Musée ducal – Visite tous les jours de 10 h à 18 h de début avril à fin juin et de début septembre à fin novembre, tous les jours de 9 h 30 à 19 h en juillet et août, et de 10 h à 17 h le samedi et le dimanche en novembre et décembre. Fermé de fin décembre à début avril. 120 F (enfants : 60 F). ☎ (061) 46 69 56.

BOUVIGNES

Musée de l'Éclairage – Visite tous les jours (sauf le lundi) de 13 h à 18 h de début mai au premier week-end d'octobre. 70 F. ☎ (082) 22 49 10 et (082) 22 45 53.

Église St-Lambert – Visite sur demande préalable adressée au Révérend Raty, rue des Potiers 1, 5500 Dinant, ☎ (082) 22 30 25 (presbytère) ou (082) 22 32 59.

BREENDONK

Fort – Visite tous les jours de 9 h à 18 h de début avril à fin septembre, et tous les jours de 10 h à 17 h le reste de l'année. Fermé les 1er janvier et 25 décembre. 75 F. ☎ (03) 886 62 09.

BRUGGE
🖪 Burg 11 - 8000 - ☎ (050) 44 86 86 - fax : (050) 44 86 00

Fête des Canaux – Cette fête des Canaux a lieu tous les trois ans au mois d'août. Prochaine manifestation en 1998. ☎ (050) 44 86 86.

Beffroi – Visite tous les jours de 9 h 30 à 17 h de début avril à fin septembre, de 9 h 30 à 12 h 30 et de 13 h 30 à 17 h le reste de l'année. 100 F.

Calèches de promenade – Tous les jours de 10 h à 18 h. 800 F.

Basilique du Saint-Sang – Visite tous les jours de 9 h 30 à 12 h et 14 h à 18 h de début avril à fin septembre, et tous les jours (sauf le mercredi après-midi) de 10 h à 12 h et de 14 h à 16 h le reste de l'année. ☎ (050) 44 87 11 (Office de tourisme).
Musée - Fermé le mercredi après-midi de début octobre à fin mars, ainsi que les 1er janvier, 1er novembre et 25 décembre. 40 F.

Hôtel de ville : salle gothique – Visite tous les jours de 9 h 30 à 17 h de début avril à fin septembre, et tous les jours de 9 h 30 à 12 h 30 et de 14 h à 17 h le reste de l'année. 60 F. ☎ (050) 44 86 86 (Office de tourisme).

Musée provincial du Franc de Bruges – Visite tous les jours (sauf le lundi) de 10 h à 12 h et de 13 h 30 à 17 h. Fermé le lundi, ainsi qu'en janvier. 20 F.

Musée Groeninge – Visite tous les jours de 9 h 30 à 17 h de début avril à fin septembre, et tous les jours (sauf le mardi) de 9 h 30 à 12 h 30 et de 14 h à 17 h le reste de l'année. Fermé le 1er janvier, l'après-midi du jour de l'Ascension et le 25 décembre. 130 F. ☎ (050) 44 86 86 (Office de tourisme) ou (050) 44 87 11.

Musée Memling – Partiellement fermé. Visite tous les jours de 9 h 30 à 17 h de début avril à fin septembre, de 9 h 30 à 12 h 30 et de 14 h à 17 h tous les jours (sauf le mercredi) le reste de l'année. 130 F. ☎ (050) 44 86 86 ou (050) 44 87 11.

Maison de béguine – Visite de 10 h à 12 h et de 13 h 45 à 17 h 30 en semaine, de 10 h 45 à 12 h et de 13 h 45 à 18 h le dimanche et jours fériés de début avril à fin septembre ; de 10 h 30 à 12 h et de 13 h 45 à 17 h en octobre, novembre et mars ; et de 14 h 45 à 16 h 15 du mercredi au dimanche (de 13 h 45 à 18 h le vendredi) de décembre à février. 60 F. ☎ (050) 44 86 00 (Office de tourisme).

Promenade en barque – Tous les jours de 10 h à 18 h de début mars à fin novembre ; également durant le week-end, les vacances scolaires et les jours fériés de décembre à février. 150 F (enfants de moins de 12 ans : 75 F).

Musée Gruuthuse – Visite tous les jours de 9 h 30 à 17 h de début avril à fin septembre, et tous les jours (sauf le mardi) de 9 h 30 à 12 h 30 et de 14 h à 17 h le reste de l'année. 130 F. ☎ (050) 33 99 11.

Église Notre-Dame – Visite de 10 h à 11 h 30 et de 14 h 30 à 16 h 30 du lundi au vendredi, jusqu'à 16 h le samedi, et de 14 h 30 à 16 h 30 le dimanche et jours fériés. ☎ (050) 34 53 14.

Musée Brangwyn – Visite tous les jours de 9 h 30 à 17 h de début avril à fin septembre, et tous les jours (sauf le mardi) de 9 h 30 à 12 h 30 et de 14 h à 17 h le reste de l'année. Fermé le 1er janvier, l'après-midi du jour de l'Ascension et le 25 décembre. 80 F (enfants : 40 F). ☎ (050) 44 86 86 (Office de tourisme) ou (050) 44 87 11.

Église de Jérusalem – Visite de 10 h à 12 h et de 14 h à 18 h du lundi au vendredi, de 8 h 30 à 12 h et de 14 h à 17 h le samedi.

Musée du Folklore – Visite tous les jours de 9 h 30 à 17 h de début avril à fin septembre, et tous les jours (sauf le mardi) de 9 h 30 à 12 h 30 et de 14 h à 17 h le reste de l'année. 80 F. ☎ (050) 33 99 11.

Centre de la dentelle – Visite tous les jours (sauf le dimanche) de 10 h à 12 h et de 14 h à 18 h. Fermé le dimanche et jours fériés, ainsi qu'entre Noël et le Nouvel An. 40 F (enfants : 25 F). ☎ (050) 33 00 72.

St.-Janshuismolen – Visite tous les jours de 9 h 30 à 12 h et de 12 h 45 à 17 h de début mai à fin septembre. 40 F.

Musée Guido Gezelle – Visite tous les jours de 9 h 30 à 12 h et de 12 h 45 à 17 h de début avril à fin septembre, et tous les jours (sauf le mardi) de 9 h 30 à 12 h 30 et de 14 h à 17 h le reste de l'année. Fermé le mardi de début octobre à fin mars, en janvier, à Pâques, et le 25 décembre. 60 F (enfants : 20 F). ☎ (050) 44 87 66.

Guilde des Archers de St-Sébastien – Visite de 10 h à 12 h et de 14 h à 17 h le lundi, le mercredi, le vendredi et le samedi. 40 F. ☎ (050) 33 16 26.

Couvent anglais – Visite tous les jours de 14 h à 16 h et de 16 h 30 à 17 h 30. Fermé tous les premiers dimanches du mois et certains jours fériés religieux. Entrée gratuite.

Cathédrale St-Sauveur – Visite tous les jours (sauf le dimanche) de 8 h 30 à 11 h 30 et de 14 h à 18 h. ☎ (050) 33 68 41.

Trésor – Visite tous les jours de 10 h à 11 h 30 et de 14 h à 17 h. 40 F.

Musée Notre-Dame-de-la-Poterie – Visite tous les jours de 9 h 30 à 12 h et de 12 h 45 à 17 h de début avril à fin septembre, et tous les jours (sauf le mercredi) de 9 h 30 à 12 h 30 et de 14 h à 17 h le reste de l'année. 60 F. ☎ (050) 33 99 11.

BRULY-DE-PESCHE

Abri d'Hitler – Visite tous les jours de 9 h 30 à 12 h et de 13 h à 18 h 30 de Pâques à fin septembre, ainsi que les week-ends en octobre. Fermeture annuelle de début novembre à Pâques. 100 F (enfants : 50 F). ☎ (060) 34 54 54 ou (060) 34 74 63.

BRUXELLES 🄱 Grand-Place - 1000 - ☎ (02) 513 89 40 - fax : (02) 514 45 38

Grand-Place – Location d'un audioguide à l'Office de tourisme (T.I.B.), Hôtel de ville, Grand-Place, tous les jours (en hiver seulement de 10 h à 14 h le dimanche matin) de 9 h à 18 h (sans interruption à midi). ☎ (02) 513 89 40.

Musée de la Brasserie – Visite tous les jours de 10 h à 17 h (y compris les week-ends). Fermé à Noël et Nouvel An. 100 F. ☎ (02) 511 49 87.

Hôtel de ville – Visite obligatoirement accompagnée (en français) sans rendez-vous à 10 h 45 et 14 h 30 le mardi, à 14 h 30 le mercredi et à 10 h 45 le dimanche et jours fériés (le jeudi et le vendredi, uniquement sur rendez-vous) de début avril à fin septembre ; mêmes horaires (pas de visites le dimanche et jours fériés) de début octobre à fin mars. Fermé les 1er janvier, 1er mai, 1er et 11 novembre et le 25 décembre. 80 F (50 F pour les groupes). Se présenter à l'accueil de l'Hôtel de ville. ☎ T.I.B. 513 89 40 ou Service éducatif des Musées ☎ 279 43 55.

Musée de la ville de Bruxelles – Visite de 10 h à 12 h 30 et de 13 h 30 à 17 h (16 h de début octobre à fin mars) du lundi au jeudi, de 10 h à 13 h le samedi, le dimanche et jours fériés. Fermé le vendredi, ainsi que les 1er janvier, 1er mai, 1er et 11 novembre, et 25 décembre. 80 F (enfants : 50 F). ☎ (02) 279 43 55.

Église N.-D.-de-la-Chapelle – Visite tous les jours de 11 h à 17 h de juin à octobre et de 13 h à 16 h de novembre à mai. ☎ (02) 229 17 44.

Place du Grand-Sablon (quartier des antiquaires) – Marché des antiquités et brocantes : de 9 h à 18 h le samedi et de 9 h à 14 h le dimanche. ☎ (02) 513 39 72.

Église N.-D.-du-Sablon – Visite libre ou accompagnée tous les jours de 9 h à 18 h. ☎ (02) 511 57 41.

Palais Royal – Visite en général de 9 h 30 à 15 h 30 du 21 juillet jusqu'en septembre. Fermé le lundi. Entrée gratuite. ☎ T.I.B. 513 89 40.

Appartements de Charles de Lorraine – Fin 1996, un nouveau musée y ouvrira probablement ses portes. S'adresser à la Bibliothèque Royale Albert Ier, Bd de l'Empereur 4, 1000 Bruxelles, ☎ (02) 519 53 71.

Bibliothèque Royale Albert Ier – Visite accompagnée (2 h) sur demande auprès du Service éducatif, ☎ (02) 519 53 57 ou (02) 519 53 71. Fermé le dimanche, ainsi que la dernière semaine du mois d'août, et le 1er janvier, à Pâques, le 1er mai, à l'Ascension, à la Pentecôte, les 21 juillet, 15 août, 1er, 2, 11 et 15 novembre, 25 et 26 décembre. ☎ (02) 519 53 11.

Musée du Livre – Visite de 14 h à 17 h le lundi, le mercredi et le samedi. Possibilité de visite accompagnée (1 h) tous les jours sur demande. Mêmes jours de fermeture que pour la Bibliothèque. Entrée gratuite. ☎ (02) 519 53 57.

Musée de l'Imprimerie – Visite tous les jours (sauf le dimanche) de 9 h à 19 h 30 (17 h le samedi). Possibilité de visite accompagnée sur demande au (02) 519 53 56. Mêmes jours de fermeture que pour la Bibliothèque. Entrée gratuite. ☎ (02) 519 53 56.

Théâtre de marionnettes de Toone – Séances toute l'année, le vendredi et le samedi à 20 h 30. Pour les autres jours, se renseigner, ☎ (02) 511 71 37 ou (02) 513 54 86. Fermé le 1er janvier, les lundis de Pâques et de Pentecôte, et le 25 décembre.

Église St-Nicolas – Visite tous les jours de 8 h à 18 h. ☎ (02) 511 27 15.

Musée Bruxella 1238 – Visite obligatoirement accompagnée le mercredi à 10 h 15, 11 h 15, 13 h 45, 14 h 30 et 15 h 15. Se présenter au Musée de la ville, Grand-Place. 80 F. Service éducatif des Musées ☎ 279 43 55.

Historium – Visite tous les jours de 10 h à 18 h. Fermé le 1er janvier, le 21 juillet et le 25 décembre. 190 F. ☎ (02) 217 60 23.

Centre belge de la Bande dessinée – Visite tous les jours (sauf le lundi) de 10 h à 18 h. Fermé le lundi, ainsi que les 1er janvier, 1er novembre et 25 décembre. 180 F (enfants de moins de 12 ans : 60 F). ☎ (02) 219 19 80.

Cathédrale des Sts-Michel-et-Gudule – Visite tous les jours de 7 h à 19 h (à 7 h 30 le samedi et à 8 h le dimanche) d'avril à fin octobre, et jusqu'à 18 h de novembre à fin mars. Visite accompagnée sur demande préalable auprès de l'Animation Chrétienne en Tourisme, rue du Bois Sauvage 13, 1000 Bruxelles, ☎ (02) 219 75 30 ou 217 83 45. Entrée gratuite de la cathédrale et 40 F pour la crypte.

Musée d'Art ancien – Visite tous les jours (sauf le lundi) de 10 h à 12 h et de 13 h à 17 h. Fermé le lundi, ainsi que les 1er janvier, 1er mai, 1er et 11 novembre et le 25 décembre. Entrée gratuite. ☎ (02) 508 32 11.

Musée d'Art moderne – Visite tous les jours (sauf le lundi) de 10 h à 13 h et de 14 h à 17 h. Fermé le lundi, ainsi que les 1er janvier, 1er mai, 1er et 11 novembre, et le 25 décembre. Entrée gratuite. ☎ (02) 508 32 11.

Musée instrumental – Visite de 9 h 30 (10 h le samedi) à 16 h 45 du mardi au samedi. Fermé le lundi et le dimanche, ainsi que les 1er janvier, 1er mai, 1er et 11 novembre, et 25 décembre. Entrée gratuite. ☎ (02) 511 35 95.

Musée Charlier – Visite le lundi, le mercredi et le jeudi de 13 h 30 à 17 h, le vendredi de 14 h à 16 h 30 et le mardi de 12 h 30 à 17 h. ☎ 218 53 82.

Palais de la Nation – Visite obligatoirement accompagnée pour groupes seulement (1 h 30) tous les jours (sauf le dimanche) à 10 h, 11 h, 14 h et 15 h, ainsi que sur demande préalable (deux mois à l'avance) auprès de la Chambre des Représentants, Service des Relations publiques et internationales, 1008 Bruxelles, ☎ (02) 519 81 36. Fermé les 1er, 2 et 3 janvier, le week-end de Pâques, le week-end de l'Ascension, le week-end de la Pentecôte, les 1er mai, 21 juillet, 14 et 15 août, 1er, 2, 11 et 15 novembre et 24, 25, 26 et 31 décembre. Entrée gratuite.

Église St-Jean-Baptiste-au-Béguinage – Visite de 10 h à 17 h le mardi, du mercredi au vendredi de 9 h à 17 h, ainsi que de 10 h à 17 h les 1er, 3e et 5e samedis du mois. Le dimanche, l'église n'est ouverte que durant les offices (de 10 h à 11 h et à 20 h). ☎ (02) 217 87 42.

Maison de la Bellone – Visite du mardi au vendredi de 10 h à 18 h. Fermée le dimanche, le lundi, les jours fériés et en juillet. ☏ 513 33 33.

Musée du Costume et de la Dentelle – Visite tous les jours (sauf le mercredi) de 10 h à 12 h 30 et de 13 h 30 à 17 h (16 h de début octobre à fin mars), et de 14 h à 17 h le samedi, le dimanche et jours fériés. Fermé le mercredi, ainsi que les 1er janvier, 1er mai, 1er et 11 novembre et le 25 décembre. 80 F (enfants : 50 F). ☏ (02) 512 77 09.

Palais de Justice – Visite de 9 h à 16 h du lundi au vendredi. Fermé le samedi, le dimanche et jours fériés. Entrée gratuite. ☏ (02) 508 61 11.

Place du Jeu-de-Balle : marché aux puces – Tous les matins et plus spécialement de 6 h à 12 h le dimanche.

Le Botanique – Visite tous les jours de 10 h à 22 h. Lors des expositions temporaires, tous les jours (sauf le lundi) de 11 h à 18 h. ☏ (02) 226 12 11.

Musées royaux d'Art et d'Histoire – Visite de 9 h 30 à 17 h du mardi au vendredi, et de 10 h à 17 h le week-end et jours fériés. Fermés le lundi, ainsi que les 1er janvier, 1er mai, 1er et 11 novembre et 25 décembre. 150 F. ☏ (02) 741 72 11.

Musée royal de l'Armée et d'Histoire militaire – Visite tous les jours (sauf le lundi) de 9 h à 12 h et de 13 h à 16 h 30. Fermé le lundi, ainsi que les 1er janvier, 1er mai, 1er novembre et 25 décembre. Entrée gratuite. ☏ (02) 734 52 52.

Autoworld – Visite tous les jours de 10 h à 18 h de début avril à fin septembre, et de 10 h à 17 h le reste de l'année. Fermé le 1er janvier et le 25 décembre. 150 F (enfants : 80 F). ☏ (02) 736 41 65.

Maison Cauchie – Visite le 1er week-end de chaque mois de 11 h à 18 h. Fermée à Noël et Nouvel-An. 100 F. ☏ 673 15 06.

Muséum des Sciences naturelles – Visite de 9 h 30 à 16 h 45 du mardi au samedi, et de 9 h 30 à 18 h le dimanche. Fermé le lundi, ainsi que les 1er janvier et 25 décembre. 120 F (enfants : 90 F). ☏ (02) 627 42 38.

Musée Wiertz – Visite de 10 h à 12 h et de 13 h à 17 h du mardi au vendredi et un week-end sur deux. Fermé le lundi, les 1er janvier, 1er mai, 1er et 11 novembre et 25 décembre. ☏ 648 17 18.

Musée Horta (St-Gilles) – Visite tous les jours (sauf le lundi) de 14 h à 17 h 30. Fermé le lundi, les 1er janvier, 1er mai, à l'Ascension, à Pâques et à la Pentecôte, les 21 juillet, 15 août, 1er et 11 novembre et le 25 décembre. 120 F (étudiants : 80 F), 200 F le week-end (étudiants : 160 F). ☏ (02) 537 16 92.

Bibliotheca Wittockiana (Woluwe) – Visite de 10 h à 17 h du mardi au samedi. Fermée le dimanche, le lundi, le 1er janvier, le lundi de Pâques, le 1er mai, le 25 mai, le 5 juin, le 21 juillet, le 1er novembre, le 11 novembre, et du 24 décembre au 2 janvier. 100 F. ☏ 770 53 33.

Musée du Transport urbain bruxellois (Woluwe) – Visite de début avril à début octobre le samedi, le dimanche et les jours fériés de 13 h 30 à 19 h. ☏ 515 31 08.

Hôtel Hannon (St-Gilles) – Visite tous les jours (sauf le lundi) de 13 h à 18 h. Fermé le lundi, les jours fériés ainsi que du 15 juillet au 15 août. 50 F. ☏ 538 42 20.

Musée communal (Ixelles) – Visite de 13 h à 19 h du mardi au vendredi, et de 10 h à 17 h le samedi et le dimanche. Fermé le lundi et les jours fériés légaux. Entrée gratuite pour les collections permanentes (payante lors des expositions temporaires). ☏ (02) 511 90 84, ext. 1356.

Abbaye N.-D.-de-la-Cambre : église – Visite tous les jours de 9 h à 12 h et de 15 h à 18 h 30. Fermée pendant les offices et les jours fériés. ☏ (02) 648 11 21.

Musée Constantin Meunier (Ixelles) – Visite tous les jours (sauf le lundi) de 10 h à 12 h et de 13 h à 17 h. Fermé le lundi, ainsi que les 1er janvier, 1er mai, 1er et 11 novembre et le 25 décembre. Entrée gratuite. ☏ (02) 508 32 11.

Musée David et Alice van Buuren (Uccle) – Visite obligatoirement accompagnée à 14 h et à 15 h tous les lundis non fériés. A partir de Pâques également tous les dimanches de 14 h à 18 h. Pour les groupes, visite du mardi au samedi sur demande préalable. Fermé entre Noël et Nouvel An. 300 F (enfants : 200 F). ☏ (02) 343 48 51.

Église St-Denis (Forest) – Visite de 10 h à 11 h le lundi et le mercredi, de 9 h à 10 h le mardi, de 15 h à 16 h le jeudi et le vendredi, et en dehors de ces heures, s'adresser à l'Abbé Wayembergh. ☏ (02) 344 87 19.

Centre d'Information de la Forêt de Soignes (Auderghem) – Visite tous les jours (sauf le lundi) de 14 h à 17 h de novembre à avril et de 14 h à 18 h le reste de l'année. Fermé le lundi, les jours fériés et la semaine entre Noël et Nouvel An. ☎ 629 34 11 ou 660 64 17.

Maison d'Érasme (Anderlecht) – Visite tous les jours (sauf le mardi et le vendredi) de 10 h à 12 h et de 14 h à 17 h. Fermé le 1ᵉʳ janvier et le 25 décembre. 20 F. ☎ (02) 521 13 83.

Le cabinet de travail d'Érasme à Anderlecht

Collégiale des Sts-Pierre-et-Guidon (Anderlecht) – Visite en semaine de 9 h à 12 h et de 14 h 30 à 18 h (17 h en hiver). ☎ (02) 521 84 15.

Musée de la Gueuze (Anderlecht) – Visite de 8 h 30 à 16 h 30 en semaine, et de 10 h à 17 h (de 10 h à 13 h de début juin à mi-octobre) le samedi. Fermé le dimanche et les jours fériés. 70 F. (dégustation comprise).
☎ (02) 521 49 28.

Basilique nationale du Sacré-Cœur (Koekelberg) :

Accès à la galerie-promenoir – Visite tous les jours de 8 h à 17 h (18 h en été).
☎ (02) 425 88 22.

Accès au sommet du dôme – Visite obligatoirement accompagnée à 11 h et à 15 h du lundi au vendredi de Pâques à mi-octobre, le samedi uniquement sur rendez-vous, et de 14 h à 17 h 45 le dimanche et jours fériés de début mai à mi-octobre. Fermé de novembre à fin février, ainsi que les 21 juillet et 15 novembre. 70 F. ☎ (02) 425 88 22.

Musée national de la Figure historique (Jette) – Visite de 14 h à 17 h du mardi au vendredi, ainsi que le 1ᵉʳ dimanche du mois (aux mêmes heures). Fermé le lundi, et les jours fériés. Entrée gratuite. ☎ (02) 479 00 52.

Église N.-D.-de-Laeken (Laeken) – Visite tous les dimanches de 15 h à 17 h.
☎ (02) 478 20 95.

Château royal de Laeken – N'est pas accessible au public.

Serres royales de Laeken (Laeken) – Elles sont visibles quelques jours (qui varient chaque année) au printemps (avril et mai). Se renseigner au ☎ (02) 513 89 40 (Office de tourisme). Entrée gratuite durant la journée (visite nocturne : 200 F).

Tour japonaise – Visite tous les jours (sauf le lundi) de 10 h à 16 h 45. Fermée le lundi, ainsi que les 1ᵉʳ janvier, 1ᵉʳ et 11 novembre et 25 décembre.
☎ (02) 268 16 08.

Pavillon chinois (Laeken) – Visite tous les jours (sauf le lundi) de 10 h à 16 h 45. Fermé le lundi, ainsi que les 1ᵉʳ janvier, 1ᵉʳ mai, 1ᵉʳ et 11 novembre et 25 décembre.
☎ (02) 268 16 08.

Atomium (Heysel) – Visite tous les jours de 9 h à 20 h de début avril à fin août, et de 10 h à 18 h de début septembre à fin mars. 200 F. ☎ (02) 477 09 77.

Mini-Europe (Heysel) – Visite tous les jours de 9 h 30 à 18 h de fin mars à fin juin et en septembre ; de 9 h 30 à 20 h (en soirée jusqu'à 24 h de mi-juillet à mi-août) de début juillet à fin août ; de 10 h à 18 h de début octobre à début janvier. La brochure que l'on reçoit avec le billet d'entrée permet d'identifier les maquettes. Fermeture annuelle du 9 janvier au 24 mars. 380 F (enfants : 290 F). ☎ (02) 478 05 50.

Cet ouvrage tient compte des conditions du tourisme connues au moment de sa rédaction.

Certains renseignements perdent de leur actualité en raison de l'évolution incessante des aménagements et des variations du coût de la vie.

Nos lecteurs sauront le comprendre.

C

CAMBRON-CASTEAU

Domaine : Parc Paradisio – Visite tous les jours de 10 h à 19 h du 21 mars au 15 novembre. Fermeture annuelle de mi-novembre au 20 mars. 385 F (enfants : 250 F). ☎ (068) 45 46 53.

CHARLEROI
🛈 Avenue Mascaux 100 - 6000 - ☎ (071) 44 87 11 - fax : (071) 47 33 02

Musée des Beaux-Arts – Visite de 9 h à 17 h du mardi au samedi. Fermé le lundi et le dimanche, ainsi que les 1ᵉʳ et 2 janvier, le Mardi Gras, du 1ᵉʳ au 8 mai, à l'Ascension, les 21 juillet, 15 août, 1ᵉʳ, 2, 11 et 15 novembre, 25 et 26 décembre. 50 F. ☎ (071) 23 02 95 ou (071) 23 03 01.

Musée du Verre – Mêmes conditions de visite que le Musée des Beaux-Arts. ☎ (071) 31 08 38.

CHAUDFONTAINE
🛈 Maison Sauveur, Parc des Sources - 4050 - ☎ (041) 65 18 34

Maison Sauveur – Visite de 8 h 30 à 12 h et de 13 h 30 à 17 h du lundi au vendredi. Momentanément fermée le week-end. Entrée gratuite. ☎ (041) 65 18 34.

CHEVETOGNE

Domaine provincial Valéry Cousin – Visite de 10 h à 20 h de début avril à fin septembre. 200 F par véhicule motorisé, valable toute l'année, en juillet et août 50 F de supplément par personne. ☎ (083) 68 88 21.

CHIÈVRES

Église St-Martin – Visite tous les jours de 9 h à 19 h de début avril à fin septembre, et tous les jours de 9 h à 17 h le reste de l'année. ☎ (068) 65 73 40.

CHIMAY
🛈 Rue Noailles 4 - 6460 - ☎ (060) 21 18 46

Château – Visite obligatoirement accompagnée (45 mn) tous les jours de 10 h 30 à 12 h et de 14 h 30 à 18 h de début mars à la Toussaint, et uniquement pour les groupes sur demande préalable le reste de l'année. 200 F (enfants : 100 F). ☎ (060) 21 28 23.

Collégiale des Sts-Pierre-et-Paul – Visite tous les jours et toute l'année en dehors des offices. ☎ (060) 21 12 38 ou (060) 21 18 46 (Office de tourisme).

CHINY
🛈 Petite Rue - 6822

Descente en barque de Chiny à Lacuisine – Tous les jours de 9 h à 12 h et de 13 h à 18 h sur rendez-vous de début avril à fin septembre. S'adresser à la Société des Passeurs Réunis, 6810 Chiny, ☎ (061) 31 19 03. Fermeture annuelle de début novembre à fin février. 200 F.

COLEN

Abbaye – Visite tous les jours de 10 h à 11 h 30 et de 14 h à 17 h. Fermée les jours fériés. 30 F. ☎ (012) 74 14 67.

COMBLAIN-AU-PONT

Grottes – Visite tous les jours de 10 h à 17 h de début avril à fin octobre. 230 F (enfants : 180 F). Ticket combinant les entrées de la grotte et de la carrière : 330 F (enfants : 250 F). ☎ (041) 69 26 44 ou (041) 69 41 33.

CORROY-LE-CHATEAU

Château – Visite obligatoirement accompagnée (1 h) de 10 h à 12 h et de 14 h à 18 h le samedi, le dimanche et jours fériés de début mai à fin septembre, ouverture sur demande écrite le reste de l'année. 150 F (enfants : 80 F). ☎ (081) 63 32 32.

COUVIN

Cavernes de l'Abîme – Visite de 10 h à 12 h et de 13 h 30 à 18 h le week-end de début avril à fin septembre, tous les jours aux mêmes heures de début juillet à mi-septembre, et le dimanche et jours fériés pendant le mois d'octobre. Fermeture annuelle de début novembre à fin mars. 120 F. Billet combiné avec les grottes de Neptune : 280 F (modification des tarifs en 1995). ☎ (060) 31 19 54 (en saison) et (02) 731 59 67 (hors saison).

Grottes de Neptune – Visite obligatoirement accompagnée (45 mn) tous les jours de 10 h à 12 h et de 13 h 30 à 18 h de début avril à fin septembre, tous les jours de 10 h à 18 h 30 en juillet et août, et de 10 h à 12 h et de 13 h 30 à 18 h le week-end et jours fériés en octobre. Fermeture annuelle de début novembre à fin mars. 200 F (billet combiné avec les Cavernes de l'Abîme : 280 F). ☏ (060) 31 19 54 (en saison) ou (02) 731 59 67 (hors saison).

CUESMES

Maison de Van Gogh – Visite tous les jours de 10 h à 18 h. Fermée le lundi, le 1ᵉʳ janvier et le 25 décembre. 50 F (enfants : gratuit). ☏ (065) 33 55 80.

CUL-DES-SARTS   🛈 Maison communale - 6404

Musée des Rièzes et des Sarts – Visite de 9 h à 12 h et de 14 h à 18 h le mardi et le jeudi, de 14 h à 18 h le vendredi, et de 15 h à 18 h les week-ends et jours fériés de Pâques à fin septembre. Fermé le lundi, ainsi que du mois d'octobre à Pâques. 80 F (enfants : 50 F). ☏ (060) 37 70 03 ou (060) 34 60 35.

D

DAMME   🛈 Stadhuis/Markt - 8340 - ☏ (050) 35 33 19 - fax : (050) 36 14 96

Accès en bateau (au départ de Bruges) – De début avril à fin septembre. Départ de Bruges : à 10 h, 12 h, 14 h, 16 h 20 et 18 h. Départ de Damme (Damse Vaart Zuid 12) : à 9 h 15, 11 h, 13 h, 15 h et 17 h 20. Fermeture annuelle de début octobre à fin mars. 150 F pour un aller simple (enfants jusqu'à 12 ans : 110 F) ; 210 F AR (enfants : 150 F). ☏ (050) 35 33 19.

Hôtel de ville – Visite de 9 h à 12 h et de 14 h à 18 h du lundi au vendredi, de 10 h à 12 h et de 14 h à 18 h le samedi, le dimanche et jours fériés de début mai à fin septembre ; ainsi que de 8 h à 12 h et de 13 h à 17 h du lundi au vendredi, de 14 h à 17 h le samedi, le dimanche et jours fériés le reste de l'année. Fermé le 1ᵉʳ janvier et le 25 décembre. 30 F (enfants : 15 F). ☏ (050) 35 33 19 (Office de tourisme).

Église Notre-Dame – Visite tous les jours de 10 h à 12 h et de 14 h 30 à 17 h 30 de début mai à fin septembre (ainsi que le week-end de Pâques). Entrée : 10 F. Accès au sommet de la tour : 20 F. ☏ (050) 35 33 19.

Hôpital St-Jean – Visite de 10 h à 12 h et de 14 h à 18 h en semaine (sauf le lundi et le vendredi : de 14 h à 18 h), de 11 h à 12 h et de 14 h à 18 h les dimanches et jours fériés de début avril à fin septembre, et de 14 h à 17 h 30 seulement les samedis et dimanches le reste de l'année. Fermé le 1ᵉʳ janvier, le 1ᵉʳ dimanche de septembre et le 25 décembre. 40 F (enfants : 20 F). ☏ (050) 35 46 21.

Musée Thyl Ulenspiegel – Fermé pour travaux de restauration. Réouverture prévue pour avril 1996. Renseignements auprès de l'Office de tourisme. ☏ (050) 35 33 19.

Moulin – Visite de 14 h à 17 h 30 le week-end en juin, tous les jours de 10 h à 12 h 30 et de 13 h 15 à 17 h 45 en juillet et août, et visite accompagnée sur demande le reste de l'année. Entrée gratuite. ☏ (050) 35 33 19 (Office de tourisme).

DEIGNÉ-AYWAILLE

Parc Safari du Monde Sauvage – Visite tous les jours de 10 h à 19 h de mi-mars à mi-novembre, et de 10 h à 17 h les week-ends et jours fériés le reste de l'année. Fermeture annuelle du 15 décembre au 15 janvier. 275 F (enfants : 220 F). ☏ (041) 60 90 70.

DEINZE

Musée de Deinze et de la région de la Lys – Visite de 14 h à 17 h 30 du lundi au vendredi (sauf le mardi), ainsi que de 10 h à 12 h et de 14 h à 17 h le samedi, le dimanche et jours fériés. Fermé le mardi, les 1ᵉʳ janvier, 25 et 26 décembre. 40 F (enfants : 10 F). ☏ (09) 386 00 11.

DENDERMONDE   🛈 Stadhuis/Grote Markt - 9200 - ☏ (052) 21 39 56 - fax : (052) 22 19 40

Musée municipal – Visite tous les jours de 9 h à 12 h 30 et de 13 h 30 à 17 h 30 de début avril à fin octobre, visite accompagnée sur demande le reste de l'année. Fermé du 1ᵉʳ novembre au 31 mars. ☏ (052) 21 30 18.

Église Notre-Dame – Visite tous les jours de 14 h à 16 h 30 (le dimanche durant les mois d'été). Renseignements auprès de l'Office de tourisme, ☎ (052) 21 39 56.

Béguinage : musées – Visite tous les jours (sauf le lundi en avril et mai) de 9 h à 12 h 30 et de 13 h 30 à 17 h 30. Fermeture annuelle de début novembre à fin mars. Entrée gratuite. ☎ (052) 21 39 56.

DEURLE

Musée Gust De Smet – Visite tous les jours (sauf le lundi et le mardi) de 14 h à 18 h (de 10 h à 12 h et de 14 h à 18 h le dimanche) de début mai à fin septembre, et de 14 h à 17 h de début octobre à fin avril. Fermé le lundi, le mardi et en janvier. 50 F. ☎ (09) 282 77 42.

Musée Léon De Smet – Visite de 14 h à 18 h le mercredi, le jeudi et le week-end (de 14 h à 17 h d'octobre à Pâques) de mi-février à mi-décembre. Fermé le lundi, le mardi et le vendredi, ainsi que de mi-décembre à mi-février. 30 F (enfants : gratuit). ☎ (09) 282 30 90.

Musée Mevrouw Jules Dhondt-Dhaenens – Visite de 14 h à 17 h (18 h en été) du mercredi au vendredi, ainsi que de 10 h à 12 h et de 14 h à 17 h (18 h en été) le samedi, le dimanche et jours fériés de mi-février à mi-décembre. Fermé le lundi et le mardi. 50 F (enfants : gratuit). ☎ (09) 282 51 23.

DIEST
🛈 Stadhuis/Grote Markt - 3290 - ☎ (013) 31 21 21 - fax : (013) 32 23 06

Église St-Sulpice – Visite tous les jours de 14 h à 17 h de début mai à mi-septembre. ☎ (013) 31 21 21 (Office de tourisme).

Musée communal – Visite tous les jours de 10 h à 12 h et de 13 h à 17 h. Fermeture annuelle de début novembre à fin décembre. Entrée gratuite. ☎ (013) 31 21 21.

Béguinage : église – Visite accompagnée sur demande préalable auprès de l'Office de tourisme, ☎ (013) 31 21 21.

Église des Croisiers – Visite de 7 h 30 à 12 h et de 18 h 30 à 19 h 30 du lundi au vendredi, et de 9 h à 12 h les dimanches et jours fériés. ☎ (013) 31 10 41.

DIKSMUIDE
🛈 Grote Markt 28 - 8600 - ☎ (051) 51 00 88

Tour de l'Yser – Visite tous les jours de 9 h à 12 h (de 10 h à 12 h le week-end) et de 13 h à 17 h de début avril à fin mai et de début septembre à mi-novembre, tous les jours de 9 h à 18 h (de 10 h à 18 h le week-end) en juin, et tous les jours de 9 h à 18 h (de 10 h à 19 h le week-end) en juillet et août. Fermeture annuelle de mi-novembre à fin mars. 100 F. ☎ (051) 50 02 86.

Boyau de la Mort – Visite tous les jours de 9 h à 16 h de début avril à fin septembre, sur demande pour les groupes le reste de l'année. Fermeture annuelle de début octobre à fin mars. Entrée gratuite. ☎ (051) 50 38 14 (Office de tourisme).

DINANT
🛈 Rue Grande 37 - 5500 - ☎ (082) 22 28 70

Promenades en bateau – Tous les jours de 10 h à 19 h de début avril à fin octobre. Renseignements : C. Marsigny, rue Daoust 64, 5500 Dinant, ☎ (082) 22 23 15.

Citadelle – Visite obligatoirement accompagnée (1 h) tous les jours de 10 h à 18 h de début avril à fin septembre, et tous les jours de 10 h à 12 h et de 13 h à 16 h le reste de l'année. Fermé en semaine au mois de janvier, ainsi que les vendredis de novembre à mars, et les 1er janvier et 25 décembre. 170 F (enfants : 130 F). ☎ (082) 22 21 19 ou (081) 22 36 70 (le matin).

Grotte la Merveilleuse – Visite obligatoirement accompagnée (45 mn) de 11 h à 17 h en avril et de début octobre à mi-novembre, de 10 h à 17 h de début mai à fin juin et en septembre, et de 10 h à 18 h en juillet et août. De mi-novembre à fin mars, la grotte est ouverte durant les congés de fin d'année, et pendant les congés de Carnaval. Possibilité de visite accompagnée à d'autres périodes sur demande, uniquement pour les groupes. Fermée le 1er janvier et le 25 décembre. 180 F (enfants : 120 F). ☎ (082) 22 22 10.

Parc de Mont-Fat – Visite tous les jours de 10 h 30 à 19 h de début avril à fin août, de 11 h à 18 h le week-end et jours fériés de début septembre à fin octobre. Fermeture annuelle de début novembre à fin mars. 150 F : accès à la tour, au télésiège, à la plaine de jeux et aux cavernes préhistoriques inclus (enfants : 120 F). ☎ (082) 22 27 83.

Cavernes préhistoriques – Mêmes conditions de visite que pour le Parc de Mont-Fat, mais la visite est obligatoirement accompagnée (30 mn) ☎ (082) 22 27 83.

E

ECAUSSINNES-LALAING

Château-fort – Visite de 10 h à 12 h et de 14 h à 18 h le samedi, le dimanche et les jours fériés en avril, mai, juin, septembre et octobre, ainsi que les 1er et 2 novembre. 120 F. ☎ (067) 44 24 90.

ELEWIJT

Château Het Steen – Ne se visite que pendant les journées portes ouvertes, se renseigner à la mairie (gemeentehuis) à Zemst (Elewijt).

ELLEZELLES

Moulin du Cat Sauvage – Visite obligatoirement accompagnée (45 mn) de 14 h 30 à 18 h 30 le dimanche et jours fériés de début mai à fin septembre, et sur rendez-vous uniquement pour les groupes tout au long de l'année. ☎ (068) 54 22 12 ou (068) 64 51 55.

ENGHIEN

Parc – Ouvert tous les jours de 13 h à 20 h de Pâques à fin septembre, ainsi que de 13 h à 18 h le samedi, le dimanche et jours fériés le reste de l'année. 80 F. ☎ (02) 395 84 48.

Église des Capucins – Visite obligatoirement accompagnée (1 h) sur demande écrite auprès de J.-P. Tijtgat, Rue des Capucins 5, 7850 Edingen.

Musée de la Tapisserie – Visite de 14 h à 17 h du mardi au vendredi, et de 14 h à 19 h le samedi, le dimanche et jours fériés. Fermé le lundi. ☎ (02) 395 84 48.

EUPEN
🚹 Markplatz 7 - 4700 - ☎ (087) 55 34 50 - fax : (087) 55 66 39

Musée de la Ville d'Eupen – Visite de 10 h à 12 h et de 13 h à 16 h du lundi au jeudi, de 14 h à 17 h le samedi, ainsi que de 10 h à 12 h et de 14 h à 17 h le dimanche. Fermé le vendredi (sauf pour les groupes, sur demande préalable), et du 23 décembre au 6 janvier, pendant le carnaval et la kermesse en juin, et les autres jours fériés. 30 F (enfants : 15 F). ☎ (087) 74 00 05 ou (087) 55 80 09.

F

FALAEN

Château-ferme – Visite de 13 h à 20 h le samedi, le dimanche et jours fériés, ainsi qu'en semaine pour les groupes sur demande préalable de début avril à fin septembre, et tous les jours (aux mêmes heures) en juillet et en août. Fermeture annuelle de début octobre à fin mars (sauf pour les groupes sur rendez-vous). 100 F. ☎ (082) 69 96 26 ou (089) 64 45 88.

FLOREFFE

Abbaye – Visite obligatoirement accompagnée tous les jours à 13 h 30, 14 h 30, 16 h et 17 h de Pâques à fin septembre (visites supplémentaires à 10 h 30, 11 h 30 et 18 h en juillet et août). ☎ (081) 44 53 03.

FLORENVILLE
🚹 Place Albert Ier - 6820 - ☎ (061) 31 12 29 - fax : (061) 31 32 12

Belvédère – Visite tous les jours de 10 h à 12 h (de 11 h à 12 h le dimanche) et de 14 h à 18 h en juillet et août. Fermé pendant les services religieux, ainsi que de septembre à fin juin. 30 F (enfants : 20 F). ☎ (061) 31 12 29.

't FONTEINTJE

Centre récréatif – Ouvert de 13 h à 19 h le mercredi, le samedi et le dimanche de Pâques à fin septembre, et tous les jours de 10 h à 19 h en juillet et en août. 60 F (enfants : 40 F). ☎ (011) 42 57 34.

FOREST / VORST Voir à Bruxelles.

FOSSES-LA-VILLE
🚹 Rue de la Petite Couture 16 - 5070 - ☎ (071) 71 14 88

Musée le Petit Chapitre : exposition de poupées – Visite tous les jours de 14 h à 18 h en juillet et août, ainsi que de 14 h à 18 h les week-ends, les jours fériés et pendant les vacances scolaires le reste de l'année. Fermé les 1er janvier, 1er novembre et 25 décembre. 60 F (enfants : 25 F). ☎ (071) 71 12 02.

FOURNEAU-ST-MICHEL

Musée de la Vie rurale en Wallonie – Visite tous les jours de 10 h à 17 h de début mars à fin juin et de début septembre à début janvier, et tous les jours de 10 h à 18 h en juillet et en août. Fermeture annuelle du 20 novembre au 29 février. 100 F. ☎ (084) 21 06 13 ou (084) 21 08 90.

Musée du Fer et de la Métallurgie ancienne – Mêmes conditions de visite que pour le Musée de la vie rurale en Wallonie. Fermeture annuelle du 6 janvier au 28 février. 100 F. ☎ (084) 21 06 13.

Musée P.-J. Redouté – Mêmes conditions de visite que pour le musée de la Vie rurale en Wallonie. Fermeture annuelle du 6 janvier au 28 février. 20 F. ☎ (084) 21 06 13.

Cheval ardennais à Fourneau-St-Michel

FRANCHIMONT

Château – Visite tous les jours de 10 h à 19 h de début avril à fin septembre, et de 10 h à 19 h le samedi et le dimanche le reste de l'année. 60 F (enfants : 45 F). ☎ (087) 54 10 27.

FRANC-WARET

Château – Visite obligatoirement accompagnée (1h) de 14 h à 17 h 30 le samedi, le dimanche et les jours fériés de début juin à fin septembre, et sur rendez-vous pour les groupes de début février à fin décembre. 120 F. ☎ (081) 83 34 04.

FRÊNES

Rochers – Visite tous les jours (sauf le mercredi) de 10 h 30 à 22 h. Fermés le mercredi et quinze jours en novembre. 50 F. ☎ (081) 41 11 23.

FREŸR

Château et parc – Visite de 14 h à 18 h le samedi, le dimanche et jours fériés en juillet et août. 200 F. ☎ (082) 22 22 00.

FURFOOZ

Parc de Furfooz – Visite tous les jours de 10 h à 17 h de début avril à fin mai, de 10 h à 18 h de début juin à fin août, de 10 h à 16 h 30 de début septembre à début novembre, les week-ends (sur réservation) de début novembre à mi-décembre, tous les jours de 10 h à 15 h 30 de mi-décembre à début janvier, et les week-ends et jours fériés (en semaine sur rendez-vous) de mi-février à fin mars. Fermeture annuelle du 5 janvier au 15 février. 70 F (enfants : 30 F). ☎ (082) 22 34 77 ou (081) 22 47 65.

G

GAASBEEK

Château et parc – Visite tous les jours de 10 h à 17 h. Fermés le lundi et le vendredi (en juillet et août, seulement le vendredi). Fermeture annuelle de début novembre à fin mars. 120 F (enfants 60 F) ☏ (02) 532 43 72.

GEEL
🛈 Oud-Gemeentehuis/Markt 1 - 2440 - ☏ (014) 57 09 55 - fax : (014) 57 09 08

Église Ste-Dymphne – Visite obligatoirement accompagnée tous les jours sur rendez-vous, se renseigner auprès de St.-Dimpna en Gasthuismuseum, Gasthuismuseum 1, 2440 Geel, ☏ (014) 59 14 43. 10 F.

GEMBLOUX
🛈 Rue du 8 Mai 13 - 5030 - ☏ (081) 61 29 51

Maison du Bailli – Le 1er étage abrite le musée de la Vie locale : visite tous les jours (sauf le week-end) de 9 h à 12 h et de 14 h à 16 h. Possibilité de visite accompagnée (20 mn) sur demande auprès de l'Office de tourisme au ☏ (081) 61 51 71. Fermé les jours fériés légaux. 20 F.

GENT
🛈 Botermarkt - 9000 - ☏ (09) 224 15 55 - fax : (09) 225 62 88

Promenades en bateau – Sur les canaux, tous les jours de 10 h à 19 h. Départs du Graslei : se renseigner auprès de Benelux-Gent-Watertourist, ☏ (09) 282 92 48 ; ou départs du Korenlei : auprès de De Bootjes van Gent, ☏ (09) 223 88 53. Fermeture annuelle de mi-novembre à fin mars. 150 F (enfants : 70 F).

La vieille ville : illuminations – Tous les soirs de début avril à fin octobre, et du 8 au 31 décembre ; les vendredis et samedis le reste de l'année.

Cathédrale St-Bavon – Visite de 9 h 30 à 12 h et de 14 h à 18 h du lundi au samedi, et de 13 h à 18 h les dimanches et jours fériés de début avril à fin septembre ; de 10 h 30 à 12 h et de 14 h 30 à 16 h du lundi au samedi, et de 14 h à 17 h les dimanches et jours fériés le reste de l'année. Fermée les 1er janvier et 25 décembre. Pour voir le polyptyque et visiter la crypte : 50 F (billet combiné). ☏ (09) 232 03 58.

Beffroi – Visite tous les jours de 10 h à 13 h et de 14 h à 18 h du 18 mars au 18 novembre, uniquement sur demande préalable le reste de l'année. 80 F. ☏ (09) 233 07 72.

Hôtel de ville – Visite obligatoirement accompagnée (1 h) à 14 h (en français) et à 15 h (en anglais) du lundi au jeudi du 10 avril au 27 octobre. Fermé le vendredi et le week-end, de fin octobre à Pâques, ainsi que les jours fériés légaux (sauf le 21 juillet). 100 F. (entrée gratuite durant les Fêtes gantoises se déroulant la semaine du 21 juillet). ☏ (09) 233 07 72.

Musée du Folklore – Visite tous les jours de 9 h à 12 h 30 et de 13 h 30 à 17 h 30 de début avril à début novembre, ainsi que tous les jours (sauf le lundi) de 10 h à 12 h et de 13 h 30 à 17 h le reste de l'année. Fermé le 1er janvier et le 25 décembre. 80 F. ☏ (09) 223 13 36.

Gent - Musée du Folklore

B. Brillion / MICHELIN

Théâtre de marionnettes – Représentations à 14 h 30 le mercredi et à 15 h le samedi tout au long de l'année, et tous les jours à 15 h durant les fêtes gantoises (la semaine du 21 juillet). Fermé les 1er janvier et 25 décembre. 80 F (enfants : 50 F). ☏ (09) 223 13 36.

Château des Comtes de Flandre – Visite tous les jours de 9 h à 17 h 15 de début avril à fin septembre (16 h 15 de début octobre à fin mars). Fermé les 1er et 2 janvier, 25 et 26 décembre. 80 F. ☏ (09) 225 93 06.

Musée des Beaux-Arts – Visite de 9 h 30 à 17 h du mardi au dimanche. Fermé le lundi, les 1er et 2 janvier et 25 et 26 décembre. 80 F (enfants : gratuit). ☏ (09) 222 17 03.

Musée de la Byloke – Visite tous les jours (sauf le lundi) de 9 h 30 à 17 h. Fermé les 1er et 2 janvier et 25 et 26 décembre. 80 F. ☏ (09) 225 11 06.

Musée des Arts décoratifs – Visite tous les jours (sauf le lundi) de 9 h 30 à 17 h. Fermé le lundi, ainsi que les 1er et 2 janvier, et 25 et 26 décembre. 80 F (enfants : 40 F). ☎ (09) 225 66 76.

Ruines de l'abbaye St-Bavon – Visite tous les jours (sauf le lundi) de 9 h 30 à 17 h de début avril à fin octobre. Fermé le lundi, ainsi que les 1er et 2 janvier, et 25 et 26 décembre. Fermeture annuelle du 3 novembre à fin mars. 80 F (enfants : gratuit). ☎ (09) 225 11 06.

GERAARDSBERGEN
🛈 Stadhuis - 9500 - ☎ (054) 41 41 21 - fax : (054) 41 75 79

Ancienne abbaye St-Adrien – Visite tous les jours. Possibilité de visite accompagnée, s'adresser à Toeristisch Centrum « De Abdij », Abdijstraat 10, 9500 Geraardsbergen, ☎ (054) 41 13 94.

GERPINNES

Musée des marches folkloriques de Entre-Sambre-et-Meuse – Visite de 14 h à 18 h le samedi, le dimanche et jours fériés de début mai à fin septembre. Fermé en semaine, ainsi que du 1er novembre au 30 avril. 50 F (enfants : 25 F). ☎ (071) 50 35 65.

GOYET

Cavernes et grottes – Visite obligatoirement accompagnée (1 h 30) tous les jours (sauf le mercredi en mars et en novembre) de 9 h à 17 h de début mars à fin novembre. Période annuelle de fermeture de début décembre à fin février. 220 F (enfants : 150 F). ☎ (081) 58 85 45.

GRAND-HALLEUX

Domaine de Monti – Visite tous les jours de 9 h à 18 h de début juin à mi-septembre, de 9 h à 17 h de mi-septembre à fin avril. 100 F (enfants : 50 F). ☎ (080) 21 76 02.

LE GRAND-HORNU

Visite tous les jours de 10 h à 12 h et de 14 h à 18 h de début mars à fin septembre, de 10 h à 12 h et de 14 h à 16 h de début octobre à fin février. Fermé le lundi, et les 1er janvier, 25 et 31 décembre. 100 F (enfants : 70 F). ☎ (065) 77 07 12.

H

HAKENDOVER

Église St-Sauveur – Visite sur demande, s'adresser au presbytère, Schoolpad 43, 3300 Hakendover, ☎ (016) 78 80 98.

HALLE
🛈 Grote Markt 1, bus 1 - 1500 - ☎ (02) 356 42 59

Basilique – Visite tous les jours (sauf durant les offices) de 9 h à 18 h. Visite accompagnée sur demande au ☎ (02) 356 42 59 (VVV Halle).

Musée du Sud-Ouest du Brabant – Visite de 14 h à 18 h le dimanche de début avril à fin octobre, de 10 h à 12 h et de 14 h à 17 h le samedi de début mai à fin août, ainsi que de 9 h à 12 h et de 13 h 30 à 17 h du lundi au vendredi le reste de l'année uniquement pour les groupes. Fermeture annuelle de mi-décembre à fin février. 40 F (enfants : gratuit). ☎ (02) 356 42 59 (Office de tourisme).

HAN-SUR-LESSE

Grotte de Han – Visite obligatoirement accompagnée (1 h 45) tous les jours de 10 h à 16 h de début mars à fin avril et de début septembre à mi-novembre (16 h 30 en avril, septembre et octobre), de 9 h 30 à 17 h de début mai à fin août (18 h en juillet et août). Fermeture annuelle de début janvier à fin février et de mi-novembre à fin décembre (sauf pendant les vacances de Noël). 300 F (enfants : 210 F). ☎ (084) 37 72 13.

Musée du Monde souterrain – Visite tous les jours de 11 h à 17 h (19 h en juillet et en août) de début avril à mi-novembre. Fermeture annuelle de mi-novembre à fin mars. 120 F (enfants : 80 F). ☎ (084) 37 70 07.

Réserve d'animaux sauvages – Mêmes conditions de visite que pour la Grotte de Han. 200 F (enfants 140 F). ☎ (084) 37 72 13.

HASSELT ⚌ Lombaardstraat 3 - 3500 - ☎ (011) 23 95 40 - fax : (011) 22 57 42

Musée national du genièvre – Visite de 10 h à 17 h du mardi au vendredi, et de 14 h à 18 h le samedi, le dimanche et jours fériés. Fermé le lundi, ainsi qu'en janvier. 90 F (enfants : gratuit). ☎ (011) 24 11 44.

Musée Stellingwerff-Waerdenhof – Visite de 10 h à 17 h du mardi au vendredi, et de 14 h à 18 h le week-end de février à décembre. Fermeture annuelle durant le mois de janvier, ainsi qu'à Pâques, les 1er, 2, et 11 novembre, et 25 décembre. 90 F. ☎ (011) 24 10 70.

HASTIÈRE-LAVAUX

Grottes du Pont d'Arcole – Visite obligatoirement accompagnée (45 mn) tous les jours de 10 h à 16 h de Pâques à fin septembre (sauf en juillet et août de 9 h à 18 h), uniquement de 13 h à 16 h le mercredi et le jeudi, et de 10 h à 16 h le samedi et le dimanche de début octobre à Pâques. 170 F (enfant : 150 F). ☎ (082) 64 44 01 ou (081) 56 88 07.

HAUTES FAGNES

Réserve – Visite tous les jours de 9 h à 17 h. Possibilité de visite accompagnée, s'adresser au Signal de Botrange, ☎ (080) 44 72 73. Fermeture de mi-mars à fin juin de la zone C pour la protection de la nidification des oiseaux (visite de cette zone obligatoirement accompagnée le reste du temps). 100 F.

Centre Nature Botrange – Visite de 13 h à 18 h le lundi, et de 10 h à 18 h du mardi au dimanche. Fermé le 25 décembre. 70 F (enfants : 40 F). ☎ (080) 44 57 81.

Le Signal de Botrange : tour – Fermée pour travaux.

HENRI-CHAPELLE

Musée du mémorial – Visite tous les jours de 9 h à 19 h (17 h de début octobre à fin février). Entrée gratuite. ☎ (087) 68 71 73 (cimetière américain).

HERENTALS ⚌ Grote Markt 41 - 2200 - ☎ (014) 21 90 88 - fax : (014) 21 78 28

Musée Fraikin – Momentanément fermé durant les travaux de restauration de l'hôtel de ville et du beffroi.

Église Ste-Waudru – Visite obligatoirement accompagnée (1 h) sur demande auprès du VVV Herentals (Office de tourisme), ☎ (014) 21 90 88.

Belvédère de Papekelders – Visite tous les jours de 10 h à 18 h de début mai à fin septembre et pendant les vacances de Noël et de Pâques. 25 F. ☎ (014) 21 90 88 (Office de tourisme).

HEYSEL Voir à Bruxelles.

HOEGAARDEN

't Nieuwhuys (Musée folklorique) – Visite obligatoirement accompagnée tous les jours (sauf le mercredi et le jeudi) de 11 h à 19 h. 65 F. ☎ (016) 76 62 94 (Office de tourisme de Tienen).

HOOGSTRATEN

Église Ste-Catherine – Visite tous les jours de 9 h à 18 h (de 13 h à 18 h le dimanche) de début avril à fin octobre. Fermée durant l'hiver, sauf sur demande (pour les groupes) à l'Office de tourisme, ☎ (03) 340 19 55.

HOTTON ⚌ Rue Haute 7 - 6990 - ☎ (084) 46 61 22

Grottes – Visite obligatoirement accompagnée (50 mn) tous les jours de 10 h à 17 h (18 h en juillet et août) de début avril à fin octobre, et uniquement pour les groupes (20 personnes minimum) sur demande préalable le reste de l'année. 200 F (enfants : 100 F). ☎ (084) 46 60 46 ou (084) 68 83 65.

HUIZINGEN

Domaine récréatif provincial – Entrée au domaine : 80 F (enfants : 40 F) de début mai à fin octobre, et 40 F (enfants : 20 F) le reste de l'année. ☎ (02) 383 00 20.

La HULPE

Domaine Solvay :

Parc – Visite tous les jours de 8 h à 21 h de début avril à fin septembre, tous les jours de 9 h à 18 h le reste de l'année. ☎ (02) 653 64 04.

Château – On ne visite pas.

HUY

🕿 Quai de Namur 1 - 4500 - ☎ (085) 21 29 15 - fax : (085) 23 29 44

Promenades sur la Meuse – Promenades (1 h) tous les jours à 14 h, 15 h, 16 h 30, et 17 h 30 (le matin sur réservation) en avril, mai, juin, septembre et octobre ; et tous les jours à 11 h, 14 h, 15 h, 16 h 30 et 17 h 30 en juillet et en août. Fermeture annuelle de mi-octobre à mi-avril. 120 F (enfants : 100 F). ☎ (085) 21 29 15.

Collégiale Notre-Dame : trésor – Visite obligatoirement accompagnée tous les jours de 9 h à 12 h et de 14 h à 17 h. 50 F. ☎ (085) 21 29 15 (Office de tourisme).

Fort – Visite tous les jours de 10 h à 17 h (18 h le week-end) d'avril à juin, ainsi qu'en septembre et en octobre, tous les jours de 10 h à 20 h en juillet et août. Fermeture annuelle de mi-octobre à mi-avril. 120 F (enfants : 80 F). ☎ (085) 21 29 15.

Musée communal – Visite tous les jours de 14 h à 18 h de début avril à fin octobre. Période annuelle de fermeture de novembre à avril (sauf ouverture sur rendez-vous). 60 F (enfants : 30 F). ☎ (085) 23 24 35.

La Sarte : plaine de jeux – Ouverte tous les jours de 10 h à 20 h de mi-mars à fin octobre. Fermeture annuelle de début novembre à mi-mars. 100 F. ☎ (085) 23 29 96.

I - J

IEPER

🕿 Grote Markt - 8900 - ☎ (057) 20 07 24 - fax : (057) 21 85 89

Halle aux Draps :

Montée au beffroi – Non accessible pour une période indéterminée.

Musée du Souvenir – Visite tous les jours de 9 h 30 à 12 h et de 13 h 30 à 17 h 30 de début avril à mi-novembre. Fermé le lundi. 50 F. ☎ (057) 20 07 24.

Musée Merghelynck – Visite obligatoirement accompagnée (1 h) tous les jours de 9 h à 12 h et de 14 h à 18 h uniquement sur demande auprès de l'Office de tourisme, ☎ (057) 20 07 24. Fermé durant les jours fériés. 30 F. ☎ (057) 22 85 55.

Musée O.C.M.W. – Visite tous les jours de 9 h 30 à 12 h et de 13 h 30 à 17 h 30 de début avril à fin octobre. 50 F. (enfants : gratuit). ☎ (057) 20 07 24 (Office de tourisme).

St.-George's Memorial Church – Visite tous les jours de 9 h à 18 h. Fermée pendant les offices. ☎ (057) 20 07 24 (Office de tourisme).

IXELLES Voir à Bruxelles.

IZENBERGE '

Musée de plein air Bachten de Kupe « Le Village d'Antan » – Visite de 13 h à 17 h en semaine, et de 14 h à 18 h le samedi, le dimanche et jours fériés. Fermé les week-ends de mi-novembre à début avril. 90 F (enfants : 50 F). ☎ (058) 29 80 90.

JABBEKE

Musée Permeke – Visite tous les jours (sauf le lundi) de 10 h à 12 h 30 et de 13 h 30 à 18 h (17 h de début octobre à fin mars). Fermé le 1er janvier et le 25 décembre. 100 F. ☎ (059) 50 81 18.

JANNÉE

Château – Visite obligatoirement accompagnée (35 mn) de 10 h à 18 h le week-end de Pâques à fin juin et en septembre, et tous les jours de 10 h à 18 h en juillet et en août. Fermeture annuelle d'octobre à Pâques, sauf sur rendez-vous. 140 F (enfants : 120 F). ☎ (083) 68 82 07.

JEHAY

Château – Visite de 14 h à 18 h le samedi, le dimanche et jours fériés en juillet et en août. Fermeture annuelle de septembre à fin juin. 150 F (billet combiné : château et musée). ☎ (085) 31 17 16.

Musée archéo-spéléologique – Mêmes conditions de visite que pour le château. ☎ (085) 31 17 16.

JETTE Voir à Bruxelles.

K

KALMTHOUT

Arboretum – Visite tous les jours de 10 h à 17 h de mi-mars à mi-novembre. Fermeture annuelle de mi-novembre à mi-mars. 150 F. ☎ (03) 666 67 41.

KEMMELBERG

Tour – Visite tous les jours (sauf le mardi) de 10 h à 22 h. 20 F. ☎ (057) 44 54 13.

KNOKKE-HEIST Zeedijk Knokke 660 - 8300 - ☎ (050) 60 61 85 - fax : (050) 62 08 13

Promenades à pied – S'adresser à l'Office de tourisme pour obtenir les itinéraires, ☎ (050) 60 61 85.

KOKSIJDE Zeelaan (Gemeentehuis) 24 - 8670 - ☎ (058) 52 15 15 - fax : (058) 52 25 77

Marché aux Fleurs – Le samedi saint de 10 h 30 à 18 h (le 6 avril en 1996). ☎ (058) 52 15 15.

Abbaye des Dunes – Visite tous les jours de 9 h à 12 h 30 et de 13 h 30 à 17 h (de 10 h à 17 h le week-end et les jours fériés) de mi-septembre à mi-juin, tous les jours de 10 h à 18 h (de 10 h à 22 h le mercredi en juillet et août) durant les vacances de Pâques et de mi-juin à mi-septembre, et tous les jours de 10 h à 17 h pendant les vacances de Noël. En janvier : ouverture sur demande. Fermé le 1er janvier et le 25 décembre. 100 F (enfants : de 50 à 80 F). ☎ (058) 51 19 33.

KORBEEK-DIJLE

Église St-Barthélemy – Visite tous les jours sur demande préalable au ☎ (016) 47 77 42.

KORTRIJK Schouwburgplein 14a - 8500 - ☎ (056) 23 93 71 - fax : (056) 23 90 03

Hôtel de ville – Visite de 8 h 30 à 12 h et de 14 h à 17 h en semaine. Fermé le samedi, le dimanche et les jours fériés. ☎ (056) 23 93 71.

Béguinage : musée – Visite tous les jours (sauf le lundi et le vendredi) de 10 h à 12 h et de 14 h 30 à 17 h 30 de Pâques à début janvier, et de 14 h 30 à 16 h 30 le samedi après-midi et le dimanche après-midi le reste de l'année. ☎ (056) 25 90 62.

Église Notre-Dame – Visite de 8 h 30 à 12 h et de 14 h à 19 h en semaine (en décembre et janvier, l'église est fermée entre 16 h 30 et 18 h), et de 9 h 30 à 12 h 15 le dimanche et jours fériés. Fermé aux visiteurs durant les offices.

Musée communal – Visite tous les jours (sauf le lundi) de 10 h à 12 h et de 14 h à 17 h. Fermé le lundi, le 1er janvier et le 25 décembre. Entrée gratuite. ☎ (056) 25 78 92.

Musée national du Lin – Visite de 9 h à 12 h 30 et de 13 h 30 à 18 h du mardi au vendredi (de 13 h 30 à 18 h le lundi), et de 14 h à 18 h le week-end de début mars à fin novembre. Fermé les jours fériés légaux et du 1er décembre au 1er mars. 80 F (enfants : 50 F). ☎ (056) 21 01 38.

KRUISHOUTEM

Fondation Veranneman – Visite tous les jours (sauf le lundi et le dimanche) de 14 h à 18 h. Fermé durant le mois d'août et les jours fériés légaux. 50 F (enfants : 25 F). ☎ (09) 383 52 87.

Château – N'est pas accessible au public.

L

LAARNE

Château – Visite de 14 h à 17 h 30 le dimanche et jours fériés de Pâques à fin octobre, en semaine de début juin à fin août, et uniquement pour les groupes, toute l'année sur demande, ☎ (09) 230 91 55. Fermé le lundi et le vendredi, ainsi qu'en janvier, et le 25 décembre. 150 F (enfants : 50 F).

LAEKEN Voir à Bruxelles.

LAVAUX-STE-ANNE

Musée de la Chasse et de la Conservation de la Nature – Visite tous les jours de 9 h à 18 h de début mars à fin octobre, de 9 h à 19 h en juillet et août, et de 9 h à 17 h le reste de l'année. Fermé le 1er janvier. 175 F (enfants : 100 F). ☎ (084) 38 83 62.

LESSE (Vallée)

Anseremme-Houyet – Accès à Houyet depuis Anseremme par train et par autobus : plusieurs départs chaque matin. Réservations pour la descente de la Lesse : à Lesse Kayaks, place de l'Église 2, 5500 Dinant, ☎ (082) 22 43 97 ; à Meuse et Lesse, Libert Frères, rue Caussin 13, 5500 Dinant, ☎ (082) 22 61 86 ; ou à Kayaks Ansiaux, rue du Vélodrome 15, 5500 Dinant, ☎ (082) 22 23 25.

LESSINES   🚏 Grand'Place 11 - 7860 - ☎ (068) 33 21 13 - fax : (068) 33 36 90

Carrières de Porphyre – On ne visite pas.

Hôpital N.-D.-à-la-Rose – Visite tous les jours (sauf le samedi ou uniquement sur demande) de 14 h à 17 h en semaine, et de 14 h à 17 h 30 le dimanche (en semaine sur demande pour les groupes) de début avril à début octobre, et uniquement sur demande de début octobre à fin mars. 160 F (enfants : 80 F). Fermé le 1er janvier et le 25 décembre. ☎ (068) 33 21 13 ext. 45 (Office de tourisme) ou (068) 33 36 90.

LESSIVE

Station terrienne belge de télécommunications par satellites – Visite tous les jours de 9 h 30 à 17 h (17 h 30 en juillet et août). Fermeture annuelle du 15 décembre au 20 janvier. 195 F. ☎ (0800) 18822.

LEUVEN   🚏 Naamsestraat 1a - 3000 - ☎ (016) 21 15 39 - fax : (016) 21 18 01

Brasserie – Visite pour les groupes sur demande préalable, se renseigner au ☎ (016) 21 15 39 (Office de tourisme).

Hôtel de ville – Visite obligatoirement accompagnée (30 mn) à 11 h et à 15 h en semaine, et à 15 h le samedi, le dimanche et jours fériés. Fermé le 1er janvier et le 25 décembre. 20 F. ☎ (016) 21 15 39.

Collégiale St-Pierre : musée d'Art religieux – Visite tous les jours (sauf le lundi entre mi-octobre et mi-mars) de 10 h à 17 h, et de 14 h à 17 h le dimanche et jours fériés. ☎ (016) 22 69 06 ou (016) 23 27 78.

Musée communal Vander Kelen-Mertens – Visite de 10 h à 17 h du mardi au samedi, et de 14 h à 17 h le dimanche et jours fériés. Fermé le lundi, ainsi que les 1er janvier et 25 décembre. 50 F. ☎ (016) 22 69 06 ou (016) 23 27 78.

Église Ste-Gertrude – Visite obligatoirement accompagnée tous les jours. Se renseigner auprès de l'Office de tourisme, ☎ (016) 21 15 40.

Abbaye du Parc – Visite obligatoirement accompagnée à 16 h le dimanche et jours fériés. 80 F. ☎ (016) 40 36 40.

Château d'Arenberg – On ne visite pas.

LIÈGE   🚏 En Féronstrée 92 - 4000 - ☎ (041) 21 92 02 - fax : (041) 21 92 03

Fort de Loncin – Visite libre (sans accès aux locaux) de 9 h à 18 h du mercredi au dimanche de début avril à fin septembre, et de 10 h à 16 h de début octobre à fin mars. Visite accompagnée obligatoire pour les locaux, casemates et tourelles (2 h 30) : à 14 h 30 les 1er et 3e samedis de chaque mois de début avril à début octobre, et sur demande uniquement pour les groupes le reste de l'année. Fermé le lundi et le mardi. 100 F (enfants : 50 F). ☎ (041) 63 42 35.

Musée de la Vie wallonne – Visite de 10 h à 17 h du mardi au samedi, et de 10 h à 16 h le dimanche et jours fériés. Fermé le lundi, ainsi que les 1er janvier, 1er mai, 1er novembre et 25 décembre. 80 F (enfants : 40 F). ☎ (041) 23 60 94.

Théâtre de marionnettes – Représentations (1 h 30) à 14 h 30 le mercredi et à 10 h 30 le dimanche de début novembre à fin avril. 80 F (représentation gratuite le jour de Noël et le samedi de Pâques). ☎ (041) 23 60 94.

Musée d'Art religieux et d'Art mosan – Visite de 13 h à 18 h du mardi au samedi, et de 11 h à 16 h le dimanche et jours fériés. Fermé le lundi, ainsi que les 1er janvier, 1er et 8 mai, 1er, 2, 11 et 15 novembre et 24, 25, 26 et 31 décembre. 50 F (enfants : 20 F). ☎ (041) 21 42 79 ou (041) 21 42 25.

Église St-Barthélemy (cuve baptismale) – Visite de 10 h à 12 h et de 14 h à 17 h en semaine, et de 14 h à 17 h le dimanche. 80 F. ☎ (041) 23 49 98 ou (041) 65 19 63.

Musée Curtius et musée du Verre – Visite de 14 h à 17 h le lundi, le jeudi et le samedi, de 10 h à 13 h le mercredi et le vendredi, et de 10 h à 13 h les 2ᵉ et 4ᵉ dimanches du mois. Fermés le mardi, ainsi que les 1ᵉʳ janvier, 1ᵉʳ et 8 mai, 1ᵉʳ, 2, 11 et 15 novembre, 24, 25, 26 et 31 décembre. 50 F (enfants : 20 F). ☎ (041) 21 94 04.

Musée d'Armes – Visite de 10 h à 13 h le lundi, le jeudi, et le samedi, de 14 h à 17 h le mercredi et le vendredi, et de 10 h à 13 h les 1ᵉʳ et 3ᵉ dimanches du mois. Fermé le mardi, ainsi que les 1ᵉʳ janvier, 1ᵉʳ et 8 mai, 1ᵉʳ, 2, 11 et 15 novembre, 24, 25, 26 et 31 décembre. 50 F (enfants : 20 F). ☎ (041) 21 94 16.

Musée d'Ansembourg – Visite tous les jours (sauf le lundi) de 13 h à 18 h. Fermé le lundi, ainsi que les 1ᵉʳ janvier, 1ᵉʳ et 8 mai, 1ᵉʳ, 2, 11 et 15 novembre, 24, 25, 26 et 31 décembre. 50 F (enfants : 20 F). ☎ (041) 21 94 02.

Musée de l'Art Wallon – Visite de 13 h à 18 h du mardi au samedi, et de 11 h à 16 h 30 le dimanche et jours fériés. Fermé le lundi, ainsi que les 1ᵉʳ janvier, 1ᵉʳ et 8 mai, 1ᵉʳ, 2, 11 et 15 novembre, 24, 25, 26 et 31 décembre. 50 F. ☎ (041) 21 92 31.

Cathédrale St-Paul (trésor) – Visite tous les jours de 8 h à 12 h et de 14 h à 17 h. Pas de visite durant les offices. Pour visiter le trésor, se renseigner, ☎ (041) 22 04 26.

Église St-Jacques – Visite tous les jours de 8 h à 12 h et de 17 h à 19 h (du lundi au vendredi avec accès limité au narthex du 1ᵉʳ octobre au 30 avril), et de 16 h à 18 h le samedi. Fermée les 1ᵉʳ janvier, 1ᵉʳ mai, les lundis de Pâques et de Pentecôte, le 11 novembre et le 25 décembre. ☎ (041) 22 14 41.

Église St-Jean – Visite de 10 h à 12 h et de 14 h à 17 h (visite guidée gratuite) pendant la semaine de Pâques, et de juillet à septembre, et tous les jours (sauf le dimanche) de 16 h à 17 h 45 le reste de l'année. Fermée le dimanche et jours fériés. ☎ (041) 23 70 42.

Église Ste-Croix : trésor – Visite tous les jours de 8 h à 18 h. Pour le trésor, s'adresser au sacristain dans le cloître, no. 9.

Maison de la Métallurgie – Visite de 9 h à 17 h en semaine, et de 9 h à 12 h le samedi. Fermée le dimanche et jours fériés. 100 F (enfants : 50 F). ☎ (041) 42 65 63.

Aquarium – Visite de 10 h à 12 h 30 et de 13 h 30 à 17 h en semaine, ainsi que de 10 h 30 à 12 h 30 et de 14 h à 18 h le samedi, le dimanche et jours fériés. Fermé le 1ᵉʳ janvier, et les 24, 25 et 31 décembre. 120 F (enfants : 80 F). ☎ (041) 66 50 21.

Musée Tchantchès – Visite de 14 h à 16 h le mardi et le jeudi. Fermé en juillet. 40 F. ☎ (041) 42 75 75.

Spectacles de marionnettes – Spectacles (1 h 30) à 14 h 30 le mercredi d'octobre à Pâques et à 10 h 30 le dimanche de septembre à Pâques. 80 F. ☎ (041) 42 75 75.

Musée des Transports en commun de la ville de Liège – Visite de 14 h à 18 h le samedi, le dimanche et jours fériés de début mai à mi-octobre. 40 F. ☎ (041) 61 91 11.

Promenades en bateau – De Liège à Maastricht (3 h 30) le vendredi en juillet et août. Départ à 8 h 30 de Liège, ainsi qu'à 9 h de Coronmeuse. 420 F AR (enfants : 280 F). ☎ (041) 22 42 10. En juillet et août une croisière, avec visite de l'ancien charbonnage de Blégny, est organisée de Liège à Visé tous les dimanches, ainsi que le mardi, le jeudi, le vendredi, le samedi et le dimanche de début avril à fin octobre uniquement pour les groupes sur réservation préalable. Renseignements : ☎ (041) 87 43 33.

LIER 🛈 Stadhuis/Grote Markt - 2500 - ☎ (03) 489 11 11 (ext. 212) - fax : (03) 488 13 57

Tour Zimmer – Visite tous les jours de 9 h à 12 h et de 14 h à 16 h en janvier, février, novembre et décembre, de 9 h à 12 h et de 14 h à 17 h en mars et en octobre, de 9 h à 12 h et de 13 h à 18 h en avril, mai, juin et septembre, ainsi que de 9 h à 12 h et de 13 h à 19 h en juillet et août. 50 F (enfants : 30 F). ☎ (03) 489 11 11.

Musée Wuyts-Van Campen et Baron Caroly – Visite tous les jours de 10 h à 12 h et de 13 h 30 à 17 h 30 de début avril à fin octobre. Fermé le lundi et le vendredi, ainsi que du 1ᵉʳ novembre au 31 mars. 40 F (enfants : 20 F). ☎ (03) 489 11 11 (ext. 278).

Maison Timmermans-Opsomer – Mêmes conditions de visite que pour le Musée Wuyts-Van Campen et Baron Caroly, sauf le dimanche de 10 h à 12 h et de 13 h 30 à 16 h 30 de début novembre à fin mars. 40 F (enfants : 20 F). ☎ (03) 489 11 11 (ext. 275).

LOGNE

Château – Visite tous les jours de 13 h à 18 h durant les vacances de Pâques, de 10 h 30 à 19 h en juillet et août, de 13 h à 15 h 30 du 26 au 31 décembre, et uniquement sur demande (pour les groupes) le reste de l'année. 100 F (enfants : 70 F). ☎ (086) 21 20 33.

Ferme de la Bouverie – Visite tous les jours de 10 h à 18 h en juillet et août, et sur rendez-vous (pour les groupes) le reste de l'année. 40 F (enfants : 30 F). ☎ (086) 21 20 33.

LOPPEM

Château – Visite tous les jours (sauf le lundi et le vendredi) de 10 h à 12 h et de 14 h à 18 h de début avril à fin octobre. Fermé le lundi et le vendredi, ainsi que les jours fériés. 100 F (enfants 40 F). ☎ (050) 82 22 45 ou (050) 82 48 76.

Labyrinthe – Visite de 13 h 30 à 18 h en période de vacances seulement de Pâques à la Toussaint.

LOUVAIN-LA-NEUVE

Musée de Louvain-la-Neuve – Visite de 10 h à 18 h en semaine, de 14 h à 18 h le dimanche et jours fériés (sauf en juillet et août). Fermé le samedi, ainsi que les 1er janvier et 25 décembre. 50 F (enfants : gratuit). Entrée gratuite le dimanche. ☎ (010) 47 48 41.

LYS (Région)

Promenades en bateau – Promenades de 9 h à 17 h en semaine, de 10 h à 17 h le samedi et de 10 h à 15 h le dimanche en avril, mai, juin, juillet, août, septembre et octobre. Se renseigner auprès de Rederij Benelux, Recollett-enlei 10, 9000 Gent, ☎ (09) 224 32 33. Fermé à Noël et Nouvel An. 250 F (enfants : 180 F).

M

MAASEIK Markt 45 - 3680 - ☎ (089) 56 63 72 - fax : (089) 56 60 23

Promenades en bateau – Départs de mi-mars à mi-novembre, se renseigner auprès de l'Office de tourisme de Maaseik, Markt 45, 3680 Maaseik, ☎ (089) 56 63 72.

Museactron – Visite tous les jours de 10 h à 18 h en juillet et août, et tous les jours de 10 h à 12 h et de 14 h à 17 h le reste de l'année. Fermé le lundi, ainsi que les 1er et 2 janvier, 1er, 2, 11 et 15 novembre, 25 et 26 décembre. 50 F. ☎ (089) 56 68 90.

Église Ste-Catherine : trésor – Visite de 13 h à 17 h le samedi, le dimanche et jours fériés, ainsi que le mardi et le vendredi en juillet et août. Fermé le lundi (sauf en juillet et août), et les 1er et 2 janvier, 1er, 2, 11 et 15 novembre, 25 et 26 décembre. 50 F (enfants : 30 F). ☎ (089) 56 68 90.

MALE

Château (abbaye) – Visite de 9 h à 11 h 30 et de 14 h à 17 h du lundi au samedi, ainsi que de 10 h 30 à 11 h 30 et de 14 h à 17 h le dimanche et jours fériés. Fermé la 1re quinzaine de septembre. S'adresser à Gastenzuster, Sint-Trudo Abdij, Male, 8310 Brugge, ☎ (050) 35 02 11.

MARIEMBOURG

Chemin de fer des Trois Vallées – Train touristique se rendant jusqu'à Treignes et aussi en direction de Chimay (durée 2 h) de 10 h à 19 h 30 le dimanche et jours fériés de début avril à début octobre, et tous les jours de 10 h à 19 h 30 en juillet et en août. Période annuelle de fermeture du 1er novembre au 31 mars. 240 F aller-retour (enfants : 120 F). Renseignements : ☎ (060) 31 24 40.

MARIEMONT (Domaine)

Parc – Visite tous les jours de 9 h à 16 h en janvier, novembre et décembre, de 9 h à 17 h en février, mars et octobre, et de 9 h à 18 h (le dimanche jusqu'à 19 h) d'avril à septembre. ☎ (064) 21 21 93.

Musée – Visite tous les jours (sauf le lundi) de 10 h à 18 h. Fermé le lundi, ainsi que les 1er janvier et 25 décembre. Entrée gratuite. ☎ (064) 21 21 93 (poste 258). La réserve précieuse de la bibliothèque est visible sur demande préalable. ☎ (064) 21 21 93.

De MATEN

Réserve – Visite du lever au coucher du soleil de début juillet à fin février. Fermeture annuelle de mi-mars à mi-juillet. 100 F. ☎ (02) 245 43 00.

MECHELEN   🄰 Stadhuis/Grote Markt - 2800 - ☎ (015) 29 76 55 - fax : (015) 29 76 53

Concerts de carillon – Toute l'année : de 11 h 30 à 12 h 30 le lundi et le samedi, et de 15 h à 16 h le dimanche. De début juin à mi-septembre : de 20 h 30 à 21 h 30 le lundi. ☎ (015) 29 76 55.

Cathédrale St-Rombaut – Visite tous les jours (sauf le dimanche) de 8 h 30 à 12 h 30 et de 14 h à 17 h 30 de début avril à mi-octobre, de 8 h 30 à 12 h 30 et de 14 h à 16 h 30 le reste de l'année.

Manufacture Royale de Tapisseries De Wit – Visite obligatoirement accompagnée (75 mn) à 10 h 30 le samedi, et pour les groupes sur demande préalable le reste du temps. Fermée les jours fériés, ainsi qu'au mois de juillet, et entre Noël et Nouvel An. 150 F (enfants : 75 F). ☎ (015) 20 29 05.

Église St-Jean – Visite de 14 h à 17 h le dimanche de début juin à fin septembre. ☎ (015) 29 76 55 (Office de tourisme).

Église N.-D.-au-delà-de-la-Dyle – Visite de 14 h à 17 h le mercredi et le samedi de début mai à fin septembre. ☎ (015) 29 76 55 (Office de tourisme).

MEISE

Jardin botanique :

Parc – Visite tous les jours de 9 h à 17 h 30 (18 h le dimanche et jours fériés) de Pâques à fin octobre, et tous les jours de 9 h à 17 h le reste de l'année. ☎ (02) 269 39 05 (ext. 203).

Palais des Plantes (serres) – Visite de 13 h à 16 h 30 du lundi au jeudi et le samedi, de 13 h à 18 h le dimanche et jours fériés (le samedi et le dimanche matin étant réservés aux groupes, sur rendez-vous préalable) de Pâques à fin octobre ; de 13 h à 16 h du lundi au jeudi, le samedi ainsi que le dimanche matin pour les groupes (toujours sur rendez-vous) le reste de l'année. 120 F (enfants : 50 F). ☎ (02) 269 39 05 (ext. 203).

MODAVE

Château – Visite tous les jours de 9 h à 18 h de début avril à mi-novembre. Fermé de mi-novembre à fin mars. 150 F (enfants : 90 F). ☎ (085) 41 13 69.

MOLENHEIDE

Parc à gibier – Visite tous les jours de 10 h à 19 h. ☎ (011) 52 14 17.

MONS   🄰 Grand'Place 22 - 7000 - ☎ (065) 36 04 64 - fax : (065) 33 57 32

Collégiale Ste-Waudru – Visite tous les jours de 14 h à 17 h. Non accessible durant les offices. ☎ (065) 33 55 80.

Trésor – Visite tous les jours de 14 h à 17 h du 2 mai au 4 juin et du 20 juin au 15 octobre. Fermé le lundi. 30 F (enfants : gratuit). ☎ (065) 33 55 80.

Hôtel de ville – Visite obligatoirement accompagnée de 9 h à 17 h 30, sur demande écrite (4 jours à l'avance) adressée à l'Office de tourisme de Mons, Grand-Place 22, 7000 Mons, ☎ (065) 33 55 80. Fermé les 1er et 2 janvier, le week-end de la Trinité (du samedi au mercredi), les 1er et 11 novembre, et 25 et 26 décembre.

Musées du Centenaire – Visite tous les jours de 10 h à 12 h 30 et de 14 h à 18 h (de début mai à fin septembre fermeture à 17 h le vendredi et de début octobre à fin avril fermeture à 17 h le dimanche). Fermés le lundi, ainsi que le 1er novembre et pendant les vacances de Noël. 60 F (enfants : gratuit). ☎ (065) 33 55 80.

Musée du Folklore et de la Vie montoise – Mêmes conditions de visite que pour les musées du Centenaire. ☎ (065) 33 55 80.

Musée des Beaux-Arts – Visite toute l'année de 12 h à 18 h. Fermé le lundi, le 1er novembre, et du 25 décembre au 1er janvier. 60 F. ☎ (065) 33 55 80.

Le Vieux Logis : musées du Chanoine Puissant – Mêmes conditions de visite que pour les musées du Centenaire. ☎ (065) 33 55 80.

Musée François Duesberg – Visite tous les jours (sauf le lundi) de 13 h à 18 h. ☎ (065) 36 31 64.

MONTQUINTIN

Musée de la Vie paysanne – Visite tous les jours de 14 h à 18 h en juillet et août, et uniquement sur rendez-vous le reste de l'année. 50 F (enfants : 30 F). ☎ (063) 57 03 15.

MONT-SUR-MARCHIENNE

Musée de la Photographie – Visite tous les jours (sauf le lundi) de 10 h à 18 h. Fermeture jusqu'en septembre 1995 pour cause de rénovation. Fermé le lundi, ainsi que le 1er janvier, à Pâques, le 1er mai, à la Pentecôte, à l'Ascension, les 21 juillet, 15 août, 1er et 11 novembre et 25 décembre. 100 F et entrée gratuite le mercredi (enfants de moins de 12 ans : gratuit). ☎ (071) 43 58 10.

MORTROUX

Musée de la Vie régionale – Visite de 12 h à 19 h le dimanche et jours fériés de mi-janvier à mi-décembre, le week-end de début avril à fin octobre, et tous les jours de mi-avril à mi-septembre. Fermeture annuelle de mi-décembre à mi-janvier. 60 F (enfants : 35 F). ☎ (041) 76 62 97.

MOULBAIX

Moulin de la Marquise – Visite obligatoirement accompagnée (30 mn) en semaine et le dimanche uniquement sur rendez-vous. Le samedi le moulin travaille et peut donc être vu en activité. Se renseigner auprès de M. J. Dhaenens (meunier), au ☎ (068) 28 27 91. 30 F (enfants : gratuit).

MUIZEN

Parc zoologique de Plankendael – Visite tous les jours de 9 h à 16 h 45 d'octobre à mars, et de 9 h à 18 h le reste de l'année. 350 F (enfants : 215 F). ☎ (015) 41 49 21.

N

NAMUR
🚇 Rue de Fer 42 - 5000 - ☎ (081) 24 64 39

Promenades en bateau – Aller-retour Namur-Dinant : à 15 h 30 le samedi et le dimanche en juillet et août. 400 F. Aller-retour Namur-Wépion : tous les jours à 15 h en juillet et août. 300 F. Croisière Sambre et Meuse : départs à 13 h 30, 15 h et 17 h du 8 avril au 15 mai et du 1er au 17 septembre, à 11 h 15, 13 h 30, 15 h et 17 h du 16 septembre à fin juin, et à 11 h 15, 13 h 30, 15 h, 16 h et 17 h en juillet et en août. 170 F. ☎ (082) 22 23 15.

Citadelle – Accès par le téléphérique (15 mn) de 12 h à 19 h du lundi au samedi, et de 11 h à 19 h le dimanche et jours fériés de début avril au 1er week-end d'octobre. Fermeture annuelle de début octobre à fin mars. 195 F (enfants : 100 F).

Domaine fortifié – Mêmes conditions de visite. ☎ (081) 22 68 29.

Musée provincial de la forêt – Visite tous les jours (sauf le vendredi) de 9 h à 12 h et de 14 h à 17 h de début avril à fin octobre, uniquement sur rendez-vous pour les groupes scolaires le reste de l'année. Fermé le vendredi (sauf durant les vacances de Pâques et de mi-juin à mi-septembre). 50 F (enfants : 20 F). ☎ (081) 74 38 94.

Musée archéologique – Visite tous les jours (sauf le lundi) de 10 h à 17 h (de 10 h 40 à 17 h le week-end et jours fériés). Fermé le 1er janvier, le week-end de Pâques, et le 25 décembre. 80 F. ☎ (081) 23 16 31.

Le Trésor d'Oignies aux Sœurs de Notre-Dame – Visite obligatoirement accompagnée (45 mn) de 10 h à 12 h et de 14 h à 17 h du lundi au samedi, et de 14 h à 17 h le dimanche. Entrée située n° 17 de la rue Julie Billiart. Fermé le lundi dès 1996, les jours fériés, et du 11 au 26 décembre. 50 F (enfants : 20 F). ☎ (081) 23 03 42.

Musée des Arts anciens du Namurois – Visite tous les jours (sauf le lundi) de 10 h à 18 h de Pâques à la Toussaint (17 h le reste de l'année). Fermé le lundi et entre Noël et le Nouvel An. 50 F (enfants : 20 F). ☎ (081) 22 00 65.

Église St-Loup – En cours de restauration.

Musée diocésain et trésor de la cathédrale – Visite de 10 h à 12 h et de 14 h 30 à 18 h de Pâques à fin octobre, et de 14 h 30 à 16 h 30 le reste de l'année. Fermé le lundi et le dimanche matin. 50 F (enfants : 25 F). ☎ (081) 23 13 59.

Musée de Croix – Visite obligatoirement accompagnée, tous les jours à 10 h, 11 h, 14 h, 15 h et 16 h. Fermé le lundi, et de Noël à début mai. 80 F (enfants : 50 F). ☎ (081) 22 21 39.

Musée Félicien Rops – Visite tous les jours de 10 h à 18 h (17 h de la Toussaint à Pâques). Fermé le lundi (sauf en juillet et août) et pendant les vacances de Noël. 100 F (enfants : 50 F). ☎ (081) 22 01 10.

NIEUWPOORT 🅸 Stadhuis/Marktplein 7 - 8620 - ☎ (058) 23 55 94 - fax : (058) 23 94 92

Église Notre-Dame : concerts de carillon – A 20 h 30 le mercredi et le samedi de mi-juin à mi-septembre, et à 11 h 15 le vendredi et le dimanche de mi-septembre à mi-juin. Visite des carillons à 10 h de janvier à août. ☎ (058) 23 94 92.

Monument au roi Albert Iᵉʳ – Visite tous les jours de 9 h à 12 h et de 13 h 30 à 19 h de mai à septembre, ainsi que de 9 h à 12 h et de 13 h 30 à 17 h d'octobre à avril. Fermé en janvier et février. 20 F à pied et 40 F en ascenseur. ☎ (058) 23 55 87.

Musée K.R. Berquin – Temporairement fermé durant les travaux de restauration. ☎ (058) 23 55 94.

Musée ornithologique – Fermé provisoirement durant les travaux de restauration. ☎ (058) 23 55 94.

De IJzermonding – Non accessible au public. Visites accompagnées en juillet et août à 10 h 30. ☎ (051) 54 52 44.

NINOVE 🅸 Oudstrijdersplein 6 - 9400 - ☎ (054) 33 78 57 - fax : (054) 39 38 49

Église abbatiale – Visite tous les jours de 9 h à 17 h. Fermée le dimanche après-midi. ☎ (054) 33 20 25.

NIVELLES 🅸 Waux-Hall/Place Albert Iᵉʳ - 1400 - ☎ (067) 88 22 75 - fax : (067) 21 57 13

Collégiale Ste-Gertrude – Visite tous les jours de 8 h à 18 h de début avril à fin septembre, et de 9 h à 17 h le reste de l'année. Fermée le dimanche matin. Visite accompagnée des fouilles archéologiques du lundi au samedi à 10 h 30, 13 h 30, et 16 h 30. 90 F (enfants : gratuit). ☎ (067) 21 93 58 (de 10 h 30 à 12 h et de 13 h 30 à 16 h 30).

Musée d'Archéologie – Visite tous les jours (sauf le mardi) de 9 h 30 à 12 h et de 14 h à 17 h (de 9 h 30 à 17 h le mercredi). 40 F (enfants : 20 F). ☎ (067) 88 22 80.

O

OELEGEM

Musée du Textile – Visite de 9 h à 17 h en semaine (à partir de 10 h le week-end) de début mars à fin novembre. Fermé le lundi, et du 1ᵉʳ décembre à fin février. Entrée gratuite. ☎ (03) 383 46 80 ou (03) 385 03 70.

OOIDONK

Château – Visite obligatoirement accompagnée (1 h) de 14 h à 17 h 30 le dimanche et jours fériés de Pâques à mi-septembre, ainsi que le samedi (aux mêmes heures) en juillet et en août. Fermeture annuelle de début novembre à Pâques. 140 F. ☎ (09) 282 61 23.

OOSTDUINKERKE 🅸 Oud-Gemeentehuis/Leopold II laan - 8670 - ☎ (058) 51 11 89

Église St-Nicolas – Visite obligatoirement accompagnée sur demande préalable seulement. S'adresser à Pastorie, Witte Burg 90, 8670 Oostduinkerke-Koksijde. ☎ (058) 51 23 33.

Musée national de la Pêche – Visite tous les jours de 10 h à 12 h et de 14 h à 18 h. Fermé le 1ᵉʳ janvier, à la Toussaint et le 25 décembre. 80 F (enfants : 50 F). ☎ (058) 51 24 68.

Musée du folklore Florishof – Visite tous les jours (sauf le mardi) de 10 h à 12 h et de 13 h à 17 h 30 de début avril à mi-septembre, et de 13 h à 17 h 30 le samedi, le dimanche et jours fériés le reste de l'année. Fermeture annuelle de mi-septembre à mi-octobre. 60 F (enfants : 50 F). ☎ (058) 51 12 57.

OOSTENDE 🅸 Monacoplein 2 - 8400 - ☎ (059) 70 11 99 - fax : (059) 70 34 77

Aquarium de la mer du Nord – Visite tous les jours de 10 h à 12 h et de 14 h à 18 h de début avril à fin septembre, de 10 h à 12 h 30 et de 14 h à 18 h les week-ends (toute l'année). Fermé le 1ᵉʳ janvier et le 25 décembre. 50 F (enfants de moins de 14 ans : 25 F). ☎ (059) 32 16 69 ou (059) 50 08 76.

Musée des Beaux-Arts – Visite tous les jours de 10 h à 12 h et de 14 h à 17 h. Fermé le mardi, ainsi que les 1ᵉʳ janvier et 25 décembre. 50 F (enfants jusqu'à 14 ans : gratuit). ☎ (059) 80 53 35.

Musée d'Histoire locale – Visite de 10 h à 12 h et de 15 h à 17 h du 2 au 8 janvier, du 25 février au 5 mars, la 1re quinzaine du mois d'avril, du 25 au 28 mai, du 3 au 5 juin, de mi-juin à mi-septembre, du 28 octobre au 5 novembre, et du 23 décembre au 7 janvier. Fermé le mardi de juin à septembre, ainsi que les 1er, 2 et 3 janvier, 28 février, 4 et 11 avril, 28 mai, 31 octobre, 1er novembre, et 25 et 26 décembre. 50 F (enfants : 25 F). ☎ (059) 80 53 35.

Maison de James Ensor – Visite tous les jours (sauf le mardi) de 10 h à 12 h et de 14 h à 17 h de début juin à fin septembre, et de 14 h à 17 h le week-end de décembre à mai. Fermé le mardi, ainsi qu'en octobre et la 1re semaine de novembre, le 1er janvier et le 25 décembre. 50 F (enfants : gratuit). ☎ (059) 80 53 35.

Voilier-école – Visite de 11 h à 13 h et de 14 h à 17 h le week-end d'octobre à mars (de 10 h à 13 h et de 14 h à 18 h en octobre et en mars), tous les jours de 10 h à 13 h et de 14 h à 18 h de Pâques à septembre (de 10 h à 19 h en juillet et en août). Fermé le 1er janvier et le 25 décembre. 100 F (enfants jusqu'à 14 ans : gratuit et pour les plus de 14 ans : 50 F). ☎ (059) 70 56 54.

Musée d'Art moderne – Visite tous les jours (sauf le mardi) de 10 h à 18 h. Fermé le 1er janvier et le 25 décembre. 100 F (enfants de moins de 16 ans : gratuit). ☎ (059) 50 81 18.

ORVAL

Abbaye : les ruines – Visite de 9 h 30 à 12 h 30 et de 13 h 30 à 18 h 30 de juin à septembre, de 10 h 30 à 12 h 30 et de 13 h 30 à 17 h 30 de novembre à février, ainsi que de 9 h 30 à 12 h 30 et de 13 h 30 à 18 h le reste de l'année. Possibilité de visite accompagnée l'après-midi des mois de juillet et août, ainsi que le samedi et le dimanche après-midi de Pâques à fin septembre : à 13 h 40, 14 h 30, 15 h 30, 16 h 30, et 17 h 30 (en français). En dehors de ces périodes, visite accompagnée uniquement sur demande préalable. 90 F (enfants : 50 F). ☎ (061) 31 10 60 ou (061) 31 19 91.

OUDENAARDE   🛈 Stadhuis/Markt - 9700 - ☎ (055) 31 72 51 - fax : (055) 33 00 48

Hôtel de ville – Visite obligatoirement accompagnée (1 h) à 9 h, 10 h, 11 h, 14 h, 15 h et 16 h en semaine uniquement pour les groupes, ainsi qu'à 14 h et à 15 h le samedi pour les individuels de début avril à fin octobre. Visite libre de 14 h à 17 h le dimanche et jours fériés durant la même période. Fermé le vendredi après-midi, et de début novembre à fin mars. 80 F. Pour les réservations de visite accompagnée, se renseigner auprès de l'Office de tourisme d'Oudenaarde, ☎ (055) 31 72 51.

Église N.-D.-de-Pamele – Visite obligatoirement accompagnée tous les jours de 9 h à 12 h et de 13 h à 17 h uniquement sur demande auprès de l'Office de tourisme d'Oudenaarde, ☎ (055) 31 72 51.

Musée de la Tapisserie et atelier de restauration – Visite de 9 h à 17 h en semaine. Fermé le week-end et les jours fériés. Possibilité de visite accompagnée, s'adresser à l'Office de tourisme, Stadhuis, Markt, 9700 Oudenaarde, ☎ (055) 31 72 51. Entrée gratuite. ☎ (055) 31 48 63.

OURTHE (VALLÉE)

Belvédère des Six Ourthe – Visite toute l'année. 30 F. ☎ (084) 44 41 93.

P

De PANNE   🛈 Gemeentehuis/Zeelaan 21 - 8660 - ☎ (058) 42 18 18 - fax : (058) 42 16 17

Promenades guidées dans la réserve naturelle le Westhoek – Contacter l'Office de tourisme, Gemeentehuis, Zeelaan 21, 8660 De Panne, ☎ (058) 42 18 18.

PHILIPPEVILLE   🛈 Rue Religieuses 2 - 5600 - ☎ (071) 66 64 96

Souterrains – Visite obligatoirement accompagnée (1 h) tous les jours de 14 h à 17 h 30 en juillet et août, sur demande préalable le reste de l'année. Fermés le 15 août. 120 F (enfants : 60 F). ☎ (071) 66 62 13.

POILVACHE

Château – Visite de 10 h 30 à 18 h 30 le week-end de début avril à fin juin et en septembre (jusqu'à 18 h), et tous les jours de 10 h 30 à 18 h en juillet et en août. Fermeture annuelle d'octobre à mars. 40 F. ☎ (082) 61 35 14 ou (082) 22 61 73.

POPERINGE   🛈 Stadhuis/Grote Markt 1 - 8970 - ☎ (057) 33 40 81 - fax : (057) 33 75 81

Musée national du Houblon – Visite tous les jours de 14 h 30 à 17 h 30 en juillet et août, et le dimanche et jours fériés en mai, juin et septembre. 50 F (enfants 25 F). ☎ (057) 33 40 81.

R

RANCE

Musée national du Marbre – Visite de 9 h 30 à 12 h et de 13 h à 18 h du mardi au samedi, et de 14 h à 18 h le dimanche de début avril à fin octobre ; de 8 h 30 à 12 h et de 13 h à 17 h du mardi au samedi (fermé le dimanche) le reste de l'année. Fermé le lundi, congé annuel du 15 décembre au 15 janvier, ainsi que les 1er et 11 novembre. 100 F (enfants : 50 F). ☎ (060) 41 20 48.

REBECQ

Train touristique – Départs le dimanche et jours fériés à 14 h 30, 16 h et 17 h 30 de début mai à fin septembre. Durée : 1 h. 100 F (enfants : 60 F). ☎ (067) 63 82 32 (Syndicat d'initiative).

REDU-TRANSINNE

Euro Space Center – Visite tous les jours de 10 h à 17 h. Fermé le 1er janvier et le 25 décembre. 395 F (enfants : 300 F). ☎ (061) 65 64 65.

LA REID

Parc à gibier – Visite tous les jours de 9 h à 18 h (19 h de début avril à fin septembre). 120 F (enfants : 70 F). ☎ (087) 54 10 75.

REINHARDSTEIN

Château – Visite obligatoirement accompagnée (75 mn) tous les jours sur demande préalable pour les groupes de janvier à juin, ainsi que de 14 h 15 à 17 h 15 le jour de l'Ascension et les dimanches de Pâques et de Pentecôte ; à 15 h 30 le mardi, le jeudi et le samedi, et de 14 h 15 à 17 h 15 le dimanche et jours fériés en juillet et août ; tous les jours (y compris le samedi, le dimanche et jours fériés) sur demande pour les groupes de début septembre à fin décembre, et de 14 h 15 à 17 h 15 la première quinzaine de septembre. 150 F (enfants de plus de 14 ans et étudiants : 100 F), le tarif comprenant un guide. ☎ (080) 44 68 68 ou 44 64 40.

RIXENSART

Château – Visite obligatoirement accompagnée (35 mn) de 14 h à 18 h le dimanche à partir du dimanche avant Pâques jusqu'à fin septembre, sur rendez-vous pour les groupes le reste de l'année, auprès du Syndicat d'initiative de Rixensart, (02) 653 21 32 ou du Tourisme du Brabant, (02) 351 12 00. 150 F (enfants : 100 F). ☎ (02) 653 65 05.

La ROCHE-EN-ARDENNE

🅱 Place du Marché - 6980 - ☎ (084) 41 13 42 - fax : (084) 41 23 43

Château – Visite tous les jours de 10 h à 19 h en juillet et août, tous les jours de 10 h à 12 h et de 14 h à 17 h en avril, mai, juin, septembre et octobre ; et de 14 h à 16 h en semaine, ainsi que de 10 h à 12 h et de 14 h à 16 h le samedi et le dimanche le reste de l'année. 70 F (enfants : 40 F). ☎ (084) 41 13 42.

Poterie de grès bleu – Visite de 14 h à 17 h en semaine durant les vacances de Carnaval et de Pâques (ainsi que le week-end de Pâques), les week-ends du 1er mai, de l'Ascension et de la Pentecôte, les congés de la Toussaint et de Noël, ainsi que de 10 h à 12 h et de 14 h à 17 h en semaine, de 14 h à 17 h 30 le samedi, le dimanche et jours fériés en juillet et août. 90 F. ☎ (084) 41 18 78.

ROCHEFORT

🅱 Rue Behogne 2 - 5580 - ☎ (084) 21 25 37

Grotte – Visite obligatoirement accompagnée (1 h) tous les jours (sauf le mercredi) à 10 h, 11 h 30, 13 h 30, 15 h, et 16 h 30 en avril, septembre, octobre et la première quinzaine de novembre, et tous les jours (sauf le mercredi en mai et juin) toutes les 45 mn de 9 h 45 à 17 h 15 (sauf à 12 h) de début mai à fin août. Fermeture annuelle de début janvier à fin mars et de mi-novembre à fin décembre. 165 F (enfants : 115 F). ☎ (084) 21 20 80.

Le ROEULX

Château – Fermé pour gros travaux de restauration. Date de réouverture non-communiquée.

ROISIN

Maison de Verhaeren – Visite tous les jours (sauf le vendredi) de 9 h à 12 h et de 14 h à 18 h. 50 F. ☎ (065) 75 93 52.

RONQUIÈRES

Plan incliné – Visite tous les jours de 10 h à 18 h de début mai à fin août. 100 F.
☎ (065) 36 04 64 (Hainaut Tourisme).

Promenades en bateau-mouche – Départs tous les jours (sauf les mercredis et les samedis non fériés) à 12 h, 15 h, et 17 h en semaine, et à 12 h, 14 h, 15 h 30, et 17 h le week-end. 100 F. ☎ (065) 36 04 64 (Hainaut Tourisme).

RONSE 🛈 Hoge Mote/Biezenstraat 2 - 9600 - ☎ (055) 21 25 01

Collégiale St-Hermès : crypte – Visite de 10 h à 12 h et de 14 h à 17 h du mardi au samedi, ainsi que de 10 h à 12 h et de 15 h à 18 h le dimanche et jours fériés de Pâques à mi-novembre, sur rendez-vous le reste de l'année : se renseigner au Stedelijke Musea Info/ De Biesestraat 2. 40 F. ☎ (055) 21 17 30.

Moulin du Hotond – Visite tous les jours de 9 h à 13 h 30 et de 15 h à 24 h. Fermé à Noël et Nouvel An. ☎ (055) 21 33 05.

RUMBEKE

Château – Visite obligatoirement accompagnée (1 h 30) sur demande au ☎ (051) 20 63 45. 200 F.

S

ST-GILLES Voir à Bruxelles.

ST-HUBERT

Basilique – Visite tous les jours de 9 h à 12 h et de 13 h à 18 h. Prendre contact avec le gardien sur place au ☎ (061) 61 23 88 ou auprès de Monsieur l'abbé au (061) 61 10 85.

Parc à gibier – Visite tous les jours de 9 h à 17 h (18 h de début avril à fin octobre). 60 F (enfants : 40 F). ☎ (061) 61 17 15.

SINT-AMANDSBERG

Béguinage : musée – Visite de 9 h à 11 h et de 14 h à 17 h 30 le mercredi, le jeudi, le samedi, le dimanche et jours fériés de début avril à fin octobre. Fermé le lundi, le mardi et le vendredi, ainsi que de début novembre à fin mars. 25 F. ☎ (09) 228 19 13.

SINT-IDESBALD

Musée Paul Delvaux – Visite tous les jours de 10 h 30 à 18 h 30 en juillet et août, tous les jours (sauf le lundi) de 10 h 30 à 18 h 30 en avril, mai, juin et septembre, de 10 h 30 à 17 h 30 le vendredi, le samedi, le dimanche et jours fériés en octobre, novembre et décembre. Fermeture annuelle en janvier, février et mars. 150 F (enfants jusqu'à 10 ans : 100 F). ☎ (058) 52 12 29.

SINT-MICHIELS

Boudewijnpark – Visite de 11 h à 18 h du 8 au 17 avril, les 22, 23, 29, et 30 avril, et les 6, 9, 10, 13, 16, 17, 20, 23, et 27 septembre ; et de 10 h à 18 h de début mai à début septembre.

Dolphinarium – Représentations à 10 h en semaine du 22 mai au 30 juin, tous les jours à 11 h du 1er mars au 30 septembre, tous les jours à 14 h du 20 mai au 31 août, tous les jours à 16 h du 1er mars au 30 octobre, ainsi que le week-end en janvier, février, novembre et décembre. Ticket d'entrée combinant le dolphinarium et le parc Baudouin : 510 F (enfants : de 410 à 460 F). ☎ (050) 38 38 38.

SINT-NIKLAAS 🛈 Grote Markt 45 - 9100 - ☎ (03) 777 26 81 - fax : (03) 777 27 04

Église St-Nicolas – Visite tous les jours de 9 h à 12 h et de 14 h à 17 h. 50 F (pour l'église et son trésor). ☎ (03) 777 01 92 ou (03) 776 08 22.

Musée historique du pays de Waas – Visite sur demande préalable. Fermé le lundi, les 1er et 3 janvier et le 25 décembre. 50 F. ☎ (03) 777 29 42.

Section « de la boîte à musique au gramophone » – Mêmes conditions de visite que pour les Collections historiques.

Collections historiques – Visite de 14 h à 17 h du mardi au samedi, de 10 h à 17 h le dimanche de début avril à fin septembre, ouverture sur rendez-vous le reste de l'année. Fermé le lundi, ainsi que les 1er, 2 et 3 janvier, et 25 décembre. 50 F (enfants : 30 F). ☎ (03) 777 29 42.

Centre international de l'ex-libris – Visite de 9 h à 12 h et de 14 h à 16 h du mardi au vendredi, le week-end sur rendez-vous. Fermé le lundi, les 1er, 2 et 3 janvier, et 25 décembre. 50 F (entrée gratuite : voir dates Salons des Beaux-Arts). ☎ (03) 777 29 42.

Salons des Beaux-Arts – Visite de 14 h à 17 h du mardi au samedi et de 10 h à 17 h le dimanche. Fermé le lundi, les 1er et 3 janvier, et le 25 décembre. 50 F (enfants : 30 F). Entrée gratuite les 1er et 9 mai, les 11 et 21 juillet, ainsi que les week-ends en juillet et en septembre. ☎ (03) 777 29 42.

SINT-PIETERS-VOEREN

Commanderie – Ne se visite pas.

SINT-TRUIDEN   🛈 Stadhuis/Grote Markt - 3800 - ☎ (011) 68 62 55 - fax : (011) 69 11 78

Studio Festraets – Visite de 9 h 30 à 12 h 30 et de 13 h 30 à 17 h 30 du mardi au vendredi, et de 13 h 30 à 17 h 30 le week-end et jours fériés de début avril à fin octobre. 60 F (enfants : 30 F). Fermé le lundi, et de début novembre à fin mars. ☎ (011) 68 87 52.

Porte de Brustem – Visite obligatoirement accompagnée (30 mn) le dimanche et jours fériés (vers 14 h) sur demande seulement de début avril à fin septembre, s'adresser à l'Office de tourisme, ☎ (011) 68 62 55. 40 F (enfants : 20 F).

Exposition de dentelle – Visite de 10 h à 12 h et de 14 h à 18 h le dimanche et jours fériés. 30 F (enfants : 20 F). ☎ (011) 68 23 56.

SLUIS

Musée Jakob Smits – Visite tous les jours (sauf le lundi) de 14 h à 18 h. Fermé le lundi, ainsi que le mardi en dehors des périodes de vacances ou d'expositions, et également le 1er janvier et le 25 décembre. 50 F (enfants : gratuit). ☎ (014) 31 74 35.

SOIGNIES

Collégiale St-Vincent : trésor – Visite tous les jours de 8 h à 18 h. ☎ (067) 33 12 10.

SOLRE-SUR-SAMBRE

Château fort – Visite suspendue : travaux de restauration en cours.

SOUGNÉ-REMOUCHAMPS

Grotte – Visite accompagnée (sur réservation) tous les jours de 10 h à 17 h 30 en mars, avril, mai, septembre et octobre, tous les jours de 9 h à 19 h en juin, juillet et août, et tous les jours de 10 h à 17 h (dernière visite 1 h 30 avant la fermeture) en janvier, février, novembre et décembre. 285 F (enfants jusqu'à 11 ans : 195 F). ☎ (041) 84 46 82.

SPA   🛈 Place Royale 41   4900 - ☎ (087) 77 17 00 - fax : (087) 77 07 00

Pouhon Pierre-le-Grand – Visite tous les jours de 10 h à 12 h et de 14 h à 17 h 30 de début avril à fin octobre, de 14 h à 17 h en semaine, ainsi que de 10 h à 12 h et de 14 h à 17 h le samedi, le dimanche et jours fériés le reste de l'année. Fermé le 1er janvier. Dégustation : 7 F. ☎ (087) 77 17 00.

Circuits guidés – Des promenades libres ou accompagnées sont organisées toute l'année. 700 F. S'adresser à l'Office de tourisme, Place Royale 41, 4900 Spa, ☎ (087) 77 25 19 ou (087) 77 17 00.

Musée de la Ville d'eau – Visite tous les jours de 14 h 30 à 17 h 30 de mi-juin à mi-septembre, tous les week-ends aux mêmes heures de mi-septembre à mi-juin (tous les jours durant les vacances scolaires), sur demande le reste de l'année. 60 F (billet combiné : 80 F pour le musée de la Ville d'eau et le musée spadois du Cheval). ☎ (087) 77 13 06.

Musée spadois du Cheval – Mêmes conditions de visite que pour le musée de la Ville d'eau. 40 F. ☎ (087) 77 13 06.

SPONTIN

Château – Visite tous les jours de 10 h à 17 h. 150 F. ☎ (083) 69 90 55.

STAVELOT   🛈 Cour de l'Hôtel de Ville - 4970 - ☎ (080) 86 23 39

Musée religieux régional – Visite tous les jours de 10 h à 12 h 30 et de 14 h à 17 h 30 de début avril à début novembre, de 10 h 30 à 12 h 30 et de 14 h à 16 h 30 le reste de l'année. Fermé le 1er janvier et le 25 décembre. 125 F (billet également valable pour le musée du circuit de Spa-Francorchamps). ☎ (080) 86 27 06 et 86 23 43.

Musée Guillaume Apollinaire – Visite de 13 h à 16 h le mardi, de 13 h à 17 h le mercredi, de 9 h à 11 h et de 14 h à 18 h le jeudi, de 16 h à 18 h le vendredi, et de 9 h à 12 h le samedi de début septembre à fin juin, et tous les jours de 10 h à 12 h 30 et de 14 h à 17 h 30 en juillet et en août. 90 F. ☎ (080) 86 41 13.

Musée du Circuit de Spa-Francorchamps – Visite tous les jours de 10 h à 12 h 30 et de 14 h 30 à 17 h 30. Fermé le 1er janvier, le dimanche de la Mi-Carême et le 25 décembre. 125 F (enfants : 50 F). ☎ (080) 86 27 06.

Église St-Sébastien – Visites suspendues, car l'église est fermée pour cause de travaux.

STRÉPY-THIEU

Pavillon d'accueil – Visite tous les jours de 10 h à 18 h. 40 F. ☎ (065) 36 04 64 (Hainaut Tourisme).

Promenades en bateau – Départs de 10 h à 14 h le samedi en mai, juin, septembre et octobre, ainsi que du lundi au samedi (aux mêmes heures) en juillet et août. Pour les groupes, toute l'année sur demande préalable à la Compagnie du Canal du Centre a. s. b. l., ☎ (064) 66 25 61.

Exposition – Visite de 10 h à 16 h le samedi, le dimanche et jours fériés en mai, juin et septembre, ainsi que tous les jours de 10 h à 18 h en juillet et en août.

T

TERVUREN

Musée royal de l'Afrique centrale – Visite tous les jours (sauf le lundi) de 9 h à 17 h 30 de mi-mars à mi-octobre, et tous les jours (sauf le lundi) de 10 h à 16 h 30 le reste de l'année. Fermé le 1er janvier et le 25 décembre. 80 F (enfants : 30 F). ☎ (02) 769 52 11.

Arboretum – Visite du lever au coucher du soleil. Promenades limitées aux sentiers et pelouses. Entrée gratuite. ☎ (02) 769 20 81.

TIENEN   🚩 Grote Markt 4 - 3300 - ☎ (016) 81 97 85 - fax : (016) 81 04 79

Église N.-D.-au-Lac – Visite de 9 h à 19 h durant la semaine. ☎ (016) 81 97 85 (Office de tourisme).

Musée communal het Toreke – Visite de 8 h 30 à 12 h 30 et de 13 h 30 à 17 h en semaine, de 14 h à 18 h le samedi, le dimanche et jours fériés (durant les expositions). Fermé de Noël à Nouvel An. Entrée gratuite. ☎ (016) 81 73 19.

Église St-Germain : concerts de carillon – Concerts à 11 h 30 le dimanche de début septembre à fin juin, et à 21 h le mercredi en juillet et en août. ☎ (015) 41 47 28.

TILFF

Musée de l'Abeille – Visite de 14 h à 18 h le samedi, le dimanche et jours fériés en avril, mai, juin et septembre, et tous les jours de 10 h à 12 h et de 14 h à 18 h en juillet et août. 50 F (enfants : 20 F). ☎ (041) 88 22 63.

TONGEREN   🚩 Stadhuisplein 9 - 3700 - ☎ (012) 39 02 55 - fax : (012) 39 11 43

Basilique Notre-Dame – Visite tous les jours de 10 h à 12 h et de 13 h 30 à 17 h. ☎ (012) 23 42 94.

Concerts – Pour connaître les dates, contacter : Basilica Concerten, Vlasmarkt 4, 3700 Tongeren ; ☎ (012) 23 57 19.

Musée provincial gallo-romain – Visite de 12 h à 18 h le lundi, et de 10 h à 18 h le mardi et du vendredi au dimanche (le mercredi et le jeudi jusqu'à 21 h). Fermé le lundi matin. 200 F (enfants : 75 F). ☎ (012) 23 39 14.

Musée de l'Histoire militaire de la ville – Visite de 11 h à 17 h le samedi, le dimanche et jours fériés de début mai à fin septembre, et sur demande pour les groupes le reste de l'année. 30 F (enfants : 20 F). ☎ (012) 39 02 55.

Musée communal – Fermé durant les travaux de restauration.

TONGERLO

Musée Léonard de Vinci – Visite de 14 h à 17 h du lundi au jeudi. Fermé le vendredi et à Pâques, ainsi que d'octobre à avril (sauf durant les vacances de Pâques et les dimanches d'octobre, de mars et d'avril). 40 F (enfants : 20 F). ☎ (014) 54 10 01.

TORHOUT

🅱 Ravenhofstraat - 8820

Église St-Pierre – Visite tous les jours tout au long de l'année. ☎ (050) 22 07 70.

TOURNAI

🅱 Vieux Marché aux Poteries 14 - 7500 - ☎ (069) 22 20 45 - fax : (069) 21 62 21

Il existe un passeport musées (valable pour les sept musées de Tournai) au prix de 200 F. Pour tout renseignement, s'adresser au Centre de tourisme de la ville, Vieux Marché aux Poteries 14, 7500 Tournai, ☎ (069) 22 20 45.

Cathédrale Notre-Dame : trésor – Visite tous les jours de 10 h à 11 h 45 et de 14 h à 17 h 30 de début avril à fin octobre, de 10 h à 11 h 45 et de 14 h à 15 h 30 de début novembre à fin mars. Possibilité de visite accompagnée, s'adresser au Centre de tourisme, Vieux Marché aux Poteries 14, 7500 Tournai, ☎ (069) 22 20 45 (pour la cathédrale et le trésor). Fermé le dimanche matin et les jours fériés de 10 h à 11 h durant la messe. ☎ (069) 84 34 69.

Beffroi – Visite tous les jours (sauf le mardi) de 10 h à 12 h et de 14 h à 17 h 30 de début mai à fin septembre. Fermé le mardi et le lundi de la braderie (en septembre). 20 F. ☎ (069) 22 20 45.

Concerts de carillon – Sous réserve pour 1996 : concerts à 12 h, 16 h et 17 h 30 le dimanche et le lundi de Pâques, et à 11 h 30 le samedi en juillet et août. ☎ (069) 22 20 45.

Musée des Beaux-Arts – Visite tous les jours (sauf le mardi) de 10 h à 12 h et de 14 h à 17 h 30. Fermé le mardi, ainsi que les 1er et 2 janvier, le lundi de la braderie (en septembre), les 11 novembre, 24, 25, 26 et 31 décembre. 50 F. ☎ (069) 22 20 45.

Musée de la Tapisserie – Mêmes conditions de visite que pour le musée des Beaux-Arts. ☎ (069) 87 20 73.

Musée du Folklore – Mêmes conditions de visite que pour le musée des Beaux-Arts. ☎ (069) 22 40 69.

Musée des Arts décoratifs – Mêmes conditions de visite que pour le musée des Beaux-Arts. ☎ (069) 22 20 45.

Musée d'Histoire et d'Archéologie – Mêmes conditions de visite que pour le musée des Beaux-Arts. ☎ (069) 22 20 45.

Tour Henri VIII : musée d'Armes – Mêmes conditions de visite que pour le musée des Beaux-Arts. ☎ (069) 22 20 45.

TREMELO

Musée du Père Damien – Visite de 14 h à 17 h le dimanche et jours fériés toute l'année, de 14 h à 17 h le samedi de début avril à début juillet, et tous les jours (sauf le lundi) de 14 h à 18 h en juillet et en août. Fermé le lundi, ainsi que les 1er novembre et 25 décembre. 60 F (enfants : 30 F). ☎ (016) 53 05 19.

TROIS BORNES

Tour Baudouin – Visite tous les jours de 9 h à 19 h de début avril à fin octobre, et de 9 h à 17 h le reste de l'année. 80 F (enfants : 40 F). ☎ (087) 78 76 10.

TURNHOUT

🅱 Grote Markt 44 - 2300 - ☎ (014) 42 21 96

Musée Taxandria – Réouverture prévue en 1996. Pour tout renseignement complémentaire, s'adresser à l'Office de tourisme. ☎ (014) 42 21 96.

Ancien béguinage : musée – Visite de 14 h à 17 h le mercredi, le vendredi et le samedi, et de 15 h à 17 h le dimanche (de 14 h à 17 h le mardi et le jeudi en juillet et août). Fermé le lundi, ainsi qu'à Pâques, Noël et Nouvel An. 70 F (enfants : 50 F). ☎ (014) 43 92 75.

Musée de la Carte à jouer – Visite de 14 h à 17 h le mercredi, le vendredi et le samedi, ainsi que de 10 h à 12 h et de 14 h à 17 h le dimanche, également de 14 h à 17 h le mardi et le jeudi en juin, juillet et août. Fermé le lundi, ainsi que les 1er et 2 janvier et les 25 et 26 décembre. 90 F (enfants : 50 F). ☎ (014) 41 56 21.

U

UCCLE

Voir à Bruxelles.

V

VERVIERS
 Rue Xhavée 61 - 4800 - ☎ (087) 33 02 13

Musée des Beaux-Arts et de la Céramique – Visite de 14 h à 17 h le lundi, le mercredi et le samedi, ainsi que de 15 h à 18 h le dimanche. 65 F et entrée gratuite le week-end (enfants : gratuit ou 35 F pour les plus de 12 ans). ☎ (087) 33 16 95.

Musée d'Archéologie et de Folklore – Visite de 14 h à 17 h le mardi et le jeudi, de 9 h à 12 h le samedi, et de 10 h à 13 h le dimanche. 65 F et entrée gratuite le week-end. ☎ (087) 33 16 95.

Musée de la Laine – Visite tous les jours (sauf le dimanche) de 14 h à 17 h (18 h le mercredi). Fermé le dimanche et jours fériés légaux. 65 F (enfants : gratuit). ☎ (087) 33 16 95.

VESDRE (Barrage)

Belvédère – Accès : 25 F.

VEURNE
 Landshuis/Grote Markt 29 - 8630 - ☎ (058) 31 21 54 - fax : (058) 31 55 93

Hôtel de ville – Visite obligatoirement accompagnée (45 mn) tous les jours de 10 h à 12 h et de 13 h 30 à 17 h 30 de début avril à fin septembre, ainsi que de 10 h à 12 h et de 14 h à 16 h du lundi au samedi le reste de l'année. 50 F (enfants : 30 F). ☎ (058) 31 21 54.

Église Ste-Walburge – Visite tous les jours de 10 h à 12 h et de 14 h à 18 h de fin juin à fin septembre. ☎ (058) 31 21 54.

Église St-Nicolas : tour – Visite tous les jours de 8 h 30 à 17 h 30 (sauf le vendredi et le samedi après-midi). ☎ (058) 31 14 42.

VÊVES

Château – Visite tous les jours (sauf le lundi) de 10 h à 18 h de début avril à début novembre, et uniquement pour les groupes sur demande le reste de l'année. Fermé le lundi (sauf en juillet et en août), et de début novembre à fin mars. 150 F (enfants : 100 F). ☎ (082) 66 63 95.

VILLERS-LA-VILLE

Ruines de l'abbaye – Visite de 12 h à 18 h le lundi et le mardi, et de 10 h à 18 h (visite guidée le dimanche à 15 h sans réservation) du mercredi au dimanche (et jours fériés) de début avril à fin octobre ; de 13 h à 17 h du mercredi au vendredi, et de 11 h à 17 h (visite guidée le dimanche à 15 h sans réservation) le week-end et jours fériés le reste de l'année. Fermées le lundi et le mardi (de novembre à mars), ainsi que les 1er janvier, 24, 25 et 31 décembre. 80 F (enfants : 50 F). ☎ (071) 87 95 55 ou (071) 87 88 62.

Église de la Visitation – Visite obligatoirement accompagnée tous les jours de 9 h à 12 h et de 15 h à 18 h. S'adresser aux Œuvres paroissiales, rue de Sart 20, 1495 Villers-La-Ville.

VILVOORDE

Église Notre-Dame – Visite momentanément suspendue durant les travaux. Réouverture prévue dans le courant de l'été 1996. L'église sera dès lors accessible tous les jours de la semaine. ☎ (02) 251 06 79.

VIRELLES (Étang)

D'une superficie de 130 ha, il possède une aire de pique-nique, une aire de jeux, et on y pratique du pédalo et de la barque.

VIRTON
 Pavillon/Rue Grasses-Oies 2b - 6760 - ☎ (063) 57 89 04 - fax : (063) 57 71 14

Musée gaumais – Visite tous les jours de 9 h 30 à 12 h et de 14 h à 18 h de début avril à fin novembre. Fermé le mardi (sauf en juin, juillet et août), ainsi que du 1er décembre au 30 mars. 100 F (enfants : 30 F). ☎ (063) 57 03 15.

VRESSE-SUR-SEMOIS
 Rue Albert Raty 112 - 5550 - ☎ (061) 50 08 27

Musée du Tabac et du Folklore – Visite tous les jours de 11 h à 13 h et de 15 h à 19 h en juillet et août ; de 10 h à 12 h et de 13 h à 16 h du lundi au vendredi, ainsi que de 10 h à 13 h et de 14 h à 17 h le samedi, le dimanche et jours fériés le reste de l'année (sauf en janvier et en février). Fermé en janvier et février, ainsi que le 25 décembre. 100 F (enfants : 50 F). ☎ (061) 50 08 27.

W

WALCOURT

Basilique St-Materne : trésor – Visite tous les jours de 8 h à 19 h (en été) et de 9 h à 17 h (en hiver). Visite accompagnée de la basilique et du trésor en semaine sur rendez-vous, et de 14 h à 18 h le week-end d'avril à fin septembre. S'adresser à l'Abbé Pivetta, ☎ (071) 61 13 66 ou à l'Office de tourisme, (071) 61 25 26. Pas de visite pendant les offices. 100 F.

WATERLOO   🛈 Chaussée de Bruxelles 149 - 1410 - ☎ (02) 354 99 10 - fax : (02) 354 22 23

A Waterloo un « Ticket Commun » donne accès à tous les musées du site 1815 à prix avantageux : 385 F pour les individuels, et 300 F pour les groupes (en vente dans chaque musée et au Syndicat d'Initiative et de Tourisme). Ce billet est valable pendant un an à partir de la date d'émission.

La butte du Lion – Visite tous les jours de 9 h 30 à 18 h 30 de début avril à fin septembre, et de 9 h 30 à 17 h 30 en octobre, de 10 h 30 à 16 h de début novembre à fin février et de 10 h 30 à 17 h en mars. Fermée le 1er janvier et le 25 décembre. 40 F (enfants : 20 F). ☎ (02) 385 19 12.

Centre du visiteur – Visite tous les jours de 10 h 30 à 17 h en avril, de 9 h 30 à 18 h 30 de début mai à fin septembre, de 9 h 30 à 17 h 30 en octobre, et de 10 h 30 à 16 h de début novembre à mars. Fermé le 1er janvier et le 25 décembre. 300 F. ☎ (02) 385 19 12.

Musée de Cires – Visite tous les jours de 9 h 30 à 19 h de début avril à fin octobre, et de 10 h à 18 h le samedi, le dimanche et jours fériés le reste de l'année. 60 F (enfants : 50 F). ☎ (02) 384 67 40.

Panorama de la Bataille – Visite tous les jours de 10 h 30 à 16 h de novembre à mars, de 10 h 30 à 17 h en avril, de 9 h 30 à 18 h 30 de mai à septembre et de 9 h 30 à 17 h en octobre. Fermé le 1er janvier et le 25 décembre. 300 F (enfants : 190 F.) ☎ 385 19 12.

Musée provincial du Caillou – Visite tous les jours (sauf le lundi) de 10 h à 18 h 30 de début avril à fin octobre, et de 13 h 30 à 17 h de début novembre à fin mars. Fermé le lundi ainsi qu'en janvier. 60 F. ☎ (02) 348 24 24.

Musée Wellington – Visite tous les jours de 9 h 30 à 18 h 30 de début avril à fin octobre, et tous les jours de 10 h 30 à 17 h le reste de l'année. Fermé le 1er janvier et le 31 décembre. 80 F (enfants de 6 à 12 ans : 40 F). ☎ (02) 354 78 06.

WAVRE   🛈 Hôtel de Ville/Rue Nivelles 1 - 1300 - ☎ (010) 23 03 52 - fax : (010) 23 03 13

Walibi – Visite tous les jours de 10 h à 18 h de début mai à fin juin, tous les jours de 10 h à 19 h en juillet et août, et de 10 h à 18 h le week-end et jours fériés en septembre. 710 F (enfants : 640 F). ☎ (010) 41 44 66.

Aqualibi – Visite tous les jours (sauf le lundi) de 18 h à 22 h (23 h le samedi) de début mai à fin septembre, ainsi que de 14 h à 22 h en semaine, de 10 h à 23 h le samedi, et de 10 h à 22 h le dimanche de début octobre à fin avril. 460 F. ☎ (010) 41 44 66.

WULVERINGEM

Château Beauvoorde – Visite obligatoirement accompagnée (1 h) à 14 h, 15 h, 16 h et 17 h la matinée étant réservée aux groupes, et l'après-midi aux personnes individuelles de début juin à fin septembre ; visite sur demande préalable (pour les groupes) de mi-octobre à fin mai. Le parc est ouvert aux promeneurs tous les jours (sauf le lundi) de 14 h à 18 h de début juin à fin septembre. Fermé le lundi, ainsi que du 1er au 15 octobre, et les jours fériés légaux. 50 F (enfants : 20 F). ☎ (058) 29 92 29.

Attention, il y a étoile et étoile !
Sachez donc ne pas confondre les étoiles :
  – *des régions touristiques les plus riches et celles de contrées moins favorisées,*
  – *des villes d'art et celles des bourgs pittoresques ou bien situés,*
  – *des grandes villes et celles des stations élégantes,*
  – *des grands monuments (architecture) et celles des musées (collections),*
  – *des ensembles et celles qui valorisent un détail...*

Y - Z

YVOIR

Centre récréatif – Visite tous les jours de 9 h à 21 h de début mai à fin septembre. 35 F. ☎ (082) 61 18 67.

Domaine de Champalle – Visite tous les jours de 13 h à 18 h de mi-juin à mi-septembre. 180 F (enfants : 100 F). ☎ (082) 61 10 84.

ZOUTLEEUW

Église St-Léonard – Visite tous les jours (sauf le lundi) de 14 h à 17 h de début avril à fin octobre. ☎ (011) 78 11 07 ou (011) 78 18 49.

ZWARTBERG

Zoo – Visite tous les jours de 9 h à 18 h de début avril à mi-novembre. 320 F (enfants de 2 à 12 ans : 160 F). ☎ (089) 38 18 44.

LE ZWIN

Réserve naturelle – Visite tous les jours de 9 h à 19 h de début avril à fin septembre, et tous les jours de 9 h à 17 h le reste de l'année. Fermé le mercredi de début novembre à fin mars. 140 F (enfants : 80 F). ☎ (050) 60 70 86. Seule la visite accompagnée (au printemps et en été le jeudi à 10 h et toute l'année le dimanche à 10 h) permet d'accéder à la partie de la réserve habituellement interdite au public (bottes indispensables, jumelles recommandées).

Grand-Duché de Luxembourg

Les prix sont indiqués en francs luxembourgeois. Indicatif téléphonique du Grand-Duché du Luxembourg : 352.

B

BASCHARAGE

Taillerie luxembourgeoise de pierres précieuses – Visite tous les jours (sauf le lundi et le dimanche) de 8 h à 12 h et de 12 h 30 à 17 h (16 h le samedi). Possibilité de visite accompagnée sur demande préalable (une à deux semaines à l'avance), ☎ 50 90 32.

BEAUFORT
🛈 Rue Église 9 - 6315 - ☎ 8 60 81

Château – Visite tous les jours de 9 h à 18 h de fin mars à début novembre. 60 F (enfants : 20 F.). ☎ 86002.

BECH-KLEINMACHER

Musée folklorique et viticole – Visite tous les jours (sauf le lundi) de 14 h à 19 h de début avril à fin octobre, ainsi que le vendredi, le samedi, le dimanche et jours fériés (aux mêmes heures) en mars, en novembre et en décembre. Fermé en janvier et en février. 120 F. ☎ 69 73 53.

BETTEMBOURG

Parc Merveilleux – Visite tous les jours de 9 h 30 à 19 h. Fermeture annuelle de mi-octobre à mi-mars. 130 F (enfants : 100 F). ☎ 51 10 48.

BOURSCHEID

Château – Visite de 10 h à 19 h du lundi au vendredi de début avril à début novembre, et le week-end et jours fériés tout au long de l'année. 80 F. ☎ 90570.

BRANDENBOURG

Maison Al Branebuurg – Visite de 14 h à 18 h le dimanche et jours fériés en juillet et août, ainsi que le premier dimanche du mois le reste de l'année. 30 F (enfants : 15 F). ☎ 90475.

C

CLERVAUX
🛈 Château - 9748 - ☎ 92 93 95 - fax : 92 94 51

Château – Visite des expositions tous les jours de 13 h à 17 h en juin, et de 10 h à 17 h de début juillet à mi-septembre. 40 F (par exposition). ☎ 91142 (Syndicat d'initiative).

D

DIEKIRCH
🛈 Esplanade 1 - 9227 - ☎ 80 30 23 - fax : 80 27 86

Musée – Visite tous les jours (sauf le jeudi) de 10 h à 12 h et de 14 h à 18 h de début mai à fin octobre. Fermeture annuelle de début novembre à Pâques. ☎ 80 30 23.

Église St-Laurent – Visite tous les jours (sauf le lundi) de 10 h à 12 h et de 14 h à 18 h. Fermeture annuelle de début novembre à Pâques. ☎ 80 30 23.

Les guides Rouges, les guides Verts et les cartes Michelin composent un tout.
Ils vont bien ensemble, ne les séparez pas.

E

ECHTERNACH

🚺 Porte St-Willibrord (Basilique) - 6401 - ☎ 7 22 30

Musée de l'Abbaye – Visite tous les jours de 10 h à 12 h et de 14 h à 17 h de Pâques à la Toussaint, de 10 h à 18 h en juillet et août, et de 14 h à 17 h le samedi, le dimanche et jours fériés le reste de l'année. 50 F. ☎ 478-6666.

EHNEN

Musée du Vin – Visite tous les jours (sauf le lundi) de 9 h 30 à 11 h 30 et de 14 h à 17 h de début avril à fin octobre, et seulement sur rendez-vous le reste de l'année. Fermé le lundi et en janvier (sauf sur rendez-vous). 80 F. ☎ 76026.

ESCH-SUR-ALZETTE

Musée national de la Résistance – Visite de 15 h à 18 h le jeudi, le samedi et le dimanche. Possibilité de visite accompagnée (1 h), s'adresser au Musée national de la Résistance, BP 145, L-4002. Fermé le 1er janvier, les dimanches de Pâques et de Pentecôte, les 1er mai, 15 août et 25 décembre. Entrée gratuite. ☎ 54 73 83.

G - L

GREVENMACHER

🚺 Route de Thionville 32 - 6791 - ☎ 75 82 75

Caves coopératives – Visite obligatoirement accompagnée (1 h) tous les jours de 9 h à 12 h et de 13 h à 17 h de début juin à fin août. 70 F (enfants : 40 F). ☎ 69 83 11.

Caves Bernard-Massard – Visite obligatoirement accompagnée (1 h) tous les jours de 9 h 30 à 18 h. Fermeture annuelle de début novembre à fin mars. 80 F. ☎ 75 54 52 28.

LAROCHETTE

🚺 Hôtel de Ville - 7619 - ☎ 8 76 76

Château – Visite tous les jours de 10 h à 18 h de mi-avril à fin octobre. Fermeture annuelle de début novembre à mi-avril. 50 F. ☎ 8 70 38.

LUXEMBOURG

🚺 Place d'Armes - 2011 - ☎ 22 28 09 - fax : 47 48 18

Maquette – Visite de 10 h à 12 h 30 et de 14 h à 18 h pendant la saison touristique. Fermée le dimanche, ainsi que de mi-octobre à Pâques. 60 F (enfants : 40 F). ☎ 22 28 09.

Casemates du Bock – Visite tous les jours de 10 h à 17 h de début mars à fin octobre. Fermeture annuelle de début novembre à fin février. 70 F (enfants : 40 F). ☎ 22 67 53 ou 22 28 09.

Luxembourg - La vieille ville avec la devise du pays

Musée national d'Histoire et d'Art – Visite de 10 h à 16 h 45 du mardi au vendredi, de 14 h à 17 h 45 le samedi, ainsi que de 10 h à 12 h et de 14 h à 17 h 45
le dimanche. Fermé le lundi, et le 1er janvier, à Pâques, le 1er mai, et le 24 décembre.
Entrée gratuite (sauf pour les expositions temporaires). ☎ 47 93 30-1.

Palais Grand-Ducal – Fermé pour travaux de restauration (visite probablement réins-
taurée à partir de 1996). ☎ 22809 (Office de tourisme de Luxembourg).

Casemates de la Petrusse – Visite obligatoirement accompagnée (20 mn) tous les
jours de 11 h à 16 h durant les vacances de Carnaval, de Pâques, et de Pentecôte,
ainsi que de mi-juillet à mi-septembre. 70 F (enfants : 40 F). ☎ 22 28 09 ou
47 96-2709.

Musée J.-P. Pescatore – Fermeture pour cause de travaux.

M

MONDORF-LES-BAINS

Église St-Michel – Visite tous les jours. Possibilité de visite accompagnée sur
demande. ☎ 66 80 20 (presbytère).

MOSELLE LUXEMBOURGEOISE (Vallée)

Promenades en bateau – De Wasserbillig à Schengen, de Pâques à fin septembre.
S'adresser à la Navigation Touristique de l'Entente de la Moselle Luxembourgeoise-
Grevenmacher. ☎ 75 82 75. Dans certaines gares de chemin de fer, il est possible
d'acheter des billets combinés train-bateau ou autobus-bateau.

R

REMICH Esplanade (Gare routière) - 5533 - ☎ 69 84 88

Caves St-Martin – Visite obligatoirement accompagnée (40 mn) tous les jours de 10 h
à 12 h et de 13 h 30 à 18 h de début avril à fin octobre. Fermeture annuelle de
début novembre à fin mars. 90 F (enfants : 70 F). ☎ 69 90 91.

RODANGE

Train touristique – Départs à 15 h et 16 h 40 le dimanche et jours fériés de début
mai à fin septembre. Fermeture annuelle d'octobre à fin avril, et le 23 juin. 240 F AR
en 1re classe, 160 F en 2e classe. ☎ 31 90 69.

RUMELANGE

Musée national des Mines – Visite obligatoirement accompagnée (1 h 30) tous les
jours de 14 h à 17 h de Pâques à fin octobre, et chaque 2e week-end du mois le reste
de l'année, ainsi que de 8 h à 10 h 30 (et de 14 h à 18 h de début novembre à
Pâques) pour les groupes sur demande préalable tout au long de l'année. 120 F
(enfants : 60 F). ☎ 56 31 21 1.

V

VIANDEN Maison Victor-Hugo/Rue Gare 37 - 9420 - ☎ 8 42 57 - fax : 84 90 81

Télésiège – Il fonctionne tous les jours de début avril à fin septembre. Fermeture en
cas d'intempéries. Aller-retour : 140 F (enfants : 80 F). ☎ 84323.

Château – Visite tous les jours de 10 h à 18 h de début avril à fin septembre, de
10 h à 17 h en mars et en octobre, et de 10 h à 16 h de début novembre à fin
février. Fermé les 1er janvier, 2 novembre et 25 décembre. 120 F (enfants : 40 F).
☎ 84 92 91/ 84108.

Maison de Victor Hugo – Visite tous les jours de 9 h 30 à 12 h et de 14 h à 18 h
de mi-avril à fin septembre, du lundi au vendredi (mêmes horaires) le reste de l'année.
Fermée à la Toussaint, ainsi qu'à Noël et Nouvel An. 25 F (enfants : 15 F). ☎ 84257.

Musée d'Art rustique – Visite tous les jours (sauf le lundi) de 10 h à 12 h et de
14 h à 18 h de Pâques à octobre. Fermé le lundi. 100 F. ☎ 84591.

W

WELLENSTEIN

Caves coopératives – Visite obligatoirement accompagnée (1 h) tous les jours de 9 h à 17 h de début mai à fin août. 70 F (enfants : 40 F). ☏ 69 83 14.

WORMELDANGE

Caves coopératives – Visite obligatoirement accompagnée (1 h) tous les jours (sauf le dimanche et jours fériés) de 9 h à 17 h de début mai à fin août. 80 F. ☏ 69 83 14.

Quelques livres

Ouvrages généraux, tourisme

Belgique, par R. HANRION *(Paris, Seuil, coll. Petite Planète).*

L'économie des pays du Benelux, par F. GAY et P. WAGRET *(Paris, PUF, coll. Que Sais-je ?).*

Histoire

Histoire des Belges, par H. DORCHY *(Bruxelles, De Boeck).*

La Belgique, par G.-H. DUMONT *(Paris, PUF, coll. Que Sais-je ?).*

Histoire de Liège *(Toulouse, Privat).*

Waterloo 1815, l'Europe face à Napoléon, par A. BRUYLANTS, Ph. de CALLATAY, E. ÉVRARD, J. LOGIE et J.-H. PIRENNE *(Liège, Du Perron).*

Art, folklore

Collection Les Classiques de l'Art *(Paris, Flammarion)* : tout l'œuvre peint de Brueghel l'Ancien, Van Eyck.

Baroque et Rococo en Belgique *(Liège, Mardaga).*

Collection Belgique, Art du Temps *(Bruxelles, Laconti)* : ouvrages d'art ayant trait à la période moderne (Le Symbolisme en Belgique ; La Jeune Peinture belge ; Du Réalisme au Surréalisme).

Magritte, par B. NOEL *(Paris, Flammarion, coll. Les Maîtres de la Peinture).*

Le Meuble liégeois à son âge d'or (le XVIIIᵉ siècle), par J. PHILIPPE *(Liège, Du Perron).*

Collection Guides du Club Ardennais *(Liège, Du Perron)* : Saint Hubert, Les Quatre Fils Aymon, La Sorcellerie en Ardenne.

Ouvrages régionaux

A Bruges et à Gand *(Paris, Hachette, coll. « Visa »).*

Collection éditée par la Fédération touristique de Brabant : monographies ou circuits touristiques concernant cette province.

Éditions Du Perron *(Liège)* : collection Ville aux Cent Visages (Bruxelles, Liège, Anvers, Namur).

Littérature

La littérature belge d'expression française, par R. BURNIAUX et R. FRICKX *(Paris, PUF, coll. Que Sais-je ?).*

A travers la Belgique, par ALEXANDRE DUMAS *(Paris, Entente).*

Le Chagrin des Belges, par H. CLAUS *(Paris, Robert Laffont).*

Œuvre intégrale, de JACQUES BREL *(Paris, Robert Laffont).*

Simenon, ses origines, sa vie, son œuvre, par M. RUTTEN *(Liège, Du Perron).*

Simenon, biographie, par P. ASSOULINE *(Paris, Julliard).*

GUIDES MICHELIN

Les guides Rouges (hôtels et restaurants) :
Benelux – Deutschland – España – Portugal – main cities Europe – France – Great Britain and Ireland – Italia – Suisse

Les guides Verts (paysages, monuments, routes touristiques) :
Allemagne – Autriche – Belgique-Grand-Duché de Luxembourg – Bruxelles – Californie – Canada – Écosse – Espagne – Florence et Toscane – France – Grande-Bretagne – Grèce – Hollande – Irlande – Italie – Londres – Maroc – New York – Nouvelle-Angleterre – Paris – Portugal – Le Québec – Rome – Suisse

... et la collection des guides régionaux sur la France.

Index

Aalst, Aisne (Vallée).. Villes, sites, curiosités et régions touristiques.

Antwerpen .... Nom de la province belge dans laquelle se trouve la localité. Les provinces de Oost-Vlaanderen (Flandre-Orientale) et West-Vlaanderen (Flandre-Occidentale) ont été abrégées (O.-Vlaanderen et W.-Vlaanderen).

Ambiorix .... Noms historiques et termes faisant l'objet d'une explication.

Les noms néerlandais des localités francophones ou bilingues sont mentionnés p. 239.

BELGIQUE

A

C

D

N

O

P

Q - R

W

X - Y

Z

Grand-Duché de LUXEMBOURG

Notes